내신
다品

고등 한국지리

STRUCTURE 구성과 특징

개념 정리

교과서 핵심 개념을 한눈에 알아볼 수 있게 정리하였습니다.

핵심 기출 자료 분석
시험에 자주 출제되는 자료를 엄선하여 꼼꼼하게 분석하였습니다.

개념 암기
○X문제, 빈칸 채우기 문제, 선 긋기 문제 등을 풀며 핵심 개념을 빠르게 암기할 수 있도록 하였습니다.

단계별 문제구성

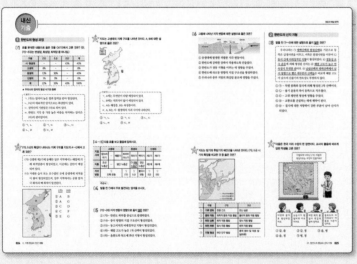

내신 기출
기출 문제를 분석하여 내신 시험에 자주 출제되는 유형의 문제를 제시하였습니다. 또한 시험에 자주 출제되는 서술형 문제를 모아서 서술형 시험에도 대비할 수 있도록 하였습니다.

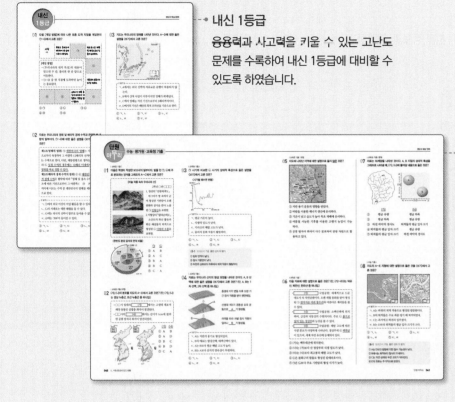

내신 1등급

융융력과 사고력을 키울 수 있는 고난도
문제를 수록하여 내신 1등급에 대비할 수
있도록 하였습니다.

단원 마무리

수능·평가원·교육청 기출 문제를 풀어
보면서 단원을 마무리할 수 있도록 하였
습니다.

모든 문제에 대한 상세한 해설을 수록하였습니다.

**정답과
해설**

왜 틀렸을까? 선택지 뜯어 보기
틀린 선지를 다시 검토할 수 있게 하였습니다.

만점 노트, 자료 심층 분석
문제를 완벽하게 이해할 수 있도록 하였습니다.

CONTENTS 차례

3종 교과서 단원별 페이지 찾아 보기

01

I. 국토 인식과 지리 정보

국토의 위치와
영토 문제

1 우리나라의 위치 특성

⭐ 우리나라의 위치

(1) 수리적 위치 위도와 경도로 표현되는 위치
→ 기후, 식생 분포, 계절, 국가의 표준시 결정에 영향을 미침.

위도	북위 33°~43°(북반구 중위도)에 위치 → 사계절이 뚜렷한 냉·온대 기후가 나타남.
경도	동경 124°~132°에 위치 → 동경 135°를 표준 경선으로 사용하여 본초 자오선(경도 0°)이 지나는 영국보다 표준시가 9시간 빠름.

(2) 지리적 위치 대륙, 해양, 산천 등 자연 지물로 표현되는 위치

유라시아 대륙 동안	• 기온의 연교차가 큰 대륙성 기후가 나타남. • 계절풍의 영향으로 여름에는 고온 다습하고, 겨울에는 한랭 건조함.
반도국	대륙과 해양 양방향으로의 진출과 교류에 유리하여 국제 무역과 문화 교류가 활발함.

(3) 관계적 위치 주변 국가와의 정치·문화·경제적 이해관계에 따라 결정되는 위치 → 시대 상황에 따라 변화함.

근대 이전	대륙 세력과 해양 세력의 영향을 많이 받음.
냉전 시대	자본주의 진영과 공산주의 진영이 대립하는 공간이 됨.
오늘날	태평양 시대의 중심 국가로 발돋움하고 있음.

핵심 기출 자료 분석 우리나라의 위치

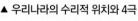

▲ 우리나라의 수리적 위치와 4극

분석 | 우리나라는 위도상으로는 북위 33°~43°의 중위도에 위치하고, 경도상으로는 동경 124°~132°에 위치한다. 우리나라의 4극은 마안도(극서), 유원진(극북), 독도 동도(극동), 마라도(극남)이다.

---

2. **우리나라의 위상** 유럽과 아시아, 북아메리카를 잇는 지리적 이점을 활용하여 동북아시아 교통의 허브 역할을 하고, 각종 국제기구 가입, 한류 문화 전파 등을 통해 중심 국가로 발돋움함.

2 우리나라의 영역

1. **영역** 한 국가의 주권이 미치는 공간적 범위로, 영토, 영해, 영공으로 이루어짐.

⭐ 우리나라의 영역

영토	• 토지로 구성되는 국가 영역으로, 영해와 영공의 설정 기준이 됨. • 한반도와 부속 도서로 구성(총면적 약 22.3만 km², 남한 면적 약 10만 km²) • 지속적인 간척 사업으로 면적이 확대되고 있음.
영해	• 연안국의 주권이 미치는 해양의 범위로, 일반적으로 기선에서 12해리까지임. • 통상 기선에서 12해리까지: 해안선이 단조로운 동해안의 대부분 수역, 울릉도, 독도, 제주도 → 썰물 때의 해안선, 즉 최저 조위선 • 직선 기선에서 12해리까지: 해안선이 복잡하고 섬이 많은 서·남해안, 동해안의 영일만과 울산만 → 해안의 끝이나 최외곽 섬을 직선으로 연결한 선 • 직선 기선에서 3해리까지: 일본과 거리가 가까운 대한 해협
영공	• 우리 영토와 영해의 수직 상공으로, 일반적으로 수직적 범위는 대기권까지임. • 항공 교통이 발달하고 인공위성 및 우주 개발이 활발해짐에 따라 중요성이 커짐.

3. **배타적 경제 수역(EEZ, Exclusive Economic Zone)**

(1) 의미 영해 기선으로부터 200해리까지의 바다에서 영해를 제외한 수역

(2) 특징

① 연안국은 천연자원을 탐사·개발·보존·관리할 수 있는 주권적 권리가 보장됨.

② 연안국은 바다에 인공 섬이나 기타 시설물들을 설치할 수 있음.

③ 모든 나라는 다른 나라의 배타적 경제 수역에서 항행, 상공 비행, 해저 전선 부설 등의 활동을 할 수 있음.

(3) 우리나라의 배타적 경제 수역 중국, 일본과의 거리가 가까워 배타적 경제 수역이 겹치는 문제 발생 → 어업 협정을 체결하여 양국이 공동으로 어족 자원을 보존·관리함.

핵심 기출 자료 분석 우리나라의 영해와 배타적 경제 수역

분석 | 우리나라는 중국과 한·중 어업 협정을 통해 한·중 잠정 조치 수역을, 일본과 한·일 어업 협정을 통해 한·일 중간 수역을 설정하여 공동으로 관리하고 있다. 또한 우리나라는 우리의 배타적 경제 수역에 포함되는 이어도에 종합 해양 과학 기지를 건설하여 관리하고 있다.

---

3 독도의 주권과 동해 표기

★ 우리 땅 독도

(1) 독도의 지리적 특징

① 우리나라 영토의 동쪽 끝에 위치하며, 울릉도와의 거리가 87.4km 정도로 가까움. └─ 맑은 날 울릉도에서는 독도를 육안으로 관찰 가능하지만, 일본의 오키섬에서는 볼 수 없음.

② 신생대 제3기 말 해저 용암의 분출로 형성된 화산섬으로 동도와 서도 및 89개의 부속 도서로 이루어짐. └─ 급경사를 이루고 있음.

③ 기온의 연교차가 작은 해양성 기후가 나타남.

④ 주민들, 독도 경비대원 등이 거주하고 있으며, 주민 숙소, 등대, 접안 시설, 경비대 숙소 등이 있음.

(2) 독도의 가치

영역적 가치	• 배타적 경제 수역 설정의 기준이 됨. • 태평양을 향한 해상 전진 기지 역할을 함.
경제적 가치	• 주변 해역이 한류와 난류가 교차하는 조경 수역이어서 어족 자원이 풍부함. └─ 천연가스가 저온 및 고압 상태에서 물과 결합하여 형성된 고체 에너지 자원으로, 미래의 에너지로 주목받음. • 주변 해저에는 메탄 하이드레이트와 해양 심층수 등과 같은 해양 자원이 풍부함.
환경·생태적 가치	• 해저 화산의 진화 과정을 연구할 수 있음. • 다양한 동식물이 서식하며, 철새들의 휴식처 역할을 하기 때문에 섬 전체가 천연 보호 구역으로 지정됨.

(3) 역사 속의 독도 신라 지증왕 때 이사부가 우산국을 정복한 이후 우리나라의 영토가 되었으며, 조선 시대의『세종실록지리지』,「동국지도」및 일본에서 제작한「삼국접양지도」등의 고문헌과 고지도에 독도가 우리 영토로 제시되어 있음.

> **핵심 기출 자료 분석** **고지도에 나타난 독도**
>
> 독도의 옛 이름인 우산도로 표기 ─┐   ┌─ 독도를 조선과 같은 색으로 칠함.
>
>
>
> ▲「팔도총도」(1531년)『신증동국여지승람』에 수록된 지도로 울릉도와 우산도(독도)가 표현되어 있다.
>
> ▲「삼국접양지도」(1785년) 울릉도와 독도를 조선과 같은 색으로 칠했으며, 섬 옆에 '조선의 것'이라고 명기하였다.

2. 우리 바다 동해

(1) 동해 표기의 역사 동해라는 명칭은『삼국사기』, 광개토대왕릉비, 1681년 독일에서 발행된 일본도 등 수많은 고문헌과 고지도에 기록되어 있음.

(2) 동해 표기를 위한 노력

① 1929년 우리나라를 식민 지배하던 일본이 우리와의 협의 없이 동해를 '일본해'로 등록함. → 최근 대한민국 정부와 민간 단체는 동해 표기를 확산하기 위해 노력하고 있음.

② 국제 사회에서 일본해 대신 동해로 표기하거나 동해와 일본해를 모두 표기하는 지도가 늘어나고 있음.

---

1 각 위치의 특징을 바르게 연결하시오.

(1) 관계적 위치 •

(2) 수리적 위치 •

(3) 지리적 위치 •

• ㉠ 위도와 경도로 표현되는 위치

• ㉡ 대륙, 해양, 산천 등과 같은 자연 지물로 표현되는 위치

• ㉢ 주변 국가와의 정치·문화·경제적 이해관계에 따라 결정되는 위치

2 설명이 맞으면 ○표, 틀리면 ✕표 하시오.

(1) 우리나라는 동경 124°~132°에 위치하여 동경 128°를 표준 경선으로 사용한다. (   )

(2) 우리나라는 유라시아 대륙의 동안에 위치하여 기온의 연교차가 작은 기후가 나타난다. (   )

(3) 오늘날 우리나라는 지리적 이점을 활용하여 태평양 시대의 중심 국가로 발돋움하고 있다. (   )

3 빈칸에 들어갈 알맞은 말을 쓰시오.

(1) 우리 영토와 영해의 수직 상공인 (   )은/는 항공 교통이 발달하면서 중요성이 커지고 있다.

(2) (   )은/는 영해 기선으로부터 200해리까지의 바다에서 영해를 제외한 수역을 말한다.

(3) 우리나라의 (   )은/는 한반도와 부속 도서로 이루어져 있으며, 지속적인 간척 사업으로 면적이 확대되고 있다.

4 다음 영해 설정 기준이 적용되는 지역을 〈보기〉에서 고르시오.

┌─ 보기 ─────────────────────
ㄱ. 대한 해협
ㄴ. 서·남해안, 동해안의 영일만과 울산만
ㄷ. 동해안의 대부분 수역, 울릉도, 독도, 제주도
└──────────────────────────

(1) 직선 기선으로부터 3해리: (   )

(2) 직선 기선으로부터 12해리: (   )

(3) 통상 기선으로부터 12해리: (   )

5 괄호 안의 내용 중 알맞은 말을 골라 ○표 하시오.

(1) 독도까지의 거리는 울릉도가 일본의 오키섬보다 (멀다, 가깝다).

(2) 독도 주변 해역은 한류와 난류가 교차하는 조경 수역이어서 어족 자원이 (부족하다, 풍부하다).

(3) (동해, 일본해)라는 명칭은『삼국사기』의「동명왕편」에 표기되었듯이 기원전부터 사용되었다.

1 우리나라의 위치 특성

01 위치에 대한 옳은 설명을 〈보기〉에서 고른 것은?

> ┤ 보기 ├
> ㄱ. 수리적 위치, 지리적 위치, 관계적 위치로 나뉜다.
> ㄴ. 관계적 위치는 고정되어 변하지 않는 절대적 특징을 갖는다.
> ㄷ. 수리적·지리적 위치는 시대와 상황에 따라 변하는 상대적이고 가변적인 특징을 갖는다.
> ㄹ. 한 국가의 위치를 파악하면 그 국가의 과거와 현재를 이해하고 미래를 예측하는 데 도움이 된다.

① ㄱ, ㄴ   ② ㄱ, ㄹ   ③ ㄴ, ㄷ
④ ㄴ, ㄹ   ⑤ ㄷ, ㄹ

 02 밑줄 친 ㉠~㉢에 대한 설명으로 옳은 것은?

> 우리나라는 위도상으로는 ㉠ 북위 33°~43°에, 경도상으로는 ㉡ 동경 124°~132°에 위치한다. 또한 우리나라는 ㉢ 유라시아 대륙의 동쪽에 위치하며, 대륙에서 해양으로 돌출해 있는 ㉣ 반도국이다.

① ㉠으로 인해 우리나라는 영국보다 표준시가 9시간 빠르다.
② ㉡은 우리나라의 기후대에 영향을 준다.
③ ㉢의 영향으로 우리나라는 해양성 기후가 나타난다.
④ ㉣로 인해 우리나라는 대륙과 해양 양방향으로의 진출에 유리하다.
⑤ ㉠, ㉡은 지리적 위치를, ㉢, ㉣은 수리적 위치를 표현한 것이다.

03 (가)~(다)는 우리나라의 관계적 위치를 나타낸 것이다. 이를 시기 순으로 바르게 연결한 것은?

> (가) 자본주의 진영과 공산주의 진영이 대립하는 공간이 되었다.
> (나) 세계 여러 국가와 활발하게 교류하면서 태평양 시대의 중심 국가로 발돋움하고 있다.
> (다) 대륙 세력과 해양 세력의 영향을 많이 받으며, 중국의 문화를 수용하여 일본에 전달하는 역할을 하였다.

① (가)-(나)-(다)   ② (가)-(다)-(나)
③ (나)-(가)-(다)   ④ (다)-(가)-(나)
⑤ (다)-(나)-(가)

04 (가), (나) 자료의 공통 주제로 가장 적절한 것은?

> (가) 유럽과 아시아를 잇는 북극 항로가 상용화되면, 부산항은 세계적인 허브 항구로서의 면모를 갖출 것이다.
> (나) 아시아 32개국을 지나는 고속 국도인 아시안 하이웨이가 모두 연결되면, 우리나라는 유라시아 대륙과 태평양의 물류 허브 역할을 하게 될 것이다.

① 우리나라의 수리적 위치
② 외국인 관광객 유치를 위한 방안
③ 문화 중심지로 성장하는 우리나라
④ 자본주의 진영과 공산주의 진영 간 대결의 장
⑤ 동북아시아 교통의 허브 역할을 하는 우리나라

2 우리나라의 영역

[05~06] 다음은 국가의 영역을 나타낸 모식도이다. 이를 보고 물음에 답하시오.

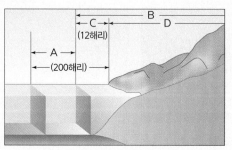

> 주관식

05 A의 이름을 쓰시오.

 06 A~D에 대한 설명으로 옳지 <u>않은</u> 것은?
① 영역은 A, B, C, D로 이루어진다.
② B는 C와 D의 상공이다.
③ B는 항공 교통이 발달함에 따라 중요성이 커지고 있다.
④ C는 연안국의 주권이 인정되는 해양의 범위이다.
⑤ D는 B와 C를 설정하는 기준이 된다.

07 지도는 우리나라의 영해 범위를 나타낸 것이다. 이에 대한 설명으로 옳은 것은?

① 서해안의 간척 사업으로 영해가 확대되고 있다.
② 동해안의 영일만과 울산만은 통상 기선이 적용된다.
③ 직선 기선으로부터 육지 쪽에 있는 수역도 영해이다.
④ 대한 해협 부근에서는 통상 기선으로부터 3해리까지가 영해이다.
⑤ 독도, 울릉도, 제주도에서는 통상 기선을 기준으로 영해를 설정한다.

08 지도는 우리나라의 영해와 배타적 경제 수역을 나타낸 것이다. A, B에 대한 옳은 설명만을 〈보기〉에서 있는 대로 고른 것은?

┤ 보기 ├
ㄱ. A는 우리나라와 중국 간의 어업 협정을 통해 설정되었다.
ㄴ. B에서는 한국과 일본을 제외한 외국 선박과 항공기의 통행이 제한된다.
ㄷ. 독도 주변의 12해리 해역은 우리나라의 영해이며, B에 포함되지 않는다.
ㄹ. A와 B는 우리나라와 인근 국가의 배타적 경제 수역이 겹치는 문제를 해결하기 위해 설정되었다.

① ㄱ, ㄴ　　　② ㄱ, ㄹ　　　③ ㄴ, ㄷ
④ ㄱ, ㄷ, ㄹ　　　⑤ ㄴ, ㄷ, ㄹ

3 독도의 주권과 동해 표기

09 (가), (나) 섬에 대한 설명으로 옳지 않은 것은?

① (가)의 주변 12해리는 우리나라 영해이다.
② (가)는 동도와 서도 2개의 큰 섬과 89개의 부속 도서로 이루어져 있다.
③ (나)는 우리나라의 동쪽 끝을 확정한다.
④ (나)에서 가장 가까운 유인도는 (가)이다.
⑤ (가), (나)는 모두 동해상에 위치한다.

10 ㉠~㉤ 중 독도의 가치에 대한 설명으로 적절하지 않은 것은?

독도 주변 해역은 ㉠ 한류와 난류가 교차하는 조경 수역이 형성되어 있어 어족 자원이 풍부하다. 또한 미래의 에너지원으로 주목받는 ㉡ 메탄 하이드레이트와 해양 심층수 등과 같은 해양 자원이 풍부하여 해양 자원 개발의 잠재력이 크다. 또한 독도는 환경 및 생태적으로도 가치가 뛰어나 ㉢ 세계 자연 유산으로 지정되어 특별하게 관리·보호되고 있으며 ㉣ 해저 화산 진화 과정의 연구 표본이기도 하다. 무엇보다 독도는 ㉤ 대한민국 주권의 상징이라는 측면에서 우리 국민에게 중요한 가치가 있다.

① ㉠　　　② ㉡　　　③ ㉢
④ ㉣　　　⑤ ㉤

11 (가), (나) 지도에 대한 옳은 설명을 〈보기〉에서 고른 것은?

▲「팔도총도」

▲「삼국접양지도」

┤ 보기 ├
ㄱ. (가)에는 독도가 우산도로 표현되어 있다.
ㄴ. (가)를 통해 우리 선조들이 예부터 독도를 우리 영토로 인식해 왔음을 알 수 있다.
ㄷ. (나)에는 울릉도, 독도가 일본 열도와 같은 색으로 채색되어 있다.
ㄹ. 일본은 (나) 지도를 근거로 독도를 일본의 영토라고 주장하고 있다.

① ㄱ, ㄴ   ② ㄱ, ㄷ   ③ ㄴ, ㄷ
④ ㄴ, ㄹ   ⑤ ㄷ, ㄹ

12 다음은 학생이 제출한 형성 평가지의 일부이다. 옳게 표시된 항목을 고른 것은?

주제: 동해 표기
※ 옳은 진술이면, '예', 틀린 진술이면, '아니요'에 ✓표 하시오.
(가) 동해라는 명칭은 일본해라는 명칭보다 늦게 사용되었다.   예 ☐ 아니요 ✓
(나) 동해라는 명칭은 『삼국사기』, 광개토대왕릉비 등에 기록되어 있다.   예 ☐ 아니요 ✓
(다) 1929년 우리나라를 식민 지배하던 일본이 우리와의 협의 없이 동해를 '일본해'로 등록하였다.   예 ✓ 아니요 ☐
(라) 국제 사회에서 일본해 대신 동해로 표기하거나 동해와 일본해를 모두 표기하는 지도가 늘어나고 있다.   예 ☐ 아니요 ✓

① (가), (나)   ② (가), (다)   ③ (나), (다)
④ (나), (라)   ⑤ (다), (라)

서술형 문제

13 한 국가의 영역을 나타낸 모식도를 보고 물음에 답하시오.

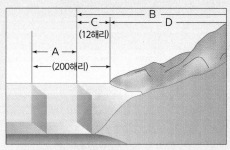

(1) A~D의 명칭을 쓰시오.

(2) 우리나라의 동해안과 서·남해안에 설정된 C의 범위를 제시된 〈조건〉의 내용을 포함하여 서술하시오.

┤ 조건 ├
• 해안선 특징   • 적용 기선

14 다음은 우리나라의 영토에 해당하는 어떤 지역을 설명한 것이다. 이를 보고 물음에 답하시오.

• ㉠ 북위 37° 14′, 동경 131° 52′에 위치
• 신생대 제3기에 해저 용암의 분출로 형성
• 동도와 서도 및 89개의 부속 도서로 구성

(1) ㉠과 같은 방법으로 표현되는 위치를 무엇이라고 하는지 쓰시오.

(2) 설명에 해당하는 지역을 쓰고, 이 지역의 영역적 가치를 두 가지 서술하시오.

01 다음 [게임 방법]에 따라 나온 최종 도착 지점을 게임판의 ㉠~㉤에서 고른 것은?

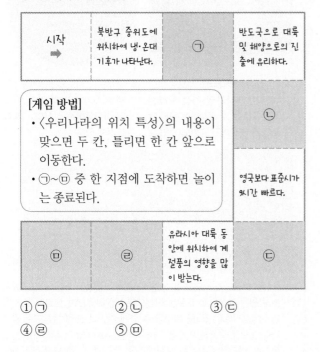

시작 ➡	북반구 중위도에 위치하여 냉·온대 기후가 나타난다.	㉠	반도국으로 대륙 및 해양으로의 진출에 유리하다.
[게임 방법]			㉡
• 〈우리나라의 위치 특성〉의 내용이 맞으면 두 칸, 틀리면 한 칸 앞으로 이동한다.			
• ㉠~㉤ 중 한 지점에 도착하면 놀이는 종료된다.			영국보다 표준시가 9시간 빠르다.
㉢	㉣	유라시아 대륙 동안에 위치하여 계절풍의 영향을 많이 받는다.	㉤

① ㉠   ② ㉡   ③ ㉢

④ ㉣   ⑤ ㉤

02 자료는 우리나라의 영해 및 배타적 경제 수역과 관련된 법 조항의 일부이다. ㉠~㉢에 대한 옳은 설명을 〈보기〉에서 고른 것은?

제1조(영해의 범위) ㉠ 대한민국의 영해는 기선(基線)으로부터 측정하여 그 바깥쪽 12해리의 선까지에 이르는 수역으로 한다. 다만, 대통령령으로 정하는 바에 따라 ㉡ 일정 수역의 경우에는 12해리 이내에서 영해의 범위를 따로 정할 수 있다.
제2조(배타적 경제 수역의 범위) ① ㉢ 대한민국의 배타적 경제 수역은 협약에 따라 「영해 및 접속 수역법」 제2조에 따른 기선으로부터 그 바깥쪽 (㉣)해리의 선까지에 이르는 수역 중 대한민국의 영해를 제외한 수역으로 한다.

┤ 보기 ├
ㄱ. ㉠에서 외국 어선이 어업 활동을 할 수 있다.
ㄴ. ㉡의 사례로는 대한 해협을 들 수 있다.
ㄷ. ㉢에는 타국의 선박이 함부로 들어올 수 없다.
ㄹ. ㉣에는 '200'이 들어갈 수 있다.

① ㄱ, ㄴ   ② ㄱ, ㄷ   ③ ㄴ, ㄷ

④ ㄴ, ㄹ   ⑤ ㄷ, ㄹ

03 지도는 우리나라의 영해를 나타낸 것이다. A~D에 대한 옳은 설명을 〈보기〉에서 고른 것은?

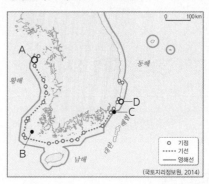

┤ 보기 ├
ㄱ. A에서는 외국 선박의 자유로운 운행이 허용되지 않는다.
ㄴ. B에서 간척 사업이 이루어지면 영해가 확대된다.
ㄷ. C에서 영해는 직선 기선으로부터 3해리까지이다.
ㄹ. D에서의 기선은 해안의 최저 조위선을 기준으로 한다.

① ㄱ, ㄴ   ② ㄱ, ㄷ   ③ ㄴ, ㄷ

④ ㄴ, ㄹ   ⑤ ㄷ, ㄹ

04 (가), (나)는 어느 두 섬의 위치 특징을 나타낸 것이다. 이에 대한 설명으로 옳은 것은?

(가)	(나)
• ㉠ 북위 33° 06′, 동경 126° 16′	• 북위 37° 14′, 동경 131° 52′
• 제주도에서 선박으로 약 30분 거리임.	• 묵호에서 선박으로 약 3시간 30분 거리임.
• ㉡ 이어도에서 북동쪽으로 직선거리 약 149km임.	• ㉢ 울릉도에서 동쪽으로 직선거리 약 87km임.

① ㉠은 지리적 위치에 해당한다.
② ㉡은 우리나라의 영토이다.
③ ㉢에는 우리나라 종합 해양 과학 기지가 있다.
④ (가)는 우리나라 영토의 최남단이다.
⑤ (나)의 주변 12해리는 우리나라의 배타적 경제 수역에 해당한다.

02 국토 인식의 변화
~03 지리 정보와 지역 조사

1 전통적인 국토 인식

1. 국토 인식 국토를 이용하는 태도나 방식인 국토 인식은 시대나 환경에 따라 다양하게 나타남.

2. 풍수지리 사상
(1) **의미** 산줄기의 흐름, 산의 모양, 바람과 물의 흐름을 파악하여 좋은 터, 즉 명당을 찾는 사상 └─ 장풍득수(藏風得水)의 줄임말 / 산이 사방을 에워싸고, 앞쪽으로 물이 흐르는 배산임수 지역
(2) **배경** 땅은 만물을 길러 내는 어머니와 같다는 지모(地母) 사상과 음양오행설이 결합하여 형성됨.
(3) **특성**
① 예부터 집터와 마을의 입지, 국가의 도읍지 선정, 묏자리 선정 등에 영향을 미침.
② 인간과 자연의 상생을 강조하기 때문에 환경 생태학적 측면에서 그 중요성이 커지고 있음.

⭐ 3 고문헌에 나타난 국토 인식

조선 전기	• 효율적인 통치를 위한 다양한 기초 자료 확보 필요 → 국가 주도의 관찬 지리지 • 각 지역의 산천, 인구, 산업 등을 백과사전식으로 상세하게 기술 ⑩ 「세종실록지리지」, 「동국여지승람」, 「신증동국여지승람」 등
조선 후기	• 실학사상의 영향으로 우리 국토의 실체를 객관적이고 주체적으로 파악 → 사찬 지리지 • 특정 주제를 종합적·체계적으로 고찰하여 설명식으로 기술 ⑩ 신경준의 「도로고」, 정약용의 「아방강역고」, 이중환의 「택리지」 등

'사람이 살 만한 땅인 가거지(可居地)'를 지리(풍수지리의 명당), 생리(경제적으로 유리한 곳), 인심(인심이 좋은 곳), 산수(경치가 좋은 곳)의 네 가지 요소로 설명함.

⭐ 4 고지도에 나타난 국토 인식

조선 전기	• 통치를 위해 행정적·군사적 측면에서 국가가 제작 ⑩ 이회의 「팔도지도」 등 • 이전보다 넓어진 세계관이 반영된 지도를 제작 ⑩ 「혼일강리역대국도지도」
조선 중기	천원지방(天圓地方) 세계관을 토대로 민간에서 제작 ⑩ 「천하도」
조선 후기	실학사상의 영향으로 다양한 형태의 지도를 대량 제작 ⑩ 실측을 토대로 한 정상기의 「동국지도」와 김정호의 「대동여지도」, 경·위선을 사용한 최한기의 「지구전후도」 등

┌─ 중심부에 중국이 표현되어 있고, 우리나라가 다른 지역보다 상대적으로 크게 그려져 있음.

핵심 기출 자료 분석 **고지도에 나타난 국토관**

┌─ 가운데에 중국이 그려져 있음.

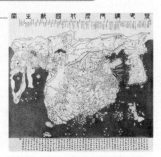

▲ 「혼일강리역대국도지도」 현존하는 우리나라의 가장 오래된 세계 지도로, 유라시아는 물론 아프리카 대륙까지 표현되어 있다.

▲ 「천하도」 지도의 중심에는 실제 세계가 그려져 있고, 지도의 바깥쪽에는 상상의 세계가 그려져 있다.

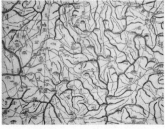

▲ 「대동여지도」와 지도표 분첩 절첩식으로 제작된 「대동여지도」에서는 하천은 곡선으로, 도로는 직선으로 표현하였으며, 도로에 10리마다 방점을 찍어 거리를 파악할 수 있게 하였다. 또한 물줄기는 쌍선과 단선으로 구분하여 운항 가능 여부를 표시하였고, 산줄기는 선의 굵기를 달리하여 산세를 표현하였다. 그리고 목판본으로 제작하여 대량 인쇄가 가능하도록 했다.

5. 국토 인식의 변화
(1) **일제 강점기** 부정적이고 소극적인 국토 인식을 강요당함.
(2) **산업화 시대** 경제적 효율성을 강조하여 국토를 개발의 대상으로 여김. → 지역 격차 심화, 환경 문제 발생
(3) **오늘날** 자연과 인간이 조화를 이루고, 개발과 보존이 조화와 균형을 이뤄야 한다는 생태 지향적 국토 인식이 확대됨.
└─ 지속 가능한 발전 추구

2 지리 정보와 지리 정보 시스템

1. 지리 정보의 의미와 유형
(1) **의미** 지표 공간상의 다양한 지리적 현상들을 확인·분석하고 그 특성을 파악하는 데 필요한 모든 정보
(2) **유형**

공간 정보	지리적 현상의 위치, 모양, 형태 등을 나타내는 정보
속성 정보	지역의 자연적·인문적 특성을 나타내는 정보
관계 정보	주변 지역과의 상호 관계, 즉 인접성, 계층성, 연결성 등으로 나타내는 정보
시간 정보	장소나 지역의 시기에 따른 변화를 나타내는 정보

2. 지리 정보의 수집 및 표현
(1) **수집** 지도·통계 자료·문헌·인터넷 등 활용, 현지 조사 등
(2) **표현** 표, 그래프, 지도 등으로 표현 ⑩ 통계 지도

다양한 통계 지도

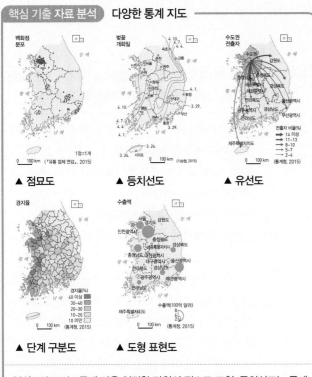

▲ 점묘도 　　▲ 등치선도 　　▲ 유선도

▲ 단계 구분도 　　▲ 도형 표현도

분석 | 점묘도는 통계 값을 일정한 단위의 점으로 표현, 등치선도는 통계 값이 같은 지점을 선으로 연결하여 표현, 유선도는 지역 간 이동을 화살 표의 방향과 굵기로 표현, 단계 구분도는 등급을 나눌 수 있는 통곗값을 여러 색상이나 유형으로 나누어 표현, 도형 표현도는 통계 값의 차이를 도형을 이용하여 표현한다.

☆ 3 지리 정보 시스템(GIS)

(1) **의미** 지리 정보를 수치화하여 컴퓨터에 입력·저장하고, 다양한 기법으로 분석·가공하여 실생활에 필요한 자료를 만드는 종합 정보 시스템

(2) **활용** 최적 입지 선정(중첩 분석), 최단 경로 검색, 재해 관리, 국토 및 환경 관리 등

③ 지역 조사

1. 지역 조사

(1) **의미** 지역에 대한 정보를 수집·분석·종합하여 지역성을 파악하는 활동

(2) **필요성** 지역의 변화를 파악하거나 어떤 지역에서 발생한 문제를 해결하기 위해 필요함.

☆ 2 지역 조사 과정

조사 계획 수립	조사 주제와 조사 지역 선정
지리 정보 수집	• 실내 조사: 인터넷, 문헌 등을 통해 자료 수집, 야외 조사를 위한 준비 → 경로 계획, 설문지 작성 등 • 야외 조사: 지역을 방문하여 관찰, 설문, 실측, 사진 촬영, 면담 등을 통해 자료 수집
지리 정보 분석	수집한 지리 정보를 분석·정리하여 표, 그래프, 주제도 등으로 표현
보고서 작성	조사 목적, 방법, 결론이 명확하게 드러나도록 보고서 작성

개념 암기

1 빈칸에 들어갈 알맞은 말을 쓰시오.

> (　　　　　　　) 사상은 음양오행설과 지모 사상이 결합하여 우리 환경에 맞게 토착화된 전통적인 국토관이다. 이 사상은 집터와 마을의 입지, 국가의 도읍지 선정, 묏자리 선정 등에 영향을 미쳤다.

2 괄호 안의 내용 중 알맞은 말을 골라 ○표 하시오.

(1) 조선 전기에는 효율적인 통치를 위한 다양한 기초 자료를 확보하기 위해 (관찬, 사찬) 지리지가 편찬되었다.

(2) 이중환의 『(도로고, 택리지)』에는 살기 좋은 곳의 입지 조건과 우리나라 각 지역의 특성이 기술되어 있다.

(3) 「(천하도, 혼일강리역대국도지도)」는 현존하는 우리나라의 가장 오래된 세계 지도로, 유라시아는 물론 아프리카 대륙까지 표현되어 있다.

(4) 최한기의 「(대동여지도, 지구전후도)」는 경·위선을 사용하여 중국 중심의 세계관을 극복한 사실적이고 과학적인 지도로 평가받고 있다.

3 설명이 맞으면 ○표, 틀리면 ✕표 하시오.

(1) 일제는 우리 국토를 '나약한 토끼 형상을 한 땅' 등 부정적으로 해석하여 자신들의 한반도 침략을 정당화하였다. 　　　　(　　)

(2) 1960년대~1970년대에는 우리 국토를 자연과 인간이 조화를 이루는 터전으로 인식하는 경향이 지배적이었다. 　　　　(　　)

4 각 지리 정보의 특징을 바르게 연결하시오.

(1) 공간 정보 •　　　　• ㉠ 주변 지역과의 상호 관계를 나타내는 정보

(2) 속성 정보 •　　　　• ㉡ 지역의 자연적·인문적 특성을 나타내는 정보

(3) 관계 정보 •　　　　• ㉢ 지리적 현상의 위치, 모양, 형태 등을 나타내는 정보

5 다음 〈보기〉의 지역 조사 과정을 순서대로 나열하시오.

> ┤ 보기 ├
> ㄱ. 보고서 작성　　　　ㄴ. 조사 계획 수립
> ㄷ. 지리 정보 분석　　　　ㄹ. 지리 정보 수집

(　　　　　　　)

1 전통적인 국토 인식

01 다음 그림과 관련된 전통 지리 사상에 대한 설명으로 옳지 않은 것은?

① 자연과 인간의 조화를 중시하는 사상이다.

② 실학사상의 영향을 받아 조선 후기에 체계화되었다.

③ 집과 마을의 입지 선정 및 국가의 도읍지 선정에 영향을 주었다.

④ 산이 사방을 에워싸고 앞쪽으로 물이 흐르는 곳을 명당으로 본다.

⑤ 산줄기와 물줄기의 흐름에 따라 땅속의 기운이 달라진다고 보는 사상이다.

02 (가), (나) 지도에 대한 설명으로 옳은 것은?

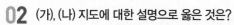

(가)　　　　　　(나)

① (가)는 경·위선을 사용하였다.

② (나)는 조선 후기 실학사상의 영향을 받았다.

③ (나)는 지구를 구(球)로 인식하고 표현하였다.

④ (가)는 (나)보다 제작 시기가 늦다.

⑤ (가), (나) 모두 중화사상이 반영되어 있다.

03 (가), (나) 지리지에 대한 옳은 설명을 〈보기〉에서 고른 것은? (단, (가), (나)는 『신증동국여지승람』, 『택리지』 중 하나임.)

> (가) [건치 연혁] 본래 맥국인데, 신라의 선덕왕 6년에 우수주로 하여 군주를 두었다.
> [속현] 기린현은 부의 동쪽 140리에 있다. 본래 고구려의 기지군이었다.
> [풍속] 풍속이 순후하고 아름답다.
>
> (나) 춘천은 옛 예맥이 천 년 동안이나 도읍했던 터로 소양강을 임했고, 그 바깥에 우두라는 큰 마을이 있다. 한나라 무제가 팽오를 시켜 우수주와 통하였다는 곳이 바로 이 지역이다. 산속에는 평야가 널따랗게 펼쳐졌고 두 강이 한복판으로 흘러간다. 토질이 단단하고 기후가 고요하며 강과 산이 맑고 환하며 땅이 기름져서 여러 대를 사는 사대부가 많다.

┤ 보기 ├
ㄱ. (가)는 실학사상의 영향을 받았다.
ㄴ. (가)는 지역의 특성을 백과사전식으로 나열하였다.
ㄷ. (나)는 지역의 특성을 종합적이고 체계적으로 설명하고 있다.
ㄹ. (가)는 (나)보다 제작 시기가 더 늦다.

① ㄱ, ㄴ　　　② ㄱ, ㄷ　　　③ ㄴ, ㄷ
④ ㄴ, ㄹ　　　⑤ ㄷ, ㄹ

04 밑줄 친 ㉠~㉤에 대한 설명으로 옳지 않은 것은?

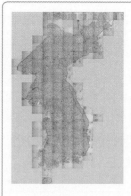 1861년 김정호가 제작한 「대동여지도」에는 이전에 제작된 지도와는 다른 다양한 특징들이 나타난다. 첫째, 병풍처럼 접고 펼 수 있게 ㉠ 분첩 절첩식 지도로 만들어졌다. 둘째, ㉡ 실제 거리를 잴 수 있게 하였으며, ㉢ 산줄기와 ㉣ 물줄기가 자세하게 표현되었다. 셋째, ㉤ 목판본으로 제작되었다.

① ㉠으로 제작되어 휴대와 열람이 편리하다.

② ㉡은 도로에 10리마다 방점이 찍혀 있어서 가능하다.

③ ㉢에는 정확한 해발 고도가 표시되어 있다.

④ ㉣은 쌍선과 단선으로 운항 가능 여부가 표시되어 있다.

⑤ ㉤으로 제작되어 필요에 따라 많은 양의 지도를 찍을 수 있다.

05 (가)~(라)는 우리나라 사람들의 국토 인식 변화를 나타낸 것이다. 이를 시기순으로 바르게 나열한 것은?

> (가) 국토를 살아 있는 생명체로 인식하고 신성하게 여겼으며, 인간과 자연이 조화를 이루어야 한다고 생각하였다.
>
> (나) 일제에 의해 국토를 '나약한 토끼의 형상으로 대륙에 의지할 수밖에 없는 운명을 가진 국토' 등으로 인식하도록 강요받았다.
>
> (다) 산업화로 인해 국토를 경제적인 관점에서 바라보고, 적극적으로 개발·이용함으로써 삶의 질을 높이려는 능동적·진취적인 국토관이 강조되었다.
>
> (라) 국토를 단순히 인간의 이익을 위한 개발의 대상이 아니라 현세대 및 미래 세대까지 함께 행복하게 살아가야 할 터전으로서 여기는 생태적 국토 인식이 강조되고 있다.

① (가)-(나)-(다)-(라) ② (가)-(다)-(나)-(라)
③ (나)-(가)-(라)-(다) ④ (나)-(라)-(가)-(다)
⑤ (다)-(라)-(나)-(가)

---

2 지리 정보와 지리 정보 시스템

06 다음은 학생이 제출한 형성 평가지의 일부이다. 학생의 점수로 옳은 것은?

> ※ 다음 내용이 옳으면 '예', 틀리면 '아니요'에 ✓표 하시오. (문항당 1점)
>
> (가) 지리 정보는 지표 공간상의 다양한 지리적 현상들을 확인·분석하고 그 특성을 파악하는 데 필요한 모든 정보를 말한다. 예 □ 아니요 ✓
>
> (나) 공간 정보는 점, 선, 면으로 표현하기에 적합하다. 예 ✓ 아니요 □
>
> (다) 어떤 지역의 인구, 면적, 연평균 기온 등은 속성 정보에 해당한다. 예 □ 아니요 ✓
>
> (라) 관계 정보는 인접성, 계층성, 연결성 등으로 나타내는 정보이다. 예 □ 아니요 ✓
>
> (마) 모든 지리 정보는 시간이 지나더라도 그 특성은 변하지 않는다. 예 □ 아니요 ✓

① 1점 ② 2점 ③ 3점
④ 4점 ⑤ 5점

---

07 (가), (나) 자료를 지도로 표현할 때, 가장 적절한 통계 지도의 유형을 〈보기〉에서 골라 바르게 짝지은 것은?

> (가) 경지 이용률
> (나) 벚꽃 개화 예상일

┤ 보기 ├

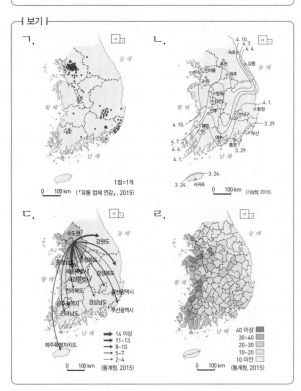

	(가)	(나)		(가)	(나)
①	ㄱ	ㄴ	②	ㄴ	ㄷ
③	ㄷ	ㄹ	④	ㄹ	ㄱ
⑤	ㄹ	ㄴ			

주관식

08 ㉠에 해당하는 용어를 쓰시오.

> ┃ ㉠ ┃은/는 지구상에서 수집된 방대한 지리 정보를 수치화하여 데이터베이스를 구축한 후에 컴퓨터에 입력·저장하고, 다양한 기법으로 분석·가공하여 실생활에 필요한 자료를 만드는 종합 정보 시스템이다. ┃ ㉠ ┃은/는 중첩 분석 등을 통해 각종 시설물의 입지를 선정하는 데 도움을 줄 수 있고, 인공위성에서 제공하는 위성 항법 장치(GPS)의 공간 정보를 활용하여 위치 기반 서비스를 제공하기도 한다.

3 지역 조사

09 (가)~(라)를 지역 조사 과정의 순서대로 바르게 나열한 것은?

> (가) 조사 방법, 조사 내용, 결론 등을 포함하여 보고서를 작성한다.
> (나) 조사 목적에 부합되는 자료를 인터넷, 문헌 등을 통해 수집한다.
> (다) 조사 목적을 분명히 하고 목적에 맞는 조사 주제를 선정한 후 그 주제를 구체적으로 조사할 수 있는 적절한 지역을 선정한다.
> (라) 수집된 지리 정보를 항목별로 분류·정리하여 자료를 분석·가공한 후 자료의 특징이 잘 드러나도록 표, 그래프 등으로 표현한다.

① (가)-(나)-(다)-(라)
② (나)-(가)-(라)-(다)
③ (다)-(나)-(라)-(가)
④ (다)-(라)-(가)-(나)
⑤ (라)-(다)-(가)-(나)

10 지역 조사 과정 중 (가), (나) 단계에 해당하는 옳은 활동을 〈보기〉에서 고른 것은?

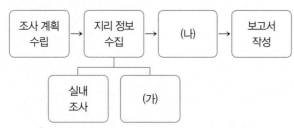

> **보기**
> ㄱ. 주민들을 상대로 주 소득원을 조사한다.
> ㄴ. '남해군의 산업 특성'을 주제로 결정한다.
> ㄷ. 읍·면별 산업 구조 자료를 지도에 표현한다.
> ㄹ. 군청 누리집에서 산업 구조와 관련한 통계 자료를 조사한다.

	(가)	(나)		(가)	(나)
①	ㄱ	ㄴ	②	ㄱ	ㄷ
③	ㄴ	ㄹ	④	ㄷ	ㄱ
⑤	ㄹ	ㄴ			

11 다음은 조선 후기에 제작된 지도의 일부이다. 이 지도의 장점을 제시된 〈조건〉의 내용을 포함하여 서술하시오.

> **조건**
> • 목판본   • 분첩 절첩식

12 다음은 한국 지리 수업의 한 장면이다. 교사의 물음에 바르게 답하시오.

> 지리 정보 시스템을 활용하면 이처럼 산사태가 발생할 가능성이 큰 지역을 파악할 수 있어 산사태 예방 사업을 수행할 수 있어요. 이밖에 우리 생활에서 지리 정보 시스템이 활용되는 분야로는 어떤 것이 있을까요?

01 ㉠에 대한 설명으로 옳은 것은?

> [　㉠　]은/는 「사민총론」, 「팔도총론」, 「복거총론」, 「총론」 등으로 구성되어 있다. 「팔도총론」에서는 지방의 역사, 지리, 산물 등을 소개하고, 「복거총론」에서는 가거지(可居地)의 조건인 지리, 생리, 인심, 산수 등을 사례를 들어 설명하고 있다.

① 조선 전기에 편찬되었다.
② 백과사전식으로 서술되었다.
③ 실학사상의 영향을 받아 저술되었다.
④ 국가 통치 자료를 수집하기 위해 만들어졌다.
⑤ 풍수지리 사상을 가거지의 조건에서 제외하였다.

02 다음은 「대동여지도」의 일부이다. 이를 보고 알 수 있는 내용으로 옳은 것은?

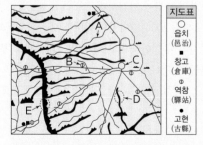

지도표
○ 읍치 (邑治)
■ 창고 (倉庫)
● 역참 (驛站)
● 고현 (古縣)

① A는 선박의 운항이 가능하다.
② B와 C 사이의 거리는 30리 이상이다.
③ C에서 가장 가까운 역참은 서쪽에 있다.
④ D는 E보다 산세가 약하다.
⑤ E는 해발 고도를 정확하게 알 수 있다.

03 다음 〈조건〉을 고려하여 새로운 아이스크림 가게의 입지를 선정하고자 할 때, 가장 적절한 곳을 〈입지 후보지〉 A~E에서 고른 것은?

┌─ 조건 ├
1. 인구 수가 5백 명 이상인 지역
2. 기존 아이스크림 가게가 없는 지역
3. 도로에서 100m 이내인 지역

〈인구 수〉　〈기존 가게 위치〉　〈입지 후보지〉

▨ 10 이상　▨ 5 이상 10 미만　🍦 아이스크림 가게　── 도로
▨ 5 미만　(단위: 백 명)

* 도로와의 거리는 가장 가까운 도로를 기준으로 하고, 입지 후보지는 방안의 정중앙에 위치함.

① A　　② B　　③ C
④ D　　⑤ E

04 다음은 지역 조사 과정에 대한 설명이다. ㉠과 ㉡에 해당하는 활동만을 〈보기〉에서 있는 대로 고른 것은?

> 지역 조사를 위한 지리 정보는 (㉠)와/과 (㉡)을/를 통해 수집된다. (㉠)에서는 조사 지역과 관련하여 조사 목적에 부합하는 자료를 실내에서 수집하고, (㉡)에서는 조사 지역을 실제로 방문하여 (㉠)에서 수집한 지리 정보를 확인하고 구체적인 지리 정보를 수집한다.

┌─ 보기 ├
ㄱ. ○○리에 가서 토양을 관찰하고 촬영한다.
ㄴ. 학교 도서관에서 ○○리의 통계 자료를 열람한다.
ㄷ. ○○리에 방문하기 전에 경로와 일정 등을 계획한다.
ㄹ. 수집한 정보를 바탕으로 ○○리의 토지 이용 지도를 작성한다.

	㉠	㉡			㉠	㉡
①	ㄱ	ㄴ, ㄷ		②	ㄴ	ㄱ, ㄹ
③	ㄱ, ㄴ	ㄷ		④	ㄴ, ㄷ	ㄱ
⑤	ㄷ, ㄹ	ㄱ				

01 | 교육청 기출 |
자료는 위치 학습을 위한 지리 단어 카드이다. (가)~(다)에 해당하는 우리나라의 위치적 특성을 〈보기〉에서 고른 것은?

(가)	(나)	(다)
○○○ 위치	□□□ 위치	◇◇◇ 위치
위도와 경도로 표현되는 위치	주변 국가와의 관계에 따라 결정되는 위치	대륙, 해양 등과 같은 자연 지물로 표현되는 위치

┤ 보기 ├
ㄱ. 영국보다 표준시가 9시간 빠르다.
ㄴ. 연교차가 큰 대륙성 기후가 나타난다.
ㄷ. 동북아시아의 중심 국가로 발돋움하고 있다.

　　(가)　(나)　(다)　　　　　(가)　(나)　(다)
① ㄱ　ㄴ　ㄷ　　② ㄱ　ㄷ　ㄴ
③ ㄴ　ㄷ　ㄱ　　④ ㄷ　ㄱ　ㄴ
⑤ ㄷ　ㄴ　ㄱ

02 | 교육청 기출 | 변형
A~D 지역에 대한 설명으로 옳은 것은?

① A는 우리나라 영토의 최동단이다.
② B는 우리나라에서 일몰 시각이 가장 이르다.
③ C의 주변 해역에는 조경 수역이 형성된다.
④ D는 영해 설정 시 직선 기선이 적용된다.
⑤ D는 A보다 우리나라 표준 경선과의 최단 거리가 가깝다.

03 | 평가원 기출 | 변형
지도의 A~C에 대한 옳은 설명을 〈보기〉에서 고른 것은?

┤ 보기 ├
ㄱ. A에서 적용된 기선은 울릉도, 독도에도 적용된다.
ㄴ. B의 영해는 최저 조위선을 기준으로 설정되었다.
ㄷ. C는 썰물 때의 해안선을 기준으로 영해가 설정되었다.
ㄹ. C의 영해 범위 설정은 인접국과의 거리에 영향을 받았다.

① ㄱ, ㄴ　　② ㄱ, ㄷ　　③ ㄴ, ㄷ
④ ㄴ, ㄹ　　⑤ ㄷ, ㄹ

04 | 교육청 기출 |
그림의 A에 대한 설명으로 옳은 것을 〈보기〉에서 고른 것은?

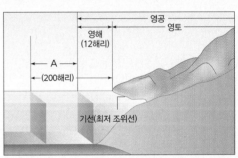

┤ 보기 ├
ㄱ. 연안국의 영역에 포함된다.
ㄴ. 외국 선박의 통항이 가능하다.
ㄷ. 기선으로부터 200해리까지의 범위를 모두 포함한다.
ㄹ. 외국 탐사선이 연안국의 사전 허가 없이 해저 자원을 조사할 수 없다.

① ㄱ, ㄴ　　② ㄱ, ㄷ　　③ ㄴ, ㄷ
④ ㄴ, ㄹ　　⑤ ㄷ, ㄹ

04-1 모의고사 기출 틀린 선지 더 찾기
① 타국 비행기가 상공을 비행할 수 있다.
② 연안국이 바다에 인공 섬을 설치할 수 없다.
③ 타국 어선의 자유로운 어로 활동이 가능하다.
④ 연안국의 어업 지도선이 단속 활동을 할 수 있다.

| 교육청 기출 |

05 자료의 ㉠에 대한 설명으로 옳은 것은?

> 1974년 발표된 이청준의 소설 『 ㉠ 』은/는 전설의 섬 ㉠ 을/를 통해 인간의 삶의 모습을 해명하고자 한 작품으로 도입 부분은 다음과 같다.
>
> 긴긴 세월 동안 섬은 늘 거기 있어 왔다.
> 그러나 섬을 본 사람은 아무도 없었다.
> 섬을 본 사람은 모두가 섬으로 가버렸기 때문이다.
> 아무도 다시 섬을 떠나 돌아온 사람이 없었기 때문이다.
>
> 해군 함정까지 동원한 *파랑도 수색전은 작전 개시 2주일 만에 완전히 끝이 났다. 마라도 한 곳을 제외하고 나면 제주도 남단으로부터 동중국해 일대의 광막한 해역 안에는 섬 비슷한 것 하나도 떠올라 있는 것이 없었다. 예정된 해역 안을 갈아엎듯이 누비고 다닌 2주일간의 치밀한 수색전에도 불구하고 배들은 끝내 섬을 찾아낼 수 없었다.
> 섬은 없었다. 배들은 다시 항구로 돌아왔다. …(후략)
> *파랑도: ㉠ 의 다른 이름

① 영해 설정 시 직선 기선이 적용된다.
② 천연 보호 구역으로 지정된 유인도이다.
③ 우리나라보다 중국의 영토에 더 가깝다.
④ 수직 상공은 우리나라의 영공에 해당된다.
⑤ 우리나라 종합 해양 과학 기지가 건설되어 있다.

| 교육청 기출 |

06 다음 글의 ㉠에 대한 설명으로 옳은 것은?

> 우리 『 ㉠ 』을/를 지켜주세요!
> 10월 25일은 ㉠ 의 날입니다. ㉠ 은/는 우리나라 영토 중 가장 동쪽 끝에 있습니다. 일본이 영유권을 주장하고 있지만, ㉠ 은/는 엄연히 우리나라 영토입니다.
> 우리 ㉠ 에 많은 관심을 가져주세요.

① 화산 활동으로 형성되었다.
② 영해 설정에 직선 기선이 적용된다.
③ 현재 행정 구역상 강원도에 속한다.
④ 우리나라에서 일몰 시각이 가장 늦다.
⑤ 종합 해양 과학 기지가 건설되어 있다.

| 평가원 기출 | 변형 |

07 (가), (나) 지리지에 대한 설명으로 옳지 않은 것은? (단, (가), (나)는 『신증동국여지승람』, 『택리지』 중 하나임.)

> (가) [건치 연혁] 고려 태조 2년에 도읍을 철원에서 송악산 남쪽으로 옮기고 ……
> [산천] 송악산은 부 북쪽 5리에 있는데 진산이다. …… 예성강은 부 서쪽 30리에 있다.
> (나) 벽제령에서 서쪽으로 40여 리를 가면 임진 나루터이다. …… 나루를 건너 장단을 지나 40리를 가면 개성인데, 곧 고려의 도읍터이다. …… 임진강 동편에 연천과 마전이 있고, 북쪽에는 삭녕이 있다. …… 세 고을은 모두 ㉠ 땅이 척박하고 주민들이 가난해서 살 만한 곳이 적다.

① (가)는 국가의 통치 자료 수집을 목적으로 제작되었다.
② (나)는 조선 후기에 개인이 제작하였다.
③ (가)는 (나)보다 제작 시기가 이르다.
④ (나)에는 (가)보다 저자의 주관적 해석이 많이 담겨 있다.
⑤ ㉠은 가거지의 조건 중 '산수'와 관련있다.

07-1 모의고사 기출 틀린 선지 더 찾기

① (가)는 지역의 특성이 백과사전식으로 나열되어 있다.
② (가)는 조선 전기에 저술되었다.
③ (나)는 실학사상의 영향으로 제작되었다.
④ (가)는 (나)를 요약하여 편찬되었다.
⑤ (가)는 국가 주도로, (나)는 민간 주도로 만들어졌다.

| 교육청 기출 |

08 (가), (나) 지도에 대한 설명으로 옳은 것은?

(가)   (나)

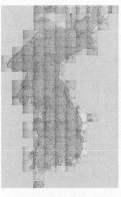 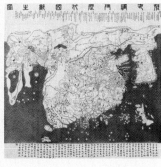

① (가)는 분첩 절첩식으로 제작되었다.
② (나)에는 아메리카 대륙이 표현되어 있다.
③ (가)는 (나)보다 제작 시기가 이르다.
④ (나)는 (가)보다 대량 생산에 유리하다.
⑤ (가), (나) 모두 지도표를 통해 지리 정보를 표현하였다.

| 교육청 기출 |

09 자료는 수업 장면의 일부이다. ㉠~㉤ 중 옳지 <u>않은</u> 것은?

> 교사: 다음은 「대동여지도」의 일부입니다. 지도를 보고 예안에서 안동까지 가는 여정에 대해 발표해 볼까요?
>
>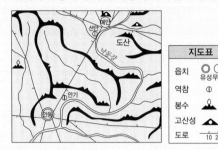
>
> 학생: 예안에서 안동으로 가는 가장 짧은 도로는 ㉠ <u>남서쪽 방향</u>으로 뻗어 있고 ㉡ <u>두 지역 간 거리는 약 30리 이상</u>입니다. 이 길을 가다 보면 ㉢ <u>하나의 고개를 넘고</u> ㉣ <u>두 곳의 역참을 지나게</u> 됩니다.
>
> 교사: 도로 외 다른 방법은 없나요?
>
> 학생: 낙동강을 따라 ㉤ <u>배를 타고 갈 수도</u> 있습니다.

① ㉠   ② ㉡   ③ ㉢   ④ ㉣   ⑤ ㉤

09-1 모의고사 기출 틀린 선지 더 찾기

① 도산의 해발 고도를 정확히 알 수 있다.
② 안동의 북서쪽에는 방어를 위한 통신 시설이 있다.
③ 안동에서 가장 가까운 역참은 북동쪽에 위치해 있다.

| 교육청 기출 | 변형

10 다음 글은 우리나라 국토관의 변화를 나타낸 것이다. ㉠~㉣에 대한 설명 중 옳은 것만을 〈보기〉에서 있는 대로 고른 것은?

> 우리 조상들의 국토관을 체계화한 것이 ㉠ <u>풍수지리 사상</u>이다. 일제 강점기에는 일제에 의해 국토를 ㉡ <u>'갯벌이 많아 쓸모없는 땅', '나약한 토끼의 형상을 한 땅'</u> 등으로 인식하도록 강요받았다. 1960년대 이후에는 국토를 적극적으로 개발하려는 국토관이 강조되었으며, 그 결과 ㉢ <u>다양한 문제점</u>이 발생하기도 하였다. 이에 오늘날에는 ㉣ <u>생태적 관점의 국토관</u>이 확산되고 있다.

┤ 보기 ├

ㄱ. ㉠은 배산임수의 마을 입지에 영향을 주었다.
ㄴ. ㉡은 국토를 부정적이고 소극적으로 해석한 표현이다.
ㄷ. ㉢의 예로 지역 격차와 환경 파괴를 들 수 있다.
ㄹ. ㉣은 자연환경의 보전보다 효율적인 경제 개발을 중시한다.

① ㄱ, ㄴ   ② ㄴ, ㄹ   ③ ㄱ, ㄴ, ㄷ
④ ㄱ, ㄷ, ㄹ   ⑤ ㄴ, ㄷ, ㄹ

| 교육청 기출 |

11 다음 글은 '신두리 해안 사구'에 관한 지리 정보를 정리한 것이다. ㉠, ㉡에 해당하는 지리 정보 유형으로 옳은 것은?

> • 충청남도 태안군(㉠ <u>동경 126° 12′, 북위 36° 50′</u>)
> • 우리나라 최대 규모의 해안 사구
> • 사빈의 모래가 바람에 의해 퇴적되어 형성
> • ㉡ <u>천연기념물 제431호</u>
> • 배후에 람사르 협약에 등록된 두웅 습지 분포

	㉠	㉡
①	공간 정보	속성 정보
②	공간 정보	관계 정보
③	속성 정보	관계 정보
④	속성 정보	공간 정보
⑤	관계 정보	공간 정보

| 평가원 기출 |

12 (가), (나) 자료를 표현하기에 가장 적절한 통계 지도의 유형을 〈보기〉에서 고른 것은?

> 호남 지방의 인구 특성을 파악하기 위한 기초 조사로 두 가지 통계 자료를 수집하였다. 먼저 (가) <u>광주광역시, 전라남도, 전라북도의 연령층별 인구 비율</u>을 파악하기 위해 유소년층, 청장년층, 노년층 인구 수를 조사하였다. 다음으로 (나) <u>광주광역시, 전라남도, 전라북도 간 인구 이동 규모</u>를 파악하기 위해 세 지역 간 전입 인구와 전출 인구 수를 조사하였다.

┤ 보기 ├

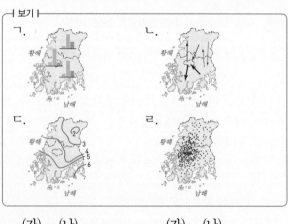

	(가)	(나)			(가)	(나)
①	ㄱ	ㄴ		②	ㄱ	ㄷ
③	ㄴ	ㄷ		④	ㄹ	ㄴ
⑤	ㄷ	ㄹ				

| 평가원 기출 | 변형 |

13 다음에 제시된 자료만으로 지리 정보 시스템(GIS)을 활용하여 분석할 수 있는 내용으로 적절하지 <u>않은</u> 것은?

① 토양 종류별 면적 비율
② 하천에 인접한 토양의 유형
③ 황사에 따른 호흡기 환자 수
④ 산림 지역의 토지 소유 현황
⑤ 산 속의 두 지점 간 최단 거리

| 평가원 기출 |

14 다음 〈조건〉을 고려하여 ○○ 시설의 입지를 선정하려고 할 때, 가장 적절한 곳을 후보지 A~E에서 고른 것은?

─┤ 조건 ├─
1. 도로와의 거리가 100m 이내인 주거 용지
2. 후보지에 접한 8개 면과 후보지와의 해발 고도 차이가 모두 10m 미만인 곳

〈토지 이용 정보〉　　〈해발 고도 정보〉　　〈입지 후보지〉

78	72	69	71	58	49
74	67	50	42	39	50
69	53	34	33	32	48
64	58	33	25	21	24
68	61	34	21	16	19
74	53	34	12	11	12

(단위: m)

입지 후보지:
A (2행 5열), B (3행 5열), C (4행 5열), D (4행 6열), E (5행 6열)

50m / 50m

■ 도로　　□ 공업 용지
■ 농업 용지　　□ 주거 용지

① A　　② B　　③ C
④ D　　⑤ E

| 교육청 기출 | 변형 |

15 다음 자료는 지역 조사의 과정을 나타낸 것이다. ㉠~㉤에 대한 설명으로 옳지 <u>않은</u> 것은?

순서	내용 및 방법
조사 계획 수립	대도시에 인접한 ○○군의 농업 구조 변화를 조사하기로 한다.
㉠ 지리 정보 수집	• 군청 홈페이지에서 ㉡ 주요 작물의 생산량 변화를 조사한다. • ㉢ 주민들을 상대로 농업 외 소득원을 조사한다.
지리 정보 분석	㉣ 읍·면별 겸업농가 비율 자료 등 수집한 자료를 그래프, 표로 나타낸다.
보고서 작성	• ㉤ 보고서를 작성한다.

① ㉠은 실내 및 야외 조사 과정을 포함한다.
② ㉡은 위치를 알려주는 공간 정보이다.
③ ㉢은 주로 설문이나 면담을 통해 이루어진다.
④ ㉣은 단계 구분도로 표현할 수 있다.
⑤ ㉤은 조사 방법, 분석한 자료, 결론 등이 명확하게 드러나도록 작성한다.

| 교육청 기출 | 변형 |

16 다음은 〈글자판〉을 활용한 한국 지리 수업 활동이다. 교사의 마지막 질문에 대한 학생의 답으로 알맞은 것은?

교사: 다음에서 설명하는 용어에 해당하는 글자를 〈글자판〉에서 찾아 하나씩 지우세요.

• 우리나라의 최동단 섬
• 한 국가의 주권이 미치는 해양 범위
• 산, 바람, 물의 흐름 등으로 명당을 찾는 사상

〈글자판〉

| 영 | 풍 | 역 | 지 | 사 | 도 |
| 수 | 지 | 해 | 독 | 조 | 리 |

교사: 〈글자판〉에서 남은 글자를 모두 활용하여 만들 수 있는 단어에 대해 설명해 볼까요?

① 갑: 땅이 곧 어머니라는 사상입니다.
② 을: 가거지의 조건을 제시한 지리지입니다.
③ 병: 현존하는 우리나라의 가장 오래된 세계 지도입니다.
④ 정: 조선 시대에 제작된 원형의 관념적 세계 지도입니다.
⑤ 무: 지역에 대한 정보를 수집·분석하여 지역성을 파악하는 활동입니다.

01

한반도의 형성과 산지 지형

1 한반도의 형성 과정

1. 한반도의 암석 분포

(1) 변성암   시·원생대에 형성된 편마암이 대표적이며, 한반도 암석의 약 40%를 차지함.

(2) 퇴적암   대부분이 고생대와 중생대의 지층이며, 한반도 암석의 약 20%를 차지함.

(3) 화성암   중생대에 관입한 화강암과 신생대에 분출한 화산암이 분포하며, 한반도 암석의 약 30% 이상을 차지함.

⭐2 한반도의 지체 구조

> 형성 시기와 특징이 유사하여 다른 지역과 구분이 가능한 지각의 한 덩어리

지질 시대	지체 구조	특징
시·원생대	평북·개마 지괴, 경기 지괴, 소백산(영남) 지괴	변성 작용을 받아 편마암이 주로 분포
고생대	옥천 습곡대, 평남 분지	• 고생대 초: 해성층인 조선 누층군 형성 → 석회암 매장 • 고생대 말~중생대 초: 육성층인 평안 누층군 형성 → 무연탄 매장
중생대	경상 분지	두꺼운 퇴적층 형성, 공룡 발자국과 뼈 화석 발견
신생대	두만 지괴, 길주·명천 지괴	동해안 일부 지역에 분포, 갈탄 매장

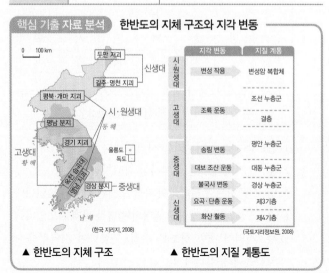

핵심 기출 자료 분석 한반도의 지체 구조와 지각 변동

▲ 한반도의 지체 구조   ▲ 한반도의 지질 계통도

(한국 지리지, 2008)   (국토지리정보원, 2008)

⭐3 한반도의 지각 변동

구분	시기	특징
송림 변동	중생대 초기	• 한반도 북부에 영향 • 랴오둥 방향(동북동-서남서)의 지질 구조선 형성
대보 조산 운동	중생대 중기	• 한반도 중·남부에 영향 • 중국 방향(북동-남서)의 지질 구조선 형성 • 한반도에서 가장 격렬한 지각 변동으로 대보 화강암 형성
불국사 변동	중생대 말기	• 경상 분지에서 발생 • 불국사 화강암 형성
경동성 요곡 운동	신생대 제3기	• 동해 지각의 확장으로 동해안쪽 지각이 융기함. → 경동 지형 형성 • 함경·낭림·태백산맥 형성
화산 활동	신생대 제3기 말~제4기 초	• 화산, 용암 대지 등 화산 지형 형성 • 백두산, 신계·곡산, 철원·평강, 제주도, 울릉도, 독도 등

> 땅덩어리가 기울어진 지형 (경동성 요곡 운동 특징 옆 주석)

4. 기후 변화에 따른 지형 형성

> 신생대 제4기에 빙기와 간빙기가 반복되었고, 이로 인해 발생한 해수면 변동은 지형 형성에 영향을 미침.

구분	빙기	후빙기
기후 변화	한랭 건조	온난 습윤
풍화 작용	물리적 풍화 작용 활발	화학적 풍화 작용 활발
하천 상류	퇴적 작용 활발	침식 작용 활발
하천 하류	침식 작용 활발	퇴적 작용 활발
지형 형성	하안 단구 발달	충적 평야 및 석호 발달(하류)

핵심 기출 자료 분석 기후 변화와 해수면 변동

▲ 빙기와 현재의 해안선

분석 | 최종 빙기에는 지구의 평균 기온이 지금보다 낮고, 해수면이 약 100m 정도 낮아서 황해와 남해는 육지로 이어져 있었다. 최종 빙기가 끝나면서 해수면이 상승하였고, 약 6,000여 년 전에 현재의 해수면에 도달하였다.

2 한반도의 산지 지형

⭐1 우리나라 산지의 형성

> 중생대 지각 운동으로 형성

구분	1차 산맥	2차 산맥
형성 과정	신생대 제3기 이후 경동성 요곡 운동의 영향으로 형성	지질 구조선을 따라 발생한 차별적인 풍화·침식으로 형성
특징	해발 고도가 높고 연속성이 강함.	해발 고도가 낮고 연속성이 약함.
분포	함경·낭림·태백·소백산맥 등	강남·묘향·멸악·차령산맥 등

2. 우리나라 산지의 특징

(1) **저산성 산지** 국토의 약 70%가 산지이지만, 오랜 침식으로 대부분 해발 고도가 200~500m로 낮음.

(2) **동고서저의 경동 지형** 경동성 요곡 운동의 영향으로 높은 산지는 북동쪽에, 낮은 산지나 평야는 남서쪽에 분포함.
  └→ 이 때문에 주요 하천은 주로 황·남해로 흐름.

(3) **고위 평탄면**
① **의미** 해발 고도가 높은 곳에 나타나는 비교적 기복이 작고 경사가 완만한 고원 지형
② **형성** 오랜 기간 침식을 받아 낮고 평탄해진 땅이 신생대 제3기 경동성 요곡 운동 과정에서 융기하여 형성됨. 예 대관령 일대, 진안고원 등지
③ **이용** 목축업, 고랭지 농업, 풍력 발전, 관광업 등

핵심 기출 자료 분석 **고위 평탄면**

분석 | 고위 평탄면은 평지보다 해발 고도가 높기 때문에 기온이 낮고 습도가 높다. 이러한 자연환경은 배추, 무 등의 채소나 목초 재배에 적합하여 양, 소 등을 기르는 목축업이 발달하는 데 유리하다.

▲ 고위 평탄면 지형도

(4) **돌산과 흙산**

구분	돌산	흙산
형성 과정	중생대에 관입한 화강암이 지표에 드러나 형성	시·원생대의 변성암이 풍화되어 형성
특징	암반이 드러나 있고 식생 밀도가 낮음.	토양층이 두꺼워 식생이 발달함.
분포	북한산, 설악산, 금강산 등	지리산, 덕유산, 오대산 등

핵심 기출 자료 분석 **돌산과 흙산**

▲ 돌산(도봉산) → 암석이 지표 위로 드러남.
▲ 흙산(지리산) → 토양층으로 덮여 식생이 잘 가꾸어져 있음.

3. 산지 지형과 인간 생활

(1) **산지 지형의 이용** 임산물 채취, 지하자원 채굴, 전력 생산, 관광 산업 육성 등

(2) **산지 지역의 변화** 무분별한 개발로 인한 삼림 훼손으로 산사태 발생, 동식물의 서식지 파괴 등 문제 발생 → 지속 가능한 발전 필요 예 자연 휴식년제 확대, 생태 통로 건설, 환경 영향 평가 시행 등

개념 암기

1 빈칸에 들어갈 알맞은 말을 쓰시오.

(1) 한반도의 약 40%의 땅이 시·원생대에 형성되었으며, 이 시기의 주요 암석은 (   )이다.

(2) (   ) 초기에는 해성층인 조선 누층군이 형성되었으며, 이 지층에는 주로 석회암이 분포한다.

2 한반도의 지체 구조와 형성 시기를 바르게 연결하시오.

(1) 경상 분지 •   • ㉠ 시·원생대
(2) 두만 지괴 •   • ㉡ 고생대
(3) 옥천 습곡대 •   • ㉢ 중생대
(4) 평북·개마 지괴 •   • ㉣ 신생대

3 설명이 맞으면 ○표, 틀리면 ✕표 하시오.

(1) 중생대 중기에 매우 격렬하게 발생한 송림 운동으로 인해 북동–남서 방향의 지질 구조선이 형성되었다.
(   )

(2) 신생대 제3기에는 동해 지각이 확장되면서 한반도에 강력한 횡압력이 작용하였다. (   )

(3) 빙기에는 하천의 상류 지역에서 침식 작용이 우세하게 나타났다. (   )

(4) 후빙기의 해수면 상승으로 동해안에서는 석호가 형성되었다. (   )

4 다음 설명에 해당하는 산맥을 〈보기〉에서 고르시오.

┌ 보기 ┐
ㄱ. 1차 산맥   ㄴ. 2차 산맥
└─────┘

(1) 해발 고도가 낮고 연속성이 뚜렷하지 않은 편이다.
(   )

(2) 함경산맥, 태백산맥, 낭림산맥, 소백산맥 등이 이에 해당한다. (   )

(3) 지질 구조선을 따라 차별 풍화와 차별 침식을 받아 형성되었다. (   )

5 괄호 안의 내용 중 알맞은 말을 골라 ○표 하시오.

(1) 경동성 요곡 운동의 영향으로 (동고서저, 서고동저)의 지형이 한반도에 형성되었다.

(2) (고위, 저위) 평탄면은 과거 오랜 기간 침식을 받아 평탄해진 곳이 융기한 후에도 남아 있는 지형을 말한다.

(3) 중생대에 관입한 화강암이 지표에 드러나 형성된 북한산은 대표적인 (돌산, 흙산)이다.

1 한반도의 형성 과정

01 표를 분석한 내용으로 옳은 것을 〈보기〉에서 고른 것은? (단, (가)~(다)는 변성암, 화성암, 퇴적암 중 하나임.)

구분	(가)	(나)	(다)	계
시·원생대	–	–	43%	43%
고생대	8%	–	–	8%
중생대	13%	30%	–	43%
신생대	1%	5%	–	6%
계	22%	35%	43%	100%

▲ 우리나라 암석의 형성 시기와 종류

┤ 보기 ├
ㄱ. (가)는 암석이 높은 열과 압력을 받아 형성된다.
ㄴ. (나)의 대표적인 암석으로는 화강암이 있다.
ㄷ. 설악산의 기반암은 (다)로 되어 있다.
ㄹ. 한반도 지각 중 가장 높은 비중을 차지하는 암석은 (다)의 편마암이다.

① ㄱ, ㄴ ② ㄱ, ㄷ ③ ㄴ, ㄷ
④ ㄴ, ㄹ ⑤ ㄷ, ㄹ

02 (가), (나)의 특징이 나타나는 지체 구조를 지도의 A~G에서 고른 것은?

(가) 신생대 제3기에 동해안 일부 지역에서는 해침에 의해 퇴적암층이 형성되었고, 이곳에는 갈탄이 매장되어 있다.
(나) 거대한 습지 또는 호수였던 곳에 중생대에 퇴적물이 쌓여 형성되었으며, 일부 지역에서는 공룡 발자국 화석과 뼈 화석이 발견된다.

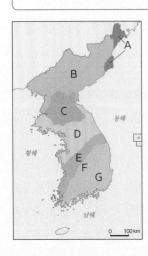

	(가)	(나)
①	A	B
②	A	G
③	C	D
④	C	F
⑤	E	G

03 지도는 고생대의 지체 구조를 나타낸 것이다. A, B에 대한 설명으로 옳은 것은?

┤ 보기 ├
ㄱ. A에는 무연탄이 다량 매장되어 있다.
ㄴ. B에는 석회석이 많이 매장되어 있다.
ㄷ. A는 해성층, B는 육성층이다.
ㄹ. A, B는 시·원생대의 지괴 사이에 나타난다.

① ㄱ, ㄴ ② ㄱ, ㄷ ③ ㄴ, ㄷ
④ ㄴ, ㄹ ⑤ ㄷ, ㄹ

[04~05] 다음 표를 보고 물음에 답하시오.

지질 시대	고생대			중생대			신생대	
	캄브리아기	…	페름기	트라이아스기	쥐라기	백악기	제3기	제4기
지층	조선 누층군	…	평안 누층군		⊙ 대동 누층군	경상 누층군	제3계	제4계
지각 변동	⇧ 조륙 운동			⇧ (가)	⇧ (나)	불국사 변동	⇧ (다)	⇧ (라)

주관식

04 밑줄 친 ⊙에서 주로 발견되는 암석을 쓰시오..

05 (가)~(라) 지각 변동의 영향으로 옳지 <u>않은</u> 것은?
① (가)– 한반도 북부를 중심으로 발생하였다.
② (나)– 중국 방향의 지질 구조선이 형성되었다.
③ (다)– 동고서저의 비대칭적인 지형이 형성되었다.
④ (라)– 해발 고도가 높은 1차 산맥이 형성되었다.
⑤ (라)– 울릉도와 독도에 화산 지형이 형성되었다.

06 그림에 나타난 지각 변동에 대한 설명으로 옳은 것은?

① 중생대에 발생한 격렬한 지각 변동이다.
② 한반도에 강력한 장력이 작용하도록 만들었다.
③ 한반도가 경동 지형을 이루는 데 영향을 주었다.
④ 한반도에 랴오둥 방향의 지질 구조선을 형성하였다.
⑤ 우리나라 중부 지방의 화강암 분포에 영향을 주었다.

2 한반도의 산지 지형

08 밑줄 친 ㉠~㉤에 대한 설명으로 옳지 <u>않은</u> 것은?

> 우리나라는 ㉠ 태백산맥과 함경산맥을 기준으로 동쪽은 급경사면을 이루고, 서쪽은 완경사면을 이루어 ㉡ 동서 간에 비대칭적인 지형이 형성되었다. ㉢ 경동성 요곡 운동에 의해 형성된 산지는 ㉣ 해발 고도가 높고 연속성이 뚜렷한 편이다. ㉤ 낭림산맥과 태백산맥에서 남서 방향으로 뻗은 대부분의 산맥들은 비교적 해발 고도가 낮으며 산줄기의 연속성도 뚜렷하지 않다.

① ㉠ – 차별 풍화와 침식에 의해 형성된 2차 산맥이다.
② ㉡ – 융기 운동의 축이 동쪽으로 치우쳤다.
③ ㉢ – 고위 평탄면 형성에 영향을 주었다.
④ ㉣ – 교통로를 건설하는 데에 제약이 된다.
⑤ ㉤ – 침식에 대한 저항력이 강한 부분이 남아 산지가 되었다.

07 지도는 빙기와 후빙기의 해안선을 나타낸 것이다. (가), (나) 시기의 특징을 비교한 것 중 옳은 것은?

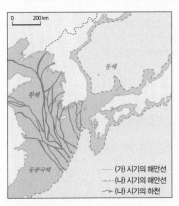

	구분	(가)	(나)
①	기후 변화	한랭 건조	온난 습윤
②	풍화 작용	화학적 풍화 작용 활발	물리적 풍화 작용 활발
③	하천 상류	퇴적 작용 활발	침식 작용 활발
④	하천 하류	침식 작용 활발	퇴적 작용 활발
⑤	지형 형성	하안 단구 발달	충적 평야 및 석호 발달(하류)

09 다음은 한국 지리 수업의 한 장면이다. 교사의 물음에 바르게 답한 학생을 고른 것은?

지형도에 나타난 (가) 지형의 특징으로는 무엇이 있을까요?

 갑: 지반의 융기로 형성되었어요.

 을: 논농사가 활발하게 이루어져요.

병: 하천 퇴적 물질이 두껍게 쌓여 있어요.

 정: 동위도의 저지대보다 여름철 기온이 낮아요.

① 갑, 을   ② 갑, 정   ③ 을, 병
④ 을, 정   ⑤ 병, 정

10 자료는 산지를 상대적 특성에 따라 구분한 것이다. (가), (나)에 해당하는 산을 바르게 짝지은 것은?

산 이름	특징
(가)	• 중생대에 마그마의 관입으로 형성된 암석이 지표에 노출되어 경치가 빼어난 돌산을 이룸. • 커다란 암반이 하나의 봉우리를 이루는 경우가 많음.
(나)	• 변성 작용을 받은 암석이 오랜 기간 풍화와 침식을 받아 흙산을 이룸. • 대체로 지표의 토양층이 두껍고 식생 밀도가 높음.

	(가)	(나)		(가)	(나)
①	금강산	덕유산	②	지리산	금강산
③	덕유산	북한산	④	북한산	금강산
⑤	덕유산	지리산			

11 다음은 학생이 제출한 형성 평가지의 일부이다. 옳게 표시된 항목을 고른 것은?

> 주제: 우리나라 산지의 특성과 이용
> ※ 옳은 진술이면, '예', 틀린 진술이면, '아니요'에 ✓표 하시오.
> (가) 오랫동안 침식을 받아 왔기 때문에 비교적 낮은 산지가 많다.　　　　　　예 ☐ 아니요 ✓
> (나) 산지가 남서쪽에 치우쳐 있어 주요 하천은 주로 동해로 흐른다.　　　　예 ✓ 아니요 ☐
> (다) 기술의 발달로 산지 지역에 교통망이 확충되면서 관광 산업이 발달하고 있다.　　예 ✓ 아니요 ☐
> (라) 경제적 효율성을 위해 산지 지역을 지속적으로 개발해야 한다.　　　　예 ☐ 아니요 ✓

① (가), (나)　　② (가), (다)　　③ (나), (다)
④ (나), (라)　　⑤ (다), (라)

서술형 문제

12 다음 글을 읽고 물음에 답하시오.

> 우리나라의 산지는 (㉠) 산맥과 (㉡) 산맥으로 구분할 수 있다. (㉠) 산맥은 신생대 제3기 이후 횡압력을 직접 받은 동해안이 비대칭적으로 융기하면서 형성되었고, (㉡) 산맥은 (㉠) 산맥 형성 이후 지질 구조선을 따라 차별 풍화와 차별 침식을 받아 형성되었다.

(1) ㉠, ㉡에 해당하는 말을 쓰시오.

(2) ㉡ 산맥과 비교한 ㉠ 산맥의 상대적 특징을 제시된 〈조건〉의 내용을 포함하여 서술하시오.

> ┤조건├
> • 해발 고도　　　• 연속성

13 그림을 보고 물음에 답하시오.

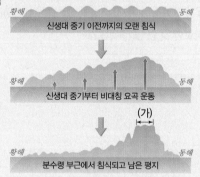

(1) (가) 지형이 무엇인지 쓰시오.

(2) 오늘날 (가) 지형을 이용하는 방식을 두 가지 서술하시오.

내신 1등급

01 표의 (가)~(마)에 대한 설명으로 옳은 것은?

지질시대	시생대	원생대	고생대				중생대			신생대	
			캄브리아기	...	석탄기-페름기	트라이아스기	쥐라기	백악기		제3기	제4기
지질계통	(가)		(나)		결층		(다)		대동누층군	(라)	제3계	제4계
주요지각변동	변성작용			조륙운동			송림변동	대보조산운동	불국사변동	(마)	화산활동

① (가)는 북한산, 설악산의 주요 기반암을 이루고 있다.

② (나)에는 무연탄이 다량으로 매장되어 있다.

③ (다)는 고생대 초기에 해침을 받아 형성되었다.

④ (라)는 수평 퇴적암층으로 공룡 발자국 화석이 분포한다.

⑤ (마)로 인해 중국 방향의 지질 구조선이 형성되었다.

02 (가), (나) 시기에 대한 설명으로 옳은 것은? (단, (가), (나)는 빙기와 후빙기 중 하나임.)

① (가) 시기에는 서해안에 리아스 해안이 나타났다.

② (나) 시기에는 하천 하류에 충적 평야가 형성되었다.

③ (가) 시기에는 (나) 시기보다 동해의 면적이 넓었다.

④ (가) 시기에는 (나) 시기보다 설악산의 해발 고도가 낮았다.

⑤ (나) 시기에는 (가) 시기보다 하천 상류부의 유량이 더 적었다.

03 그래프는 A~B 구간의 해발 고도 변화를 나타낸 것이다. (가)에 대한 설명으로 옳지 <u>않은</u> 것은?

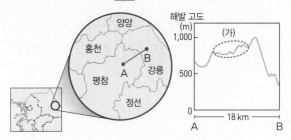

① 신생대 제3기의 지각 변동으로 형성되었다.

② 용암의 열하 분출로 인해 평탄해진 지역이다.

③ 교통이 발달하면서 관광 산업도 함께 성장하고 있다.

④ 목초 재배에 유리하여 양을 기르는 목축업이 발달하였다.

⑤ 바람이 강하게 부는 자연환경적 특성을 활용하여 풍력 발전 단지가 조성되었다.

04 (가), (나) 산지에 대한 설명으로 옳은 것을 〈보기〉에서 고른 것은? (단, (가), (나)는 도봉산과 지리산 중 하나임.)

(가)	(나)

┌ 보기 ┐

ㄱ. (가)는 중생대에 관입한 화강암이 지표에 드러나 있는 산지이다.

ㄴ. (나)와 경관이 비슷한 산지로는 덕유산이 있다.

ㄷ. (가)는 (나)보다 주요 기반암의 형성 시기가 이르다.

ㄹ. (나)는 (가)보다 토양층의 두께가 얇다.

① ㄱ, ㄴ   ② ㄱ, ㄷ   ③ ㄴ, ㄷ

④ ㄴ, ㄹ   ⑤ ㄷ, ㄹ

02

하천 지형과
해안 지형

1 우리나라의 하천 지형

1. 우리나라 하천의 특성

(1) 하천의 방향   경동 지형과 남서 방향의 지질 구조선의 영향으로 대부분의 큰 하천은 황해와 남해로 흐름.

(2) 유량 변동
① 계절에 따른 강수 변동, 좁은 하천 유역 면적 등으로 유량의 변화가 심해 하상계수가 큼. └→ 하계망을 통해 물이 모여드는 전체 범위
└→ 하천의 최소 유량을 1로 했을 때의 최대 유량 비율
② 여름철에는 유량이 급증하여 홍수 피해가 증가하고, 겨울에는 유량이 적어 수운 발달과 수자원 확보에 불리함.

(3) 감조 하천
① 의미: 조류의 영향을 받아 수위가 주기적으로 오르내리는 하천 └→ 밀물 때 바닷물이 역류하는 구간
② 감조 구간에서 홍수 피해, 염해 등 발생 → 하굿둑과 방조제를 건설하여 이를 방지함.

└→ 하천 상류는 하류에 비해 경사가 급하고 유량이 적으며, 퇴적 물질의 입자 크기는 큼.

★ 2 하천 중·상류에 발달하는 지형

감입 곡류 하천	• 의미: 하천의 중·상류 지역에서 산지 사이를 굽이쳐 흐르는 곡류 하천 • 형성: 신생대 제3기 이후 경동성 요곡 운동에 의한 지반의 융기로 인해 하방 침식이 우세해지면서 발달함. • 이용: 주변 경관을 활용한 관광업이 발달함.
하안 단구	• 의미: 감입 곡류 하천 주변에 나타나는 계단 모양의 지형 • 형성: 과거의 하상 또는 범람원이 융기한 후 하방 침식을 받아 형성됨. └→ 단구면에 둥근 자갈 분포 • 이용: 홍수 시 쉽게 침수 되지 않아 농경지, 취락, 교통로 등으로 이용됨.
선상지	• 의미: 경사가 급변하는 골짜기 입구에 나타나는 부채꼴 모양의 충적 지형 • 형성: 유속의 감소로 운반 물질이 퇴적되어 형성됨. → 구릉성 산지가 많은 우리나라는 발달이 미약함. └→ 일부 단층선이 통과하는 지역에서 볼 수 있음 • 이용: 선정은 취락과 농경지로, 선앙은 지표수가 부족하여 밭과 과수원으로, 선단은 용천이 분포하여 취락과 논으로 이용됨.
침식 분지	• 의미: 높은 산지로 둘러싸인 비교적 경사가 완만한 지형 • 형성: 기반암과 지질 구조의 특성에 따라 암석이 차별 침식을 받아 형성됨. └→ 화강암 지대가 주변의 변성암 지대보다 더 빠르게 풍화·침식을 받음. • 이용: 일찍부터 주거지와 농경지로 이용됨, 지방 행정의 중심지로 성장함. 예 춘천 분지, 충주 분지, 안동 분지

★ 3 하천 중·하류에 발달하는 지형

자유 곡류 하천	• 의미: 대하천의 중·하류와 지류에서 평야 위를 자유롭게 흐르는 곡류 하천 • 형성: 하천이 측방 침식을 하며 유로를 자주 변경하면서 형성됨. → 우각호, 구하도, 하중도 발달 • 변화: 농경지 보호, 홍수 예방을 위해 유로 직강화 사업이 진행됨.
범람원	• 의미: 하천 중·하류 지역에 토사가 퇴적되어 형성된 충적 평야 • 형성: 하천의 범람으로 운반 물질이 퇴적되어 형성됨. • 이용: 조립질이 퇴적되어 배수가 잘되는 자연 제방은 밭이나 과수원으로, 미립질이 퇴적되어 배수가 불량한 배후 습지는 개간 후 논으로 이용됨.
삼각주	• 의미: 하천 하구에 형성된 삼각형 모양의 충적 평야 • 형성: 유속의 급격한 감소로 운반 물질이 쌓여 형성됨. → 조차가 큰 황·남해에는 발달이 미약함. • 이용: 토양이 비옥하여 농경지로 이용됨. 예 낙동강 삼각주

> **핵심 기출 자료 분석 주요 하천 지형**
>
>
>
> ▲ 감입 곡류 하천과 하안 단구
>
>
>
> ▲ 자유 곡류 하천과 범람원
>
> **분석 |** 감입 곡류 하천은 한강, 낙동강 등 대하천의 중·상류에서 볼 수 있고, 자유 곡류 하천은 대하천의 중·하류에서 볼 수 있다.

4. 하천 지형과 인간 생활

인간에 의한 변화	도시화로 인한 포장 면적 증가, 하천 직강화, 하천 준설, 골재 채취, 댐 건설로 생태계 파괴, 하굿둑 건설로 오염 심화 등
대책	생태 하천 복원 사업 시행, 하천 주변 습지 보호 등

2 우리나라의 해안 지형

1. 동해안과 서·남해안의 비교

└→ 바람에 의해 나타나는 해수 운동으로, 곶에서는 힘이 집중되고, 만에서는 힘이 분산됨

동해안	• 지반 융기의 영향을 많이 받음, 산맥과 해안선의 방향이 평행함. → 섬이 적고 단조로운 해안선 • 수심이 깊고 조차가 작으며, 파랑의 작용이 활발함.
서·남해안	• 산맥이 해안을 향해 뻗어 있음, 후빙기 해수면 상승 때 침수됨. → 섬이 많고 복잡한 해안선 → 리아스 해안 • 수심이 얕고 조차가 크며, 조류의 작용이 활발함.

└→ 태양과 달의 인력에 의한 해수 운동으로 발생하는 흐름

2. 곶과 만에서의 지형 형성

곶	• 형태: 바다 쪽으로 돌출된 육지 • 특징: 파랑 에너지 집중, 침식 작용 활발 • 주요 지형: 해식애, 시 스택, 해안 단구 등 암석 해안 발달
만	• 형태: 육지 쪽으로 들어간 바다 • 특징: 파랑 에너지 분산, 퇴적 작용 활발 • 주요 지형: 사빈, 해안 사구, 사주, 석호 등 모래 해안 발달

★3 해안 침식 지형

해식애	해안의 산지나 구릉이 파랑의 침식 작용에 의해 깎여서 형성된 절벽
파식대	파랑의 침식 작용으로 해식애가 후퇴하면서 남은 넓고 평평한 바위면
해식동	해식애의 하단부 중 약한 부분이 파랑의 침식 작용으로 깊게 파인 동굴
시 스택	해식애가 파랑의 침식 작용으로 후퇴할 때 약한 부분은 깎이고 단단한 부분만 바위섬처럼 남아 형성된 기둥 모양의 지형
해안 단구	<u>과거의 파식대</u>가 지반의 융기나 해수면 하강으로 현재 해수면보다 높아지면서 형성된 계단 모양의 지형 → 농경지, 교통로 등으로 이용 └ 단구면에 둥근 자갈 분포

★4 해안 퇴적 지형

┌─ 해안을 따라 이동하는 해수의 흐름

사빈	파랑이나 연안류에 의해 모래가 퇴적된 지형 → 해수욕장으로 이용
해안 사구	• 사빈의 모래가 바람에 의해 이동하여 사빈의 배후에 퇴적되어 형성된 모래 언덕 → 지하수(담수)의 저장고 역할 • 북서풍의 영향을 많이 받는 서해안에 대규모로 발달, 모래 바람을 막기 위해 방풍림 조성
사주	연안류를 따라 사빈의 모래가 이동하여 바다 쪽으로 길게 퇴적된 지형
육계도	사주로 인해 육지와 연결된 섬, 섬과 육지를 연결하는 사주는 육계사주라고 함.
석호	• 해수면 상승으로 형성된 만의 입구를 사주가 가로막아 바다와 분리되면서 형성된 호수 → 염분을 포함하고 있어 식수나 농업용수로 이용하기에는 부적합함. • 호수로 유입되는 퇴적 물질에 의해 면적이 감소함.
갯벌	• 조류에 의해 점토 등이 퇴적되어 형성된 지형 • 해양 생물의 서식지, 오염 물질 정화 기능

└─ 조차가 큰 지역에서 발달

핵심 기출 자료 분석 **주요 해안 지형의 형성 과정**

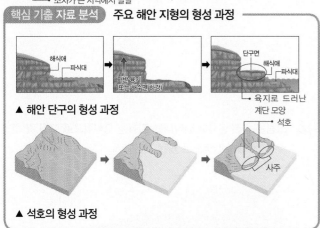

▲ 해안 단구의 형성 과정

▲ 석호의 형성 과정

5. 해안 지형과 인간 생활

(1) **해안 지형의 이용** 임해 공업 지대 형성, 관광 시설 건설, 전력 생산, 서해안에 갑문이나 뜬다리 부두 설치

(2) 인간에 의한 해안 지형의 변화

해안 지형 변화	대규모 간척 사업과 무분별한 해안 개발로 해양 생태계 파괴, 해양 오염, 해안 침식 문제 발생
대책	역간척 사업 시행, 그로인·모래 포집기 등 설치, 환경 영향 평가 실시 등

개념 암기

1 설명이 맞으면 ○표, 틀리면 ✕표 하시오.

(1) 우리나라는 지형적 영향으로 대부분의 큰 하천이 황해와 남해로 흐른다. (　　　　)

(2) 우리나라는 계절에 따라 강수량의 차이가 커서 하상계수가 작다. (　　　　)

(3) 조차가 큰 황해나 남해로 흐르는 하천은 밀물 시 바닷물이 유입되어 염해를 입히기도 한다. (　　　　)

2 괄호 안의 내용 중 알맞은 말을 골라 ○표 하시오.

(1) (감입, 자유) 곡류 하천은 신생대 제3기 이후 발생한 경동성 요곡 운동으로 인해 하천의 (측방, 하방) 침식이 우세하게 진행되어 발달하였다.

(2) (삼각주, 선상지)는 경사가 급변하는 골짜기 입구에서 유속의 감소로 운반 물질이 퇴적되어 형성되는 지형을 말한다.

(3) 범람원 중 (배후 습지, 자연 제방)은/는 배수가 양호하고 홍수 피해가 적어 취락이 입지하기에 유리하다.

3 다음에서 설명하는 지형을 쓰시오.

> 변성암이 기반암을 이루는 곳에 중생대에 화강암이 관입한 이후, 화강암 지대가 주변의 변성암 지대보다 차별적으로 더 빠르게 풍화와 침식을 받아 형성된 지형으로, 하천 중·상류의 두 하천이 합류하는 지점에 잘 발달한다.

(　　　　　　　)

4 빈칸에 들어갈 알맞은 말을 쓰시오.

(1) 동해안은 산맥과 해안선의 방향이 (　　　　)하고 지반의 융기량이 많아 해안선이 (　　　　).

(2) 서해안은 산맥이 해안을 향해 뻗어있고, 후빙기 해수면 상승으로 골짜기가 침수되어 (　　　　) 해안이 나타난다.

(3) 해안에서 육지 쪽으로 들어간 바다인 (　　　　)에서는 파랑의 힘이 분산되어 퇴적 작용이 활발하다.

5 각 지형의 형성에 영향을 준 요인을 바르게 연결하시오.

(1) 갯벌　· 　　·㉠ 지반의 융기
(2) 석호　· 　　·㉡ 조류의 퇴적 작용
(3) 시 스택　· 　　·㉢ 파랑의 침식 작용
(4) 해안 단구　· 　　·㉣ 후빙기 해수면 상승

1 우리나라의 하천 지형

01 밑줄 친 ㉠~㉤에 대한 설명으로 옳지 <u>않은</u> 것은?

> 우리나라는 ㉠ 강수 특성과 ㉡ 유역 분지의 특성 때문에 하천의 유량 변동이 큰 편이다. 이로 인해 농경지와 주택의 ㉢ 침수 피해 등이 발생하며, 이러한 피해를 방지하기 위해 제방, 댐 등을 건설하였다. 한편 황해나 남해로 유입하는 일부 하천의 경우 ㉣ 감조 구간이 나타나 주변에 피해를 주기도 한다. 따라서 이러한 ㉤ 피해를 줄이기 위해 다양한 시설을 건설하였다.

① ㉠ - 계절별 강수량의 차이가 크다.

② ㉡ - 유역 면적이 좁다.

③ ㉢ - 주로 여름철 집중 호우의 영향으로 나타난다.

④ ㉣ - 밀물 때 바닷물이 역류하는 하천 구간이다.

⑤ ㉤ - 인공 제방을 설치하는 하천 직강 공사가 필요하다.

02 그림은 하천의 유역 분지를 나타낸 것이다. (나) 지점과 비교한 (가) 지점의 상대적 특징을 그림의 A~E에서 고른 것은?

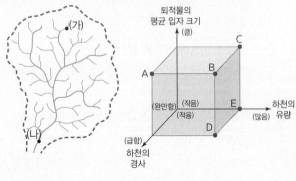

① A   ② B   ③ C

④ D   ⑤ E

03 그림은 하천 지형의 변화를 나타낸 것이다. A~D에 대한 설명으로 옳은 것만을 〈보기〉에서 있는 대로 고른 것은?

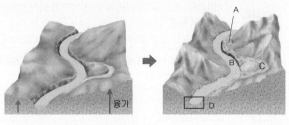

┤ 보기 ├

ㄱ. A에는 둥근 모양의 자갈이 나타난다.

ㄴ. B는 하천의 상류보다 하류에서 주로 나타난다.

ㄷ. C는 과거에 하천이 흘렀던 곳이다.

ㄹ. D에서는 유속이 느린 공격 사면과 유속이 빠른 퇴적 사면이 나타난다.

① ㄱ   ② ㄱ, ㄷ   ③ ㄴ, ㄷ

④ ㄱ, ㄴ, ㄹ   ⑤ ㄴ, ㄷ, ㄹ

04 그림은 하천 상류에 나타나는 지형을 모식적으로 그린 것이다. A~C에 대한 설명으로 옳은 것은?

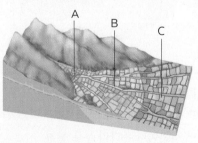

① A는 주로 점토로 이루어졌다.

② B에는 용천이 분포하는 경우가 많다.

③ C는 논으로 이용된다.

④ A는 C보다 하상의 경사가 완만하다.

⑤ B는 C보다 전통 취락의 입지에 유리하였다.

05 자료는 지리 답사반 학생들이 작성한 보고서의 일부이다. 밑줄 친 ㉠에 들어갈 내용으로 옳은 것은?

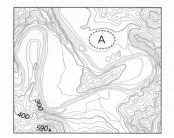

〈○○ 지역의 지형 특징과 형성 원인〉

• ○○ 지역의 지형 특징
  1. 주변 산지의 경사가 매우 급함.
  2. 하천이 깊은 골짜기를 곡류하고 있음.
• A 지형의 특징 및 형성 원인
  1. 하천 주변의 계단 모양의 지형임.
  2. _____㉠_____ 형성됨.

① 하천의 범람에 의해
② 지반 융기의 영향을 받아
③ 기반암이 차별적인 침식을 받아
④ 하천의 직강 공사로 유로가 변경되어
⑤ 하천 중·상류와 평지 사이의 경사가 급변하는 지점에서 유속이 감소하여

06 자료는 춘천의 지질도와 지형도이다. (가), (나) 암석에 대한 설명으로 옳지 <u>않은</u> 것은?

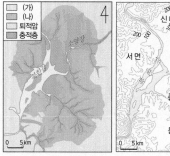

① (가)는 오랫동안 변성 작용을 받았다.
② (가)로 이루어진 산지는 주로 흙산을 이룬다.
③ (나)는 마그마가 관입하여 형성되었다.
④ (가)는 (나)보다 형성 시기가 오래되었다.
⑤ (나)는 (가)보다 풍화와 침식에 대한 저항력이 강하다.

[07~08] 다음 지형도를 보고 물음에 답하시오.

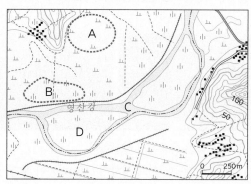

07 지도의 A~C에 대한 옳은 설명을 〈보기〉에서 고른 것은?

┤ 보기 ├
ㄱ. A는 B보다 해발 고도가 높다.
ㄴ. A는 B에 비해 배수가 양호하다.
ㄷ. A, B는 C의 퇴적 작용으로 형성된다.
ㄹ. A는 B에 비해 퇴적 물질의 평균 입자 크기가 작다.

① ㄱ, ㄴ　　② ㄱ, ㄷ　　③ ㄴ, ㄷ
④ ㄴ, ㄹ　　⑤ ㄷ, ㄹ

주관식
08 D의 명칭을 쓰시오.

09 항공 사진에 나타난 지형에 대한 설명으로 옳지 <u>않은</u> 것은?

① 토양이 비옥하여 농경지로 이용된다.
② 하천과 바다가 만나는 하구에서 형성된다.
③ 조차가 큰 서·남해안에서 흔히 볼 수 있다.
④ 염해를 방지하기 위해 하굿둑이 설치되기도 한다.
⑤ 유속의 급격한 감소로 하천의 운반 물질이 쌓여 만들어진다.

10 (가), (나) 하천에 대한 설명으로 옳은 것은?

(가)	(나)

① (가)는 하천 하류에서 발달한다.

② (나)는 측방 침식이 우세하여 유로 변동이 잦다.

③ (가)는 (나)보다 하천의 경사가 완만하다.

④ (가)는 (나)보다 하천 주변 퇴적물의 평균 입자가 작다.

⑤ (나)는 (가)보다 지반 융기의 영향을 크게 받았다.

11 다음은 한국 지리 수업의 한 장면이다. 교사의 물음에 바르게 답한 학생을 고른 것은?

그래프를 읽고 도시화에 따른 하천의 유출량 변화에 대해 이야기해 볼까요?

갑: 도시화 이후 포장 면적이 늘어나면서 나타난 현상 같아요.

을: 녹지 면적이 늘어난 것도 원인이 될 수 있습니다.

병: 빗물이 하천으로 느리게 도달하는 것이 문제인 듯합니다.

정: 이러한 문제를 해결하지 않는다면 도시에는 홍수 문제가 심각해질 거예요.

① 갑, 을   ② 갑, 정   ③ 을, 병

④ 을, 정   ⑤ 병, 정

---

2 우리나라의 해안 지형

12 밑줄 친 ㉠~㉣에 대한 옳은 설명을 〈보기〉에서 고른 것은?

우리나라의 동해안과 서·남해안은 각각 다른 특징을 가지고 있다. ㉠ 동해안의 해안선은 ㉡ 산맥과 평행하게 형성되어 있어 비교적 단조로운 편이다. 반면, ㉢ 서해 안과 남해안은 산맥이 바다를 향해 형성되어 있어 크고 작은 섬과 반도, 곶과 만이 많으며, 이로 인해 ㉣ 출입이 매우 복잡한 해안선이 나타난다.

┤ 보기 ├

ㄱ. ㉠ – 경동성 요곡 운동의 영향으로 지반의 융기량이 많았다.

ㄴ. ㉡ – 함경산맥과 태백산맥이 대표적이다.

ㄷ. ㉢ – 파랑의 영향이 커서 갯벌이 넓게 분포한다.

ㄹ. ㉣ – 빙기 때 해수면 하강의 영향으로 형성되었다.

① ㄱ, ㄴ   ② ㄱ, ㄷ   ③ ㄴ, ㄷ

④ ㄴ, ㄹ   ⑤ ㄷ, ㄹ

13 모식도는 해안 지역을 나타낸 것이다. (가), (나) 지역에 대한 설명으로 옳지 않은 것은?

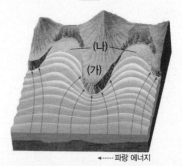

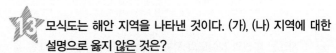

◀----파랑 에너지

① (가)는 곶이고, (나)는 만이다.

② (가)는 (나)보다 파랑의 힘이 집중된다.

③ (나)는 (가)보다 침식 작용이 활발하다.

④ (가)에는 해식애, (나)에는 사빈이 형성된다.

⑤ (가)에는 암석 해안, (나)에는 모래 해안이 주로 발달한다.

14 (가)~(다) 지형의 공통점으로 옳은 것은?

① 주로 해수욕장으로 이용된다.

② 지하에 담수가 저장되어 있다.

③ 주로 파랑의 힘이 집중되는 곳에 발달한다.

④ 밀물 때 잠기고 썰물 때 드러나는 지형이다.

⑤ 조류에 의해 운반된 미립 물질이 퇴적되어 형성된다.

[15~16] 모식도는 A 지형의 형성 과정을 나타낸 것이다. 이를 보고 물음에 답하시오.

주관식

15 A 지형의 명칭을 쓰시오.

16 A 지형에 대한 설명으로 옳지 <u>않은</u> 것은?

① 둥근 자갈들이 발견된다.

② 취락, 농경지, 교통로 등으로 이용된다.

③ 과거에는 파랑의 침식을 받은 곳이었다.

④ 우리나라의 동해안에서 주로 볼 수 있다.

⑤ 현재의 파식대보다 해발 고도가 낮은 곳에 있다.

17 지도의 A~D 해안 지형에 대한 옳은 설명을 〈보기〉에서 고른 것은?

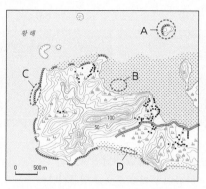

┤ 보기 ├

ㄱ. A는 후빙기 해수면 상승 과정에서 형성된 섬이다.

ㄴ. B는 오염 물질 정화 기능이 있다.

ㄷ. C는 시간이 지남에 따라 바다 쪽으로 성장한다.

ㄹ. D는 주로 조류의 퇴적 작용으로 형성된다.

① ㄱ, ㄴ　　　② ㄱ, ㄷ　　　③ ㄴ, ㄷ

④ ㄴ, ㄹ　　　⑤ ㄷ, ㄹ

18 (가) 지형에 대한 설명으로 옳지 <u>않은</u> 것은?

① 동해안에 주로 분포한다.

② 면적이 점차 축소되고 있다.

③ 시간이 지남에 따라 충적지로 변화하기도 한다.

④ (가)의 물은 주변 농경지의 농업용수로 활용된다.

⑤ 후빙기의 해수면 상승과 사주의 발달로 형성되었다.

19 (가), (나) 지형에 대한 옳은 설명을 〈보기〉에서 고른 것은? (단, (가), (나)는 갯벌과 해안 사구 중 하나임.)

<table>
<tr><td>(가)</td><td>(나)</td></tr>
</table>

┤ 보기 ├

ㄱ. (가)는 만보다 곶에 잘 발달한다.

ㄴ. (나)는 바람의 퇴적 작용으로 형성된다.

ㄷ. (가)는 (나)보다 퇴적물의 평균 입자 크기가 크다.

ㄹ. (가), (나) 모두 동해안보다 서해안에 큰 규모로 발달해 있다.

① ㄱ, ㄴ ② ㄱ, ㄷ ③ ㄴ, ㄷ

④ ㄴ, ㄹ ⑤ ㄷ, ㄹ

주관식

20 자료를 보고, ㉠에 들어갈 알맞은 말을 쓰시오.

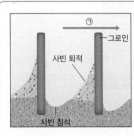

오늘날 지역 개발로 사빈에 각종 시설이 들어서면서 해안 침식이 일어나 모래가 빠른 속도로 줄어들고 있다. 이러한 사빈에 바다 쪽으로 돌출한 인공 구조물인 그로인(groin)을 설치할 경우, 해안을 따라 이동하는 [㉠]에 의해 운반된 모래가 그로인 안쪽에 퇴적되므로 사빈의 침식을 막을 수 있다.

서술형 문제

21 사진을 보고 물음에 답하시오.

(1) 사진에 나타난 지형의 명칭을 쓰시오.

(2) 위 지형의 형성 원인을 제시된 〈조건〉의 내용을 포함하여 서술하시오.

┤ 조건 ├

• 침식 • 기반암

22 지도를 보고 물음에 답하시오.

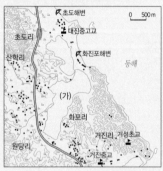

(1) 지도에 나타난 (가) 지형의 명칭을 쓰시오.

(2) (가) 지형의 형성 과정을 서술하시오.

01 지도의 (가), (나) 지점에 대한 옳은 설명을 〈보기〉에서 고른 것은?

┤ 보기 ├
ㄱ. (가)는 (나)보다 평균 하폭이 좁다.
ㄴ. (가)는 (나)보다 평균 수심이 얕다.
ㄷ. (나)는 (가)보다 평균 유량이 적다.
ㄹ. (나)는 (가)보다 퇴적물의 둥근 정도가 낮다.

① ㄱ, ㄴ   ② ㄱ, ㄷ   ③ ㄴ, ㄷ
④ ㄴ, ㄹ   ⑤ ㄷ, ㄹ

02 (가), (나) 지역에 대한 설명으로 옳지 <u>않은</u> 것은? (단, (가), (나)는 동일한 하계망에 속함.)

 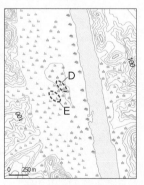

① (가)에서 하천의 하방 침식은 빙기보다 현재가 더 활발하다.
② (가)는 하천의 상류, (나)는 하천의 하류에 해당한다.
③ A는 과거에 하천이 흘렀던 곳이다.
④ B는 C보다 인근 하상과의 고도 차가 크다.
⑤ D는 E보다 퇴적물의 평균 입자 크기가 작다.

03 (가), (나) 해안과 비교한 (다) 해안의 상대적 특징을 그림의 A~E에서 고른 것은?

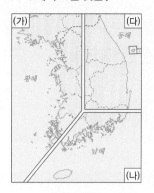

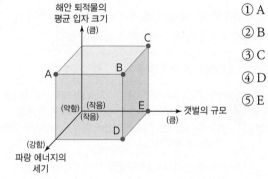

① A
② B
③ C
④ D
⑤ E

04 지도의 A~E에 대한 설명으로 옳은 것은?

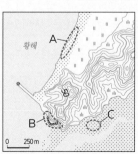 

① A는 주로 점토로 이루어져 있다.
② B는 파랑의 퇴적 작용으로 형성된다.
③ C는 밀물 때 잠기고 썰물 때 물 위로 드러난다.
④ D는 면적이 확대되고 있으며 농업용수로 이용된다.
⑤ E는 지반 융기의 영향을 크게 받았다.

03

화산 지형과
카르스트 지형

1 우리나라의 화산 지형

1. 화산 지형의 형성 중생대에 형성된 것이 일부 있으나, 대부분 신생대 제3기 말에서 제4기에 걸쳐 형성됨.
└ 땅속에 있는 마그마와 가스가 지표로 분출하여 형성된 지형

★ 우리나라의 다양한 화산 지형
점성이 작은 용암이 분출하여 기존의 골짜기나 분지를 메워 형성된 평평한 땅

백두산 일대	• 현무암으로 이루어진 용암 대지 위에 백두산이 형성됨. → 산 정상부를 제외하고는 전체적으로 경사가 완만함. • 백두산 정상에는 화구의 함몰로 형성된 칼데라에 물이 고여 형성된 천지가 있음. ← 칼데라호
신계·곡산, 철원·평강 용암 대지	• 현무암질 용암의 열하 분출로 하곡이 메워져 형성됨. • 한탄강 주변에는 수직 절벽과 용암이 식으면서 만들어진 주상 절리 등의 화산 지형이 발달해 있음. ← 지각의 틈을 통하여 서서히 분출하는 것 • 용암 대지 위에 충적층이 발달하여 주변의 수리 시설을 바탕으로 벼농사가 활발함. ← 분출된 용암이 냉각되는 과정에서 수축이 일어나 다각형 모양의 균열이 발생하여 형성된 기둥 모양의 지형
제주도 └ 세계 자연 유산과 세계 지질 공원으로 등재	• 한라산: 현무암질 용암의 분출로 형성된 방패 모양의 화산(순상 화산)으로, 정상부 일부는 종 모양의 화산(종상 화산)을 이루며 산 정상에 화구호인 백록담이 있음, 산허리에는 기생 화산(오름)이 형성되어 있음. ← 화산의 중턱에 새로 용암과 화산 쇄설물이 분출하여 생긴 작은 화산 • 용암동굴(만장굴, 협재굴, 김녕굴 등), 주상 절리 등이 발달함. • 제주도의 지표는 현무암으로 덮여 있어 하천 발달이 미약함. → 지하수가 솟아오르는 용천대를 따라 취락이 발달함.
울릉도와 독도	• 울릉도: 전체적으로 경사가 급한 산지(종상 화산)이며, 중앙에 칼데라 분지인 나리 분지와 중앙 화구구인 알봉이 있는 이중 화산체임. • 독도: 울릉도와 함께 동해의 해저에서 분출된 마그마가 굳어 형성된 화산섬으로, 화산체 대부분은 해저에 있음.

핵심 기출 자료 분석 　다양한 화산 지형

▲ **기생 화산(제주도)** 제주도의 기생 화산은 한라산 산록부에 집중적으로 분포한다.

▲ **칼데라 분지(울릉도)** 칼데라 분지인 나라 분지 안에 중앙 화구구인 알봉이 솟아 있다.

3. 화산 지형의 이용과 보전 다양한 지형 경관으로 인해 일찍부터 관광 자원으로 활용 → 지형 훼손 문제 발생 → 보전을 위해 복원 사업, 환경 영향 평가 등 시행

2 우리나라의 카르스트 지형

1. 카르스트 지형의 형성과 분포
빗물이나 지하수가 암석을 용해하여 침식하는 현상
(1) 형성 과정 석회암의 주성분인 탄산 칼슘이 빗물과 지하수의 용식 작용을 받아 형성됨.
(2) 분포 평안남도, 강원도 남부, 충청북도 북부, 경상북도 북부 일대에 분포하는 고생대 조선 누층군의 석회암 지대에 발달

★ 다양한 카르스트 지형

돌리네	땅속의 석회암이 빗물에 용식되어 형성된 깔때기 모양의 우묵한 지형 → 배수가 잘되어 밭으로 이용
우발레	돌리네의 규모가 커지면서 다른 돌리네와 합쳐져서 형성
석회동굴	지하로 침투한 물에 의해 석회암이 용식되어 형성된 동굴 → 종유석, 석순, 석주 등이 발달
석회암 풍화토	석회암의 용식 과정에서 석회암에 포함된 불순물이 녹지 않고 풍화되면서 형성된 붉은색 토양

핵심 기출 자료 분석 　카르스트 지형

▲ **카르스트 지형의 모식도**

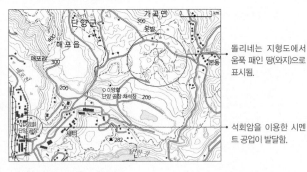

돌리네는 지형도에서 움푹 패인 땅(와지)으로 표시됨.

석회암을 이용한 시멘트 공업이 발달함.

▲ **카르스트 지형의 지형도**

3. 카르스트 지형의 이용
(1) 관광업 독특한 경관을 활용한 관광업이 발달함. → 관광객의 증가로 환경 문제 발생
(2) 시멘트 공업 석회석은 시멘트를 만드는 원료이므로 시멘트 공업이 발달함. → 지나친 채굴로 환경 문제 발생
(3) 농업 배수가 양호한 두꺼운 토양층이 분포함. → 밭농사 발달

개념 암기

1 괄호 안의 내용 중 알맞은 말을 골라 ○표 하시오.

(1) 우리나라의 화산 지형은 대부분 (고생대, 신생대)에 형성되었다.

(2) 한탄강 일대에는 유동성이 (큰, 작은) 현무암질 용암이 분출하여 용암 대지가 형성되었다.

(3) 백두산의 정상에는 (화구호, 칼데라호)인 천지가 있고, 제주도의 정상에는 (화구호, 칼데라호)인 백록담이 있다.

2 각 화산 지형의 특징을 바르게 연결하시오.

(1) 용암동굴 •

(2) 기생 화산 •

(3) 주상 절리 •

• ㉠ 용암의 냉각 과정에서 형성된 기둥 모양의 지형

• ㉡ 화산의 중턱에 새로 용암과 화산 쇄설물이 분출하여 생긴 작은 화산

• ㉢ 용암이 흐를 때 공기와 접촉한 표면이 굳은 뒤에 내부 용암이 빠져나가 만들어진 지형

3 빈칸에 들어갈 알맞은 말을 쓰시오.

(   ) 지형은 석회암의 주성분인 탄산 칼슘이 빗물과 지하수의 용식 작용을 받아 형성된 지형을 말한다.

4 빈칸에 들어갈 알맞은 말을 쓰시오.

(1) (   )은/는 땅속의 석회암이 빗물에 용식되어 형성된 깔때기 모양의 우묵한 지형이다.

(2) (   ) 내부에는 종유석, 석순, 석주 등이 형성되는데, 그 형태가 매우 신비로워 관광지로 개발된다.

(3) 석회암이 용식되면서 석회암에 포함된 불순물이 녹지 않고 풍화되면 (   )색을 띠는 토양이 만들어진다.

5 설명이 맞으면 ○표, 틀리면 ✕표 하시오.

(1) 화산 및 카르스트 지형을 보러 많은 관광객이 몰려들면서 환경 문제가 발생하였다.   (   )

(2) 용암은 시멘트를 만드는 원료이기 때문에 화산 지형에는 시멘트 공장들이 들어선다.   (   )

내신 기출

정답과 해설 11쪽

1 우리나라의 화산 지형

01 지도의 A~E에 대한 설명으로 옳은 것은?

① A – 산 정상부에 칼데라호가 있다.

② B – 점성이 큰 용암이 폭발적으로 분화하였다.

③ C – 전체적으로 경사가 완만한 방패 모양의 산지이다.

④ D – 화산체의 대부분이 해수면 위로 드러나 있다.

⑤ E – 칼데라 분지 안에 화구가 솟아 있는 이중 화산체이다.

02 (가), (나) 지역에 대한 옳은 설명을 〈보기〉에서 고른 것은?

(가)	(나)
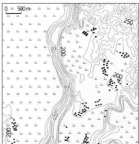	

┤ 보기 ├

ㄱ. (가)의 한탄강 주변부는 하상과의 고도 차가 거의 없는 평야이다.

ㄴ. (나)의 오름들은 용암의 열하 분출에 의해 형성되었다.

ㄷ. (가)는 논농사, (나)는 밭농사가 활발하게 이루어진다.

ㄹ. (가)와 (나)는 신생대에 화산 활동이 일어난 지역이다.

① ㄱ, ㄴ   ② ㄱ, ㄷ   ③ ㄴ, ㄷ

④ ㄴ, ㄹ   ⑤ ㄷ, ㄹ

03 (가), (나) 지형에 대한 옳은 설명을 〈보기〉에서 고른 것은?

(가)

(나)

▲ 백두산 천지

▲ 한라산 백록담

┤ 보기 ├

ㄱ. (가)는 칼데라에 물이 고여 형성되었다.

ㄴ. (나)는 산 정상부가 용식되어 형성되었다.

ㄷ. (가)는 중생대, (나)는 신생대에 형성되었다.

ㄹ. (가), (나)는 모두 화산 활동의 영향을 받았다.

① ㄱ, ㄴ   ② ㄱ, ㄹ   ③ ㄴ, ㄷ

④ ㄴ, ㄹ   ⑤ ㄷ, ㄹ

05 다음은 한국 지리 수업의 한 장면이다. 교사의 물음에 바르게 답한 학생을 고른 것은?

이 지도는 우리가 지난주에 답사를 다녀온 지역을 나타낸 거예요. 이 지역에서 발달한 산업에 대해 말해 볼까요?

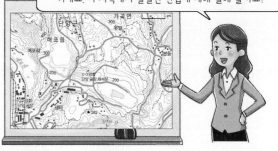

갑: 논농사가 발달했어요.

을: 시멘트 공업이 발달해 있어요.

병: 고랭지 농업이 활발하게 이루어져요.

정: 독특한 지형 경관을 활용하여 관광업이 발달했어요.

① 갑, 을   ② 갑, 정   ③ 을, 병

④ 을, 정   ⑤ 병, 정

2 우리나라의 카르스트 지형

 A~D에 대한 설명으로 옳지 <u>않은</u> 것은?

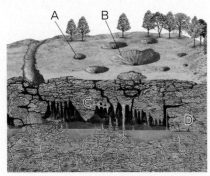

① A는 주로 용식 작용을 받아 형성된다.

② A는 배수가 불량하여 논농사에 유리하다.

③ B는 인접한 A가 합쳐져 형성된 지형이다.

④ C는 동굴 천장에서 자라는 종유석이다.

⑤ D의 기반암은 고생대 해성층에 주로 분포한다.

서술형 문제

 사진을 보고 물음에 답하시오.

(1) 사진에 나타난 지형의 명칭을 쓰시오.

(2) 위 지형의 형성 과정을 서술하시오.

01

자료는 이중환의 『택리지』에 나타난 화산 지형의 모습이다. 자료에 대한 설명으로 옳은 것은?

(가) 철원부는 …… 토지가 비록 척박하나 큰 들과 작은 산이 모두 평활하고 맑고 아름답고, 두 강 안쪽에 있으면서도 또한 두메 가운데에 한 도회를 이룬다. 그러나 들 가운데를 흐르는 내는 ㉠ 절벽을 이루어 매우 깊고, 그 연안에 쌓인 ㉡ 검은 돌은 마치 벌레 먹은 것 같다.

(나) 대개 돌로 된 봉우리는 위가 뾰족하고 아래는 넓은 것인데 위와 아래가 한결같으니 이것은 ㉢ 기둥이고 봉우리는 아니다. …… 기둥 밑으로 바다 가운데에도 수없이 작은 돌기둥들이 넘어져 파도와 함께 씹히고 먹히는 듯하여 사람이 만든 것과 흡사하니, 조물주가 물건을 만든 것이 지극히 기이하고 공교롭다 하겠다.

―| 보기 |―
ㄱ. (가)에는 유동성이 큰 용암이 하곡을 메워 형성된 지형이 나타나 있다.
ㄴ. ㉠은 하천 침식 작용의 영향을 받았다.
ㄷ. ㉡은 화강암의 특징이다.
ㄹ. ㉢은 마그마가 지하에서 식어서 만들어졌다.

① ㄱ, ㄴ   ② ㄱ, ㄷ   ③ ㄴ, ㄷ
④ ㄴ, ㄹ   ⑤ ㄷ, ㄹ

02

지도에 표시된 지역에서 볼 수 있는 모습으로 옳지 않은 것은?

① 공룡 발자국이 드러난 파식대
② 석회석 채굴로 인해 훼손된 산지
③ 못밭이라고 불리는 움푹 꺼진 땅
④ 밭농사가 활발하게 이루어지고 있는 모습
⑤ 아름다운 경관을 보기 위해 모여든 관광객

03

(가), (나) 동굴에 대한 설명으로 옳지 않은 것은?

(가)   (나)

▲ 만장굴   ▲ 고수 동굴

① (가)는 용암의 냉각 속도 차이로 인해 형성되었다.
② (나)에는 종유석, 석순, 석주 등이 발달한다.
③ (나)의 인근에는 기반암에 포함된 철분으로 인해 붉은 색을 띠는 토양이 분포한다.
④ (가)는 (나)보다 지하수가 지형 형성에 미친 영향이 크다.
⑤ (나)는 (가)보다 기반암의 형성 시기가 이르다.

04

(가), (나) 지역에 대한 옳은 설명을 〈보기〉에서 고른 것은?

(가)   (나)

 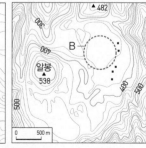

―| 보기 |―
ㄱ. (가)는 용암 대지가 넓게 분포한다.
ㄴ. (나)에는 이중 화산체가 나타난다.
ㄷ. A는 주변부보다 해발 고도가 높은 지형이다.
ㄹ. B는 화구의 함몰로 형성된 분지이다.

① ㄱ, ㄴ   ② ㄱ, ㄷ   ③ ㄴ, ㄷ
④ ㄴ, ㄹ   ⑤ ㄷ, ㄹ

| 교육청 기출 |

01 다음은 학생이 작성한 보고서의 일부이다. 밑줄 친 ㉠, ㉡에 주로 분포하는 암석을 그래프의 A~C에서 고른 것은?

[미술 작품 속의 우리나라 산]

2학년 ○반 □□□

1. 정선의 「인왕제색도」
   마그마가 땅 속에서 굳어 형성된 기반암이 오랜 풍화와 침식을 받아 노출된 ㉠인왕산을 표현함.

2. 이형상의 「탐라순력도」
   소규모의 화산 활동과 화산 쇄설물의 퇴적으로 형성된 ㉡다랑쉬 오름을 표현함.

〈한반도 분포 암석의 면적 비율〉

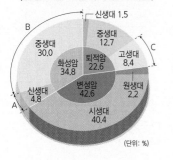

(단위: %)

	㉠	㉡
①	A	B
②	A	C
③	B	A
④	B	C
⑤	C	A

| 교육청 기출 | 변형 |

02 (가), (나)의 분포를 지도의 A~D에서 고른 것은? (단, (가), (나)는 경상 누층군, 조선 누층군 중 하나임.)

- ○○시 일대의 [(가)]에서는 고생대 대표적 해양 동물인 삼엽충 화석이 발견된다.
- □□시의 [(나)]에서는 길이가 1cm에 불과한 공룡 발자국 화석이 발견되었다.

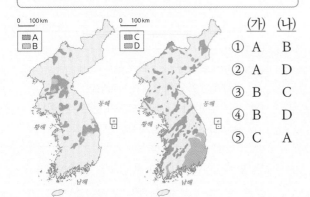

	(가)	(나)
①	A	B
②	A	D
③	B	C
④	B	D
⑤	C	A

| 교육청 기출 |

03 ㉠ 시기와 비교한 ㉡ 시기의 상대적 특성으로 옳은 설명을 〈보기〉에서 고른 것은?

〈시기별 해수면 변동〉

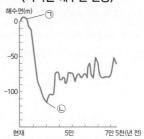

┤ 보기 ├

ㄱ. 평균 기온이 높다.
ㄴ. 식생의 밀도가 낮다.
ㄷ. 지리산의 해발 고도가 낮다.
ㄹ. 물리적 풍화 작용이 활발하다.

① ㄱ, ㄴ   ② ㄱ, ㄷ   ③ ㄴ, ㄷ
④ ㄴ, ㄹ   ⑤ ㄷ, ㄹ

03-1 모의고사 기출 틀린 선지 더 찾기

① 빙하 면적이 넓다.
② 침식 기준면이 낮다.
③ 하천의 상류보다 하류에서 퇴적 작용이 활발하다.

| 교육청 기출 |

04 자료는 우리나라 산지의 형성 과정을 나타낸 것이다. A, B 산맥에 대한 옳은 설명을 〈보기〉에서 고른 것은? (단, A, B는 1차 산맥, 2차 산맥 중 하나임.)

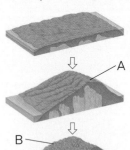

중생대 지각 변동 이후 오랜 기간 침식 작용을 받아 평탄해짐.

신생대 제3기 경동성 요곡 운동으로 A 가 형성됨.

하곡을 따라 차별 침식 작용이 일어나 B 가 형성됨.

┤ 보기 ├

ㄱ. A는 지반의 융기로 형성되었다.
ㄴ. B의 예로는 함경산맥, 태백산맥이 있다.
ㄷ. A는 B보다 평균 해발 고도가 높다.
ㄹ. B는 A보다 산지의 연속성이 뚜렷하다.

① ㄱ, ㄴ   ② ㄱ, ㄷ   ③ ㄴ, ㄷ
④ ㄴ, ㄹ   ⑤ ㄷ, ㄹ

| 교육청 기출 | 변형

05 지도에 나타난 지역에 대한 설명으로 옳지 <u>않은</u> 것은?

① 지반 융기 운동의 영향을 받았다.

② 바람을 이용한 에너지 생산에 유리하다.

③ 기온이 낮고 습도가 높아 목초 재배에 유리하다.

④ 여름철 서늘한 기후를 이용한 고랭지 농업이 가능하다.

⑤ 공룡 발자국 화석이 다수 분포하여 관광 자원으로 활용하고 있다.

| 교육청 기출 |

06 다음 자료에 대한 설명으로 옳은 것은? (단, (가)~(다)는 덕유산, 북한산, 한라산 중 하나임.)

- 　　(가)　　 국립공원: 세계적으로 드문 대도시 속 자연공원이다. 오랜 세월 풍화를 받아 형성된 ㉠ 깎아지른 바위 봉우리와 아름다운 계곡들을 볼 수 있다.
- 　　(나)　　 국립공원: 소백산맥에 위치하며, 금강과 낙동강의 수원지이다. 주로 ㉡ 흙으로 덮여 있는 정상부와 능선을 볼 수 있다.
- 　　(다)　　 국립공원: 해발 고도에 따른 식생 분포가 다양하게 나타난다. 정상부에 ㉢ 백록담이 있으며, 세계 자연 유산에 등재되어 있다.

① (가)는 백두대간에 위치한다.

② (나)는 (가)보다 산 정상부의 식생 밀도가 낮다.

③ (다)는 (나)보다 최고봉의 해발 고도가 낮다.

④ ㉢은 분화구의 함몰로 형성된 칼데라호이다.

⑤ ㉠은 ㉡보다 주요 기반암의 형성 시기가 늦다.

| 교육청 기출 | 변형

07 자료는 하계망을 나타낸 것이다. A, B 지점의 상대적 특성을 그래프로 나타낼 때, (가), (나)에 들어갈 내용으로 옳은 것은?

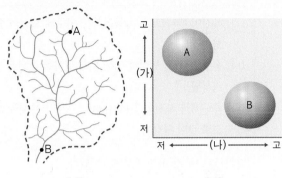

	(가)	(나)
①	평균 유량	평균 하폭
②	평균 하폭	평균 유량
③	하천 바닥의 경사도	퇴적물의 평균 입자 크기
④	퇴적물의 평균 입자 크기	평균 유량
⑤	퇴적물의 평균 입자 크기	하천 바닥의 경사도

| 수능 기출 |

08 지도의 A~E 지형에 대한 설명으로 옳은 것을 <보기>에서 고른 것은?

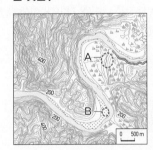 

┤ 보기 ├

ㄱ. A는 하천의 퇴적 작용으로 형성된 범람원이다.

ㄴ. B의 퇴적물은 주로 최종 빙기 때 퇴적되었다.

ㄷ. C는 과거에 E 하천의 일부였다.

ㄹ. B는 D보다 퇴적물의 평균 입자 크기가 크다.

① ㄱ, ㄴ　　　② ㄱ, ㄷ　　　③ ㄴ, ㄷ

④ ㄴ, ㄹ　　　⑤ ㄷ, ㄹ

08-1 모의고사 기출 틀린 선지 더 찾기

① A는 D보다 범람에 의한 침수 가능성이 낮다.

② B에서는 퇴적보다 침식이 우세하다.

③ C는 자연 상태로 두면 규모가 작아진다.

④ E의 유로는 주기적으로 변한다.

| 교육청 기출 | 변형

09 (가)~(다) 지형에 대한 설명으로 옳지 <u>않은</u> 것은?

> (가) 하천이 바다로 흘러 들어가는 입구에 토사가 쌓여 형성됨.
> (나) 홍수 시 하천 범람에 의해 토사가 하천 주변에 쌓여 형성됨.
> (다) 곡구에서 하천의 유속 감소로 토사가 부채꼴 모양으로 쌓여 형성됨.

① (가)는 낙동강 하구에서 볼 수 있다.
② (나)는 자연 제방과 배후 습지로 구성된다.
③ (다)는 중앙부에서 복류하는 하천이 나타난다.
④ (가)는 (다)보다 퇴적물의 평균 입자 크기가 크다.
⑤ (나)는 (가), (다)보다 우리나라에서 쉽게 볼 수 있다.

| 수능 기출 | 변형

10 다음은 어느 지형의 형성 과정을 나타낸 것이다. 이에 대한 설명으로 옳은 것을 〈보기〉에서 고른 것은?

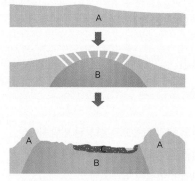

┤ 보기 ├
ㄱ. A의 기반암은 시·원생대의 변성암이 주를 이룬다.
ㄴ. B는 경동성 요곡 운동으로 형성된 고위 평탄면이다.
ㄷ. B의 기반암은 A의 기반암보다 풍화와 침식에 대한 저항력이 약하다.
ㄹ. B와 C는 충적층이 넓게 발달하여 주로 벼농사가 이루어진다.

① ㄱ, ㄴ   ② ㄱ, ㄷ   ③ ㄴ, ㄷ
④ ㄴ, ㄹ   ⑤ ㄷ, ㄹ

| 평가원 기출 |

11 (가), (나) 해안에 대한 설명으로 옳은 것은?

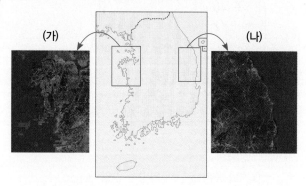

① (가)에는 현재 석호가 많이 분포한다.
② (나)에는 리아스 해안이 발달해 있다.
③ (가)는 (나)보다 조차가 크고 조류의 작용이 활발하다.
④ (가)는 (나)보다 신생대 지반 융기의 영향을 크게 받았다.
⑤ (나)는 (가)보다 해안 퇴적물의 평균 입자 크기가 작다.

| 수능 기출 | 변형

12 다음은 해안 지형에 관한 체험 학습 보고서의 일부이다. ㉠~㉤에 대한 설명으로 옳은 것은?

> ◎ ㉠ 의 형성 및 분포
> • 파랑과 연안류에 의해 퇴적되어 형성된 ㉡ 의 모래가 바람에 날려 그 배후에 퇴적되어 형성됨.
> • 서해안의 경우 북서 계절풍의 영향을 많이 받는 해안에서 두드러지게 나타남.
> ◎ ㉢ 의 형성 및 분포
> • 과거 파랑의 침식으로 평탄해진 ㉣ (이)나, 해안 퇴적 지형이 지반 융기나 해수면 변동으로 인해 해발 고도가 높아지면서 형성됨.
> • 전면에는 파랑의 침식으로 형성된 해안 절벽인 ㉤ 이/가 나타남.

① ㉠은 담수를 저장하는 물 저장고 역할을 한다.
② ㉠은 ㉡보다 퇴적물의 평균 입자 크기가 크다.
③ ㉢과 ㉤은 주로 파랑 에너지가 분산되는 만(灣)에 발달한다.
④ ㉣은 ㉤이 육지 쪽으로 후퇴하면서 점점 좁아진다.
⑤ ㉠과 ㉣의 침식을 막기 위해 모래 포집기가 설치된다.

> **12-1** 모의고사 기출 틀린 선지 더 찾기
> ① ㉠에 조성된 방풍림은 마을을 보호한다.
> ② ㉡은 해수욕장으로 이용된다.
> ③ ㉠과 ㉡은 모래보다 점토의 비율이 높다.

| 교육청 기출 |

13 지도의 A~D 해안 지형에 대한 설명으로 옳은 것을 〈보기〉에서 고른 것은?

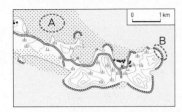 

┤ 보기 ├
ㄱ. A는 다양한 생물 종의 서식처로 생태적 가치가 높다.
ㄴ. B는 파랑 에너지가 집중하는 곳에 잘 발달한다.
ㄷ. C는 면적이 확대되고 있으며 농업용수로 이용된다.
ㄹ. D는 주로 조류의 퇴적 작용으로 형성되었다.

① ㄱ, ㄴ ② ㄱ, ㄷ ③ ㄴ, ㄷ
④ ㄴ, ㄹ ⑤ ㄷ, ㄹ

| 교육청 기출 |

14 지도는 천연기념물로 지정된 동굴의 분포를 나타낸 것이다. A, B 동굴에 대한 옳은 설명을 〈보기〉에서 고른 것은?

┤ 보기 ├
ㄱ. A에는 종유석, 석순이 발달해 있다.
ㄴ. B는 지하수의 용식 작용을 받아 형성되었다.
ㄷ. B는 A보다 화산 활동의 영향을 많이 받았다.
ㄹ. A와 B가 분포하는 지역은 모두 논농사가 활발하게 이루어진다.

① ㄱ, ㄴ ② ㄱ, ㄷ ③ ㄴ, ㄷ
④ ㄴ, ㄹ ⑤ ㄷ, ㄹ

| 교육청 기출 |

15 자료는 지도에 표시된 화산 지형에 대해 정리한 것이다. (가)~(라) 중 옳은 내용을 고른 것은?

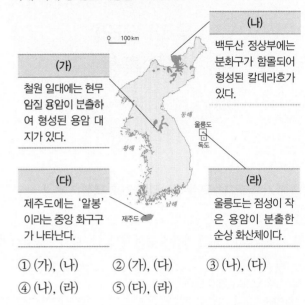

(가)
철원 일대에는 현무암질 용암이 분출하여 형성된 용암 대지가 있다.

(나)
백두산 정상부에는 분화구가 함몰되어 형성된 칼데라호가 있다.

(다)
제주도에는 '알봉'이라는 중앙 화구구가 나타난다.

(라)
울릉도는 점성이 작은 용암이 분출한 순상 화산체이다.

① (가), (나) ② (가), (다) ③ (나), (다)
④ (나), (라) ⑤ (다), (라)

| 수능 기출 |

16 지도의 A~D에 대한 설명으로 옳은 것은?

① B는 현무암질 용암이 흘러서 형성되었다.
② D에서는 석회암이 풍화된 붉은 색의 토양이 나타난다.
③ C는 A보다 기반암의 형성 시기가 이르다.
④ A와 C 주변에는 기반암이 용식되어 형성된 동굴이 분포한다.
⑤ B와 D는 배수가 양호하여 밭농사에 유리하다.

16-1 모의고사 기출 **틀린 선지 더 찾기**
① A의 기반암은 해성층에 주로 분포한다.
② C는 화산 쇄설물에 의해 형성된 화산체이다.
③ A는 주변보다 높고, C는 주변보다 낮은 지형이다.
④ B의 기반암은 화성암, D의 기반암은 퇴적암에 속한다.

01
우리나라의 기후 특성

1 기후의 이해와 우리나라의 기후 특성

1. 기후의 이해
(1) 기후의 의미 오랜 기간에 걸쳐 나타나는 대기의 종합적이고 평균적인 상태
(2) 기후 요소와 기후 요인

기후 요소	기후를 구성하는 대기의 여러 가지 특성 예 기온, 강수, 바람, 습도 등
기후 요인	기후 요소에 영향을 주는 요인 예 위도, 수륙 분포, 지형, 해발 고도, 해류 등 ┌ 고도가 100m 상승할 때마다 기온이 약 0.6℃씩 낮아짐.

2 우리나라의 기후 특성
(1) 냉·온대 기후 북반구 중위도에 위치 → 사계절의 변화가 뚜렷하게 나타남.
  ┌ 계절에 따라 풍향과 성질이 달라지는 바람
(2) 계절풍 기후 유라시아 대륙의 동쪽에 위치 → 계절에 따라 풍향과 계절풍의 성격이 크게 달라짐.
① 여름 고온 다습한 남서·남동 계절풍
② 겨울 한랭 건조한 북서 계절풍
(3) 대륙성 기후 중위도 대륙의 동쪽에 위치 → 대륙의 영향을 크게 받으며, 대륙 서안보다 기온의 연교차가 큼.

2 우리나라의 기온, 강수, 바람 특성

1 우리나라의 기온 특성
(1) 기온의 지역 차
① 남에서 북으로 갈수록, 해안에서 내륙으로 갈수록 연평균 기온이 대체로 낮아짐.
② 국토가 남북으로 길어서 동서 간의 차이보다 남북 간의 기온 차이가 크게 나타남. ┌ 태백산맥이 차가운 북서풍을 막아주고, 동해의 수심이 황해보다 깊기 때문
③ 비슷한 위도의 동해안이 서해안보다 겨울 기온이 높음.
(2) 기온의 연교차 북부 지방＞남부 지방, 내륙 지역＞해안 지역, 서해안＞동해안
(3) 기온의 일교차 봄과 가을의 맑은 날에 크고, 장마철과 한여름에 작음.

2 우리나라의 강수 특성
(1) 계절별 강수 분포 ┌ 연 강수량이 약 1,300mm 정도로 습윤하지만, 강수량의 연 변동이 큼.

여름	고온 다습한 북태평양 기단과 장마 전선, 태풍 등의 영향으로 연 강수량의 절반 이상이 집중됨.
겨울	건조한 시베리아 기단의 영향으로 강수량이 적음.

(2) 강수 분포의 지역 차 풍향과 지형의 영향으로 지역적 차이가 큼.
  ┌ 남쪽에서 북쪽으로 갈수록 강수량이 대체로 감소함.

다우지	습윤한 남서 기류의 바람받이 사면 예 남해안 일대, 대관령, 한강 중·상류, 청천강 중·상류, 제주도
소우지	• 바람그늘 지역 예 개마고원, 낙동강 중·상류 • 해발 고도가 낮고 평탄한 지역 예 대동강 하류
다설지	• 북서 계절풍의 영향을 받는 지역 예 소백산맥 서사면, 울릉도 • 북동 기류의 영향을 받는 지역 예 영동 지방

핵심 기출 자료 분석 우리나라의 강수 분포

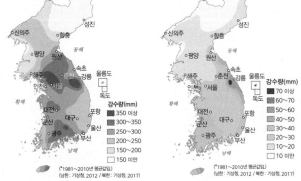

▲ 8월의 강수량   ▲ 1월의 강수량

분석 | 우리나라는 북태평양 기단과 장마 전선, 태풍 등의 영향으로 대부분 지역에서 연 강수량의 절반 이상이 여름철에 집중된다. 여름철에는 남서 기류의 바람받이 사면인 청천강 중·상류, 한강 중·상류, 남해안 일대에서 강수량이 많고, 겨울철에는 건조한 시베리아 기단의 영향을 받아 대체로 강수량이 적으나 울릉도와 영동 지역은 바다의 영향으로 강수량이 많다.

3. 우리나라의 바람 특성
(1) 계절풍

여름	북태평양 고기압의 영향으로 고온 다습한 남서·남동풍 계열의 바람이 탁월함.
겨울	시베리아 고기압의 영향으로 한랭 건조한 북서풍이 탁월함.

(2) 높새바람 늦봄에서 초여름 사이에 오호츠크해 고기압이 발달할 때 부는 바람이 태백산맥을 넘으면서 푄 현상으로 인해 고온 건조해진 바람 → 경기·영서 지방의 이상 고온 현상과 가뭄 피해 발생
(3) 태풍 열대 해상에서 발생하여 중위도 지역으로 이동하는 열대 저기압을 의미하며, 필리핀 동부 해상에서 발생한 열대 저기압이 주로 6~9월에 우리나라에 영향을 미침. → 집중 호우와 강풍을 동반하여 많은 인명 피해와 재산 피해가 발생함.

3 우리나라의 계절 변화

1. 우리나라에 영향을 미치는 기단

기단	성질	계절	영향
시베리아 기단	한랭 건조	겨울	한파, 삼한 사온, 꽃샘추위
오호츠크해 기단	냉량 습윤	늦봄~ 초여름	높새바람, 여름철 냉해, 장마 전선 형성
북태평양 기단	고온 다습	여름	무더위, 열대야, 장마 전선 형성
적도 기단	고온 다습	여름	태풍

핵심 기출 자료 분석 우리나라에 영향을 미치는 기단

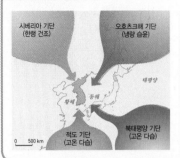

분석 | 우리나라 주변의 기단이 주기적으로 성장과 쇠퇴를 반복하면서 우리나라에서는 계절별로 독특한 기후 현상이 나타난다.

2. 우리나라의 계절별 기후 특성

봄	• 이동성 고기압과 저기압이 교차하면서 심한 날씨 변화가 일어남. • 꽃샘추위: 시베리아 기단의 일시적인 확장에 따른 반짝 추위 발생 • 황사 현상: 중국 내륙과 몽골 건조 지역의 흙먼지가 편서풍을 타고 날라옴.
여름	• 장마철: 고위도의 찬 기류와 북태평양 기단 사이에서 장마 전선이 형성 → 집중 호우, 높은 습도 • 한여름: 북태평양 고기압의 확장, 남고북저형의 기압 배치 → 불볕더위와 열대야 발생, 강한 일사로 소나기 발생
가을	이동성 고기압의 영향으로 청명한 날씨 지속
겨울	• 서고동저형의 기압 배치 → 북서풍이 불어 한랭 건조함. • 시베리아 고기압의 주기적인 발달과 쇠퇴로 삼한 사온 현상

핵심 기출 자료 분석 겨울과 한여름의 일기도

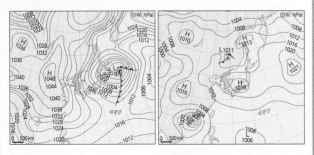

▲ 겨울   ▲ 한여름

분석 | 겨울에는 대륙에 시베리아 고기압이 발달하고 일본 북동쪽 바다에 저기압이 발달하여 서고동저형 기압 배치가 나타난다. 한여름에는 북태평양 고기압이 발달하고 한반도 북쪽에 저기압이 발달하여 남고북저형 기압 배치가 나타난다.

개념 암기

1 기후 요소와 기후 요인에 해당하는 것을 〈보기〉에서 골라 기호를 쓰시오.

> **보기**
> ㄱ. 습도　　　ㄴ. 위도　　　ㄷ. 기온
> ㄹ. 강수　　　ㅁ. 해발 고도　　　ㅂ. 수륙 분포

(1) 기후 요소: (　　　　　　)
(2) 기후 요인: (　　　　　　)

2 괄호 안의 내용 중 알맞은 말을 골라 ○표 하시오.

(1) 우리나라는 북반구 (중위도, 고위도)에 위치하여 냉·온대 기후가 나타난다.
(2) 우리나라는 여름철 (고온 다습, 한랭 건조)한 남서·남동 계절풍의 영향을 받는다.
(3) 우리나라는 중위도 대륙의 동쪽에 위치하여 대륙 서안보다 기온의 연교차가 (작다, 크다).

3 설명이 맞으면 ○표, 틀리면 ✕표 하시오.

(1) 기온의 일교차는 봄·가을의 맑은 날에 작고, 장마철과 한여름에 크게 나타난다. (　　　　)
(2) 우리나라는 남에서 북으로 갈수록, 해안에서 내륙으로 갈수록 연평균 기온이 대체로 낮아진다. (　　　　)

4 빈칸에 들어갈 알맞은 말을 쓰시오.

(1) 한강 중·상류, 남해안 일대 등은 (　　　　　) 사면에 해당하여 강수량이 많다.
(2) 겨울철 (　　　　　)의 영향을 받는 소백산맥 서사면과 울릉도는 우리나라의 대표적인 다설지이다.
(3) (　　　　　) 현상은 습윤한 공기가 산지를 타고 넘어갈 때 바람받이 사면에 강수를 발생시키고 바람그늘 사면에서는 고온 건조한 공기로 변하는 현상이다.

5 우리나라 주변 기단과 그 영향을 바르게 연결하시오.

(1) 오호츠크해 기단　　　•　　　•㉠ 삼한 사온, 꽃샘추위
(2) 시베리아 기단　　　•　　　•㉡ 높새바람, 여름철 냉해
(3) 북태평양 기단　　　•　　　•㉢ 무더위, 열대야

1 기후의 이해와 우리나라의 기후 특성

01 (가), (나)에 영향을 준 기후 요인으로 옳은 것은?

> (가) 남부 지방이 북부 지방보다 연평균 기온이 높다.
> (나) 대관령 일대는 주변 지역보다 여름철 기온이 낮다.

	(가)	(나)
①	지형	위도
②	지형	수륙 분포
③	위도	해발 고도
④	위도	수륙 분포
⑤	수륙 분포	해발 고도

02 다음 글의 ㉠, ㉡에 들어갈 내용으로 옳은 것은?

> 북반구 중위도에 위치한 우리나라는 사계절의 변화가 뚜렷한 (㉠) 기후가 나타나고, 유라시아 대륙 동안에 위치하고 있어 계절에 따라 풍향이 다른 (㉡)의 영향을 많이 받는다.

	㉠	㉡		㉠	㉡
①	열대	편서풍	②	한대	계절풍
③	한대	편서풍	④	냉·온대	계절풍
⑤	냉·온대	편서풍			

 03 다음 자료를 보고 런던과 비교한 서울의 상대적인 기후 특성을 〈보기〉에서 고른 것은?

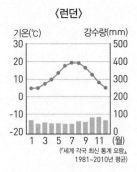

〈런던〉

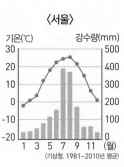

〈서울〉

*세계 각국 최신 통계 요람, 1981~2010년 평균 / 기상청, 1981~2010 평균

| 보기 |

ㄱ. 최한월 평균 기온이 높다.
ㄴ. 계절별 기온 차이가 큰 편이다.
ㄷ. 여름철 불쾌지수가 높게 나타난다.
ㄹ. 겨울철 강수 집중률이 높은 편이다.

① ㄱ, ㄴ　　② ㄱ, ㄷ　　③ ㄴ, ㄷ
④ ㄴ, ㄹ　　⑤ ㄷ, ㄹ

2 우리나라의 기온, 강수, 바람 특성

04 (가), (나)는 우리나라의 월평균 기온을 나타낸 지도이다. 이에 대한 설명으로 옳지 <u>않은</u> 것은? (단, (가), (나)는 1월과 8월 중 하나임.)

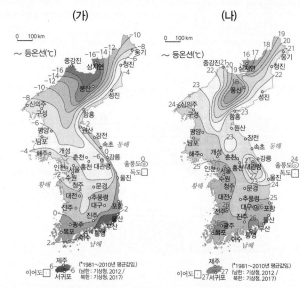

(가)　　　　　　(나)

(*1981~2010년 평균값임. (남한: 기상청, 2012 / 북한: 기상청, 2017)

① (가)는 1월, (나)는 8월 평균 기온 지도이다.
② 겨울 기온이 낮은 지역일수록 연교차가 작다.
③ 기온의 지역 차는 (나)보다 (가) 시기에 더 크다.
④ (가), (나) 시기 모두 남쪽에서 북쪽으로 갈수록 대체로 기온이 낮아진다.
⑤ 비슷한 위도일 경우 동해안 지역이 서해안 지역보다 겨울철 기온이 높다.

05 (가)~(다) 지역에 대한 설명으로 옳은 것을 〈보기〉에서 고른 것은? (단, (가)~(다)는 강릉, 대관령, 홍천 중 하나임.)

구분	최난월 평균 기온(℃)	최한월 평균 기온(℃)	연 강수량 (mm)	겨울 강수량 (mm)
(가)	19.1	-7.7	1,898	153
(나)	24.2	-5.5	1,405	65
(다)	24.6	0.4	1,464	143

| 보기 |

ㄱ. (가)는 (나)보다 해발 고도가 낮다.
ㄴ. (나)는 (가)보다 기온의 연교차가 크다.
ㄷ. (다)는 (나)보다 겨울 강수 집중률이 높다.
ㄹ. (나)는 해안, (다)는 내륙 지역에 위치하고 있다.

① ㄱ, ㄴ　　② ㄱ, ㄷ　　③ ㄴ, ㄷ
④ ㄴ, ㄹ　　⑤ ㄷ, ㄹ

06 그래프는 A~C 지역의 상대적 기후 특성을 나타낸 것이다. (가), (나)에 해당하는 기후 지표로 옳은 것은?

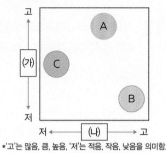

*'고'는 많음, 큼, 높음, '저'는 적음, 작음, 낮음을 의미함.

	(가)	(나)
①	연 강수량	연평균 기온
②	연 강수량	기온의 연교차
③	연평균 기온	연 강수량
④	연평균 기온	기온의 연교차
⑤	기온의 연교차	연평균 기온

07 (가), (나)는 서로 다른 두 계절의 바람 특성을 나타낸 지도이다. 이에 대한 설명으로 옳은 것을 〈보기〉에서 고른 것은? (단, (가), (나)는 1월과 7월 중 하나임.)

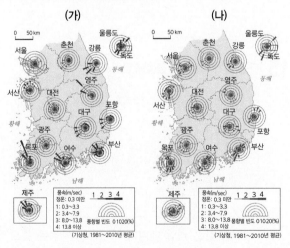

보기
ㄱ. (가) 시기에는 주로 남동·남서풍이 분다.
ㄴ. (나) 시기에는 고온 다습한 성질의 바람이 분다.
ㄷ. (가) 시기는 (나) 시기보다 평균 풍속이 강하다.
ㄹ. (나) 시기는 (가) 시기보다 난방용 전력 수요가 많다.

① ㄱ, ㄴ   ② ㄱ, ㄷ   ③ ㄴ, ㄷ
④ ㄴ, ㄹ   ⑤ ㄷ, ㄹ

08 다음은 학생이 수업 시간에 어떤 기후 현상에 대해 정리한 내용이다. ㉠에 들어갈 내용으로 가장 적절한 것은?

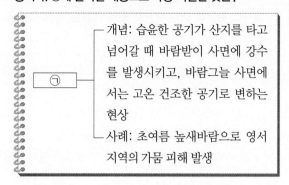

개념: 습윤한 공기가 산지를 타고 넘어갈 때 바람받이 사면에 강수를 발생시키고, 바람그늘 사면에서는 고온 건조한 공기로 변하는 현상
사례: 초여름 높새바람으로 영서 지역의 가뭄 피해 발생

① 푄 현상   ② 도시 열섬 현상
③ 기온 역전 현상   ④ 삼한 사온 현상
⑤ 지구 온난화 현상

09 다음은 일기 예보의 한 장면이다. 밑줄 친 지역에 해당하는 곳을 〈보기〉에서 고른 것은?

북태평양 고기압이 발달하면서, 내일 오후부터 전국적으로 많은 비가 내릴 것으로 예상됩니다. 특히 남서 기류의 바람받이 지역을 중심으로 집중 호우가 예상되니, 비 피해에 대비하시기 바랍니다.

보기
ㄱ. 개마고원 일대   ㄴ. 제주도 남부 지역
ㄷ. 한강 중·상류 지역   ㄹ. 낙동강 중·상류 지역

① ㄱ, ㄴ   ② ㄱ, ㄷ   ③ ㄴ, ㄷ
④ ㄴ, ㄹ   ⑤ ㄷ, ㄹ

10 다음 글의 밑줄 친 (가) 지역을 지도의 A~E에서 고른 것은?

(가) 지역은 지형이 낮고 평탄하여, 기류가 비를 내리지 못하고 지나가기 때문에 강수량이 적다.

① A
② B
③ C
④ D
⑤ E

3 우리나라의 계절 변화

11 교사의 질문에 대한 답으로 옳은 내용을 말한 학생을 고른 것은?

> 교사: 우리나라에 영향을 미치는 기단의 특징과 그 영향에 대해 이야기해 볼까요?
>
> 갑 : 시베리아 기단은 한랭 건조한 성질을 가지고 있으며, 주로 겨울철에 영향을 미칩니다.
>
> 을 : 오호츠크해 기단의 주기적인 발달과 쇠퇴로 심한 사온 현상이 발생합니다.
>
> 병 : 적도 기단이 확장되면 한여름에 불볕더위와 열대야가 발생합니다.
>
> 정 : 북태평양 기단은 오호츠크해 기단과 함께 장마 전선을 형성합니다.

① 갑, 을 ② 갑, 정 ③ 을, 병

④ 을, 정 ⑤ 병, 정

12 (가), (나)는 우리나라의 계절별 일기도를 나타낸 것이다. 이에 대한 설명으로 옳은 것만을 〈보기〉에서 있는 대로 고른 것은? (단, (가), (나)는 한여름과 겨울 중 하나임.)

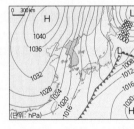
(가)

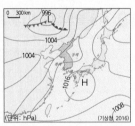
(나)

┤ 보기 ├
ㄱ. (가)는 한여름, (나)는 겨울의 일기도이다.
ㄴ. (가) 시기는 (나) 시기보다 상대 습도가 낮다.
ㄷ. (나) 시기는 (가) 시기보다 소나기가 자주 내린다.
ㄹ. 대체로 (가) 시기는 대륙에서 바다 방향으로, (나) 시기는 바다에서 대륙 방향으로 바람이 분다.

① ㄱ ② ㄱ, ㄴ ③ ㄴ, ㄷ
④ ㄱ, ㄴ, ㄹ ⑤ ㄴ, ㄷ, ㄹ

13 다음은 우리나라의 8월 평균 강수량을 나타낸 지도이다. A와 B 지역이 강수량이 적은 이유를 각각 서술하시오.

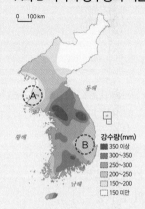

14 다음은 중부 지방의 1월 평균 기온을 나타낸 지도이다. B 지역이 A 지역보다 기온이 높게 나타나는 이유를 두 가지 서술하시오.

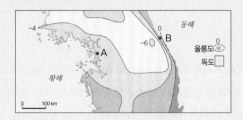

15 다음 일기도를 보고 물음에 답하시오.

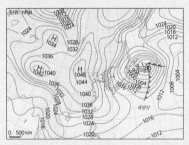

(1) 위와 같은 기압 배치가 나타나는 계절에 주로 우리나라에 영향을 미치는 기단을 쓰시오.

(2) (1)의 기단이 우리나라 기후에 미치는 영향을 두 가지 이상 서술하시오.

01 다음은 한국지리 수업 중 '기후 요소에 영향을 미치는 기후 요인'을 주제로 학생들이 발표한 내용이다. (가), (나)와 관련된 기후 요인으로 옳은 것은?

> (가) 3월의 제주에는 봄을 알리는 유채꽃을 해안 곳곳에서 볼 수 있지만, 한라산 정상 부근에는 겨울동안 내릴 눈이 녹지 않고 쌓여있는 것을 볼 수 있습니다.
> (나) 제주도에 다습한 남풍이 불 때, 한라산의 남쪽 사면에 위치한 서귀포시 지역은 흐리거나 비가 내리지만, 북쪽 사면에 위치한 제주시 지역의 날씨는 맑고 기온이 높습니다.

	(가)	(나)
①	위도	지형
②	위도	해발 고도
③	지형	수륙 분포
④	해발 고도	지형
⑤	해발 고도	수륙 분포

02 A~C 도시의 기후 특징을 상대적 순위에 따라 배열한 것으로 옳은 것은?

> A: 우리나라의 수도로서 정치, 경제, 문화의 중심 도시
> B: 압록강을 경계로 중국 단둥과 마주보고 있는 국경 도시
> C: 2012년 세계 박람회(엑스포)가 개최된 남해안의 해안 도시

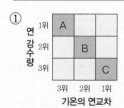

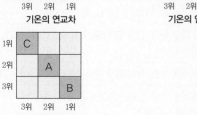

03 다음과 같은 원리에 의해 나타나는 기후 현상의 사례로 옳은 것만을 〈보기〉에서 있는 대로 고른 것은?

> 습윤한 공기가 산지를 타고 넘어갈 때, 바람받이 사면에는 눈이나 비가 내려 강수량이 많다. 반면 바람그늘 사면은 강수량이 적어진다.

┤ 보기 ├
ㄱ. 한강 중·상류 지역은 강수량이 많다.
ㄴ. 낙동강 중·상류 지역은 강수량이 적다.
ㄷ. 늦봄에서 초여름 사이 영동 지역에서 가뭄 피해가 발생한다.
ㄹ. 겨울철 북동 기류가 유입되는 강원 영동 산간 지역은 많은 눈이 내린다.

① ㄱ, ㄴ   ② ㄴ, ㄷ   ③ ㄷ, ㄹ
④ ㄱ, ㄴ, ㄹ   ⑤ ㄴ, ㄷ, ㄹ

04 다음 (가)~(라) 기단에 대한 옳은 설명을 〈보기〉에서 고른 것은?

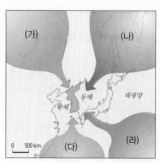

┤ 보기 ├
ㄱ. (가)가 발달하는 계절의 풍속이 (라)가 발달하는 계절의 풍속보다 느리다.
ㄴ. (나)가 강하게 발달하면 주로 서고동저형 기압 배치가 나타난다.
ㄷ. (다)가 발달할 경우 태풍으로 인한 시설물 파괴, 홍수 등의 피해가 발생할 수 있다.
ㄹ. (라)의 영향으로 여름철 무더위와 열대야 현상이 발생한다.

① ㄱ, ㄴ   ② ㄱ, ㄷ   ③ ㄴ, ㄷ
④ ㄴ, ㄹ   ⑤ ㄷ, ㄹ

02

기후와
주민 생활

1 기후 특성과 주민 생활

★ 기온과 주민 생활

(1) 기온의 영향　의식주 등 주민 생활에 큰 영향을 미쳐 지역별로 다양한 문화가 발달함.

(2) 여름철 기온과 주민 생활 ┄┄→ 북태평양 고기압의 영향으로 불볕더위와 열대야가 지속됨.

의생활	• 통풍이 잘 되는 모시나 삼베로 옷을 만들어 입음. • 죽부인과 부채 등을 이용하여 더위를 극복함.
식생활	• 고온 다습한 여름철 기후에서 잘 자라는 벼 재배 • 음식이 쉽게 상하기 때문에 젓갈 등의 염장 식품 발달 → 남부 지방으로 갈수록 염도가 높아짐.
주생활	• 기온이 높은 남부 지방으로 갈수록 개방적인 가옥 구조(홑집) 발달 • 중부와 남부 지방에 대청마루 발달

(3) 겨울철 기온과 주민 생활

의생활	추위를 극복하기 위해 목화솜을 넣어 누빈 옷, 짐승의 털이나 가죽으로 만든 방한복을 입음.
식생활	• 추위에 잘 견디는 보리·밀 재배 • 채소를 구하기 어려운 겨울철에 대비하여 미리 많은 양의 김치를 담가 보관하는 김장 문화 발달
주생활	• 겨울이 춥고 긴 북부 지방으로 갈수록 폐쇄적인 가옥 구조(겹집) 발달 • 우리나라 대부분 지역에서 난방 시설인 온돌 발달 • 관북 지방에 정주간 발달

핵심 기출 자료 분석 ▶ 우리나라의 김장 시기

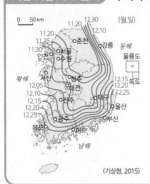

분석 | 기온이 낮은 북부 지방이 남부 지방에 비해 김장 시기가 빠르다. 겨울철 기온이 비교적 온화한 남부 지방은 김치가 쉽게 시어지기 때문에 짜고 맵게 김치를 담그는 반면, 북부 지방은 싱겁고 담백하게 담근다.

★ 2 강수와 주민 생활

(1) 강수의 영향

① 강수 특성에 따라 발달 산업, 가옥 구조 등이 달라짐.

② 강수량의 계절별 변동이 크고, 홍수와 가뭄 피해에 대비해야 함. → 저수지·보 등의 수리 시설 발달, 다목적 댐 건설

(2) 계절별 강수와 주민 생활

여름	기온이 높고 강수량이 풍부하여 벼농사 발달
겨울	• 과거: 강원 산간 지역에서는 설피를 신고 이동하거나, 발구를 이용해 물건을 운반함. 울릉도 전통 가옥에는 우데기가 설치되어 있음. ┄→ 가옥 내에서 이동과 활동이 이루어질 수 있는 공간 확보 • 오늘날: 눈을 관광 자원으로 활용

(3) 지역별 강수와 주민 생활

다우지	• 하천 주변 저지대에서는 제방을 쌓아 홍수에 대비하며 주로 자연 제방에 거주함. ┄→ 홍수가 자주 발생하는 지역에서 땅 위로 바로 집을 짓지 않고, 흙이나 돌로 땅을 돋운 후 지은 집 • 터돋움집이나 피수대를 만들어 가옥 침수에 대비함.
소우지	• 강수량이 적고 일조량이 풍부한 지역에서는 천일제염업이 발달함. 예 대동강 하류, 전라남도 해안 • 영남 내륙 지역에서는 과수 재배가 활발함.

3. 바람과 주민 생활

(1) 계절별 바람과 주민 생활

① 여름　고온 다습한 남동·남서 계절풍의 영향 → 벼농사 발달

② 겨울　한랭 건조한 북서 계절풍의 영향 → 촌락(배산임수 지역)과 가옥(남향집 선호)의 입지에 영향

(2) 바람과 가옥의 형태

제주도 전통 가옥	• 강한 바람에 대비하기 위해 지붕의 경사를 완만하게 하고, 지붕이 날아가지 않도록 줄로 엮음. • 비바람이나 눈보라가 들이치는 것을 막기 위해 풍채를 설치함.
서해안 일대	• 또아리집(강화도): 차가운 북서 계절풍을 극복하기 위한 ㄷ자형 가옥 • 까대기(호남 해안 지역): 바람과 눈이 들이치는 것을 막기 위해 설치한 임시 건조물

(3) 바람이 주민 생활에 미친 영향

긍정적 영향	대관령 등 해발 고도가 높은 지역이나 해안 지역에서 풍력 발전 단지를 건설하여 전력 생산
부정적 영향	• 높새바람: 늦봄~초여름 사이에 부는 고온 건조한 바람으로 경기·영서 지방에 가뭄 발생 • 태풍: 집중 호우와 강한 바람으로 인명 및 재산 피해 발생

4. 국지 기후와 주민 생활

(1) 도시 열섬 현상

의미	도심 기온이 교외보다 높게 나타나는 현상
원인	도시 인구 증가, 인공 열 방출, 지표 포장 면적 증가, 녹지 공간 감소 등
영향	평균 기온 상승, 상대 습도 감소, 평균 풍속 감소, 강수 증가 등
특징	낮보다는 새벽에, 여름보다는 겨울에, 흐린 날보다는 맑은 날에 뚜렷하게 나타남.

(2) 기온 역전 현상

의미	지표면 근처 대기의 기온이 급격히 낮아져 상층으로 갈수록 기온이 높게 나타나는 현상
원인 및 특징	늦가을~초봄, 맑은 날 야간에 형성된 찬 공기가 산지의 사면을 타고 내려와 지표면에 머물면서 발생함. → 분지 지형에서 잘 나타남.
영향	분지 내 농작물의 냉해 피해, 대기 오염 물질의 확산이 어려워 스모그 발생

핵심 기출 자료 분석 기온 역전 현상

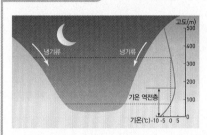

▲ 기온 역전 현상의 발생 원리

분석 | 늦가을에서 초봄 사이의 맑은 날 밤에 산지에서 형성된 차가운 냉기류가 사면을 따라 미끄러져 내려와 지표 부근에 쌓이면서, 상층부 기온이 하층부 기온보다 높은 기온 역전층이 나타난다.

2 기후와 경제생활

1. 날씨와 경제생활

농업	농작물 재배 시기와 수확량에 영향을 미침. → 날씨에 대응하기 위해 비닐하우스, 수리 시설 활용
제조업	계절상품 제조업에 큰 영향을 미침. 예) 음료, 냉·난방기 제조업 → 생산 및 출고량 조절, 제품 진열 및 광고 등에 기상 정보 활용
서비스업	날씨에 따라 운송 서비스업의 요금 변동, 편의점의 진열 상품 변화 등

★ 기후와 경제생활

(1) 기후와 농업 활동

가을에 벼를 추수하고 난 후 그 자리에 보리 등의 작물을 심어 수확하는 일

벼농사	여름철 고온 다습한 기후는 벼의 생육에 유리
그루갈이	겨울철 기온이 온화한 남부 지방에서 <u>그루갈이</u> 가능
고랭지 농업	해발 고도가 높아 여름이 서늘한 지역에서는 고랭지 채소 재배와 목축업 발달 예) 대관령

(2) 기후와 지역 축제　계절 변화에 따른 지역의 기후 특색을 활용한 축제 개최 예) 진해 군항제, 화천 산천어 축제 등

(3) 기후와 관광 산업　계절이 서로 반대인 북반구와 남반구 국가 간의 여행, 겨울철 눈을 즐기기 위해 우리나라를 찾는 열대 기후 지역의 관광객 등

(4) 기후와 스포츠

① 봄에는 야구 용품, 겨울에는 스키 용품 판매가 증가

② 우리나라가 겨울일 때, 괌, 사이판, 하와이 등 따뜻한 지역으로 전지훈련을 떠남.

개념 암기

1 우리나라의 각 지역별 전통 가옥에서 나타나는 특징을 〈보기〉에서 한 가지씩 골라 기호를 쓰시오.

┌ 보기 ┐
ㄱ. 풍채　　　　　　　　ㄴ. 정주간
ㄷ. 우데기　　　　　　　ㄹ. 대청마루

(1) 울릉도: (　　　　　)　　(2) 제주도: (　　　　　)
(3) 남부 지방: (　　　　)　　(4) 관북 지방: (　　　　　)

2 괄호 안의 내용 중 알맞은 말을 골라 ○표 하시오.

(1) 김장은 (여름철, 겨울철) 기온과 관련된 우리나라의 식생활 문화이다.

(2) 우리나라의 김장 시기는 북부 지방이 남부 지방에 비해 시기가 (빠르다, 느리다).

(3) 남부 지방은 북부 지방에 비해 김치를 (싱겁게, 짜게) 담근다.

3 설명이 맞으면 ○표, 틀리면 ✕표 하시오.

(1) 우리나라는 겨울철 한랭 건조한 북서 계절풍의 영향으로 남향집을 선호한다. (　　　　)

(2) 제주도의 전통 가옥이 지붕의 경사를 완만하게 하고, 그물망으로 엮은 것은 많은 비에 대비하기 위해서이다. (　　　　)

4 도시 열섬 현상의 영향으로 증가하는 변화이면 '증', 감소하는 변화이면 '감'이라고 쓰시오.

(1) 평균 기온, 강수량: (　　　　　)

(2) 상대 습도, 평균 풍속: (　　　　　)

5 빈칸에 들어갈 알맞은 말을 쓰시오.

(1) (　　　　　　) 현상은 지표면 근처 대기의 기온이 급격히 낮아져 상층으로 갈수록 기온이 높게 나타나는 현상이다.

(2) 겨울철 기온이 온화한 남부 지방에서는 벼를 추수한 후 그 자리에 보리 등의 작물을 재배하는 (　　　　　) 이/가 가능하다.

(3) 해발 고도가 높아 여름이 서늘한 대관령 일대에서는 (　　　　　) 농업이 발달한다.

1 기후 특성과 주민 생활

01 사진은 우리나라 전통 가옥에 발달한 시설이다. 이 시설에 대한 교사의 설명으로 옳지 <u>않은</u> 것은?

교사: ㉠ 이 가옥에서 볼 수 있는 시설은 온돌이에요. ㉡ 온돌은 우리나라 대부분의 지역에 설치되어 있는 시설로, ㉢ 난방뿐만 아니라 아궁이를 이용해 음식을 조리할 수도 있어요. ㉣ 추운 겨울철에 대비하기 위한 시설이기 때문에, ㉤ 제주도에서 특히 잘 발달되어 있어요.

① ㉠ 　② ㉡ 　③ ㉢
④ ㉣ 　⑤ ㉤

02 다음과 같은 주민 생활을 학습하기 위해 조사해야 할 기후 요소로 가장 적절한 것은?

우리나라의 기후는 벼의 생육에 매우 유리하게 작용하기 때문에 벼농사와 관련된 문화가 발달하는 데 영향을 미쳤다.

① 연 강설량
② 여름철 평균 풍속
③ 겨울철 강수 집중률
④ 최난월 평균 기온과 강수량
⑤ 최한월 평균 기온과 강수량

03 사진에 나타난 주민 생활과 관련된 공통적인 기후 특성으로 적절한 것은?

① 강수량의 계절별 변동이 크다.
② 겨울철 강한 바람이 자주 분다.
③ 연 강수량이 적고, 일조량이 풍부하다.
④ 해발 고도가 높아 여름철 기온이 서늘하다.
⑤ 연평균 기온이 낮고, 기온의 연교차가 크다.

04 다음은 우리나라의 지역별 김장 시기를 나타낸 지도이다. 이에 대한 설명으로 옳은 것만을 〈보기〉에서 있는 대로 고른 것은?

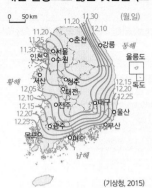

(기상청, 2015)

보기
ㄱ. 광주는 울산보다 김장을 빨리 담근다.
ㄴ. 남쪽에서 북쪽으로 갈수록 김장 시기가 빨라진다.
ㄷ. 김장 시기는 지역별 강수량의 차이를 반영하고 있다.
ㄹ. 김장을 빨리 하는 지역일수록 싱겁고 담백하게 담근다.

① ㄱ 　② ㄱ, ㄴ 　③ ㄴ, ㄷ
④ ㄱ, ㄴ, ㄹ 　⑤ ㄴ, ㄷ, ㄹ

05 다음은 우리나라 어느 계절의 일기도이다. 이 계절과 관련된 조상들의 생활 모습으로 옳은 것을 〈보기〉에서 고른 것은?

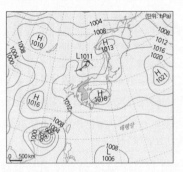

보기
ㄱ. 집에 대청마루를 설치하였다.
ㄴ. 미리 많은 양의 김치를 담가 저장하였다.
ㄷ. 죽부인과 부채를 만들어 더위를 극복하였다.
ㄹ. 솜을 넣어 만든 옷이나 동물의 털로 만든 옷을 즐겨 입었다.

① ㄱ, ㄴ 　② ㄱ, ㄷ 　③ ㄴ, ㄷ
④ ㄴ, ㄹ 　⑤ ㄷ, ㄹ

06 다음은 계절별 기후 특성에 따른 주민 생활 모습을 정리한 표이다. (가)~(다)에 들어갈 주민 생활 사례로 옳지 <u>않은</u> 것은?

구분	기온	강수
여름	(가)	강수량이 풍부하여 벼의 성장에 유리하기 때문에 벼농사가 발달하였다.
겨울	(나)	(다)

① (가): 중부와 남부 지방의 가옥에 대청마루가 발달하였다.

② (가): 음식이 쉽게 상하기 때문에 젓갈 등의 염장 식품이 발달하였다.

③ (나): 관북 지방의 가옥에 겹집 구조와 정주간이 발달하였다.

④ (다): 겨울철 눈이 많이 내리는 제주도는 가옥에 우데기가 설치되어 있다.

⑤ (다): 강원 산간 지역에서 설피를 신고 이동하거나, 발구를 이용하여 짐을 옮긴다.

07 다음 신문 기사 내용과 관련된 주민 생활 모습으로 옳은 것을 〈보기〉에서 고른 것은?

어제 밤사이 ○○시에 시간당 70mm가 넘는 물 폭탄이 쏟아지면서 곳곳에서 주택과 도로가 물에 잠기는 등 침수 피해가 잇따랐습니다. 밤사이 내린 집중 호우로 9가구 21명의 이재민이 발생했으며, 지방도가 유실되고 교량 통행이 통제되는 등 공공시설 피해도 일어났습니다.

┤보기├
ㄱ. 하천 주변의 제방 및 배수 시설
ㄴ. 건물에 임시로 덧붙여 만든 까대기
ㄷ. 주변보다 높게 터를 돋은 후 지은 집
ㄹ. 'ㄷ'자형 가옥 안마당에 지붕을 씌운 또아리집

① ㄱ, ㄴ　　② ㄱ, ㄷ　　③ ㄴ, ㄷ
④ ㄴ, ㄹ　　⑤ ㄷ, ㄹ

08 다음은 두 지역의 전통 가옥 구조를 나타낸 것이다. (가), (나) 지역에 대한 설명으로 옳지 <u>않은</u> 것은?

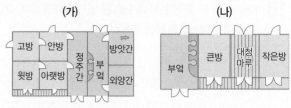

① (가)는 폐쇄적인 가옥 구조, (나)는 개방적인 가옥 구조이다.

② (가) 지역은 (나) 지역보다 기온의 연교차가 크다.

③ (가) 지역은 (나) 지역보다 1년 중 온돌을 사용하는 기간이 짧다.

④ (나) 지역은 (가) 지역보다 김장 시기가 늦다.

⑤ (나) 지역은 (가) 지역보다 무상 일수가 길다.

09 다음은 사진 속 전통 가옥에 대한 교사와 학생의 대화이다. (가), (나)에 들어갈 내용으로 적절한 것은?

교사: 사진 속 가옥은 어느 지역의 전통 가옥이며 어떤 특징이 있을까요?
학생: 사진은 우리나라 ___(가)___ 의 전통 가옥으로, ___(나)___ 에 대비하기 위해 지붕의 경사가 완만하고 지붕을 새끼줄로 엮은 것이 특징입니다.

	(가)	(나)
①	울릉도	강한 바람
②	울릉도	많은 강수량
③	제주도	여름철 무더위
④	제주도	강한 바람
⑤	관북 지방	여름철 무더위

2 기후와 경제생활

10 다음은 '도시 열섬 현상'과 관련된 인터뷰 내용이다. (가), (나)에 들어갈 내용으로 옳은 것은?

> 기　자: 여름철 폭염이 기승을 부리고 있습니다. 특히 대도시의 경우 '열섬 현상'까지 더해져 무더위가 더욱 심해지고 있습니다. 기후 전문가와 함께 열섬 현상에 대해 알아보겠습니다.
>
> 전문가: 열섬 현상은 도시 내부의 기온이 주변 교외 지역보다 높게 나타나는 현상입니다. 열섬 현상의 원인에는 [(가)] 등이 있습니다. 열섬 현상은 [(나)]에 뚜렷하게 나타나는 것이 특징입니다.

	(가)	(나)
①	인공 열 감소	낮보다 새벽
②	도시 인구 증가	겨울보다 여름
③	도시 인구 감소	맑은 날보다 흐린 날
④	녹지 면적의 확대	새벽보다 낮
⑤	녹지 면적의 감소	여름보다 겨울

11 다음 자료를 통해 내린 적절한 추론을 〈보기〉에서 고른 것은?

> • 음료나 아이스크림은 기온이 25℃를 넘으면 많이 팔리는 반면, 우유와 요구르트는 기온이 상승할수록 매출액이 감소한다.
> • 초콜릿은 겨울에 매출액이 증가하고, 사탕은 봄과 여름에 매출액이 증가하는 경향이 있다.

⊣ 보기 ⊢
ㄱ. 날씨와 기후는 경제와 밀접한 관련이 있을 것이다.
ㄴ. 강수가 기온보다 상품 판매에 미치는 영향이 클 것이다.
ㄷ. 기업은 기상 정보를 활용하여 상품의 생산량을 조절할 것이다.
ㄹ. 기상 정보를 활용하는 분야는 제조업에 한정되어 있을 것이다.

① ㄱ, ㄴ ② ㄱ, ㄷ ③ ㄴ, ㄷ
④ ㄴ, ㄹ ⑤ ㄷ, ㄹ

12 다음 사진과 같이 주변보다 터를 높여 지은 가옥의 명칭을 쓰고, 이러한 가옥이 발달한 이유를 기후와 관련하여 서술하시오.

13 다음과 같은 가옥 구조가 나타나는 지역을 쓰고, 지역의 기후와 관련하여 가옥의 특징을 서술하시오.

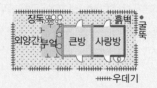

14 다음 자료를 보고 물음에 답하시오.

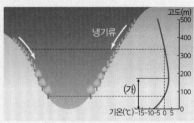

(1) 자료의 (가) 지역에서 나타나는 현상의 명칭을 쓰시오.

(2) (1)의 현상이 발생할 때 나타나는 피해를 두 가지 서술하시오.

01 다음 글의 ㉠~㉫과 관련된 주민 생활 모습으로 옳지 <u>않은</u> 것은?

> 우리나라는 연 강수량이 약 1,300mm 정도로 많은 편이지만 ㉠ 계절에 따라 강수량의 차이가 커서 연 강수량에 비해 ㉡ 물 자원 이용률이 낮다. 비가 적게 내리는 건조한 봄철에는 ㉢ 농작물 가뭄 피해가 자주 발생하며, 비가 많이 내리는 여름철에는 집중 호우로 ㉣ 홍수 피해가 발생하기도 한다. 겨울철 강수 집중률이 높은 울릉도나 강원도 산간 지역은 ㉤ 폭설로 인한 피해가 자주 발생한다.

① ㉠ – 예로부터 저수지·보 등의 수리 시설이 발달되어 있다.
② ㉡ – 오늘날 다목적댐을 건설하여 물 자원 이용률을 높이고 있다.
③ ㉢ – 높새바람이 부는 경기·영서 지방의 가뭄 피해가 특히 심하다.
④ ㉣ – 홍수가 자주 일어나는 지역에서는 하천 주변에 인공 제방을 쌓아 홍수에 대비한다.
⑤ ㉤ – 울릉도에서는 가옥에 정주간을 설치하여 폭설에 대비한다.

02 (가), (나) 지역의 지리적 특징으로 옳은 것은?

> (가) '새'라는 마른 풀잎으로 지붕을 만든 후 바둑판처럼 줄로 얽어매었고, 방 뒤쪽에 저장하는 '고팡'이라는 창고를 두었다. 또한 부엌 아궁이는 방 반대쪽으로 향해 있고, 온돌 시설이 없는 경우도 있다.
> (나) 처마 안쪽에 여러 개의 기둥을 세우고 억새나 옥수숫대로 이엉을 엮어 집을 둘러쳐서 '우데기'라는 외벽을 만들었다. 외벽 내부에 생긴 축담은 이동 및 생활 공간으로 활용하기도 한다.

┤보기├
ㄱ. (가)는 (나)보다 서울과의 위도 차가 크다.
ㄴ. (가)는 (나)보다 최한월 평균 기온이 낮다.
ㄷ. (나)는 (가)보다 강수량의 계절 차가 작다.
ㄹ. (나)는 (가)보다 최고 지점의 해발 고도가 높다.

① ㄱ, ㄴ   ② ㄱ, ㄷ   ③ ㄴ, ㄷ
④ ㄴ, ㄹ   ⑤ ㄷ, ㄹ

03 자료는 '기후 환경과 인간 생활'을 학습하기 위한 낱말 퍼즐이다. (가)에 들어갈 내용으로 옳은 것은?

[가로 열쇠]
① 호남 해안 지역에서 바람과 눈이 집에 들이치는 것을 막기 위해 설치한 임시 건조물
② 추운 겨울철 방바닥을 따뜻하게 하는 한국의 전통적인 난방 방식
③ 대관령 등 고도가 높은 산지나 제주도 등 해안 지역에서 바람을 이용해 전력을 생산하는 발전 방식
[세로 열쇠]
㉠　　　　　(가)

① 도심의 기온이 교외보다 높게 나타나는 현상
② 홍수가 자주 발생하는 지역에서 흙이나 돌로 땅을 돋은 후 지은 집
③ 무더운 여름을 나기 위해 바닥과 마루 사이를 띄우고 나무판을 깔아 만든 공간
④ 지표면 근처 대기의 기온이 급격히 낮아져 상층으로 갈수록 기온이 높게 나타나는 현상
⑤ 겨울철 강원 산간 지역에서 눈이 많이 내렸을 때 미끄러지지 않도록 신발에 덧신는 도구

04 다음은 부산시의 여름철 한낮 지표면의 온도를 나타낸 지도이다. B 지역과 비교한 A 지역의 상대적 특성으로 옳은 것을 〈보기〉에서 고른 것은?

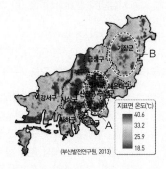

(부산발전연구원, 2013)
지표면 온도(℃)
40.6
33.2
25.9
18.5

┤보기├
ㄱ. 상대 습도가 높다.
ㄴ. 인공 열의 방출량이 많다.
ㄷ. 녹지 공간의 면적이 넓다.
ㄹ. 지표면의 포장 면적이 넓다.

① ㄱ, ㄴ   ② ㄱ, ㄷ   ③ ㄴ, ㄷ
④ ㄴ, ㄹ   ⑤ ㄷ, ㄹ

III. 기후 환경과 인간 생활

03
자연재해와 기후 변화

1 우리나라에 영향을 주는 자연재해

1. 자연재해의 의미

(1) 의미 인간 활동에 인적·물적 피해를 주는 자연 현상

(2) 유형 홍수, 가뭄, 태풍, 폭염, 한파, 황사 등 기후적 요인에 따른 자연재해와 지진, 화산 활동 등 지형적 요인에 따른 자연재해로 분류함.
→ 우리나라는 기후적 요인에 따른 자연재해가 잦음.
• 중국과 몽골 내륙의 사막 등에서 발생한 모래 먼지가 편서풍을 타고 이동하는 현상으로 주로 봄철에 발생
• 영향: 호흡기 질환과 안과 질환 발생 등

2 기후적 요인에 따른 자연재해

홍수	• 장마 전선과 태풍의 영향으로 집중 호우가 발생하는 여름철에 자주 발생 • 영향: 저지대 가옥과 농경지 침수, 산사태 발생 등 • 대책: 보·저수지·댐 등 수리 시설 건설, 사방 공사 실시 등
태풍	• 여름~초가을에 발생, 남동 해안 지역의 피해가 큼. • 부정적 영향: 강한 바람과 많은 비를 동반, 풍수해 및 해일 피해 발생 └→ 태풍 진행 방향의 오른쪽 반원인 위험 반원에 해당하기 때문임. • 긍정적 영향: 물 부족 및 적조 현상 해소, 지구 열평형 유지 • 대책: 태풍 진로에 대한 정확한 예측, 태풍 피해 예방 방법 숙지 등 └→ 진행 속도는 느리지만 피해 범위가 넓음.
가뭄	• 장마 전선이 늦게 북상하거나, 장기간 강수량이 적을 때 발생 • 영향: 농작물 성장 저하, 각종 용수 부족 등 • 대책: 보·저수지·댐 등 수리 시설 건설
폭설 (대설)	• 겨울철 한랭 건조한 기류가 바다를 건널 때 눈구름이 형성되어 발생 • 울릉도, 소백산맥 서사면, 강원도 영동 산간 지역에서 자주 발생 • 영향: 산간 마을 고립, 각종 시설물(축사, 비닐하우스 등) 파괴, 도로 및 항공 교통 마비 등 • 대책: 신속한 제설 작업, 시설물 사전 보강 등

핵심 기출 자료 분석 우리나라의 자연재해별 피해액 규모

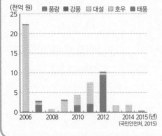

분석 | 우리나라의 자연재해는 주로 기후적 요인에 의해 일어나기 때문에 피해 규모의 연변동이 크다. 태풍 통과 횟수, 장마 기간, 집중 호우 발생 일수 등이 많았던 해는 특히 피해액이 많다.

3. 지형적 요인에 따른 자연재해

지진	• 지각판이 충돌하거나 분리되면서 땅이 갈라지고 흔들리는 현상 • 2016년 경주, 2017년 포항을 중심으로 큰 규모의 지진 발생 • 대책: 내진 설계 강화, 지진 발생 시 행동 요령 교육 실시 등
화산 활동	• 지구 내부의 마그마가 지표면 위로 분출하는 현상 • 우리나라에서는 발생 가능성이 낮은 편임.

2 우리나라의 기후 변화

1. 기후 변화의 의미와 원인

(1) 의미 기후의 평균 상태가 변화하는 것

(2) 원인 → 산업 혁명 이후 인위적 요인이 기후 변화에 보다 큰 영향을 미침.

자연적 원인	태양 활동의 변화, 지구와 태양 간 거리의 주기적 변화, 화산 활동 등
인위적 원인	인구와 산업 활동의 증가로 화석 연료의 과다 사용 → 지구 온난화 현상 심화

2 기후 변화 현황

(1) 기온 변화 지난 100년 동안 우리나라의 연평균 기온은 1.7℃ 상승(세계 평균 기온은 0.74℃ 상승)

핵심 기출 자료 분석 우리나라의 연평균 기온 변화

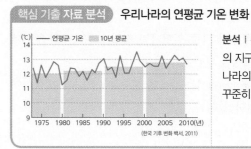

분석 | 전 지구적 차원의 지구 온난화로 우리나라의 연평균 기온이 꾸준히 상승하고 있다.

(2) 강수 변화 연 강수 일수는 감소한 반면, 연 강수량은 증가함. ← 집중 호우 발생 빈도 증가

3 기후 변화의 영향

(1) 식생 변화 냉대림 분포 면적 축소 및 난대림 분포 면적 확대, 고산 식물 분포 면적 축소, 봄꽃 개화 시기 빨라짐, 가을철 단풍 시기 늦어짐 등

(2) 농·어업 활동 변화 농작물 재배 북방 한계선 북상, 노지 작물의 생육 가능 기간이 길어짐, 한류성 어족의 어획량 감소, 난류성 어족의 어획량 증가 등

(3) 산업 활동 변화 냉·난방 용품, 계절별 의복 및 식품 판매량 변동, 겨울 관광 산업 위축 등
└→ 겨울철 눈과 관련된 축제의 개최나 스키장 운영이 어려워짐.

4. 기후 변화에 대한 대책

(1) 국제적 노력 1992년 기후 변화 협약 체결(리우 회의) → 1997년 교토 의정서 의결 → 2015년 파리 기후 변화 협약 체결

(2) 국가적 노력 배출권 거래제 도입, 에너지 절약형 자동차 개발 지원, 신·재생 에너지 개발, 자원 절약형 산업 육성 등

(3) 개인적 노력 에너지 효율이 높은 제품 및 친환경 제품 사용, 대중교통 이용 확대, 냉방 및 난방 사용량 절약 등
└→ 온실가스 감축을 목적으로 국가나 기업 간에 배출 권리를 사고팔 수 있도록 한 제도

3 우리나라의 식생과 토양

1. 식생의 의미와 분포

(1) 의미 지표를 덮고 있는 식물 집단으로 기후·토양·지형·생물 등의 영향을 받음.

(2) 식생의 수평 분포 위도별 기온 차이로 분포가 달라짐.

난대림	남해안과 제주도, 울릉도 저지대 → 상록 활엽수림(동백나무, 후박나무 등)
온대림	난대림과 냉대림 지역을 제외한 우리나라 전역 → 혼합림(낙엽 활엽수와 침엽수가 섞여 있음.)
냉대림	개마고원 일대 및 일부 고산 지역 → 침엽수림(전나무, 가문비나무 등)

(3) 식생의 수직 분포 ┌ 높은 산지에서 식생의 수직적 분포가 나타남.
① 해발 고도에 따른 기온 차이로 분포가 달라짐.
② 저지대에서 고지대로 가면서 난대림, 온대림, 냉대림, 관목림대, 고산 식물대 순으로 나타남.

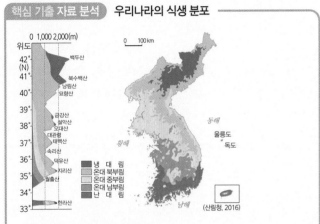

핵심 기출 자료 분석 우리나라의 식생 분포

▲ 식생의 수직 분포와 수평 분포

분석 | 식생의 수평 분포는 위도에 따른 기온 차이로 나타나는데, 난대림은 최한월 평균 기온이 0℃ 이상인 남해안과 제주도 일대에 분포하며, 냉대림은 개마고원과 일부 고산 지역에 한해서 분포한다. 식생의 수직 분포는 해발 고도에 따른 기온 차이로 나타나는데, 제주도의 한라산에서 뚜렷하게 나타난다.

2. 토양의 의미와 분류

(1) 의미 풍화 작용을 받아 암석 입자가 흙으로 변한 것으로 생물 성장의 토대이며, 농업 전반에 영향을 미침.

★ 분류 기후·식생·기반암 등에 의해 그 성질이 달라짐.

성숙토	성대 토양	· 기후와 식생의 영향을 받아 형성된 토양 · 회백색토(개마고원 등 냉대림 지역)와 갈색 삼림토(중부, 남부의 온대림 지역)가 주를 이룸. ┌ 석회암이 녹고 남은 물질이 산화되어 붉은 색을 띰.
	간대 토양	· 기반암 특성의 영향을 받아 형성된 토양 · 석회암 풍화토(강원도 남부, 충청북도 북동부), 현무암 풍화토(제주도, 울릉도, 철원 용암 대지)
미성숙토		· 토양의 생성 기간이 짧거나 운반 및 퇴적으로 형성된 토양 ┌ 비옥하여 농경지로 이용 · 충적토(하천 운반 물질 퇴적), 염류토(간척지에 분포)가 대표적임. └ 염분 제거 시 농경에 매우 유리함.

1 〈보기〉의 자연재해를 기후적 요인에 따른 자연재해와 지형적 요인에 따른 자연재해로 구분하시오.

┤ 보기 ├
ㄱ. 지진   ㄴ. 가뭄   ㄷ. 홍수
ㄹ. 폭염   ㅁ. 폭설   ㅂ. 화산 활동

(1) 기후적 요인에 따른 자연재해: (   )

(2) 지형적 요인에 따른 자연재해: (   )

2 다음 각 자연재해와 그 영향을 바르게 연결하시오.

(1) 가뭄 ·   · ㉠ 농작물 성장 저하, 각종 용수 부족

(2) 태풍 ·   · ㉡ 풍수해·해일 발생, 지구 열평형 유지

3 설명이 맞으면 ○표, 틀리면 ✕표 하시오.

(1) 태풍은 여름부터 초가을에 자주 발생하며, 진행 방향의 왼쪽 반원 지역의 피해가 크다.   (   )

(2) 폭설은 겨울철 한랭 건조한 기류가 바다를 건널 때 눈구름이 형성되어 발생한다.   (   )

4 괄호 안의 내용 중 알맞은 말을 골라 ○표 하시오.

(1) 우리나라의 자연재해는 주로 (기후적 , 지형적) 요인에 의해 일어난다.

(2) 산업 혁명 이후의 급격한 기후 변화는 (자연적 , 인위적) 요인의 영향이 크다.

(3) (성대 토양 , 간대토양)은 기후와 식생의 영향을 받아 형성된 토양으로, 온대림 지역의 갈색 삼림토가 대표적이다.

5 빈칸에 들어갈 알맞은 말을 쓰시오.

(1) 식생의 (   ) 분포는 위도별 기온의 차이로 그 분포가 달라진다.

(2) 식생의 수직적 분포는 제주도의 (   )에서 뚜렷하게 나타난다.

(3) (   )은/는 하천에 의해 운반된 물질이 하천 주변에 퇴적되어 형성된 미성숙토이다.

1 우리나라에 영향을 주는 자연재해

주관식

01 다음 글에서 설명하는 용어를 쓰시오.

> 인간 활동에 인적·물적 피해를 주는 자연 현상으로, 기후적 요인과 지형적 요인에 의해 발생한다.

02 다음 중 자연재해를 발생 요인에 따라 분류한 것으로 옳은 것은?

	기후적 요인	지형적 요인
①	가뭄	지진
②	가뭄	태풍
③	지진	화산 활동
④	지진	태풍
⑤	태풍	한파

03 다음은 태풍의 진행을 나타낸 지도이다. 이에 대한 설명으로 옳은 것을 〈보기〉에서 고른 것은?

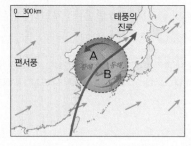

┤ 보기 ├
ㄱ. 태풍의 진행 방향은 편서풍의 영향을 받는다.
ㄴ. 태풍은 저위도 해상에서 발생하여 중위도로 이동한다.
ㄷ. 태풍이 우리나라에 영향을 미치는 계절은 한겨울이다.
ㄹ. 태풍 진행 방향의 왼쪽 반원인 A 지역이 오른쪽 반원인 B 지역보다 태풍 피해가 크다.

① ㄱ, ㄴ ② ㄱ, ㄷ ③ ㄴ, ㄷ
④ ㄴ, ㄹ ⑤ ㄷ, ㄹ

04 다음 자연재해와 그 특징에 대해 정리한 표의 내용 중 옳지 않은 것은?

구분	자연재해	특징
①	가뭄	진행 속도는 느리지만 피해 지역은 넓음.
②	폭설	축사, 비닐하우스 등 시설물 파괴 피해가 발생함.
③	홍수	집중 호우가 내리는 여름철에 자주 발생함.
④	태풍	강한 바람과 많은 비를 동반하여 큰 피해를 줌.
⑤	지진	땅이 갈라지거나 흔들리는 현상으로 아직까지 우리나라에서는 관측된 적이 없음.

05 다음은 어느 자연재해의 월별 발생 횟수를 나타낸 그래프이다. 이 자연재해에 대한 옳은 설명을 〈보기〉에서 고른 것은?

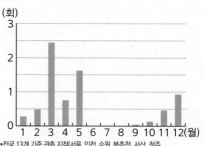

*전국 13개 기준 관측 지점(서울, 인천, 수원, 북춘천, 서산, 청주, 포항, 전주, 울산, 광주, 부산, 여수, 목포)의 연평균 발생 일수임.
(국립기상과학원, 2015)

┤ 보기 ├
ㄱ. 편서풍이 부는 방향과 관련이 깊다.
ㄴ. 주로 남동 계절풍이 탁월한 여름철에 발생한다.
ㄷ. 자연재해가 발생할 경우 호흡기 질환과 안과 질환의 발병률을 높인다.
ㄹ. 최근 중국의 사막화 현상이 해결되면서 발생 횟수가 감소 추세를 보이고 있다.

① ㄱ, ㄴ ② ㄱ, ㄷ ③ ㄴ, ㄷ
④ ㄴ, ㄹ ⑤ ㄷ, ㄹ

06 다음은 세 자연재해의 월별 피해액 비중을 나타낸 그래프이다. (가)~(다)에 해당하는 자연재해로 옳은 것은?

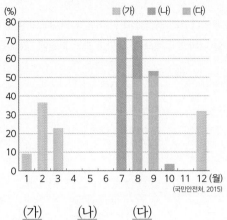

(국민안전처, 2015)

	(가)	(나)	(다)
①	대설	태풍	호우
②	대설	호우	태풍
③	태풍	대설	호우
④	호우	대설	태풍
⑤	호우	태풍	대설

07 다음은 한국 지리 수업 장면의 일부이다. 교사의 질문에 옳게 대답한 학생은?

① 갑: 태풍 진로에 대한 정확한 예측이 필요합니다.
② 을: 비탈진 지역에 미리 사방 공사를 실시합니다.
③ 병: 보나 저수지, 다목적 댐 등의 수리 시설을 건설합니다.
④ 정: 건물의 내진 설계를 의무화하고 주기적인 점검을 실시합니다.
⑤ 무: 붕괴 위험이 있는 축사, 비닐하우스 등의 시설물을 미리 점검합니다.

2 우리나라의 기후 변화

08 다음은 서울의 계절 길이 변화를 나타낸 그래프이다. 이러한 변화와 관련하여 예상되는 현상으로 옳은 것을 〈보기〉에서 고른 것은?

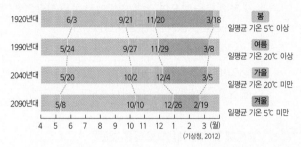

(기상청, 2012)

┤ 보기 ├
ㄱ. 가을철 단풍이 드는 시기가 빨라질 것이다.
ㄴ. 봄꽃과 관련된 축제의 개최 일정이 앞당겨질 것이다.
ㄷ. 냉대림 면적은 감소하고, 난대림 면적이 증가할 것이다.
ㄹ. 냉방 전력 사용량은 감소하고, 난방 전력 사용량은 증가할 것이다.

① ㄱ, ㄴ   ② ㄱ, ㄷ   ③ ㄴ, ㄷ
④ ㄴ, ㄹ   ⑤ ㄷ, ㄹ

09 다음 그림이 나타내는 제도에 대한 설명으로 옳지 않은 것은?

① 이 제도는 배출권 거래제이다.
② 교토 의정서에서 처음으로 도입된 제도이다.
③ 현재 A 기업은 배출 허용량보다 실제 배출량이 적다.
④ A 기업은 경제적 손해를 감수하고 배출권을 의무적으로 판매해야 한다.
⑤ B 기업은 A 기업으로부터 탄소 배출권을 구매하여 초과 배출할 수 있다.

3 우리나라의 식생과 토양

[10~11] 다음 글을 읽고 물음에 답하시오.

> 우리나라의 식생 분포 중 [㉠] 분포는 위도의 영향을 받으며, 남부 지방에서 북부 지방으로 가면서 난대림, 온대림, 냉대림이 나타난다.
> 식생의 [㉡] 분포는 해발 고도의 영향을 받으며, 해발 고도가 높아질수록 기온이 낮아지기 때문에 높은 산지에서 잘 나타난다.

 10 ㉠, ㉡에 들어갈 내용으로 옳은 것은?

	㉠	㉡
①	수직적	국지적
②	수직적	수평적
③	수평적	국지적
④	수평적	수직적
⑤	국지적	수평적

주관식

11 우리나라에서 식생의 ㉡ 분포가 가장 뚜렷하게 나타나는 지역을 쓰시오.

 12 다음은 우리나라의 토양을 분류한 것이다. (가)~(다)에 대한 옳은 설명을 〈보기〉에서 고른 것은?

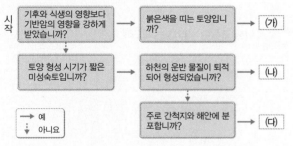

┤ 보기 ├
ㄱ. (가)는 생성 기간이 짧은 미성숙토이다.
ㄴ. (가)는 강원도 남부와 충청북도 북부에 분포한다.
ㄷ. (나)는 규모가 작은 하천 주변에서 잘 나타난다.
ㄹ. (나)는 별도의 처리 없이 농사가 가능하지만, (다)는 염분 제거 후에 농사가 가능하다.

① ㄱ, ㄴ   ② ㄱ, ㄷ   ③ ㄴ, ㄷ
④ ㄴ, ㄹ   ⑤ ㄷ, ㄹ

---

 13 다음은 우리나라에 영향을 미친 어떤 자연재해의 월별 발생 횟수를 나타낸 그래프이다. 이를 보고 물음에 답하시오.

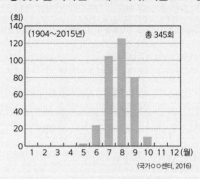

(국가○○센터, 2016)

(1) 위와 같이 우리나라에 영향을 미친 자연재해의 명칭을 쓰시오.

(2) (1)의 긍정적 영향과 부정적 영향을 각각 서술하시오.

14 기후 변화 문제를 해결하기 위한 노력을 개인적 차원, 국가적 차원, 국제적 차원에서 각각 서술하시오.

 15 지도와 같이 분포하는 A~C 토양 중 석회암 풍화토를 고르고, 이 토양의 특징을 형성 요인을 포함하여 두 가지 이상 서술하시오. (단, A~C는 충적토, 염류토, 석회암 풍화토 중 하나임.)

(농촌진흥청, 2012.)

01 다음은 자연재해 발생 시 행동 요령의 일부이다. (가)~(다) 자연재해에 대한 설명으로 옳지 <u>않은</u> 것은?

(가)	(나)	(다)
• 학교 활동 중 실외 학습, 체육 활동 등을 중지하거나 연기한다. • 가급적 외출을 삼가고, 외출 시에는 마스크를 반드시 착용한다.	• 재해 발생 시 탁자 밑에 들어가거나 방석 등을 이용해 머리를 보호한다. • 승강기를 사용하지 말고, 계단을 이용하여 신속하게 대피한다.	• 내 집 앞, 내 점포 앞의 눈을 신속하게 제거한다. • 비닐하우스, 축사 등의 시설물이 붕괴되지 않도록 보강한다.

① (가)의 영향으로 호흡기 질환과 안과 질환의 발생이 증가한다.

② (나)의 피해를 줄이기 위해서는 건물의 내진 설계가 필요하다.

③ (다)에 대비한 전통 가옥에는 터돋움집을 들 수 있다.

④ (가)는 주로 봄철, (다)는 주로 겨울철에 발생한다.

⑤ (가), (다)는 기후적 요인, (나)는 지형적 요인에 따른 자연재해이다.

02 다음은 최근 한반도의 기온 변화를 나타낸 지도이다. 이에 대한 분석으로 옳은 것만을 〈보기〉에서 있는 대로 고른 것은?

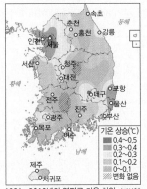

1981~2010년의 연평균 기온 차임. (기상청)

┤ 보기 ├
ㄱ. 수도권과 지방 대도시의 기온이 크게 상승했다.
ㄴ. 해발 고도가 높은 지역일수록 기온 상승 폭이 크다.
ㄷ. 기온 변화가 없는 지역은 주로 소백산맥을 중심으로 분포한다.
ㄹ. 기온 상승으로 서울의 봄꽃 개화 시기가 전국에서 가장 이를 것이다.

① ㄱ, ㄴ   ② ㄱ, ㄷ   ③ ㄴ, ㄷ
④ ㄱ, ㄷ, ㄹ   ⑤ ㄴ, ㄷ, ㄹ

03 다음은 한국지리 수업 시간에 교사가 토양에 대해 설명한 내용이다. ㉠, ㉡에 대한 설명으로 옳지 <u>않은</u> 것은?

성숙토는 ㉠ 성대 토양과 ㉡ 간대토양으로 구분할 수 있어요.

① ㉠은 기후와 식생의 영향을 받아 형성된 토양이다.

② ㉡은 기반암 특성의 영향을 받는다.

③ ㉡의 대표적인 예로 중부 지방의 갈색 삼림토를 들 수 있다.

④ ㉠, ㉡은 미성숙토에 비해 생성 기간이 길다.

⑤ 일반적으로 ㉡은 ㉠보다 국지적으로 분포한다.

04 다음은 우리나라의 식생 분포를 나타낸 지도이다. 이에 대한 옳은 설명만을 〈보기〉에서 있는 대로 고른 것은?

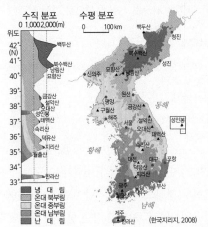

(한국지리지, 2008)

┤ 보기 ├
ㄱ. 가장 넓은 범위에 분포하는 식생은 온대림이다.
ㄴ. 가장 다양한 식생이 분포하는 지역은 백두산이다.
ㄷ. 고위도로 갈수록 냉대림이 분포하기 시작하는 해발 고도가 낮아진다.
ㄹ. 난대림인 동백나무, 후박나무는 제주도와 울릉도, 일부 남해안 지역에만 분포한다.

① ㄱ, ㄴ   ② ㄱ, ㄷ   ③ ㄴ, ㄷ
④ ㄱ, ㄷ, ㄹ   ⑤ ㄴ, ㄷ, ㄹ

| 교육청 기출 |

01 다음은 한국 지리 수업 장면이다. (가)에 들어갈 기후 요인으로 가장 적절한 것은?

(가)의 영향으로 나타나는 기후 특성의 사례를 말해볼까?

높은 산지가 없어 저평한 대동강 하류 지역은 소우지야.

소백산맥의 서쪽 사면은 북서 계절풍이 불 때 눈이 많이 내려.

초여름에 태백산맥을 넘어 영서 지방으로 부는 북동풍은 고온 건조해져.

① 위도　　② 해류　　③ 지형

④ 해발 고도　　⑤ 수륙 분포

| 교육청 기출 |

02 다음 자료와 관련된 시기의 기후 특성으로 가장 적절한 것은?

〈이번 주말 축제〉
· 양평 산수유 축제
· 청풍호 벚꽃 축제
· 광양 매화 축제
· 제주 유채꽃 축제
· 진해 군항제

요즘 전국적으로 축제가 한창입니다. 가족들과 주말을 이용해 다녀오시면 어떨까요?

① 일교차가 커지면서 첫서리가 내린다.

② 장마 전선의 영향으로 흐리거나 비가 자주 내린다.

③ 대륙 기단의 영향으로 심한 사온 현상이 일어난다.

④ 고온 다습한 날씨가 지속되면서 열대야 현상이 나타난다.

⑤ 이동성 고기압과 저기압이 교대로 통과해 날씨 변화가 심하다.

02-1 모의고사 기출 틀린 선지 더 찾기

① 강한 일사로 인해 소나기가 자주 내린다.

② 눈구름이 지나가는 서해안 지역에 폭설 피해가 발생한다.

③ 중국의 건조 지역에서 발생한 흙먼지가 우리나라로 자주 날아온다.

| 교육청 기출 |

03 다음 자료를 참고하여 런던과 비교한 서울의 상대적인 기후 특성을 그림의 A~E에서 고른 것은?

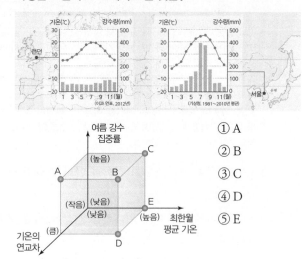

① A
② B
③ C
④ D
⑤ E

| 평가원 기출 | 변형

04 다음은 한국 지리 수업 시간에 제출한 수행 평가 과제물이다. ㄱ~ㄷ에 대한 옳은 설명을 〈보기〉에서 고른 것은?

주제: 계절에 따라 나타나는 다양한 기후 현상

중국 내륙 건조 지역에서 발생하는 황사는 ㉠ 편서풍을 타고 우리나라로 이동한다. 4~6월 국내에 유입되는 황사의 80% 정도가 이 지역에서 발원한 것이라고 한다.

㉡ 태풍이 한반도를 향해 북상함에 따라 경로와 규모에 주의를 기울이고 있다. 창문에 테이프나 젖은 신문지를 붙여 두면 강풍에 의한 사고를 예방하는 데 도움이 된다.

오늘 낮 서울의 최고 기온은 30.8℃인 반면, 강릉은 21.8℃로 큰 차이를 보였다. 이는 늦봄에서 초여름 사이 영서 지방에서 주로 나타나는 ㉢ 높새바람 때문이다.

┤ 보기 ├

ㄱ. ㉠은 육지와 바다의 비열 차로 인해 나타난다.

ㄴ. ㉡은 우리나라를 통과할 때 주로 대류성 강수를 동반한다.

ㄷ. ㉢이 지속되면 영서 지방에 가뭄이 발생할 수 있다.

ㄹ. 우리나라 부근에서 ㉡의 진행 방향은 ㉠의 영향을 받는다.

① ㄱ, ㄴ　　② ㄱ, ㄷ　　③ ㄴ, ㄷ

④ ㄴ, ㄹ　　⑤ ㄷ, ㄹ

| 교육청 기출 |

05 다음 자료를 토대로 그래프의 (가)~(다) 지역을 지도의 A~C 에서 고른 것은?

기온의 연교차는 북부 지역이 남부 지역보다, 내륙 지역이 비슷한 위도상의 해안 지역보다 큰 편이다. 또한 서해안 지역은 비슷한 위도상의 동해안 지역보다 기온의 연교차가 크다.

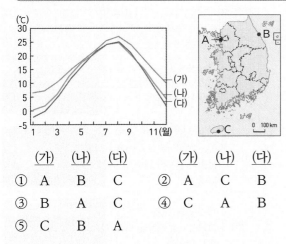

	(가)	(나)	(다)		(가)	(나)	(다)
①	A	B	C	②	A	C	B
③	B	A	C	④	C	A	B
⑤	C	B	A				

| 교육청 기출 |

06 다음 (가), (나) 자료의 밑줄 친 '이 바람'에 대한 설명으로 옳은 것은?

(가) '이 바람'이 불면 날씨가 맑고 기온이 높아지며 매우 건조해진다. 이 바람은 초목을 말려 죽이니 예로부터 영서 지방의 농민들은 녹새풍(綠塞風)이라고 하고, 초여름에 벼를 말려 죽인다 하여 살곡풍(殺穀風)이라고도 하였다. – 『택리지』 –

(나) 영동 지방 사람들은 바람이 바다를 거쳐 불어와 비를 내리게 하여 식물을 잘 자라게 하기 때문에 동풍이 불기를 바랐다. 반면 영서 지방 사람들은 산을 넘어 고온 건조해지는 '이 바람'이 식물에 해를 끼치기 때문에 서풍이 불기를 바랐다. – 『금양잡록』 –

① 고온 다습한 해양 기단에서 유입되는 바람이다.

② 오호츠크해 기단의 영향으로 불어오는 바람이다.

③ 해안가에서 낮과 밤을 주기로 방향을 바꿔 교대로 부는 바람이다.

④ 시베리아에서 강한 고기압이 발달할 때 주로 나타난다.

⑤ 산 정상과 골짜기의 가열 및 냉각 속도 차에 의해 발생한다.

| 교육청 기출 |

07 다음은 사이버 학습 장면의 일부이다. ㉠~㉣ 중 옳은 내용을 고른 것은?

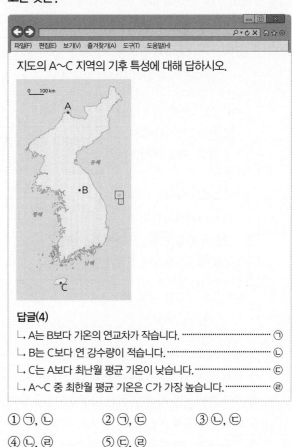

지도의 A~C 지역의 기후 특성에 대해 답하시오.

답글(4)

└ A는 B보다 기온의 연교차가 작습니다. ·················· ㉠

└ B는 C보다 연 강수량이 적습니다. ·················· ㉡

└ C는 A보다 최난월 평균 기온이 낮습니다. ·················· ㉢

└ A~C 중 최한월 평균 기온은 C가 가장 높습니다. ·········· ㉣

① ㉠, ㉡   ② ㉠, ㉢   ③ ㉡, ㉢

④ ㉡, ㉣   ⑤ ㉢, ㉣

| 수능 기출 |

08 그래프의 (가)~(라)에 해당하는 지역을 지도의 A~D에서 고른 것은?

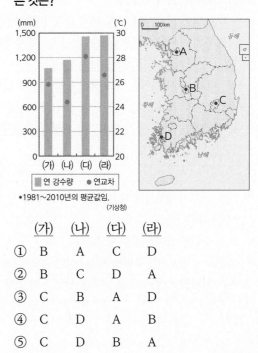

*1981~2010년의 평균값임.
(기상청)

	(가)	(나)	(다)	(라)
①	B	A	C	D
②	B	C	D	A
③	C	B	A	D
④	C	D	A	B
⑤	C	D	B	A

| 평가원 기출 | 변형 |

09 다음은 기후 단원에 대한 한국 지리 수업 장면의 일부이다. (가)에 들어갈 내용으로 옳은 것은?

교사: 먼저 다음에서 설명하는 용어에 해당하는 글자를 〈글자판〉에서 찾아 하나씩 지우세요.

- 6~7월 정체 전선의 영향으로 장기간에 걸쳐 많은 비가 내리는 현상
- 겨울철 시베리아 기단의 주기적인 강약으로 기온의 하강과 상승이 반복되는 현상
- 눈에 빠지지 않도록 신발에 덧신는 도구

〈글자판〉			
피	마	열	삼
온	섬	사	시
한	도	장	설

교사: 남은 글자를 모두 활용하여 만들 수 있는 용어는 ○○ ○○으로, ＿＿＿＿ (가) ＿＿＿＿ 입니다.

① 계절에 따라 풍향과 성질이 달라지는 바람
② 하루 중 밤의 최저 기온이 25℃ 이상인 현상
③ 지표면 가열에 의해 낮 동안 발생하는 대류성 강수
④ 도시 중심부의 기온이 주변부보다 높게 나타나는 현상
⑤ 복사 냉각으로 하층이 상층보다 기온이 낮아지는 현상

| 수능 기출 | 변형 |

10 다음은 한국 지리 수업 시간에 작성한 학습 노트이다. ㉠~㉣에 대한 설명으로 옳은 것만 〈보기〉에서 있는 대로 고른 것은?

주제: 우리나라의 국지 기후

- ㉠ 기온 역전 현상: 분지에서 복사 냉각이 활발한 경우, 하층의 기온이 급격히 낮아지고 상층으로 갈수록 기온이 높아져 ㉡ 기온 역전층이 형성된다.
- 도시 기후: 도시 지역은 ㉢ 포장된 지표 면적이 넓어 주변 농촌에 비해 도시 내부의 기온이 많이 상승한다. 최근에는 ㉣ 도시 지역의 기후 환경을 개선하기 위한 노력이 이루어지고 있다.

┤ 보기 ├
ㄱ. ㉠은 기온의 일교차가 크고, 바람이 없는 맑은 날 밤에 잘 나타난다.
ㄴ. ㉡으로 인해 안개가 자주 발생한다.
ㄷ. ㉢으로 인해 도시는 주변 농촌보다 상대 습도가 높다.
ㄹ. ㉣은 바람길 조성, 건물 옥상 녹화 산업 등이 있다.

① ㄱ, ㄴ
② ㄴ, ㄹ
③ ㄱ, ㄴ, ㄷ
④ ㄱ, ㄴ, ㄹ
⑤ ㄴ, ㄷ, ㄹ

| 교육청 기출 |

11 다음은 수행 평가 보고서의 일부이다. (가)~(다)에 들어갈 기후 요소로 옳은 것은?

수행 평가 보고서
- 조사 주제: 기후 요소가 주민 생활에 미친 영향
- 조사 내용

기후 요소	사례	관련 사진
(가)	범람원에서는 흙이나 돌을 쌓아 터를 높이고 그 위에 집을 짓는다.	
(나)	관북 지방의 전통 가옥에는 방과 부엌 사이에 온돌이 설치된 정주간이 있다.	
(다)	제주도의 전통 가옥은 그물망처럼 지붕을 새끼줄로 엮었다.	

	(가)	(나)	(다)		(가)	(나)	(다)
①	기온	강수	바람	②	기온	바람	강수
③	강수	기온	바람	④	강수	바람	기온
⑤	바람	기온	강수				

| 교육청 기출 |

12 그래프는 세 지역의 기후 특성을 나타낸 것이다. (가)~(다)의 전통 가옥 구조를 〈보기〉에서 고른 것은?

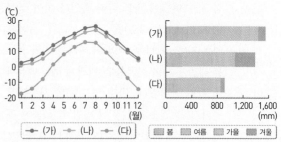

━● (가) ━● (나) ━● (다)

봄 여름 가을 겨울

┤ 보기 ├

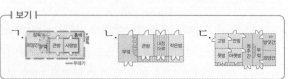

	(가)	(나)	(다)		(가)	(나)	(다)
①	ㄱ	ㄴ	ㄷ	②	ㄱ	ㄷ	ㄴ
③	ㄴ	ㄱ	ㄷ	④	ㄴ	ㄷ	ㄱ
⑤	ㄷ	ㄱ	ㄴ				

| 교육청 기출 |

13 (가)~(라) 자연재해에 대한 설명으로 옳은 것은? (단, (가)~(라)는 지진, 태풍, 폭염, 한파 중 하나임.)

구분	안전 문자 내용
(가)	전국에 ◇◇ 특보 발효 중. 논밭과 건설 현장 등에서 야외 활동 자제, 충분한 수분 섭취 등 건강에 유의하세요.
(나)	강력한 □□ 북상 중. 호우 및 강풍 피해 예상, 선박 파손, 저지대 침수 등 안전에 유의하세요.
(다)	○○시 북구 북쪽 6km 지점에 리히터 규모 5.5 △△ 발생, 여진 주의 및 재난 방송 청취 바랍니다.
(라)	중부 지방 ◎◎ 경보 발효 중. 수도관 및 보일러 동파, 전열기 화재 등 안전에 유의하세요.

① (가)는 주로 여름에 발생한다.
② (나)의 피해 건수는 남부 지방보다 북부 지방이 많다.
③ (다)는 기후적 요인에 따른 자연재해이다.
④ (라)는 열대 해상에서 발생해 우리나라로 이동한다.
⑤ (가)는 (나)보다 해일 피해를 유발하는 경우가 많다.

13-1 모의고사 기출 **틀린 선지 더 찾기**
① (가)는 물 부족 문제를 해결하고 적조 현상을 해소하는 기능을 하기도 한다.
② (다)의 대책으로는 건물의 내진 설계 강화가 있다.
③ (라)는 북태평양 고기압이 확장하는 시기에 발생한다.

| 수능 기출 |

14 (가)~(다) 자연재해에 대한 옳은 설명만을 〈보기〉에서 있는 대로 고른 것은? (단, (가)~(다)는 대설, 태풍, 호우 중 하나임.)

*수치는 피해액 누적치(2006~2016년)가 가장 높은 지역의 값을 100으로 했을 때의 상댓값임.
(국민안전처)

┤ 보기 ├
ㄱ. (가)는 강풍과 많은 비를 동원하여 풍수해를 유발한다.
ㄴ. (나)는 장마 전선이 정체되었을 때 주로 발생한다.
ㄷ. (다)는 겨울철 찬 공기가 바다를 지나면서 형성된 눈구름에 의해 발생하는 경우가 많다.
ㄹ. 우리나라 연 강수량에서 차지하는 비중은 (다)가 (나)보다 높다.

① ㄱ, ㄴ ② ㄴ, ㄷ ③ ㄷ, ㄹ
④ ㄱ, ㄴ, ㄷ ⑤ ㄴ, ㄷ, ㄹ

| 교육청 기출 | 변형 |

15 다음 신문 기사의 (가)에 따른 영향으로 가장 적절한 것은?

봄에 접어들었지만 여전히 꽃샘추위가 기승을 부리고 있다. 곧 꽃샘추위가 물러가면 (가)의 역습이 예상된다. (가)은/는 중국 내륙 및 몽골에서 발생한 모래 먼지로, 편서풍을 타고 우리나라 쪽으로 날아온다. 과거에는 주로 봄철에 영향을 주었으나 최근에는 다른 계절에도 이 현상이 나타나고 있다.

① 하천이 범람하여 주변 저지대가 침수된다.
② 감기 환자가 급증하며 수도관 동파 피해가 발생한다.
③ 매우 심한 더위가 나타나며 전력 수요가 급격히 상승한다.
④ 교통 장애를 유발하며 비닐하우스 등의 시설이 붕괴되기도 한다.
⑤ 호흡기 환자가 증가하며 정밀 기계가 고장나는 원인이 되기도 한다.

| 평가원 기출 |

16 다음은 기후 단원에 대한 한국 지리 수업 장면이다. 발표 내용이 가장 적절한 학생을 고른 것은?

한반도에 이와 같은 변화가 현실화될 때 예상되는 현상에 대해 발표해 보세요.

〈기후 변화 전망〉

구분	결빙 일수(일)	식물 성장 가능 기간(일)
1981~2010년	21.0	245.2
2021~2040년	13.9	253.7
2041~2070년	8.8	257.3

※ 식물 성장 가능 기간: 일 평균 기온이 5℃ 이상인 날이 6일 이상 지속된 첫 날부터 일 평균 기온이 5℃ 미만인 날이 6일 이상 지속된 첫 날까지의 연중 일수

• 갑: 남부 지방에서 난대림의 분포 면적이 확대될 것입니다.
• 을: 한라산에서 고산 식물의 분포 고도 하한선이 낮아질 것입니다.
• 병: 대도시 지역의 열대야 발생 일수가 줄어들 것입니다.
• 정: 내장산에서 단풍이 드는 시기가 빨라질 것입니다.
• 무: 중부 지방에서 첫 서리가 내리는 날짜가 빨라질 것입니다.

① 갑 ② 을 ③ 병 ④ 정 ⑤ 무

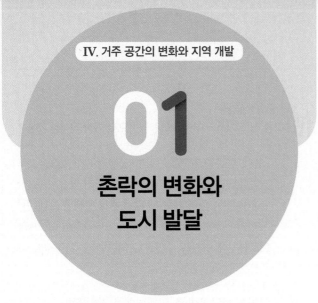

01
촌락의 변화와
도시 발달

1 전통 촌락의 특징과 촌락의 변화

1. 전통 촌락의 특징과 입지

(1) 전통 촌락의 특징
① 도시보다 인구 밀도가 낮지만, 국토 공간에서 많은 면적을 차지함.
   └ 주민 간 협업이 필요한 경우가 많아 도시보다 공동체 의식이 강함.
② 대부분의 주민이 1차 산업에 종사 → 도시에 농수산물 공급
③ 자연환경과 전통문화가 잘 보존됨. → 도시민에게 휴식 및 여가 공간을 제공
(2) 전통 촌락의 입지 └ 북쪽에 산이 있어 겨울철 북서풍을 막아주고, 일조 시간이 길, 산지로부터 땔감을 쉽게 확보할 수 있으며, 용수 확보에 유리함.
① 입지 특징   풍수지리상 길지에 입지 → 대부분 배산임수 조건을 갖춘 곳
② 전통 촌락의 입지 요인   자연적 요인(지형, 기후 등)과 사회·경제적 요인(교통, 산업 등) → 상업적 농업의 발달로 사회·경제적 요인의 중요성이 커지고 있음.

자연적 요인	•용수 및 연료 확보 등이 유리한 곳 •용수 획득: 제주도 해안의 용천대, 선상지 선단의 용천대 •침수 예방: 범람원의 자연 제방, 산록 완사면 등
사회·경제적 요인	•육상 교통: 교통의 요지에 역원 취락 형성(조치원, 역삼동, 이태원) •수상 교통: 하천이나 바다가 도로에 접하는 곳에 나루터 취락 형성(노량진, 마포) •방어: 지형적으로 방어가 유리한 지역, 국경 및 해안 지역 → 병영촌(남한산성, 중강진)

★ 촌락의 형태와 변화

(1) 전통 촌락의 형태와 경관
① 가옥의 밀집도에 따른 촌락 형태

집촌 (集村)	•특정 장소에 가옥이 밀집하여 분포하는 촌락 •가옥과 경지의 결합도가 낮음. → 경지 관리가 어려움. •가옥 간 거리가 가까워 협동 노동에 유리하고 공동체 의식이 강함.
산촌 (散村)	•가옥이 흩어져 분포하여 밀집도가 낮은 촌락 •가옥과 경지의 결합도가 높음. → 경지 관리가 효율적임. •집단 방어나 협동 작업의 필요성이 작은 지역에 분포(밭농사, 과수원 지대 등)

② 기능에 따른 촌락 형태

농촌	•농업 기반 •농경지와 배후 산지가 만나는 산록면에서 주로 집촌을 형성
어촌	•어업 기반 •항구를 중심으로 밀집, 주로 반농반어촌 형성
산지촌	•밭농사, 임업, 목축업 등에 종사 •경지가 협소하여 촌락의 규모가 작은 산촌을 형성

(2) 촌락의 변화
① 변화 양상   산업화, 도시화, 대도시와의 접근성 등에 따라 양상이 다름.

인구 증가 촌락	•주로 대도시와 거리가 가까운 촌락 •상업적 농업 확대, 아파트·공장 등 도시 경관 형성, 겸업 농가 비중의 증가 등
인구 감소 촌락	•주로 대도시와 거리가 먼 촌락 •청장년층 인구 유출 → 노동력 부족, 인구 고령화, 폐교 증가, 청장년층의 남초 현상 발생 ┌ 국제결혼 증가 → 다문화 가정의 비중 증가

② 최근 변화   슬로 시티 운동, 농공 단지 조성, 농산물 직거래 등 → 2·3차 산업 비중 증가 └ 급변하는 사회 속에서 여유 있는 삶을 지향하며 지역의 자연과 문화를 지켜 지역을 매력적인 장소로 만들기 위한 운동

2 도시의 발달과 도시 체계

1. 도시와 촌락의 관계

(1) 도시와 촌락의 상호 보완성   서로 다른 기능과 역할을 분담

도시	•행정 및 금융 기관 등이 모여 있는 중심지 → 촌락에 각종 재화와 서비스 공급 •2·3차 산업의 비중이 높고, 주민의 직업 구성이 다양함.
촌락	•각종 농산물과 축산물을 도시에 제공, 도시민에게 휴식과 여가 공간 제공 •1차 산업의 비중이 높고, 주민의 직업 구성이 단순함.

(2) 최근의 변화   인구 증가와 교통·통신의 발달로 도시와 촌락의 관계가 더욱 긴밀해짐. → 도농 통합시 출범 └ 생활권이 같은 도시와 농어촌이 합쳐져 광역 생활권을 갖춘 도시

★ 우리나라의 도시 발달 과정

일제 강점기	•초기: 일제의 한반도 식량 기지화 → 군산, 목포 등 •후기: 병참 기지화 정책 → 흥남, 청진, 원산
광복 후	광복 후 해외 동포의 귀국과 한국 전쟁에 따른 월남 주민의 정착으로 도시 성장
1960년대	경제 개발과 공업화 → 급속한 도시화와 이촌 향도 현상 진행 → 서울, 부산, 대구 등 대도시가 빠르게 성장
1970년대	•도시 인구가 촌락 인구보다 많아짐. •광주, 대전 등 지방 도시와 포항, 울산, 창원 등 남동 임해 공업 도시 발달
1980년대 이후	대도시의 인구 과밀 완화를 위한 인구 분산 정책 시행 → 대도시 주변에 신도시와 위성 도시 발달 예 성남, 고양, 김해, 양산, 경산 등
현재	인구 분산 정책에도 여전히 수도권에 인구와 기능 집중 → 종주 도시화 현상 심화, 국토 균형 발전 필요

핵심 기출 자료 분석 · 우리나라의 도시화율

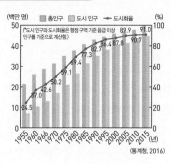

(백만 명) ■ 총인구 □ 도시 인구 ── 도시화율 (%)
(*도시 인구와 도시화율은 행정 구역 읍급 이상 인구를 기준으로 계산함)

89.9 91.0
87.8 90.7
82.7 86.4
77.3
69.4
59.1
50.2
42.6
37.0
24.5

1955 1960 1966 1970 1975 1980 1985 1990 1995 2000 2005 2010 2015 (년)
(통계청, 2016)

분석 | 도시화란 도시 인구가 증가하고, 2·3차 산업 종사자 비율이 높아지며, 도시적 생활 양식이 확대되는 현상이다. 우리나라는 빠르게 도시화가 진행되어 현재 도시화율이 90%를 넘는 종착 단계에 있다.

3. 도시 체계

(1) **의미** 도시 사이의 기능적 상호 작용으로 형성되는 도시 간 계층 질서

(2) **상호 작용의 지표** 인구 규모 및 인구 분포, 도시 간의 도로망 및 교통량, 도시 간 재화와 서비스의 이동, 인터넷망을 통한 정보 유통 등

(3) **도시 간 계층 구조** — 중심 기능이 유지되기 위한 최소한의 요구

구분	최소 요구치	재화의 도달 범위	중심지 기능	중심지 수	중심지 간 거리
고차 중심지	큼.	넓음.	많음.	적음.	멂.
저차 중심지	작음.	좁음.	적음.	많음.	가까움.

↳ 중심지로부터 중심 기능을 제공받는 최대 범위

☆ 우리나라 도시 체계의 특징

(1) **변화 요인** 도시화, 산업화, 교통 발달, 정부의 국토 계획 등으로 인해 도시의 체계가 변화함. — 1위 도시의 인구 규모가 2위 도시 인구의 두 배 이상이 되는 현상

(2) **종주 도시화** 수위 도시인 서울을 중심으로 인구와 각종 기능이 집중됨. → 수직적 도시 체계를 이루고 있음.

(3) **우리나라의 도시 체계 개선 방향** 수직적 도시 체계 완화, 균형 있는 도시 체계 조성 → 지역 성장 거점에 혁신 도시 건설, 중추 도시 생활권 육성

핵심 기출 자료 분석 · 우리나라의 도시 순위

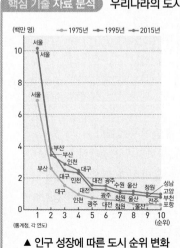

(백만 명) ── 1975년 ── 1995년 ── 2015년

서울 서울 서울
부산 부산 부산
인천 대구 대구 인천 대전 광주 수원 울산 창원 성남 고양 부천 포항
대구 대전 광주 창원 울산 전주

(통계청, 각 연도) (순위)

▲ 인구 성장에 따른 도시 순위 변화

분석 | 2015년 도시 인구는 서울이 가장 많고 다음으로 부산이 많다. 과거 지방의 중심 도시였던 전주, 목포 등의 순위는 낮아졌고, 공업 도시인 울산과 창원, 위성 도시인 고양과 성남 등의 순위는 높아졌다. 또한 1위 도시인 서울의 인구가 2위 도시인 부산의 인구보다 두 배 이상 많은 종주 도시화 현상이 나타나고 있다.

개념 암기

1 설명이 맞으면 ○표, 틀리면 ✕표 하시오.

(1) 우리나라의 전통 취락은 대부분 배산임수 조건을 갖춘 풍수지리상 길지에 입지하고 있다. ( )

(2) 상업적 농업의 발달로 촌락의 입지에서 자연적 요인의 중요성이 커지고 있다. ( )

2 괄호 안의 내용 중 알맞은 말을 골라 ○표 하시오.

(1) 제주도의 촌락은 (용수 획득, 침수 예방)을 위해 해안 용천대에 입지하고 있다.

(2) 나루터 취락은 (육상, 수상) 교통의 중심지에서 잘 발달한다.

(3) 농촌은 농경지와 배후 산지가 만나는 산록면에서 주로 (집촌, 산촌)을 형성하고 있다.

3 빈칸에 들어갈 알맞은 말을 쓰시오.

(1) 도시는 ( ) 산업의 비중이 높고, 주민의 직업 구성이 다양하다.

(2) ( )은/는 각종 농축산물을 도시에 제공하고, 도시민에게 휴식·여가 공간을 제공한다.

(3) 오늘날 생활권이 같은 도시와 농어촌이 합쳐져 광역 생활권을 갖춘 도시인 ( )이/가 출범했다.

4 우리나라의 도시 발달 시기와 특징을 바르게 연결하시오.

(1) 1960년대 · · ㉠ 수도권 과밀화 현상 심화

(2) 1970년대 · · ㉡ 급속한 도시화와 이촌 향도 현상 진행

(3) 1980년대 이후 · · ㉢ 신도시와 위성 도시 발달

(4) 현재 · · ㉣ 남동 임해 공업 도시 발달

5 빈칸에 들어갈 알맞은 말을 쓰시오.

현재 우리나라는 인구가 가장 많은 도시인 서울의 인구가 2위 도시인 부산보다 두 배 이상 많은 ( ) 현상이 나타나고 있다.

1 전통 촌락의 특징과 촌락의 변화

주관식

01 다음 글에서 설명하는 용어를 쓰시오.

> 마을의 뒤쪽은 산으로 에워싸여 있고, 앞으로는 하천이 흐르는 위치로, 풍수지리상 길지에 해당하는 곳이다. 대부분의 전통 촌락이 이를 반영하여 입지하고 있다.

02 전통 취락의 입지 사례와 입지 요인으로 적절하지 않은 것은?

	입지 사례	입지 요인
①	남한산성, 중강진	지형적으로 방어에 유리한 지역임.
②	선상지의 선단	용천대가 있어 물을 구하기 쉬움.
③	역원 취락	육상 교통이 편리함.
④	범람원의 자연 제방	수운 교통이 편리함.
⑤	산록 완사면	하천의 범람을 피할 수 있음.

03 다음은 한국 지리 수업 장면의 일부이다. 교사의 질문에 대한 학생들의 대답으로 옳지 않은 것은?

> 가옥의 밀집도를 기준으로 우리나라의 전통 촌락을 구분해 보면 특정 장소에 가옥이 밀집하여 분포하는 (가)와 가옥이 흩어져 분포하는 (나)로 나눌 수 있어요. (가), (나)의 특징에 대해 말해 볼까요?

① 갑: (가)는 집촌, (나)는 산촌입니다.
② 을: (가)는 벼농사와 같이 협동 노동이 필요한 지역에 형성됩니다.
③ 병: (나)는 가옥과 경지의 거리가 가까워 경지 관리에 유리합니다.
④ 정: (가)는 (나)보다 가옥 간의 거리가 가깝습니다.
⑤ 무: (나)는 (가)보다 주민 간의 공동체 의식이 강합니다.

04 다음 글의 ㉠~㉤에 대한 설명으로 옳지 않은 것은?

> ㉠농촌은 대표적인 촌락 형태로, 일반적으로 농경지와 배후 산지가 만나는 산록면에 ㉡집촌을 이루고 있는 경우가 많다. 어촌은 ㉢해안 지역에서 어업 활동을 중심으로 생활하는 촌락으로, 대부분 주거지 주변에 경지가 있어 반농반어촌을 형성하고 있다. ㉣산지촌은 경지가 좁고 협소하여, 가옥이 드문드문 분포하는 ㉤산촌인 경우가 많다.

① ㉠ – 농업 활동을 기반으로 하는 촌락이다.
② ㉡ – 주민 간 협동 노동의 필요성이 크기 때문이다.
③ ㉢ – 일반적으로 항구를 중심으로 촌락이 형성되어 있다.
④ ㉣ – 주민들은 대부분 산 비탈면을 이용하여 논농사에 종사한다.
⑤ ㉤ – 가옥 간의 거리가 멀기 때문에 주민 간의 공동체 의식이 약하다.

05 다음은 전라북도 임실군의 연령별 인구 변화를 나타낸 그래프이다. 이 기간 동안 나타난 지역의 변화로 옳은 것을 〈보기〉에서 고른 것은?

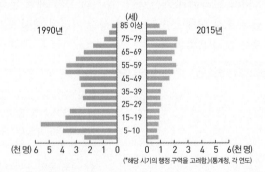

(*해당 시기의 행정 구역을 고려함.)(통계청, 각 연도)

┤ 보기 ├
ㄱ. 청장년층의 인구 유출이 증가했다.
ㄴ. 학생 수가 증가하고, 학교가 신설됐다.
ㄷ. 인구의 고령화로 노동력 부족 문제가 발생했다.
ㄹ. 농가 인구가 증가하여, 휴경지의 면적이 감소했다.

① ㄱ, ㄴ   ② ㄱ, ㄷ   ③ ㄴ, ㄷ
④ ㄴ, ㄹ   ⑤ ㄷ, ㄹ

06 다음 (가), (나) 사례에 나타난 촌락의 변화 모습으로 가장 적절한 것은?

> (가) 전라남도 담양군 창평면은 급변하는 사회 속에서 여유 있는 삶을 지향하며, 지역의 자연환경과 문화를 지키는 슬로 시티로 유명하다. 이에 많은 방문객들이 슬로 라이프 체험을 위해 찾고 있다.
>
> (나) 경상남도 남해군 은점 마을은 바다낚시 체험, 문어 잡이 통발 체험, 전복 맨손 잡이 등의 어촌 체험 프로그램을 운영하고 있다.

① 관광 수입이 감소하였다.
② 지역 내 소득원이 다양해졌다.
③ 촌락적 토지 이용이 증가하였다.
④ 도시와의 상호 작용이 감소하였다.
⑤ 1차 산업 종사자 비중이 증가하였다.

08 다음은 도시와 촌락의 관계에 대한 학생들의 대화이다. 대화의 내용이 옳은 학생을 고른 것은?

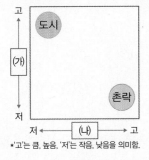

갑: 서로 다른 역할로 경쟁하고 대립하는 관계야.
을: 서로 영향을 주고받는 상호 보완적인 관계야.
병: 도시는 촌락에 각종 재화와 서비스를 제공해.
정: 촌락은 도시를 자연환경을 활용한 휴식처로 이용해.

① 갑, 을　　　② 갑, 병　　　③ 을, 병
④ 을, 정　　　⑤ 병, 정

2 도시의 발달과 도시 체계

07 그래프는 도시와 촌락의 상대적 특징을 비교한 것이다. (가), (나)에 들어갈 항목으로 옳은 것은?

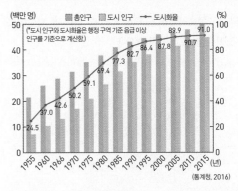

*'고'는 큼, 높음, '저'는 작음, 낮음을 의미함.

	(가)	(나)
①	인구 밀도	가구당 소득 수준
②	인구 밀도	주민 간 공동체 의식
③	가구당 소득 수준	인구 밀도
④	1차 산업 종사자 비중	가구당 소득 수준
⑤	1차 산업 종사자 비중	주민 간 공동체 의식

09 다음은 우리나라의 도시화율 변화를 나타낸 그래프이다. 이에 대한 분석 및 추론으로 옳은 것을 〈보기〉에서 고른 것은?

[백만 명] 총인구 도시 인구 도시화율 (%)
(*도시 인구와 도시화율은 행정 구역 기준 읍급 이상 인구를 기준으로 계산함.)

도시화율: 24.5, 37.0, 42.6, 50.2, 59.1, 69.4, 77.3, 82.7, 86.4, 87.8, 89.9, 90.7, 91.0
(년): 1955, 1960, 1966, 1970, 1975, 1980, 1985, 1990, 1995, 2000, 2005, 2010, 2015
(통계청, 2016)

> **보기**
> ㄱ. 우리나라는 현재 도시화 과정 중 가속화 단계에 있다.
> ㄴ. 1970년을 기점으로 도시 인구가 농촌 인구보다 많아졌다.
> ㄷ. 도시화가 진행되는 동안 시가지의 면적은 지속적으로 증가했을 것이다.
> ㄹ. 2000년 이후 이촌 향도 현상의 심화로 도시화의 속도가 빨라졌을 것이다.

① ㄱ, ㄴ　　　② ㄱ, ㄷ　　　③ ㄴ, ㄷ
④ ㄴ, ㄹ　　　⑤ ㄷ, ㄹ

10 다음은 우리나라의 시기별 10대 도시 인구 순위를 나타낸 그래프이다. 이를 보고 알 수 있는 내용을 〈보기〉에서 고른 것은?

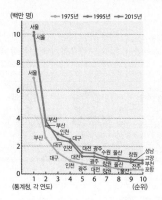

┤ 보기 ├
ㄱ. 전국적으로 도시들이 고르게 성장하였다.
ㄴ. 서울과 다른 도시와의 격차가 점점 커졌다.
ㄷ. 서울 주변의 위성 도시들이 크게 성장하고 있다.
ㄹ. 정부의 적극적인 균형 개발 정책이 효과를 거두고 있다.

① ㄱ, ㄴ   ② ㄱ, ㄷ   ③ ㄴ, ㄷ
④ ㄴ, ㄹ   ⑤ ㄷ, ㄹ

11 다음은 도시별 시외버스 운행 횟수를 나타낸 지도이다. 이에 대한 설명으로 옳지 <u>않은</u> 것은?

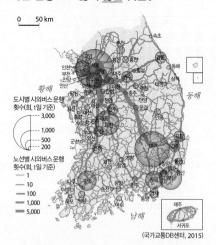

(국가교통DB센터, 2015)

① 서울은 가장 큰 고차 중심지이다.
② 저차 중심지일수록 중심지 간 거리가 멀다.
③ 교통망을 통해 도시 간 계층 구조를 파악할 수 있다.
④ 고차 중심지일수록 다양한 중심지 기능을 가지고 있다.
⑤ 시외버스 운행 횟수가 많은 도시일수록 고차 중심지이다.

서술형 문제

12 다음은 우리나라의 도시 발달 과정을 나타낸 자료이다. 이를 보고 물음에 답하시오.

〈우리나라의 도시 발달 과정〉

1960년대	서울, 부산, 대구 등 대도시를 중심으로 인구가 빠르게 증가했다.
1970년대	대도시의 발달과 함께 ㉠ 남동 임해 공업 도시의 성장이 두드러졌다.
1980년대 이후	대도시 주변에 신도시와 ㉡ 위성 도시가 빠르게 성장하였다.
현재	서울에 과도하게 인구와 기능이 집중하여 ___(가)___ 현상이 나타난다.

(1) ㉠, ㉡에 해당하는 도시를 각각 한 가지씩 쓰시오.

(2) (가)에 들어갈 현상을 쓰고, 그 의미를 서술하시오.

13 다음 지도를 보고 물음에 답하시오.

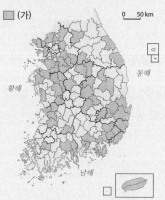

(1) 위 지도에 표시된 (가) 도시의 명칭을 쓰시오.

(2) (가) 도시의 의미와 출범 배경을 각각 서술하시오.

01 다음은 한국 지리 수업 시간에 작성한 학습 노트이다. ㉠~㉤에 대한 설명으로 옳지 <u>않은</u> 것은?

> 주제: 우리나라 전통 촌락의 입지
>
> 1. 입지 특징: ㉠ 풍수지리상 길지에 입지함.
> 2. 촌락의 입지 요인: ㉡ 자연적 요인과 ㉢ 사회·경제적 요인으로 구분함.
> 3. 전통 촌락 입지 사례
>   · ㉣ 해안가의 용천대를 따라 형성된 제주도의 촌락
>   · 육상 교통로에 형성된 ㉤ 역원 취락

① ㉠ – 대부분 배산임수 조건을 갖춘 곳이다.

② ㉡ – 용수 획득이나 홍수 예방과 관련되어 있다.

③ ㉢ – 최근 상업적 농업의 발달로 그 중요성이 커지고 있다.

④ ㉣ – 주변 지역보다 해발 고도가 높아 하천의 범람을 피할 수 있다.

⑤ ㉤ – 조치원, 역삼동 등을 사례로 들 수 있다.

02 다음은 경상북도 봉화군의 총인구와 인구 구조 변화를 나타낸 자료이다. 1980년과 비교한 2016년의 상대적 특성을 그림의 A~E에서 고른 것은?

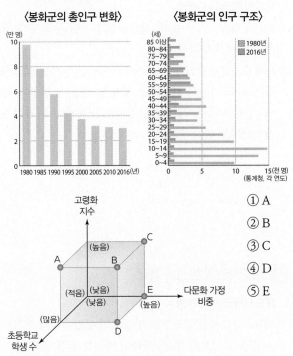

〈봉화군의 총인구 변화〉

〈봉화군의 인구 구조〉

① A
② B
③ C
④ D
⑤ E

03 다음 지도의 (가), (나) 도시에 대한 옳은 설명을 〈보기〉에서 고른 것은?

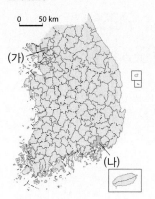

> ┤ 보기 ├
> ㄱ. (가)가 (나)보다 도시의 발달 시기가 이르다.
> ㄴ. (나)는 경공업 단지를 중심으로 성장하였다.
> ㄷ. (나)와 같은 시기에 포항, 울산 등의 도시가 발달하였다.
> ㄹ. (가)는 서울의 과밀화를 해결하기 위해 서울의 기능을 일부 분담하는 도시이다.

① ㄱ, ㄴ   ② ㄱ, ㄷ   ③ ㄴ, ㄷ

④ ㄴ, ㄹ   ⑤ ㄷ, ㄹ

04 다음은 중심지 이론에 따른 도시 계층 구조를 나타낸 것이다. (가)~(다) 중심지에 대한 옳은 설명을 〈보기〉에서 고른 것은?

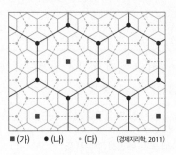

■ (가)   ● (나)   · (다)   (경제지리학, 2011)

> ┤ 보기 ├
> ㄱ. 중심지 간의 거리는 (가)가 (나)보다 멀다.
> ㄴ. (나)의 최소 요구치는 (다)의 최소 요구치보다 작다.
> ㄷ. 재화의 도달 범위는 (가)>(나)>(다) 순으로 넓게 나타난다.
> ㄹ. 우리나라 행정 구역에 적용할 경우 특별시와 광역시는 (다)에 해당한다.

① ㄱ, ㄴ   ② ㄱ, ㄷ   ③ ㄴ, ㄷ

④ ㄴ, ㄹ   ⑤ ㄷ, ㄹ

Ⅳ. 거주 공간의 변화와 지역 개발

02

도시 구조와 대도시권

1 도시의 지역 분화

1. 도시 내부의 지역 분화

(1) 의미 도시의 규모가 커지고 그 기능이 다양해지면서 비슷한 종류의 기능이 집적하거나 분산하면서 공간별로 기능이 분리되는 현상

(2) 지역 분화의 요인 접근성, 지대의 지역 차

접근성	•특정 지역이나 시설로 도달하기 쉬운 정도 •위치, 거리, 교통 편리성 등의 영향을 받음.
지대	•토지나 건물 이용을 통해 얻을 수 있는 이익 •접근성이 높은 지역일수록 지대가 높음.

핵심 기출 자료 분석 도시 내 기능에 따른 지대 변화

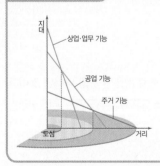

분석 | 도심에서 거리가 멀어질수록 접근성과 지대가 낮아지며, 지대 지불 능력이 가장 큰 상업·업무 기능이 도심에 입지한다. 반면, 지대 지불 능력이 작은 주거 기능은 도심에서 떨어진 주변 지역에 입지한다.

(3) 지역 분화의 과정 기능별로 특정 공간에 집적되어 공간적 분화가 나타남. → 집심·이심 현상 발생

집심 현상	•지대 지불 능력이 높은 상업·업무 기능이 접근성이 높은 도심으로 집중하는 현상 •대기업 본사, 은행 본점, 백화점, 관공서 등
이심 현상	•지대 지불 능력이 낮은 공업 기능과 주거 기능이 도심을 떠나 주변 지역으로 분산하는 현상 •주거 단지, 학교, 공장 등

2. 도시 내부 구조

도심	•도시 중심부에 위치하여 교통이 발달하고 접근성이 가장 좋음. → 높은 지가로 집약적 토지 이용(고층 건물 밀집) •중추 관리 기능이 밀집함. → 중심 업무 지구(CBD) 형성 •직장과 거주지의 분화로 도심의 주간 유동 인구는 급증, 야간 상주인구는 감소 → 출퇴근 시 교통 혼잡 ┗인구 공동화 현상 •서울의 중구·종로구, 부산의 중구 등

┗ 대기업 본사, 관공서, 금융 기관 본점, 백화점 등

부도심	•도심과 주변 지역을 연결하는 교통의 결절점에 형성 •도심에 과도하게 집중된 상업·업무 기능을 일부 분담하여 도심의 과밀화와 교통 혼잡을 완화하는 역할을 함. •서울의 신촌·잠실·영등포, 부산의 서면·동래 등
중간 지역	•도심과 주변 지역 사이의 지역으로 상업, 공업, 주거 기능이 혼재되어 있는 점이 지대 ┌두 지역 사이에서 두 지역의 특성이 모두 나타나는 지역 •최근 주거 환경이 열악한 곳을 중심으로 도시 미관을 개선하고 토지 이용의 효율성을 높이기 위해 재개발이 진행되기도 함.
주변 지역	•도시 외곽에 위치하여 상대적으로 지가가 낮아 주택, 공장, 학교 등이 입지함. → 대단위 신규 아파트 단지, 대형 쇼핑센터 형성 •일부 지역은 도시 경관과 농촌 경관이 혼재되어 나타남.
개발 제한 구역	•시가지의 무분별한 팽창을 막고, 자연 녹지 공간을 보존하기 위해 설정한 공간(=그린벨트) •개인의 사유 재산권 행사가 제한됨.

핵심 기출 자료 분석 도시 내부 구조와 인구 공동화 현상

▲ 도시 내부 구조

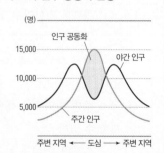

▲ 인구 공동화 현상

분석 | 초기의 도시는 여러 기능이 혼재되어 입지하지만, 도시가 성장하면서 각 기능별로 특정 공간에 모여 공간적 분화가 나타난다. 그중 도심은 지가가 가장 높기 때문에 지대 지불 능력이 낮은 주거 기능이 주변 지역으로 분산되고, 이로 인해 도심의 주·야간 인구 밀도에 차이가 나는 인구 공동화 현상이 발생한다.

3. 도시의 확장과 다핵화

(1) 도시의 확장 인구 증가, 새로운 교통수단 등장 및 교통로 형성으로 시가지 확대

(2) 다핵 도시로의 변화 도시 과밀화로 인한 문제를 해결하기 위해 도심의 기능을 분담하는 부도심 형성 → 인구와 각종 상업·업무 기능이 새로운 중심지로 이동하여 과거의 도심이 쇠퇴하기도 함.

2 대도시권의 형성과 확대

1. 대도시권의 의미와 형성

(1) 의미 대도시를 중심으로 일상적인 생활이 이루어지는 범위 → 중심 도시로의 통근·통학이 가능한 일일 생활권

(2) 대도시권의 형성

① 배경 대도시 과밀화에 따른 교외화 현상, 광역 교통망 확충, 정부의 인구 및 기능 분산 정책 등
ㄴ 도시의 과밀화에 따라 발생하는 여러 가지 문제 때문에 주거지와 공장 등이 교외 지역으로 확산되는 현상

② 형성 과정

급격한 산업화·도시화로 인구와 기능이 집중되어 과밀화 발생 → 집적 불이익	→	대도시와 주변 지역 간 교통망 확충으로 주거와 공업 기능 분산 → 교외화 현상	→	대도시와 주변 지역이 기능적으로 연결되어 하나의 도시처럼 통합된 일일 생활권 형성

ㄴ 집값 상승, 환경 오염, 교통 체증 등

2. 대도시권의 공간 구조

중심 도시		대도시권의 중심지 역할 → 주변 지역에 재화와 서비스를 제공함.
통근 가능권	교외 지역	중심 도시와 인접한 지역으로 주거·공업·상업 기능을 수행 → 도시적 토지 이용
	대도시 영향권	도시 경관과 농촌 경관이 혼재하며, 기능적으로 중심 도시와 밀접함. → 겸업농가의 비중이 높고, 중심 도시로 통근·통학하는 경우가 많음.
	배후 농촌 지역	중심 도시로의 최대 통근 가능 지역으로 상업적 원예 농업이 발달함.
주말 생활권		대도시권에 사는 사람들이 여가와 휴식을 즐기기 위해 방문하는 농촌 지역

3. 대도시권의 확대와 변화

⭐① 대도시권의 확대

① 배경 교통로의 신설 및 교통수단의 발달 → 대도시로의 이동이 편리해져 주변 지역으로 거주지 확대

② 발달 대도시 주변에 신도시가 개발되면서 대도시권이 더욱 확대됨.

③ 우리나라의 대도시권 확대 1980년대 이후 서울의 과밀 문제를 해결하기 위해 주거·공업 기능이 인천과 경기 일대로 분산됨. → 주택 부족 문제를 해결하기 위해 신도시 건설, 지하철·고속 국도 등 광역 교통망 확충

(2) 대도시권의 발달과 주민 생활 변화

토지 이용의 변화	·2·3차 산업의 비중 증가로 대도시 주변의 농경지 면적 감소 → 도시적 토지 이용 증가 ·고속 국도 부근에 대형 물류 창고, 대형 쇼핑센터 등 각종 생활 편의 시설 입지 → 지가 상승, 토지의 집약적 이용 ·자연환경이 쾌적한 곳은 주말 농장, 숙박 시설 등 도시민의 여가 공간으로 이용
근교 농촌의 변화	·겸업농가 및 비농업 인구 비율 증가 ·대도시와의 접근성을 바탕으로 상업적 농업 발달 → 원예·특용 작물 등 고소득 상품 작물 재배 ·집약적 토지 이용 증가 → 비닐하우스, 축사 등을 이용한 시설 농업 발달
주민 생활 변화	이주자의 증가로 주민 구성이 이질적이고 다양화됨. → 전통적 생활 공동체로서의 성격 약화

개념 암기

1 설명이 맞으면 ○표, 틀리면 ✕표 하시오.

(1) 도시 내부의 지역 분화는 도시의 규모가 커지고 그 기능이 다양해지면서 도시 내부가 기능에 따라 여러 지역으로 나뉘는 현상이다. (   )

(2) 접근성은 특정 지역에 도달하기 쉬운 정도로 위치, 거리, 교통 편리성 등의 영향을 받는다. (   )

(3) 지대는 토지나 건물 이용을 통해 얻을 수 있는 이익으로 접근성이 낮은 지역일수록 지대가 높다. (   )

2 괄호 안의 내용 중 알맞은 말을 골라 ○표 하시오.

(1) 지대 지불 능력이 높은 (상업·업무, 공업·주거) 기능은 접근성이 높은 도심으로 집중한다.

(2) 도심은 지가가 높기 때문에 (집약적, 조방적) 토지 이용이 나타난다.

(3) 중간 지역은 도심과 주변 지역 사이의 지역으로 상업, 공업, 주거 기능이 (분리, 혼재)되어 있다.

3 다음에서 설명하는 도시 내부 구조를 〈보기〉에서 골라 기호를 쓰시오.

┌─ 보기 ├─
ㄱ. 도심   ㄴ. 부도심
ㄷ. 주변 지역   ㄹ. 개발 제한 구역
└─────────────

(1) 대단위 신규 아파트 단지와 대형 쇼핑센터가 입지한다. (   )

(2) 도심과 주변 지역을 연결하는 교통의 결절점에 형성된다. (   )

(3) 시가지의 무분별한 팽창을 막기 위해 설정된 공간으로 개인의 사유 재산권 행사가 제한된다. (   )

(4) 중추 관리 기능이 밀집하여 중심 업무 지구(CBD)를 형성한다. (   )

4 빈칸에 들어갈 알맞은 말을 쓰시오.

(1) 대도시권은 대도시를 중심으로 일상적인 생활이 이루어지는 범위로, 중심 도시로의 통근·통학이 가능한 (   )이다.

(2) 대도시의 주택 부족 문제를 해결하기 위해 대도시 주변에 (   )이/가 개발되면서 대도시권이 더욱 확대되었다.

(3) 대도시권의 근교 농촌은 대도시와의 접근성을 바탕으로 (   ) 농업이 발달한다.

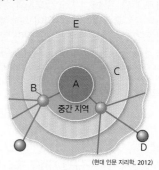

[03~04] 다음은 도시 내부 구조를 나타낸 그림이다. 이를 보고 물음에 답하시오.

(현대 인문 지리학, 2012)

1 도시의 지역 분화

01 다음은 도심으로부터의 거리에 따른 기능별 지대 변화를 나타낸 그래프이다. 이에 대한 옳은 설명을 〈보기〉에서 있는 대로 고른 것은?

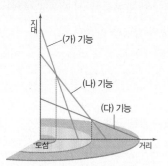

┤ 보기 ├
ㄱ. (가) 기능은 접근성의 영향을 가장 크게 받는 기능이다.
ㄴ. 최근에 (나) 기능은 도심 지역으로 집중하는 경향을 보인다.
ㄷ. (다) 기능은 교통수단이 발달하고, 새로운 교통로가 확충될 경우 교외 지역으로 확산된다.
ㄹ. (가) 기능은 (다) 기능에 비해 지대 지불 능력이 크다.

① ㄱ, ㄴ ② ㄱ, ㄷ ③ ㄷ, ㄹ
④ ㄱ, ㄷ, ㄹ ⑤ ㄴ, ㄷ, ㄹ

03 다음 글은 서울을 답사하면서 메모한 내용이다. (가), (나)에서 설명하는 지역을 그림의 A~D에서 골라 연결한 것은?

(가) 대기업 본사와 백화점 등이 밀집되어 있는 고층 빌딩의 숲으로 낮에는 사람들이 북적거리지만, 한밤에는 거리가 한산해졌다.
(나) 대규모 아파트 단지가 많고 그 중간에 학교, 상점들이 보이지만, 업무용 빌딩은 드물다. 출근 시간에 다른 지역으로 향하는 차들이 붐빈다.

	(가)	(나)		(가)	(나)
①	A	B	②	A	C
③	B	C	④	B	D
⑤	C	D			

02 다음은 서울과 대구의 학교 이전 현황을 나타낸 지도이다. 이에 대한 설명과 추론으로 옳지 <u>않은</u> 것은?

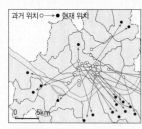 

▲ 서울 　　　　▲ 대구

① 이전 이후에 도심으로의 접근성이 나빠졌다.
② 과거 위치의 지가가 현재 위치의 지가보다 낮다.
③ 공장 시설의 입지 변화도 비슷한 패턴을 보일 것이다.
④ 주거 기능이 주변 지역으로 이동한 것과 밀접한 관련이 있다.
⑤ 최근에는 도심의 학생 수가 크게 감소하였기 때문에 학교가 이전할 것이다.

04 그림의 E 지역에 대한 옳은 설명을 〈보기〉에서 고른 것은?

┤ 보기 ├
ㄱ. E 지역을 설정함으로써 녹지 공간 면적이 감소한다.
ㄴ. 시가지의 무분별한 팽창을 막기 위해 설정된 공간이다.
ㄷ. 개인의 사유 재산권 행사가 제한되는 문제점이 발생한다.
ㄹ. 지가가 상대적으로 낮아 대단위 신규 아파트 단지가 입지한다.

① ㄱ, ㄴ ② ㄱ, ㄹ ③ ㄴ, ㄷ
④ ㄴ, ㄹ ⑤ ㄷ, ㄹ

05 다음은 도시 내부의 주·야간 인구 밀도를 나타낸 그래프이다. 이에 대한 옳은 설명을 〈보기〉에서 고른 것은?

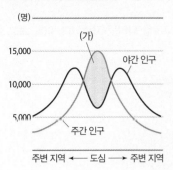

┤ 보기 ├
ㄱ. 주변 지역이 도심보다 상주인구가 많다.
ㄴ. 도심은 주거 기능이 집중하고 있기 때문에 주간 인구가 많다.
ㄷ. (가) 현상으로 인해 출퇴근 시간대에 교통 혼잡이 발생한다.
ㄹ. 상업·업무 기능보다 주거 기능의 지대 지불 능력이 크기 때문에 (가) 현상이 발생한다.

① ㄱ, ㄴ   ② ㄱ, ㄷ   ③ ㄴ, ㄷ
④ ㄴ, ㄹ   ⑤ ㄷ, ㄹ

06 다음은 서울의 주간 인구 지수를 나타낸 지도이다. 이에 대한 설명으로 옳지 <u>않은</u> 것은?

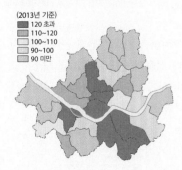

① 도심의 주간 인구 지수가 높게 나타난다.
② 주간 인구 지수가 높은 지역은 상업·업무 기능이 집중하고 있다.
③ 주간 인구 지수는 도심에서 주변 지역으로 갈수록 대체로 낮아지고 있다.
④ 주간 인구 지수가 낮은 지역은 최근 상주인구가 감소 추세를 보이고 있다.
⑤ 주간 인구 지수가 100을 초과하는 지역은 주간 인구가 상주인구보다 많은 지역이다.

07 다음은 대전광역시의 두 지역을 나타낸 지도이다. (가), (나) 지역의 상대적 특성이 그래프와 같이 나타날 때, ㉠, ㉡에 들어갈 항목으로 옳은 것은?

(가)

(나)

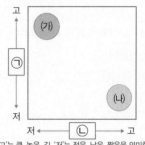

* '고'는 큼, 높음, 긺, '저'는 적음, 낮음, 짧음을 의미함.

	㉠	㉡
①	평균 통근 거리	초등학교 학생 수
②	평균 통근 거리	토지 이용 집약도
③	주간 인구 지수	평균 통근 거리
④	주간 인구 지수	상업 지역 평균 지가
⑤	상업 지역 평균 지가	토지 이용 집약도

---

2 대도시권의 형성과 확대

08 다음은 한국지리 수업 장면이다. 교사의 질문에 적절하지 <u>않은</u> 답변을 한 학생은?

대도시권의 의미와 그 형성 과정에 대해 발표해 볼까요?

① 갑: 대도시권은 대도시를 중심으로 일상생활이 이루어지는 범위를 말해요.
② 을: 대도시권의 범위는 중심 도시로의 통근·통학이 가능한 일일 생활권이에요.
③ 병: 중심 대도시의 과밀화에 따른 교외화 현상으로 대도시권이 이루어져요.
④ 정: 대도시권이 형성되기 위해서 중심 도시와 주변 지역 간 광역 교통망이 확충되어야 해요.
⑤ 무: 대도시권의 형성으로 중심 도시와 주변 지역이 기능적으로 분리돼요.

09 다음은 대도시권의 구조를 나타낸 자료이다. A~D에 대한 옳은 설명을 〈보기〉에서 고른 것은?

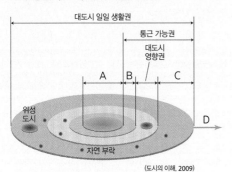

(도시의 이해, 2009)

┤보기├
ㄱ. A는 대도시권의 중심지 역할을 하며, 주변 지역에 재화와 서비스를 공급한다.
ㄴ. B는 중심 도시와 인접한 지역으로, 농촌 경관이 우세하게 나타난다.
ㄷ. C는 원교 농촌 지역으로, 중심 도시와의 관련성이 떨어지는 지역이다.
ㄹ. D는 대도시권에 사는 사람들이 여가를 위해 방문하는 지역이다.

① ㄱ, ㄴ   ② ㄱ, ㄹ   ③ ㄴ, ㄷ
④ ㄴ, ㄹ   ⑤ ㄷ, ㄹ

10 다음은 어느 지역의 변화를 나타낸 자료이다. 이 지역의 변화에 대한 적절한 추론을 〈보기〉에서 고른 것은?

연도	인구(명)	토지 용도별 비중(%)							
		논	밭	임야	대지	공장 용지	학교 용지	도로	기타
1994년	209,682	15.5	9.7	60.4	2.4	0.5	0.2	2.0	9.3
2014년	961,026	12.0	7.2	53.6	7.5	1.5	0.8	3.7	13.7

┤보기├
ㄱ. 농업 종사자 비율이 증가하였을 것이다.
ㄴ. 주민들 간 공동체 의식이 강화되었을 것이다.
ㄷ. 단위 면적당 상업 시설의 수가 증가하였을 것이다.
ㄹ. 주변 대도시로의 통학 및 통근자 수가 증가하였을 것이다.

① ㄱ, ㄴ   ② ㄱ, ㄷ   ③ ㄴ, ㄷ
④ ㄴ, ㄹ   ⑤ ㄷ, ㄹ

서술형 문제

11 다음은 도시 내부 구조를 나타낸 자료이다. 이를 보고 물음에 답하시오.

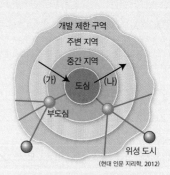

(현대 인문 지리학, 2012)

(1) 다음 글을 참고하여 위 자료의 (가), (나) 현상의 명칭을 쓰시오.

도시의 규모가 커지고, 그 기능이 다양해지면서 기능별로 공간적 분화가 나타난다. (가) 대기업 본사, 은행 본점, 관공서 등은 도심으로 밀집하고, (나) 주택 단지, 학교, 공장 등은 주변 지역으로 분산된다.

(2) (가), (나) 현상이 발생하는 원인을 서술하시오.

12 다음 글의 밑줄 친 A 지역의 변화를 제시된 용어를 모두 활용하여 서술하시오.

서울 서부에 위치한 A 지역은 원래 근교 농촌 지역이었다. 그런데 서울의 인구 과밀화를 해소하고 주택 문제를 해결하기 위해 신도시가 건설되면서 급격한 변화가 나타났다.

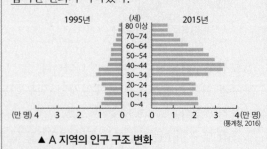

▲ A 지역의 인구 구조 변화

(통계청, 2016)

• 토지 이용   • 겸업농가 비율   • 공동체 의식

01 다음은 도시의 내부 구조를 나타낸 자료이다. (나) 지역과 비교한 (가) 지역의 상대적 특성을 그림의 A∼E에서 고른 것은?

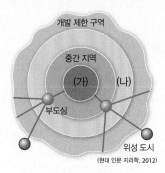

(현대 인문 지리학, 2012)

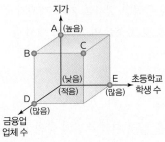

① A   ② B   ③ C
④ D   ⑤ E

02 다음은 서울의 구(區)별 주간 인구 지수와 상주인구를 나타낸 그래프이다. 이에 대한 옳은 설명을 〈보기〉에서 고른 것은?

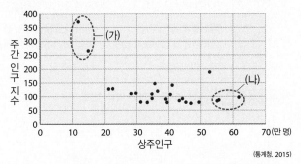

(통계청, 2015)

┤ 보기 ├
ㄱ. 주간 인구 지수가 높은 (가)는 도심에 해당한다.
ㄴ. (나)는 야간에 인구 공동화 현상이 발생한다.
ㄷ. (나)는 출근 시간대에 유입 인구보다 유출 인구가 많다.
ㄹ. (가)는 (나)에 비해 거주자의 평균 통근 거리가 길다.

① ㄱ, ㄴ   ② ㄱ, ㄷ   ③ ㄴ, ㄷ
④ ㄴ, ㄹ   ⑤ ㄷ, ㄹ

03 다음은 대전광역시의 도시 구조 변화를 나타낸 지도이다. 이러한 변화가 나타나게 된 배경만을 〈보기〉에서 있는 대로 고른 것은?

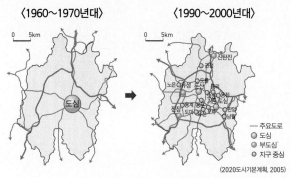

〈1960∼1970년대〉   〈1990∼2000년대〉

(2020도시기본계획, 2005)

┤ 보기 ├
ㄱ. 인구의 증가로 시가지가 확대되었다.
ㄴ. 새로운 교통로의 형성으로 도시가 확장되었다.
ㄷ. 기존 도심의 과밀화로 도심의 기능을 분담하는 부도심이 형성되었다.
ㄹ. 주요 상업·업무 기능은 구도심에 남고, 공업·거주 기능만 새로운 중심지로 이동하였다.

① ㄱ, ㄴ   ② ㄱ, ㄷ   ③ ㄷ, ㄹ
④ ㄱ, ㄴ, ㄷ   ⑤ ㄴ, ㄷ, ㄹ

04 다음은 수도권 지하철 종착역의 변화를 나타낸 지도이다. 이를 보고 나눈 학생들의 대화 중 옳지 않은 것은?

(도시철도공사, 2016)

① 갑: 상주인구로 등록된 서울의 인구수가 증가했을 거야.
② 을: 서울 주변의 농촌 지역은 겸업농가의 비중이 증가했을 거야.
③ 병: 서울을 중심 도시로 하는 대도시권 범위가 확대되었을 거야.
④ 정: 서울 주변 지역에서 서울로 출퇴근하는 사람들이 증가했을 거야.
⑤ 무: 거주지의 교외화로 지하철 노선이 수도권 주변 지역으로 확대되었을 거야.

VI. 거주 공간의 변화와 지역 개발

03

도시 계획과 재개발

~04

지역 개발과 공간 불평등

1 도시 계획

1. 도시 계획의 의미와 목적

(1) 의미 도시 공간 속에서 주거 환경을 개선하고 여러 기능을 합리적으로 배치하기 위한 계획을 수립하며 실천에 옮기는 것

(2) 목적 급속한 도시화·산업화로 발생한 도시 문제의 완화, 난개발 방지, 도시 경관 정비 → 주민의 삶의 질 향상

2. 우리나라의 도시 계획

1960년대	도시 기반 시설 설치, 시가지 개발을 위한 토지 확보
1970년대	도시 계획법에서 용도 지역의 종류 세분화, 개발 제한 구역 설정
1980년대	도시를 종합적으로 개발하기 위해 20년 단위의 도시 기본 계획 제도화(1981년)
1990년대 이후	지역 간 균형·삶의 질·환경 등에 대한 관심이 도시 계획에 반영, 지역 주민이 참여하는 지속 가능한 도시 계획으로 변화

2 도시 재개발

1. 도시 재개발의 의미와 목적

(1) 의미 환경이 열악한 지역의 건물을 철거·수리·개조 등의 과정을 고쳐 도시 환경을 개선하는 사업

(2) 목적 불량 주택 및 건물 노후화 등 낙후된 도시 환경 개선, 토지 이용의 효율성 증대, 지역 경제 활성화를 이루는 도시 재생
└ 낙후된 도시에 새로운 기능을 부여함으로써 사회적·경제적·환경적으로 부흥시키는 것

★2 도시 재개발의 구분

(1) 대상 지역에 따른 구분

도심 재개발	도심의 노후화된 건물이나 불량 주거 지역을 상업 및 업무 지역으로 변화시켜 토지의 효율성을 높이는 사업
산업 지역 재개발	도시 내의 노후 산업 단지, 전통 시장 등을 아파트형 공장, 현대식 시장 등으로 변화시키는 사업
주거지 재개발	주거지의 환경을 개선하고 생활 기반 시설을 확충하는 사업

(2) 시행 방법에 따른 구분 ────→ 대규모 자본이 투여되고 원거주민의 이주율이 높음.

철거 재개발	기존 건물과 시설을 완전히 철거하고 새로운 시설을 조성하는 방식
보존 재개발	역사 및 문화적으로 보전 가치가 있는 지역의 환경을 유지·관리하는 방식
수복 재개발	기존 골격을 유지하면서 필요한 부분을 수리 및 개조하여 보완하는 방식

3. 도시 재개발의 영향과 대책

(1) 도시 재개발의 영향 재개발 이후 나아진 주거 환경에 상위 계층이 들어오면서 원거주민이 다른 지역으로 빠져나가는 현상

긍정적 영향	노후화된 주거 환경 개선, 주민의 삶의 질 향상, 지역의 경제적 가치 상승
부정적 영향	기존 환경을 고려하지 않은 개발, 보상비와 이주비를 둘러싼 갈등, 젠트리피케이션 발생

(2) 대책 주민 참여 등 민주적인 절차를 거쳐 재개발 진행, 주민의 재정착 방안 마련 및 적절한 이주 대책 제시 등

3 지역 개발

★1 지역 개발의 의미와 방식

(1) 의미 지역의 잠재력을 살려 지역 주민의 삶의 질을 높이기 위한 다양한 활동

(2) 지역 개발 방식

구분	성장 거점 개발 방식	균형 개발 방식
추진 방식	하향식 개발	상향식 개발
개발 주체	중앙 정부	지방 자치 단체와 지역 주민
개발 방법	성장 가능성이 큰 지역에 집중 투자 → 파급 효과 기대	낙후된 지역에 우선 투자
개발 목표	• 경제 성장의 극대화 • 경제적 효율성 추구	• 지역 간 균형 발전 • 경제적 형평성 추구
장점	• 자원의 효율적 투자 가능 • 단기간에 높은 성장	• 지역 간 균형 성장 • 지역 주민의 의사 결정 존중
단점	• 역류 효과 발생 우려 • 지역 주민의 참여도가 낮음.	• 투자의 효율성이 낮음. • 지역 이기주의가 초래됨.
채택 국가	주로 개발 도상국	주로 선진국

핵심 기출 자료 분석 **파급 효과와 역류 효과**

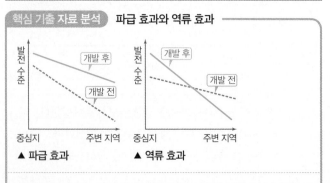

▲ 파급 효과   ▲ 역류 효과

분석 | 파급 효과는 성장 거점 지역의 집중 개발에 따른 효과가 주변 지역의 산업을 발전시키는 것으로, 지역 격차를 완화시킨다. 반면, 역류 효과는 개발에 따른 이익이 파급되지 않고 오히려 주변 지역에서 거점 지역으로 노동력 및 자본이 집중하는 것으로, 지역 격차를 심화시킨다.

★ 우리나라의 국토 개발

	수도권, 남동 임해 공업 지역을 중심으로 발달
제1차 국토 종합 개발 계획 (1972~1981)	• 성장 거점 개발 방식 • 대규모 공업 기반 구축, 사회 간접 자본 확충
제2차 국토 종합 개발 계획 (1982~1991)	• 광역 개발 정책 • 국토의 다핵 구조 형성과 지역 생활권 조성
제3차 국토 종합 개발 계획 (1992~1999)	• 균형 개발 방식 • 수도권 집중 억제, 지방 도시 육성
제4차 국토 종합 계획 (2000~2020)	• 균형 개발 방식 • 개방형 통합 국토축 형성, 지역 균형 발전 촉진 • 균형·녹색·개방·통일 국토
제4차 국토 종합 계획 수정 계획 (2011~2020)	• 지역 특화 및 광역적 협력 강화 • 자연 친화적이고 안전한 국토 조성

4 지역 격차와 공간 불평등

★ 국토 개발에 따른 공간 및 환경 불평등과 지역 갈등

(1) 공간 불평등

① 수도권과 비수도권의 격차　수도권에 인구 및 기능 집중 → 수도권은 집값 상승, 교통 혼잡 등의 문제 발생, 비수도권은 경제 침체 및 인구와 자본 유출 심화

② 도시와 농촌의 격차　도시에 인구와 산업 집중 → 농촌 지역에 노동력 부족, 생활 기반 시설 부족 등의 문제 발생

(2) 환경 불평등　개발 사업으로 경제적 혜택을 받는 지역과 환경 오염을 부담하는 지역이 달라서 발생

(3) 지역 갈등　지역 개발 과정에서 지역 이기주의 심화로 님비 현상, 핌피 현상 발생

> 혁신 도시는 정부 주도의 공공 기관 이전 + 산학 연계, 기업 도시는 민간 기업 주도로 이루어지는 자족적 복합 도시 → 둘 다 제4차 국토 종합 계획 때 지정·육성

2. 바람직한 국토 개발

(1) 균형 발전 전략 추진　지방 중소 도시에 대한 재정 지원 강화, 공공 기관 지방 이전, 혁신 도시 및 기업 도시 조성 등

(2) 지속 가능한 국토 공간 조성　친환경 산업 육성, 슬로 시티 운동, 탄소 배출량 감소 등

핵심 기출 자료 분석　혁신 도시와 기업 도시의 분포

분석 | 우리나라에서는 공간 불평등을 해소하기 위해 혁신 도시 및 기업 도시를 지정함으로써 중소 도시에 대한 지원을 강화하고 주요 공공 기관의 이전과 민간 투자를 유치하여 지방 중소 도시의 성장을 유도한다.

개념 암기

1 다음 설명에 해당하는 도시 재개발 방식을 〈보기〉에서 골라 기호를 쓰시오.

┌─ 보기 ┐
ㄱ. 철거 재개발　　ㄴ. 보존 재개발　　ㄷ. 수복 재개발

(1) 기존 건물과 시설을 철거하여 새로운 시설을 조성하는 방식　　　　　　　　　　　(　　　)

(2) 기존 골격을 유지하면서 필요한 부분을 수리하여 보완하는 재개발 방식　　　　　　(　　　)

(3) 역사 및 문화적으로 보존 가치가 있는 지역의 환경을 유지·관리하는 방식　　　　　(　　　)

2 괄호 안의 내용 중 알맞은 말을 골라 ○표 하시오.

(1) 성장 거점 개발 방식은 (중앙 정부, 지방 자치 단체)가 주도하는 (상향식, 하향식) 개발 방식이다.

(2) (성장 거점, 균형) 개발 방식은 경제적 형평성을 추구한다.

(3) (파급, 역류) 효과는 주변 지역에서 거점 지역으로 인구 및 자본을 집중하게 하여 지역 격차를 심화시킨다.

3 설명이 맞으면 ○표, 틀리면 ✕표 하시오.

(1) 제1차 국토 종합 개발 계획으로 고속 국도, 항만, 다목적 댐 등 산업 기반이 조성되었다.　(　　　)

(2) 제3차, 제4차 국토 종합 계획은 투자 효과가 큰 지역을 선정하여 집중 투자하는 방식이었다.　(　　　)

4 빈칸에 들어갈 알맞은 말을 쓰시오.

(1) 우리나라는 국토 개발로 수도권과 비수도권, 도시와 농촌 간 공간 (　　　　)이/가 나타났다.

(2) (　　　　)은/는 공공 기관의 지방 이전과 기업, 학교, 연구소의 협력으로 지역에 조성되는 미래형 도시로, 지역 격차 완화에 기여한다.

5 우리나라 국토 개발 계획의 시기별 특징을 바르게 연결하시오.

(1) 제1차 ·　　　　　 · ㉠ 광역 개발 추진

(2) 제2차 ·　　　　　 · ㉡ 대규모 공업 기반 구축

(3) 제4차 ·　　　　　 · ㉢ 균형·녹색·개방·통일 국토

내신 기출

1 도시 계획

01 우리나라 도시 계획에 대한 필기 내용으로 옳지 <u>않은</u> 것은?

> 1. 도시 계획의 궁극적 목적: ㉠ 주민의 삶의 질 향상
> 2. 우리나라의 도시 계획
> (1) 1960년대: ㉡ 난개발 방지를 목적으로 도시 계획
> (2) 1970년대: 도시의 무질서한 팽창을 막기 위해 ㉢ 개발 제한 구역 설정
> (3) 1980년대: 20년 단위의 ㉣ 도시 기본 계획 제도화
> (4) 최근: 주민 참여의 ㉤ 지속 가능한 도시 계획으로 변화

① ㉠ ② ㉡ ③ ㉢ ④ ㉣ ⑤ ㉤

2 도시 재개발

02 ㉠, ㉡에 들어갈 내용으로 옳은 것은?

> 도시 재개발 방식 중 (㉠) 재개발은 기존의 건물과 환경을 최대한 살리면서 부분적으로 보수·정비하는 방식이고, (㉡) 재개발은 역사·문화적으로 가치가 있는 지역의 환경 악화를 예방하고 유지·보수하는 방식이다.

	㉠	㉡		㉠	㉡
①	철거	보존	②	철거	수복
③	수복	철거	④	수복	보존
⑤	보존	수복			

03 (가), (나) 도시 재개발에 대한 설명으로 옳은 것은?

> (가) 서울 관악구 △△ 지역은 2001년부터 재개발 사업이 시작되었다. 달동네를 전면 철거하고 고층 아파트를 건설하여 새로운 모습으로 변모했다.
> (나) 부산의 피란민 역사를 간직한 ○○ 마을이 탈바꿈되었다. 빈집 중 일부가 카페, 갤러리로 개조되고, 골목길에 조형물이 설치되어 문화 예술 체험 공간으로 재정비되고 있다.

① (가)는 전통문화 보존에 유리하다.
② (나)는 철거 재개발에 해당한다.
③ (가)는 (나)보다 기존 건물의 활용도가 높다.
④ (나)는 (가)보다 원거주민의 이주율이 높다.
⑤ (가)와 (나)의 궁극적인 목적은 도시재생이다.

04 (가)와 비교한 (나) 도시 재개발 방식의 상대적 특징을 그림의 A~E에서 고른 것은?

 ○○ 지역은 1970년대 상경한 사람들이 정착한 곳으로, 열악한 주거 환경을 개선하기 위해 (가) 노후 건물을 완전히 철거하고 고층 아파트를 건설하는 방식이 적합합니다.

 지금 말씀한 방식은 많은 문제점이 있습니다. 따라서 (나) 기존 건물과 환경을 최대한 유지하면서 주민들의 의사를 반영하여 필요한 부분만 개선하는 방식이 더 좋다고 생각합니다.

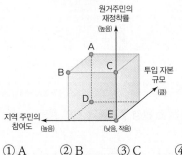

① A ② B ③ C ④ D ⑤ E

3 지역 개발

05 그래프는 지역 개발 방식을 비교한 것이다. (가), (나)에 들어갈 항목으로 옳은 것은?

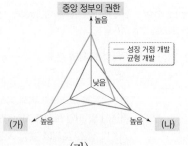

	(가)	(나)
①	투자의 효율성	지역 주민의 참여도
②	지역 주민의 참여도	투자의 효율성
③	지역 주민의 참여도	지역 간 분배의 형평성
④	지역 간 분배의 형평성	투자의 효율성
⑤	지역 간 분배의 형평성	지역 주민의 참여도

06 다음은 지역 개발 방식에 대한 수업 장면이다. (가), (나)에 대한 옳은 설명을 〈보기〉에서 고른 것은?

> (가) 국토 발전을 위해 경제 성장을 극대화하여 거점 지역에 투자
> (나) 지역 간의 균형 성장을 추구하여 낙후 지역에 우선 투자

┤ 보기 ├
ㄱ. (가)의 의사 결정 방식은 주로 상향식이다.
ㄴ. (나)의 주요 개발 방식은 균형 개발이다.
ㄷ. (가)는 (나)보다 효율성을 추구한다.
ㄹ. (가), (나) 모두 중앙 정부가 주도하는 개발 방식이다.

① ㄱ, ㄴ   ② ㄱ, ㄷ   ③ ㄴ, ㄷ
④ ㄴ, ㄹ   ⑤ ㄷ, ㄹ

09 다음 자료의 ㉠~㉣에 대한 옳은 설명을 〈보기〉에서 고른 것은?

> 〈우리나라 국토 계획〉
> • ㉠ 제1차 국토 종합 개발 계획에서는 ㉡ 성장 가능성이 큰 지역에 집중 투자하는 지역 개발 방식을 채택하였다.
> • ㉢ 제3차 국토 종합 개발 계획부터는 형평성을 고려하여 ㉣ 낙후 지역에 우선적으로 투자하는 지역 개발 방식을 채택하였다.

┤ 보기 ├
ㄱ. ㉠의 시행으로 수도권과 남동 임해 공업 지역의 발전이 두드러졌다.
ㄴ. ㉡은 자원의 효율적 투자가 가능하다.
ㄷ. ㉠은 상향식 개발, ㉢은 하향식 개발로 추진되었다.
ㄹ. ㉣은 불균형 개발 방식에 속한다.

① ㄱ, ㄴ   ② ㄱ, ㄷ   ③ ㄴ, ㄷ
④ ㄴ, ㄹ   ⑤ ㄷ, ㄹ

[07~08] (가), (나)는 지역 개발에 따른 중심지와 주변 지역의 발전 수준의 차이를 나타낸 것이다. 이를 보고 물음에 답하시오.

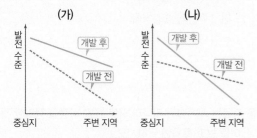

07 (가), (나)에 대해 옳은 설명을 한 학생을 고른 것은?

갑: 성장 거점 개발이 추구하는 것은 (가)에 해당해.
을: 균형 개발의 단점은 (나)가 발생한다는 점이야.
병: (나)로 인해 지역 격차가 오히려 심화될 수 있어.
정: (가)보다 (나)가 형평성을 강조한 개발의 결과야.

① 갑, 을   ② 갑, 병   ③ 을, 병
④ 을, 정   ⑤ 병, 정

주관식
08 (가), (나)가 나타내는 효과를 각각 쓰시오.

10 다음 자료는 우리나라의 국토 종합 개발 계획을 나타낸 것이다. ㉠~㉤에 대한 설명으로 옳은 것은?

구분	제1차 국토 종합 개발 계획	제2차 국토 종합 개발 계획	제3차 국토 종합 개발 계획
시행 시기	1972~1981년	1982~1991년	1992~1999년
개발 방식	㉠ 거점 개발	광역 개발	㉡ 균형 개발
개발 전략	㉢ 공업 기반 조성을 위한 교통망 구축 ……	㉣ 국토의 다핵 구조 형성 ……	㉤ 수도권 집중 억제와 지방 도시 육성 ……

① ㉠은 ㉡보다 개발 과정에서 지역 이기주의가 나타날 가능성이 높다.

② ㉡은 지역 간 형평성보다 경제적 효율성을 중시한다.

③ ㉢의 일환으로 고속 국도가 건설되었다.

④ ㉣을 위해 혁신 도시와 기업 도시를 육성하였다.

⑤ ㉤을 위해 수도권 공장의 신축을 제한하는 제도를 폐지하였다.

4 지역 격차와 공간 불평등

 다음은 지역 격차에 관한 보고서의 목차이다. ㉠~㉤에 들어갈 내용으로 적절하지 않은 것은?

① ㉠ – 균형 개발 정책의 도입 배경
② ㉡ – 전국 대비 수도권의 인구 및 지역 내 총생산 비중
③ ㉢ – 도시와 농촌의 가구 평균 소득 그래프
④ ㉣ – 서울의 주택 부족 문제를 해결하기 위한 전략
⑤ ㉤ – 지역 특성에 맞는 개발 전략 사례

12 (가), (나)에 대한 옳은 설명만을 〈보기〉에서 있는 대로 고른 것은?

(지역 발전 위원회, 2016)

┤ 보기 ├
ㄱ. (가)는 공공 기관 이전과 산·학·연 협력 체계를 통한 지역 발전을 추구한다.
ㄴ. (가)는 제3차 국토 종합 개발 계획 기간 동안 성장 거점으로 육성된 도시이다.
ㄷ. (나)는 민간 기업이 주도하는 자족형 복합 도시이다.
ㄹ. (가), (나)는 수도권 집중을 해소하고 낙후된 지방 경제를 활성화하는 데 기여한다.

① ㄱ, ㄴ   ② ㄱ, ㄹ   ③ ㄱ, ㄴ, ㄷ
④ ㄱ, ㄷ, ㄹ   ⑤ ㄴ, ㄷ, ㄹ

서술형 문제

13 다음 신문 기사를 읽고 물음에 답하시오.

△△신문

서울 ○○동, 도시 재개발 계획 변경

서울시는 얼마 남지 않은 달동네 중 하나인 ○○동 일대 재개발 구역을 전면적 대규모 개발 대신 지역 상황과 특성에 맞춰 점진적으로 개발할 계획이다. 도시 개발 계획 위원회는 기존의 낙후 주택 지역을 완전히 철거하고 대규모 아파트 단지를 만드는 (㉠) 방식에서 기존의 주민들이 살던 주거 지역과 도로를 유지하면서 필요한 부분만 수리 및 개조하는 (㉡) 방식으로 변경하는 심의안을 통과시켰다.

(1) ㉠, ㉡에 들어갈 도시 재개발 방식을 쓰시오.

(2) ㉠과 비교한 ㉡ 방식의 특성을 아래 세 가지 측면에서 비교하여 서술하시오.

- 기존 건물의 활용도
- 원거주민의 재정착률
- 투입되는 자본의 규모

14 다음 자료는 시기별 우리나라 국토 개발 과정을 정리한 것이다. 이를 보고 물음에 답하시오.

구분	제1차 국토 종합 개발 계획	제2차 국토 종합 개발 계획	제3차 국토 종합 개발 계획	제4차 국토 종합 계획
목표	공업화를 통한 경제 성장	수도권 및 대도시 집중 완화	지방 분산형 국토 발전	지속 가능한 친환경 국토
개발 방식	㉠	광역 개발	㉡	

(1) ㉠, ㉡에 들어갈 개발 방식을 쓰시오.

(2) ㉠, ㉡ 개발 방식의 장점과 단점을 각각 한 가지씩 서술하시오.

01 다음 (가), (나) 도시 재개발 사례의 상대적 특성을 나타낸 것으로 옳은 것은?

> (가) ○○시의 달동네였던 □□ 마을은 본래의 마을 모습을 유지하는 가운데 필요한 부분만 수리하고 개조하는 '마을 미술 프로젝트'를 시행하였다.
>
> (나) △△시의 대표적인 낙후 지역인 ◇◇동은 뉴타운 개발 사업이 진행되면서 노후 주택들이 모두 사라지고 대단지의 아파트로 변모하였다.

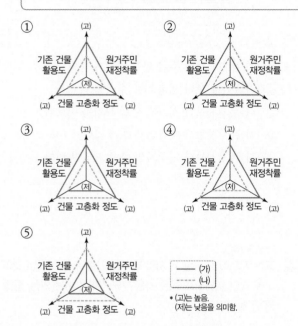

02 (가) 시기와 비교한 (나) 시기 지역 개발 방식의 상대적 특성을 그림의 A~E에서 고른 것은?

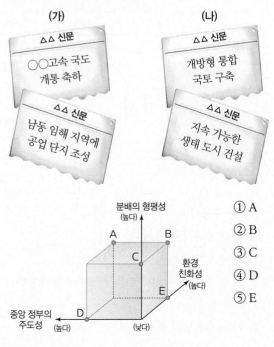

03 다음 자료는 우리나라의 국토 종합 개발 계획을 나타낸 것이다. (가)~(라)에 대한 옳은 설명을 〈보기〉에서 고른 것은?

구분	제1차 (1972~1981년)	제2차 (1982~1991년)	제3차 (1992~1999년)
개발 방식	(가)	광역 개발	(다)
목표	국토 이용의 효율적 관리	(나)	지역 균형 발전 촉진
주요 전략	사회 간접 자본 확충	국토의 다핵 구조 형성, 지역 생활권 조성	(라)

┤ 보기 ├
ㄱ. (가)는 투자 효과가 큰 지역에 집중 투자하여 파급 효과를 기대하는 방식이다.
ㄴ. (나)를 위해 기업 도시와 혁신 도시를 육성하였다.
ㄷ. (다)는 (가)보다 지역 주민의 의사 결정을 존중한다.
ㄹ. (라)에 의해 남동 임해 공업 지역에 대규모 중화학 공업 단지가 조성되었다.

① ㄱ, ㄴ   ② ㄱ, ㄷ   ③ ㄴ, ㄷ
④ ㄴ, ㄹ   ⑤ ㄷ, ㄹ

04 지도에 표시된 '○○ 도시' 정책에 대한 설명으로 옳지 <u>않은</u> 것은?

〈○○ 도시의 분포〉

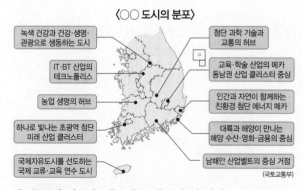

녹색 건강과 건강·생명·관광으로 생동하는 도시
첨단 과학 기술과 교통의 허브
IT·BT 산업의 테크노폴리스
교육·학술 산업의 메카 동남권 산업 클러스터 중심
농업 생명의 허브
인간과 자연이 함께하는 친환경 첨단 에너지 메카
하나로 빛나는 초광역 첨단 미래 산업 클러스터
대륙과 해양이 만나는 해양 수산·영화·금융의 중심
국제자유도시를 선도하는 국제 교류·교육 연수 도시
남해안 산업벨트의 중심 거점
(국토교통부)

① 수도권 집중을 해소하는 데 도움이 된다.
② 낙후된 지방의 경제를 살리는 데 기여한다.
③ 공공 기관의 이전과 산·학·연 연계를 통해 지역 발전을 추구한다.
④ 정부 주도로 지역의 성장 거점으로 조성되는 미래형 도시를 육성한다.
⑤ 제2차 국토 종합 개발 계획 기간 동안 추진된 성장 거점형 도시 육성 정책이다.

| 교육청 기출 |

01 다음 글의 ⊙~⑩에 대한 설명으로 옳지 <u>않은</u> 것은?

> 최근 ⊙ 촌락과 ⓒ 도시는 다양한 분야에서 ⓒ 교류가 활발히 이루어지고 있다. ② 도시에 있는 행정 기관, 교육 기관, 상업 시설 등은 도시 주민들뿐만 아니라 주변 촌락에 거주하는 주민들도 이용한다. 반면에 촌락은 자연 경관을 활용한 체험형 관광 프로그램 등을 통하여 도시 주민에게 ⑩ 휴식과 여가 공간을 제공하기도 한다.

① ⊙은 가옥의 밀집도에 따라 집촌과 산촌으로 구분된다.

② ⓒ은 ⊙보다 주민들의 직업 구성이 단순하다.

③ ⓒ은 교통 및 통신의 발달과 관계가 깊다.

④ ②을 통해 도시는 중심지, 촌락은 배후지임을 알 수 있다.

⑤ ⑩으로 인해 촌락에서는 고용 기회와 소득이 증대될 수 있다.

01-1 모의고사 기출 틀린 선지 더 찾기

① ⊙은 기능에 따라 농촌, 어촌, 산지촌으로 구분된다.

② ⊙은 ⓒ이 제공하는 기능에 일방적으로 의존하는 편이다.

③ 최근 생활권이 같은 ⊙과 ⓒ을 하나로 합친 도농 통합시가 출범하였다.

| 교육청 기출 |

02 다음 자료의 ⊙, ⓒ 촌락에 대한 설명으로 옳은 것은? (단, ⊙, ⓒ은 산촌, 집촌 중 하나임.)

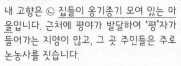
내가 살던 곳은 ⊙ 집들이 띄엄띄엄 떨어져 있는 마을입니다. 산간 지대여서 사면의 경사가 급하고 경지가 좁은 편입니다.

내 고향은 ⓒ 집들이 옹기종기 모여 있는 마을입니다. 근처에 평야가 발달하여 '평'자가 들어가는 지명이 많고, 그 곳 주민들은 주로 논농사를 짓습니다.

① ⊙은 집촌이다.

② ⓒ은 제주도의 과수원 지대에서 나타난다.

③ ⊙은 ⓒ보다 가옥의 밀집도가 높다.

④ ⊙은 ⓒ보다 주민들의 협동 노동에 유리하다.

⑤ ⊙은 ⓒ보다 가옥과 경지 간 평균 거리가 가깝다.

| 수능 기출 |

03 (가)~(다) 지역에 대한 설명으로 옳은 것은? (단, (가)~(다)는 각각 지도에 표시된 세 지역 중 하나임.)

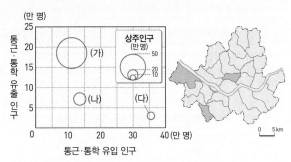

* 통근·통학 유입 및 유출 인구는 원의 가운데 값임. (통계청, 2015)

① (가)는 (나)보다 주간 인구 지수가 높다.

② (가)는 (다)보다 대형 마트 수가 많다.

③ (나)는 (다)보다 시가지 형성 시기가 이르다.

④ (다)는 (나)보다 제조업체 수가 많다.

⑤ (다)는 (나)보다 거주자의 통근 거리가 멀다.

| 평가원 기출 |

04 표는 지도에 표시된 세 지역의 의료 기관 수를 나타낸 것이다. 이에 대한 설명으로 옳은 것은? (단, (가), (나)는 의원, 종합 병원 중 하나임.)

의료 기관 \ 지역	(가)	병원	(나)
A	0	2	19
B	3	10	204
C	12	111	1,666

(통계청, 2016.)

① A는 구미이다.

② B는 C보다 인구가 많다.

③ C는 A보다 중심지 기능의 수가 적다.

④ (나)는 병원보다 의료 기관당 서비스를 제공하는 공간 범위가 넓다.

⑤ (가)는 (나)보다 최소 요구치가 크다.

| 교육청 기출 |

05 그래프는 지도에 표시된 세 지역의 통근·통학 인구 비율을 나타낸 것이다. (가)~(다) 지역에 대한 옳은 설명을 〈보기〉에서 고른 것은? (단, (가)~(다)는 광명시, 화성시, 가평군 중 하나임.)

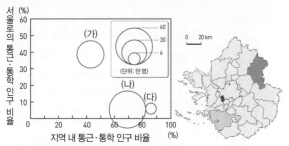

* 지역 내 통근·통학 인구 비율과 서울로의 통근·통학 인구 비율은 원의 가운데 값임.
** 원의 크기는 총인구 값임.

(통계청, 2015)

| 보기 |

ㄱ. (가)는 (나)보다 인구 밀도가 높다.
ㄴ. (가)는 (다)보다 녹지 비율이 높다.
ㄷ. (나)는 (가)보다 자족 기능이 강하다.
ㄹ. (다)는 (나)보다 서울로의 통근·통학 인구 수가 많다.

① ㄱ, ㄴ   ② ㄱ, ㄷ   ③ ㄴ, ㄷ
④ ㄴ, ㄹ   ⑤ ㄷ, ㄹ

| 평가원 기출 |

06 지도는 □□시 ○○동 일부의 토지 이용 변화를 나타낸 것이다. 이 지역의 변화에 대한 추론으로 적절한 것을 〈보기〉에서 고른 것은?

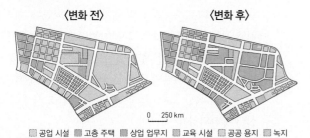

〈변화 전〉   〈변화 후〉

0   250 km

■ 공업 시설 ■ 고층 주택 ■ 상업 업무지 ■ 교육 시설 ■ 공공 용지 ■ 녹지

| 보기 |

ㄱ. 지가가 하락했을 것이다.
ㄴ. 상주인구가 증가했을 것이다.
ㄷ. 토지 이용 집약도가 낮아졌을 것이다.
ㄹ. 공업 용지의 면적 비중이 감소했을 것이다.

① ㄱ, ㄴ   ② ㄱ, ㄷ   ③ ㄴ, ㄷ
④ ㄴ, ㄹ   ⑤ ㄷ, ㄹ

| 교육청 기출 |

07 그래프는 서울시 두 구(區)의 상주인구와 주간 인구 지수의 변화를 나타낸 것이다. (가), (나) 지역에 대한 설명으로 옳은 것은?

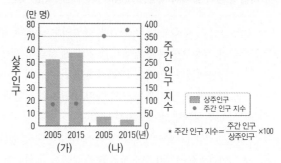

* 주간 인구 지수 = $\frac{주간 인구}{상주인구} \times 100$

① (가)는 2005년보다 2015년의 주간 인구가 감소하였다.
② (나)는 통근·통학 유입 인구가 유출 인구보다 많다.
③ (가)는 (나)보다 상업지의 평균 지가가 높다.
④ (가)는 (나)보다 인구 공동화 현상이 뚜렷하다.
⑤ (나)는 (가)보다 초등학교 학생 수가 많다.

07-1 모의고사 기출 틀린 선지 더 찾기

① (가)는 서울의 도심, (나)는 주변 지역에 해당한다.
② (가)는 (나)보다 주거 기능이 강한 지역이다.
③ (나)는 (가)보다 상업용 건물의 평균 높이가 높다.

| 교육청 기출 |

08 다음은 사이버 학습 장면의 일부이다. 답글이 옳은 학생을 고른 것은?

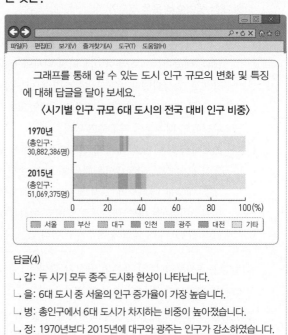

답글(4)

ㄴ 갑: 두 시기 모두 종주 도시화 현상이 나타납니다.
ㄴ 을: 6대 도시 중 서울의 인구 증가율이 가장 높습니다.
ㄴ 병: 총인구에서 6대 도시가 차지하는 비중이 높아졌습니다.
ㄴ 정: 1970년보다 2015년에 대구와 광주는 인구가 감소하였습니다.

① 갑, 을   ② 갑, 병   ③ 을, 병
④ 을, 정   ⑤ 병, 정

09 | 교육청 기출 | 변형 |
다음 글은 도시 재개발의 사례이다. (가)와 비교한 (나) 도시 재개발 방법의 상대적 특성을 그림의 A~E에서 고른 것은?

> (가) ○○시 ◇◇동은 1960년대 산업화로 급격히 유입된 저소득층이 산꼭대기까지 모여 살면서 형성된 달동네였다. 이곳은 1990년대 후반 기존의 시설을 완전히 철거한 후 대규모 아파트 단지와 박물관 등이 건설되면서 사라지게 되었다.
>
> (나) □□시 △△동은 개항 이후 세워진 근대 건축물들이 1960~1970년대 산업화 과정에서 소외되어 옛 모습 그대로 많이 남게 되었다. 이러한 지역 특성을 살려 2008년부터 근대 문화유산을 문화 예술 공간으로 활용한 도시 재생 사업을 진행하고 있다.

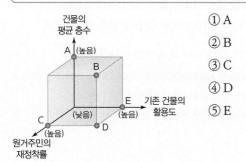

① A
② B
③ C
④ D
⑤ E

10 | 교육청 기출 | 변형 |
다음 글은 도시 재개발의 사례이다. (가), (나)와 같은 개발 방식에 대한 설명으로 옳은 것은?

> (가) ○○마을은 서양식 근대 건축물과 한옥, 민주화 기념관, 예술가들의 작품이 어우러진 역사와 문화 공간으로 조성되었다. 주민들이 자치적으로 정비하여 일부 주택은 개성 있는 가게로 바뀌었으며 원거주민들의 대부분이 거주하고 있다.
>
> (나) △△마을은 산업화 시기에 일자리를 찾아온 사람들이 모여 살던 달동네였는데 주거 환경 개선 사업으로 대규모 아파트와 공원 등으로 탈바꿈하였다. 원거주민들 중 대부분은 다른 동네로 이사를 가고 현재 1/3만이 이 지역에 거주하고 있다.

① (가)는 (나)보다 투입 자본의 규모가 크다.
② (나)는 (가)보다 건물의 평균 층수가 높다.
③ (나)는 (가)보다 원거주민의 재정착률이 높다.
④ (가)는 철거 재개발, (나)는 보존 재개발에 속한다.
⑤ (가)는 주거지 재개발, (나)는 도심 재개발 유형에 속한다.

11 | 교육청 기출 | 변형 |
(가), (나) 지역 개발 방식에 대한 옳은 설명을 〈보기〉에서 고른 것은?

(가)	성장 가능성과 파급 효과가 큰 성장 거점을 선정하여 집중 개발함으로써 거점 개발의 효과가 주변 지역으로 확산되도록 유도하는 방식으로 개발 도상국에서 주로 채택
(나)	경제 활동 기반이 약한 낙후 지역을 우선 개발하여 주민의 기본 수요를 직접 충족시켜주고 다른 지역과의 격차를 줄여 지역 간의 균형 발전을 추구하는 방식으로 선진국에서 주로 채택

┤ 보기 ├
ㄱ. (가)는 상향식 의사 결정 방식으로 추진된다.
ㄴ. (나)의 추진으로 남동 임해 공업 지역이 조성되었다.
ㄷ. (나)는 (가)보다 개발 과정에서 지역 이기주의가 나타날 가능성이 높다.
ㄹ. (가)는 제1차 국토 종합 개발 계획, (나)는 제3차 국토 종합 개발 계획에서 채택되었다.

① ㄱ, ㄴ   ② ㄱ, ㄷ   ③ ㄴ, ㄷ
④ ㄴ, ㄹ   ⑤ ㄷ, ㄹ

11-1 모의고사 기출 틀린 선지 더 찾기
① (가)는 지역 간 성장 격차를 심화시킬 수 있다.
② (나)는 효율성보다 경제적 형평성을 추구한다.
③ (가)는 (나)보다 지역 주민의 참여도가 높다.

12 | 교육청 기출 |
다음 글의 ㉠~㉣에 대한 옳은 설명을 〈보기〉에서 고른 것은?

> 1970년대 ㉠ 거점 개발 방식으로 진행된 국토 종합 개발 계획을 통해 공업의 생산 기반은 확충되었지만, ㉡ 수도권과 비수도권 간의 격차는 심화되었다. 이러한 지역 격차 문제를 해소하고자 1990년대 이후 국토 종합 개발 계획이 ㉢ 균형 개발 방식으로 전환되었다. 2000년대 이후에도 지방 분권과 균형 발전 정책의 일환으로 행정 중심 복합 도시, ㉣ 혁신 도시, 기업 도시 등의 건설이 추진되었다.

┤ 보기 ├
ㄱ. ㉠ - 주로 상향식 개발 방식으로 추진되었다.
ㄴ. ㉡ - 해결 방안으로 수도권 규제 완화 정책이 있다.
ㄷ. ㉢ - 투자의 효율성보다 지역 간 형평성을 강조한다.
ㄹ. ㉣ - 정부 주도로 공공 기관을 지방으로 이전하였다.

① ㄱ, ㄴ   ② ㄱ, ㄷ   ③ ㄴ, ㄷ
④ ㄴ, ㄹ   ⑤ ㄷ, ㄹ

| 교육청 기출 |

13 다음은 지역 격차와 관련된 조사 계획서의 일부이다. (가)~(라)에 들어갈 적절한 항목을 〈보기〉에서 고른 것은?

> 1) 조사 주제: 수도권과 비수도권 간 격차
> 2) 조사 내용 및 항목

구분	조사 내용	조사 항목
현황	인구 및 산업의 수도권 집중	(가)
원인	1960년대 이후 하향식 개발 정책	(나)
문제점	수도권에서 집적 불이익 발생	(다)
해결 노력	수도권 기능의 지방 이전	(라)

⊣ 보기 ⊢
ㄱ. (가) – 전국 대비 수도권의 인구 및 지역 총생산 비중
ㄴ. (나) – 지역 주민이 주도하는 지역 개발 정책 사례
ㄷ. (다) – 수도권의 지가 및 교통 혼잡 비용 변화
ㄹ. (라) – 지역 축제를 활용한 장소 마케팅 사례

① ㄱ, ㄴ ② ㄱ, ㄷ ③ ㄴ, ㄷ
④ ㄴ, ㄹ ⑤ ㄷ, ㄹ

| 교육청 기출 | 변형 |

14 표는 ○○광역시의 개발 과정을 나타낸 것이다. ㉠~㉢에 대한 옳은 설명을 〈보기〉에서 고른 것은?

구분	도시 및 지역 개발 과정
제1차 국토 종합 개발 계획	㉠ 기간 산업이 확장되고 공업 단지가 조성됨.
제2차 국토 종합 개발 계획	주택, 환경 문제 등 도시 문제가 표출되어 ㉡ 교통축을 따라 신시가지가 개발됨.
제3차 국토 종합 개발 계획	㉢ 도·농 통합시가 되어 인구가 100만 명으로 증가하고, 광역시로 승격됨.
제4차 국토 종합 계획	친환경 첨단 에너지 메카 ㉣ 혁신 도시로 육성

⊣ 보기 ⊢
ㄱ. ㉠ – 지방 정부가 주도적으로 추진하였다.
ㄴ. ㉡ – 신시가지가 개발되면서 도심의 주거 기능이 강화되었다.
ㄷ. ㉢ – 도시와 농촌 간 상호 보완적 발전을 목표로 추진되었다.
ㄹ. ㉣ – 수도권과 비수도권 간 격차를 줄이기 위해 시행된 정책이다.

① ㄱ, ㄴ ② ㄱ, ㄷ ③ ㄴ, ㄷ
④ ㄴ, ㄹ ⑤ ㄷ, ㄹ

| 수능 기출 |

15 (가)~(라)에 대한 옳은 설명을 〈보기〉에서 고른 것은?

구분	제1차 국토 종합 개발 계획 (1972~1981)	제2차 국토 종합 개발 계획 (1982~1991)	제3차 국토 종합 개발 계획 (1992~1999)	제4차 국토 종합 계획 (2000~2020)
개발 방식	거점 개발	광역 개발	(가)	
기본 목표	사회 간접 자본 확충	인구의 지방 정착 유도	지방 분산형 국토 골격 형성	균형, 녹색, 개방, 통일 국토
개발 전략	(나)	(다)	(라)	개방형 통합 국토축 형성

⊣ 보기 ⊢
ㄱ. (가) – 투자 효과가 큰 지역을 선정하여 집중 투자하는 방식이다.
ㄴ. (나) – 고속 국도, 항만, 다목적 댐 등을 건설하여 산업 기반을 조성하였다.
ㄷ. (다) – 지방의 주요 도시와 배후 지역을 포함한 지역 생활권을 설정하였다.
ㄹ. (라) – 혁신 도시와 기업 도시를 지정 및 육성하였다.

① ㄱ, ㄴ ② ㄱ, ㄷ ③ ㄴ, ㄷ
④ ㄴ, ㄹ ⑤ ㄷ, ㄹ

| 교육청 기출 |

16 지도의 A~C 도시에 대한 옳은 설명을 〈보기〉에서 고른 것은? (단, A~C는 공업 도시, 신도시, 혁신 도시 중 하나임.)

⊣ 보기 ⊢
ㄱ. A는 서울의 주택 부족을 해결하기 위해 건설되었다.
ㄴ. B는 공공 기관의 이전을 통해 발전을 추구하고 있다.
ㄷ. C는 지역 주민들이 주도하는 개발 방식으로 건설되었다.
ㄹ. A는 C보다 도시의 조성 시기가 이르다.

① ㄱ, ㄴ ② ㄱ, ㄷ ③ ㄴ, ㄷ
④ ㄴ, ㄹ ⑤ ㄷ, ㄹ

01
자원의 의미와 자원 문제

~ 02
농업의 변화와 농촌 문제

1 자원의 분류와 특성

1. 자원의 분류
┗ 자연물 중에서 일상생활과 경제 활동에 쓸모가 있으며, 기술적·경제적으로 이용 가능한 것

(1) 의미에 따른 분류

좁은 의미의 자원	광물 자원, 에너지 자원, 식량 자원 등 주로 천연자원을 의미함.
넓은 의미의 자원	천연자원뿐만 아니라 인적 자원과 문화적 자원 등을 모두 포함함. 예) 기술, 노동력 등 ┘ ┗ 예) 언어, 종교, 제도 등

(2) 재생 가능성에 따른 분류
┗ = 고갈자원 예) 석유, 석탄, 천연가스 등

비재생 자원	사용할수록 고갈되는 자원
재생 자원	지속적으로 공급·순환되는 자원

┗ = 순환 자원 예) 태양광(열), 조력, 풍력, 수력 등

2. 자원의 특성

가변성	기술적 수준, 경제적 조건, 문화적 배경 등에 따라 자원의 가치가 달라짐.
유한성	대부분의 자원은 매장량이 한정되어 있어 언젠가는 고갈됨.
편재성	일부 자원이 특정 지역에 편중되어 분포함.

┗ 자원 민족주의의 원인

2 자원의 분포와 이용

★1 광물 자원의 분포와 이용
┗ 주요 광물 자원은 대부분 북한에 분포하며, 남한은 금속 광물에 비해 비금속 광물의 매장량이 풍부함.

철광석	•분포: 강원도(홍천, 양양) 등 → 대부분은 오스트레일리아, 브라질 등에서 수입 •이용: 제철 및 철강 공업의 원료로 이용
텅스텐	•분포: 강원도 영월(상동) 등 → 매장량은 많지만 값싼 중국산의 수입으로 생산량 급감 •이용: 특수강 및 합금용 원료로 이용 ┗ 고생대 조선 누층군 분포 지역
석회석	•분포: 강원도(삼척), 충청북도(단양) 등 → 가채 연수가 긴 편 •이용: 시멘트 공업의 원료로 이용
고령토	•분포: 강원도, 경상남도(하동, 산청) 등 → 매장량이 풍부하고 품질도 좋은 편 •이용: 도자기, 종이, 화장품, 도료 등의 원료로 이용

★2 에너지 자원의 분포와 이용
┗ 1989년 석탄 소비의 감소에 따라 경제성이 낮은 탄광을 줄이고, 폐광 지역을 새롭게 개발하기 위해 실시한 정책

석탄	•무연탄: 주로 고생대 평안 누층군에 매장, 정부의 석탄 산업 합리화 정책으로 대부분 폐광 •역청탄: 제철 공업 및 화력 발전의 원료로 이용 → 오스트레일리아, 인도네시아 등에서 전량 수입
석유	•분포: 국내 생산량이 거의 없어 대부분 수입 •이용: 화학 공업의 원료 및 수송용 연료로 이용
천연가스	•분포: 국내 생산량이 적어 서남 및 동남아시아에서 대부분 수입 •이용: 가정용 및 발전용 연료로 이용, 다른 화석 연료보다 대기 오염 물질 배출량이 적음, 1990년대 이후 소비량 증가

┗ 울산 앞바다의 가스전에서 소량 생산

★3 전력 자원의 입지와 특징

화력	•입지: 전력 소비가 많은 수도권, 남동 임해 공업 지역, 충청남도 서해안 등 •장점: 입지 조건의 제약이 적고 건설 및 송전 비용이 저렴함. •단점: 연료비가 비싸고 대기 오염 물질 및 온실 기체 배출량이 많음.
원자력	•입지: 지반이 견고하고 냉각수 공급에 유리한 해안 지역 •장점: 소량의 연료로 대용량의 전력 생산이 가능함. •단점: 건설 비용이 비쌈, 방사능 유출의 위험 및 방사성 폐기물 처리 문제가 발생함.
수력	•입지: 유량이 풍부하고 낙차가 큰 하천 중·상류 •장점: 발전 비용이 저렴하며 대기 오염 물질 배출량이 적음. •단점: 입지가 제한적이며 건설 및 송전 비용이 비쌈, 안정적인 전력 생산이 어려움. → 우리나라는 계절별 하천 유량 변화가 크기 때문

핵심 기출 자료 분석 **에너지 자원의 소비와 전력 자원의 분포**

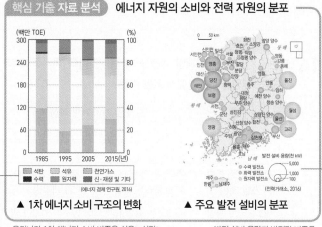

▲ 1차 에너지 소비 구조의 변화　　▲ 주요 발전 설비의 분포

┗ 우리나라 1차 에너지 소비 비중은 석유>석탄>천연가스>원자력>신·재생 에너지>수력 순임.

┗ 발전 설비 용량과 발전량 비중은 화력>원자력>수력 순임.

3 자원 문제와 신·재생 에너지

1. 자원 문제의 발생과 대책

(1) 자원 문제의 발생　산업화 이후 자원 소비 급증 → 자원의 고갈, 자원의 높은 해외 의존도, 환경 문제 발생 ┗ 자원의 절약과 재활용, 자원 절약형 산업 육성 등

(2) 자원 문제의 대책　자원 이용의 효율성 증대, 안정적 자원 공급처 확보, 신·재생 에너지 개발 등 ┗ 해외 자원 개발 및 수입국 다변화 등

★2 신·재생 에너지의 특징과 분포

(1) 신·재생 에너지의 특징　초기 투자 비용이 비싸고 자연적 제약이 큼, 화석 연료보다 경제적 효율성이 낮음, 화석 연료 고갈 및 환경 오염 문제 해결에 도움이 됨.

(2) 신·재생 에너지의 분포

태양광	일조량이 풍부한 지역 ⑩ 호남 지방의 서해안, 영남 내륙 지방
풍력	바람이 많이 부는 해안이나 산지 지역 ⑩ 제주도, 대관령 일대
해양 에너지	조력(조석 간만의 차가 큰 곳 ⑩ 시화호), 조류(바닷물의 흐름이 빠른 곳 ⑩ 울돌목), 파력(파랑의 운동 에너지가 큰 곳 ⑩ 제주도)

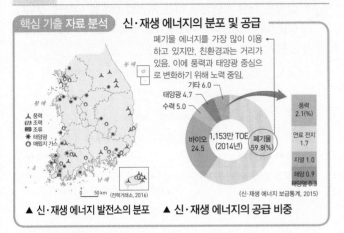

핵심 기출 자료 분석 ─ 신·재생 에너지의 분포 및 공급

폐기물 에너지를 가장 많이 이용하고 있지만, 친환경과는 거리가 있음. 이에 풍력과 태양광 중심으로 변화하기 위해 노력 중임.

▲ 신·재생 에너지 발전소의 분포   ▲ 신·재생 에너지의 공급 비중

(신·재생 에너지 보급통계, 2015)

4 농업의 변화

★ 산업화에 따른 농업 구조의 변화

(1) 농촌 인구의 변화
① 인구의 사회적 감소   이촌 향도에 따라 청장년층 유출
② 노년층의 인구 비중 증가   인구의 고령화로 노동력 부족 문제 발생
③ 유소년층의 인구 비중 감소   초등학교 통폐합

(2) 경지의 변화
① 경지 면적 감소   산업화·도시화로 주택, 도로, 공장 등의 면적 증가
② 경지 이용률 감소   노동력 부족에 따라 휴경지 증가, 그루갈이 감소
  └ 같은 땅에서 한 해에 서로 다른 두 작물을 번갈아 농사짓는 일(= 이모작)

핵심 기출 자료 분석 ─ 산업화와 농업 구조의 변화

▲ 경지 면적과 경지 이용률의 변화

분석 | 우리나라는 1970~2015년에 산업화와 도시화로 경지 면적과 경지 이용률은 감소하였으며, 농가 인구가 경지 면적보다 더 큰 폭으로 감소함에 따라 농가 1호당 경지 면적은 오히려 증가하였다.

(3) 영농 방식의 변화
① 시설 재배 증가   비닐하우스나 유리온실 이용 재배 → 농작물을 가공·보관하는 공장 등의 농업 시설 증가
② 상업적 농업 발달   소득 증가 및 생활 수준 향상으로 곡물 소비 감소, 채소와 과일 및 축산물의 수요 증가
③ 친환경 농산물 생산 확대   식품 안전성에 대한 관심 확대로 친환경 농산물 수요 증가

2. 세계화에 따른 농업 구조의 변화

(1) 배경 세계 무역 기구(WTO)의 출범과 자유 무역 협정(FTA)의 체결 확대 → 농축산물 시장 개방
(2) 변화 값싼 외국산 농산물의 수입 급증 → 우리 농산물의 가격 경쟁력 약화, 식량 자급률 하락
  └ 쌀은 다른 작물에 비해 자급률이 높은 편

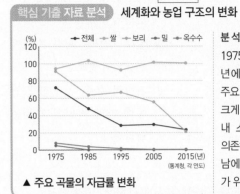

핵심 기출 자료 분석 ─ 세계화와 농업 구조의 변화

▲ 주요 곡물의 자급률 변화

(통계청, 각 연도)

분석 | 우리나라는 1975년에 비해 2015년에는 쌀을 제외한 주요 곡물의 자급률이 크게 감소하였으며, 국내 소비량을 수입에 의존하는 곡물이 늘어남에 따라 식량 안보가 위협받고 있다.

★ 3 주요 농축산물의 생산과 소비 변화

쌀(벼)	·중·남부 지방의 평야 지대에서 주로 재배 ·다수확 품종 개발, 수리 시설 확충, 영농 기술 발달 → 수확량 증대 ·식생활 구조 변화, 농산물 시장 개방 → 1인당 소비량과 재배 면적 감소
보리	·벼의 그루갈이 작물로, 남부 지방에서 재배 ·식생활의 변화로 소비 및 수익성 감소, 외국 농산물 수입 확대 → 재배 면적과 생산량 감소
원예 작물	·대도시 근교 지역에서 시설 농업을 통해 집약적으로 재배 ·식생활 변화, 소득 증대, 교통 발달 → 재배 면적의 증가
축산물	·경기도를 중심으로 낙농업 발달 ·제주도·대관령 등지에 육우 단지 조성

5 농촌 문제와 해결 방안

1. 우리나라 농촌의 문제

(1) 도시와 농촌 간의 소득 격차 확대 복잡한 농산물 유통 구조, 값싼 외국산 농산물의 수입 증가 등 → 농가 소득 중 농업 소득이 차지하는 비중 감소
(2) 농업 경쟁력 약화 농촌의 노동력 부족, 농산물 시장 개방 → 농업 기반 부족 및 경쟁력 약화
(3) 환경 오염 심화 농업 생산량 증대를 위해 농약 및 화학 비료의 과다 사용 → 수질 및 토양 오염 유발

2. 농촌 문제의 극복 방안
  └ 농산물 및 그 가공품의 특징이 지리적 특성에서 기인하는 경우 그 지역의 특산품임을 인정하는 제도

(1) 농산물의 고급화 농산물 브랜드화 및 지리적 표시제 확대, 친환경 농산물 재배 등을 통해 경쟁력 확보
(2) 농업 경영의 다각화 새로운 작물 및 재배 방식 도입, 농산물 가공 판매, 체험 관광 및 경관 농업 추진 등을 통해 부가 가치 향상
  └ 농업 경관 자체가 관광 자원으로 활용되어 소득을 창출하는 농업 ⑩ 제주 유채꽃밭
(3) 농산물 유통 구조 개선 전자 상거래 등을 통한 직거래 확대, 로컬푸드 운동 등을 통해 농가 소득 향상
  └ 특정 지역에서 생산한 먹을거리를 가능한 그 지역 안에서 소비하자는 운동

개념 암기

1 자원의 특성에 대한 설명을 바르게 연결하시오.

(1) 가변성 •　　　　• ㉠ 대부분의 자원은 매장량이 한정되어 있다.

(2) 유한성 •　　　　• ㉡ 일부 자원은 특정 지역에 편중되어 분포한다.

(3) 편재성 •　　　　• ㉢ 기술적 수준, 경제적 조건 등에 따라 자원의 가치는 달라진다.

2 다음에서 설명하는 자원을 〈보기〉에서 골라 기호를 쓰시오.

┤ 보기 ├
ㄱ. 석유　　　　ㄴ. 석회석　　　　ㄷ. 원자력

(1) 시멘트 공업의 원료로 이용된다. 　　　　(　　　)

(2) 현재 우리나라에서 가장 많이 소비되는 자원이다. 　　　　(　　　)

(3) 발전 효율이 높은 편이나 방사능 유출의 위험이 있다. 　　　　(　　　)

3 빈칸에 들어갈 알맞은 말을 쓰시오.

(1) 신·재생 에너지 중 일조량이 풍부한 지역에서 발전하기에 유리한 것은 (　　　　)이다.

(2) 화석 연료 중 (　　　　)은/는 대기 오염 물질을 비교적 적게 배출하여 1990년대 이후 소비가 증가하고 있다.

4 설명이 맞으면 ○표, 틀리면 ✕표 하시오.

(1) 산업화의 영향으로 경지 면적이 감소함에 따라 농가당 경지 면적도 감소하였다. 　　　　(　　　)

(2) 세계 무역 기구와 자유 무역 협정의 영향으로 우리나라의 식량 자급률은 하락하고 있다. 　　　　(　　　)

(3) 오늘날에는 소득 증가 및 생활 수준의 향상으로 상업적 작물과 친환경 농산물에 대한 수요가 증가하고 있다. 　　　　(　　　)

5 다음에서 설명하는 용어를 쓰시오.

특정 지역의 지리적 특성을 반영한 농산물 및 그 가공품을 지역의 특산물로 육성하는 제도

(　　　　)

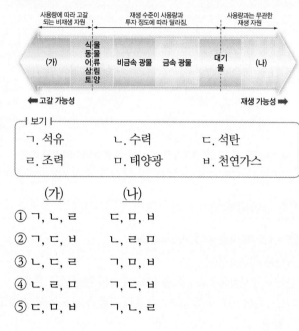

내신 기출

1 자원의 분류와 특성

01 그림은 재생 가능성에 따른 자원의 분류를 나타낸 것이다. (가), (나)에 해당하는 자원을 〈보기〉에서 골라 바르게 연결한 것은?

┤ 보기 ├
ㄱ. 석유　　　　ㄴ. 수력　　　　ㄷ. 석탄
ㄹ. 조력　　　　ㅁ. 태양광　　　　ㅂ. 천연가스

	(가)	(나)
①	ㄱ, ㄴ, ㄹ	ㄷ, ㅁ, ㅂ
②	ㄱ, ㄷ, ㅂ	ㄴ, ㄹ, ㅁ
③	ㄴ, ㄷ, ㄹ	ㄱ, ㅁ, ㅂ
④	ㄴ, ㄹ, ㅁ	ㄱ, ㄷ, ㅂ
⑤	ㄷ, ㅁ, ㅂ	ㄱ, ㄴ, ㄹ

02 (가), (나) 자원의 특성을 그림의 A~D에서 골라 바르게 연결한 것은?

• (가) 천연가스와 원유는 동해-1 가스전에서 적은 양이지만 생산되고 있는데, 천연가스는 34만 가구가, 초경질유는 승용차 2만 대가 하루 동안 사용할 수 있는 양을 생산한다.

• 한강, 금강, 낙동강 등 큰 하천의 중·상류에는 (나) 수력 발전소가 다수 설치되어 있으며, 특히 북한강 수계에 많다.

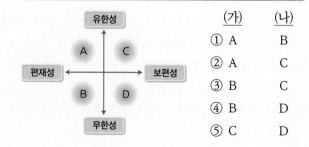

	(가)	(나)
①	A	B
②	A	C
③	B	C
④	B	D
⑤	C	D

2 자원의 분포와 이용

03 지도에 표시된 지역에 분포하는 광물 자원의 특성으로 옳은 것은?

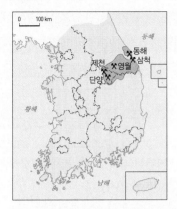

① 도자기 및 화장품의 원료이다.
② 시멘트 공업의 주원료로 이용된다.
③ 주로 고생대 평안계 지층에 매장되어 있다.
④ 필라멘트의 원료 및 특수강 제조에 주로 이용된다.
⑤ 오스트레일리아, 브라질 등지에서 대부분을 수입한다.

04 (가), (나)에 해당하는 자원을 그래프의 A~C에서 골라 바르게 연결한 것은?

> • ___(가)___ 은/는 우리나라에서 주로 가정용 연료로 이용되었는데, 1989년 ___(가)___ 산업 합리화 정책의 시행으로 대부분 폐광되어 현재 소량만 생산되고 있다.
>
> • ___(나)___ 은/는 현재 우리나라에서 소비량이 가장 많은 에너지 자원일 뿐만 아니라 화학 공업의 원료로도 매우 중요하다.

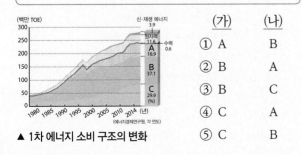

▲ 1차 에너지 소비 구조의 변화

	(가)	(나)
①	A	B
②	B	A
③	B	C
④	C	A
⑤	C	B

05 그래프는 우리나라 주요 에너지 자원의 수입국을 나타낸 것이다. 이에 대한 설명으로 옳지 <u>않은</u> 것은?

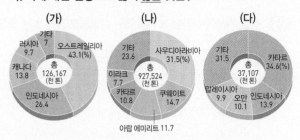

아랍 에미리트 11.7

① (가)는 주로 산업용·발전용으로 이용된다.
② (가)는 정부 정책에 따라 생산량이 크게 줄었다.
③ (나)는 연소 시 대기 오염 물질을 비교적 적게 배출한다.
④ (나)는 우리나라에서 소비량이 가장 많은 에너지 자원이다.
⑤ (다)는 1990년대 이후 소비량이 증가하는 추세이다.

[06~07] 지도는 우리나라 주요 발전 설비의 분포를 나타낸 것이다. 이를 보고 물음에 답하시오. (단, (가)~(다)는 수력, 화력, 원자력 발전 중 하나임.)

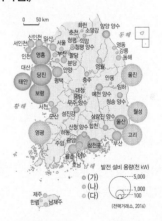

 주관식

06 (가)~(다)에 해당하는 발전 양식을 쓰시오.

07 (가)~(다) 발전 방식에 대한 설명으로 옳은 것은?

① (가)는 강수량이나 지형 등 자연환경의 제약을 많이 받는다.
② (나)는 냉각수 공급에 유리한 해안 지역에 주로 입지한다.
③ (다)는 전력 소비가 많은 곳에 입지하여 송전 비용이 저렴한 편이다.
④ (가)는 (다)에 비해 전력 생산량이 많다.
⑤ (나)는 (가)에 비해 발전 시 대기 오염 물질의 배출량이 적다.

3 자원 문제와 신·재생 에너지

08 신문 기사에 나타난 노력에 대한 설명으로 옳지 <u>않은</u> 것은?

> ### △△신문
>
> ---
>
> 제주도는 2030년까지 탄소 없는 섬으로 탈바꿈할 예정이다. 2030년까지 풍력·태양광 등 신·재생 에너지만으로 제주도 내 전력 사용량 100%를 채우고, 전기 자동차를 전면적으로 운행하여 새로운 환경을 만들 계획이다.

① 화석 연료 소비를 줄일 수 있다.

② 환경 오염에 대한 부담을 줄여 줄 것이다.

③ 자연환경의 영향을 비교적 많이 받을 것이다.

④ 자원 고갈 문제에 대비하여 지속 가능한 에너지 자원을 확보하려는 노력이다.

⑤ 초기 투자 비용이 많이 들고 효율성이 낮기 때문에 중요성이 점차 감소하고 있다.

09 지도는 신·재생 에너지원별 발전소 분포를 나타낸 것이다. A~C에 해당하는 에너지로 옳은 것은?

	A	B	C
①	조력	풍력	태양광
②	조력	태양광	풍력
③	풍력	조력	태양광
④	풍력	태양광	조력
⑤	태양광	조력	풍력

10 그래프는 주요 신·재생 에너지의 지역별 생산량 비중을 나타낸 것이다. (가)~(다) 에너지에 대한 옳은 설명을 〈보기〉에서 고른 것은? (단, (가)~(다)는 수력, 풍력, 태양광 중 하나임.)

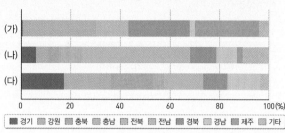

(신·재생 에너지 보급 통계, 2015)

> ┤ 보기 ├
> ㄱ. (가) 발전소는 바람이 강하고 지속적으로 부는 산간 지역이나 해안 지역에 입지한다.
> ㄴ. (나) 발전은 일조 시수가 긴 곳이 유리하다.
> ㄷ. (다) 발전은 신·재생 에너지 중 공급 비중이 가장 높다.
> ㄹ. (나)는 (다)보다 상업적 발전이 먼저 시작되었다.

① ㄱ, ㄴ ② ㄱ, ㄷ ③ ㄴ, ㄷ
④ ㄴ, ㄹ ⑤ ㄷ, ㄹ

4 농업의 변화

11 그래프는 경지 면적과 경지 이용률의 변화를 나타낸 것이다. 이를 보고 바르게 분석한 내용을 〈보기〉에서 고른 것은?

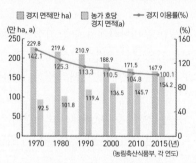

(농림축산식품부, 각 연도)

> ┤ 보기 ├
> ㄱ. 농가 인구가 감소하였다.
> ㄴ. 휴경지의 면적이 증가하였다.
> ㄷ. 그루갈이 하는 면적이 확대되었다.
> ㄹ. 토지 이용이 집약적으로 변화하였다.

① ㄱ, ㄴ ② ㄱ, ㄷ ③ ㄴ, ㄷ
④ ㄴ, ㄹ ⑤ ㄷ, ㄹ

12 그래프는 작물별 경지 면적 변화를 나타낸 것이다. 1975년과 비교한 2015년 농촌의 상대적 특성으로 옳은 것은?

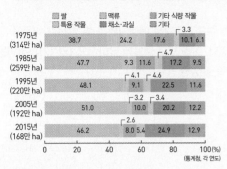

| | 쌀 | 맥류 | 기타 식량 작물 | 특용 작물 | 채소·과실 | 기타 |

1975년 (314만 ha)	38.7	24.2	17.6	10.1	6.1 · 3.3
1985년 (259만 ha)	47.7	9.3	11.6	17.2	4.7 · 9.5
1995년 (220만 ha)	48.1	9.1	4.1 · 4.6	22.5	11.6
2005년 (192만 ha)	51.0	10.0	3.2 · 3.4	20.2	12.2
2015년 (168만 ha)	46.2	8.0	5.4 · 2.6	24.9	12.9

(통계청, 각 연도)

① 논의 면적이 증가하였다.

② 총 경지 면적이 증가하였다.

③ 생산 작물의 단일화가 이루어졌다.

④ 식량 작물의 재배 비중이 감소하였다.

⑤ 벼의 그루갈이 작물 재배가 증가하였다.

13 다음은 한국지리 수업의 한 장면이다. 교사의 질문에 대한 학생들의 대답으로 옳지 않은 것은?

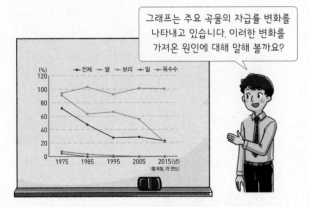

그래프는 주요 곡물의 자급률 변화를 나타내고 있습니다. 이러한 변화를 가져온 원인에 대해 말해 볼까요?

① 갑: 세계 무역 기구가 출범했기 때문입니다.

② 을: 자유 무역 협정의 체결이 확대되었기 때문입니다.

③ 병: 농산물 시장이 개방되어 값싼 외국산 농산물이 수입되고 있기 때문입니다.

④ 정: 식품 안전성에 대한 관심이 커지면서 친환경 농산물에 대한 수요가 증가했기 때문입니다.

⑤ 무: 이촌 향도로 농촌의 노동력이 부족해지고, 식생활의 변화로 곡물 소비량이 감소했기 때문입니다.

14 그래프는 (가)~(다) 지역의 겸업농가 및 전업농가 수를 나타낸 것이다. (가)~(다) 지역을 지도의 A~C에서 골라 바르게 연결한 것은?

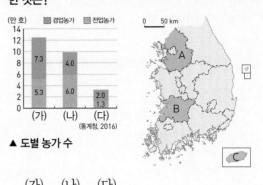

▲ 도별 농가 수

	(가)	(나)	(다)
①	A	B	C
②	A	C	B
③	B	A	C
④	B	C	A
⑤	C	A	B

15 그래프는 세 작물의 권역별 생산량 비중을 나타낸 것이다. (가)~(라) 권역으로 옳은 것은?

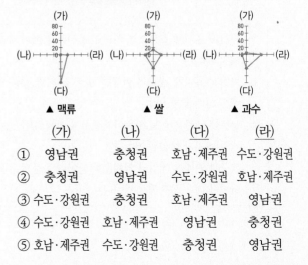

▲ 맥류　　　▲ 쌀　　　▲ 과수

	(가)	(나)	(다)	(라)
①	영남권	충청권	호남·제주권	수도·강원권
②	충청권	영남권	수도·강원권	호남·제주권
③	수도·강원권	충청권	호남·제주권	영남권
④	수도·강원권	호남·제주권	영남권	충청권
⑤	호남·제주권	수도·강원권	충청권	영남권

5 농촌 문제와 해결 방안

16 다음은 학생이 한국지리 수업 시간에 정리한 내용이다. (가)~(다)에 들어갈 내용으로 적절하지 <u>않은</u> 것은?

우리나라 농촌의 문제점과 극복 방안

문제점	극복 방안
도농 간의 소득 격차 확대	(가)
농업 경쟁력 약화	(나)
환경 오염 심화	(다)
⋮	⋮

① (가) – 전자 상거래를 통한 직거래 확대
② (가) – 농업 경영의 다각화를 통해 부가 가치 향상
③ (나) – 영농의 기계화 지원
④ (다) – 농산물 브랜드화 추진
⑤ (다) – 유기 농업, 무농약 농업 등 친환경 농업 장려

17 지도는 우리나라의 대표적인 지리적 표시 상품을 나타낸 것이다. 지리적 표시제 등록을 통한 효과로 옳은 추론만을 〈보기〉에서 있는 대로 고른 것은?

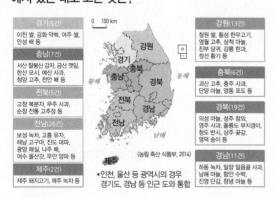

경기(5건)
이천 쌀, 강화 약쑥, 여주 쌀, 안성 배 등

충남(7건)
서산 팔봉산 감자, 금산 깻잎, 한산 모시, 예산 사과, 청양 고추, 천안 배 등

전북(6건)
고창 복분자, 무주 사과, 순창 전통 고추장 등

전남(26건)
보성 녹차, 고흥 유자, 해남 고구마, 진도 대파, 광양 매실, 나주 배, 여수 돌산갓, 무안 양파 등

제주(2건)
제주 돼지고기, 제주 녹차 등

강원(13건)
청원 쌀, 횡성 한우고기, 영월 고추, 삼척 마늘, 진부 당귀, 강릉 한과, 정선 황기 등

충북(6건)
괴산 고추, 충주 사과, 단양 마늘, 영동 포도 등

경북(19건)
의성 마늘, 성주 참외, 영주 사과, 울릉도 부지갱이, 청도 반시, 상주 곶감, 영덕 송이 등

경남(11건)
하동 녹차, 밀양 얼음골 사과, 남해 마늘, 함안 수박, 진영 단감, 창녕 마늘 등

(농림 축산 식품부, 2014)
*인천, 울산 등 광역시의 경우 경기도, 경남 등 인근 도와 통합

┤ 보기 ├
ㄱ. 지리적 표시제 등록으로 지역의 농산품 판매가 유리해질 것이다.
ㄴ. 지리적 표시제 상품과 연계한 제품 및 관광 상품 개발이 확대될 것이다.
ㄷ. 상품에 대한 신뢰도가 높아지면서 지역에 대한 긍정적 이미지가 형성될 것이다.
ㄹ. 생산과 판매에 개입된 업체들이 늘어나 상품의 유통 단계가 더욱 복잡해질 것이다.

① ㄱ, ㄴ
② ㄴ, ㄷ
③ ㄷ, ㄹ
④ ㄱ, ㄴ, ㄷ
⑤ ㄴ, ㄷ, ㄹ

서술형 문제

18 그래프는 주요 신·재생 에너지의 도별 발전량 비중을 나타낸 것이다. 이를 보고 물음에 답하시오. (단, (가)~(다)는 수력, 풍력, 태양광 중 하나임.)

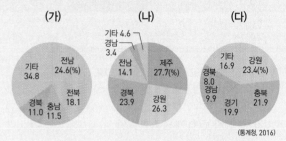

(가)
기타 34.8
전남 24.6(%)
전북 18.1
경북 11.0
충남 11.5

(나)
기타 4.6
경남 3.4
전남 14.1
제주 27.7(%)
강원 26.3
경북 23.9

(다)
기타 16.9
강원 23.4(%)
경북 8.0
경남 9.9
경기 19.9
충북 21.9

(통계청, 2016)

(1) (가)~(다)에 해당하는 에너지의 명칭을 쓰시오.

(2) (가)~(다) 에너지를 이용하는 발전소의 입지 조건을 <u>한</u> 가지씩만 서술하시오.

19 그림은 두 농업 지역의 모습을 그린 것이다. (가) 지역과 비교한 (나) 지역의 상대적 특징을 제시된 〈조건〉을 사용하여 서술하시오.

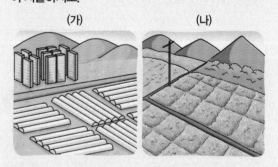

(가)   (나)

┤ 조건 ├
• 전업농가 비중
• 농가당 경지 면적
• 토지 이용의 집약도

01 다음은 한국지리 수행 평가의 일부이다. 학생이 작성한 ㉠∼㉢ 중에서 옳은 내용을 고른 것은?

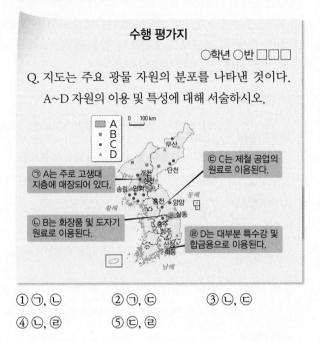

수행 평가지

○학년 ○반 □□□

Q. 지도는 주요 광물 자원의 분포를 나타낸 것이다. A~D 자원의 이용 및 특성에 대해 서술하시오.

㉠ A는 주로 고생대 지층에 매장되어 있다.

㉡ B는 화장품 및 도자기 원료로 이용된다.

㉢ C는 제철 공업의 원료로 이용된다.

㉣ D는 대부분 특수강 및 합금용으로 이용된다.

① ㉠, ㉡　　　② ㉠, ㉢　　　③ ㉡, ㉢

④ ㉡, ㉣　　　⑤ ㉢, ㉣

02 그래프는 지역별 1차 에너지의 생산 비중이다. (가)~(다)의 특성을 그림의 A~I에서 골라 바르게 연결한 것은? (단, (가)~(다)는 석탄, 수력, 천연가스 중 하나임.)

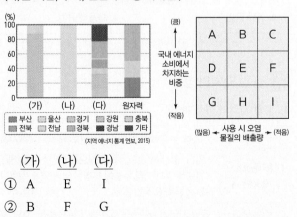

	(가)	(나)	(다)
①	A	E	I
②	B	F	G
③	C	H	D
④	D	C	H
⑤	E	I	A

03 그래프는 (가), (나) 두 지역의 농업 현황을 나타낸 것이다. (가) 지역과 비교한 (나) 지역의 상대적 특징을 그림의 A~E에서 고른 것은?

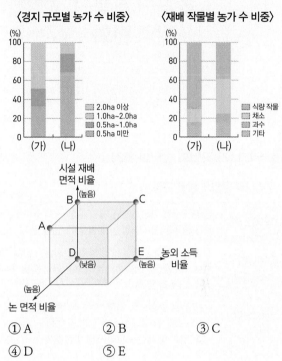

① A　　　② B　　　③ C

④ D　　　⑤ E

04 지도는 시·도별 작물 재배 현황을 나타낸 것이다. (가)~(다)에 대한 설명으로 옳은 것은? (단, (가)~(다)는 쌀, 맥류, 과수 중 하나임.)

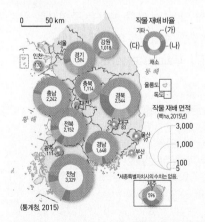

① (가)는 전국에서 수도권의 재배 면적이 가장 넓다.

② (나)는 재배 면적이 증가하는 추세이다.

③ (다)는 주로 논의 그루갈이 작물로 재배된다.

④ (가)는 (나)보다 자급률이 높다.

⑤ (다)는 (가)보다 재배 면적이 넓다.

03 공업의 발달과 지역 변화

1 우리나라 공업의 발달과 특징

1. 우리나라 공업의 발달 과정

1960년대	정부의 경제 개발 5개년 계획 추진 → 대도시를 중심으로 노동 집약적 경공업 발달 예 섬유, 신발, 봉제, 가발 등	└→ 노동력 풍부
1970년대~ 1980년대	정부의 중화학 공업 육성 정책 추진 → 남동 임해 지역을 중심으로 자본·기술 집약적 중화학 공업 발달 예 제철, 석유 화학, 조선 등 └→ 원료 수입과 제품 수출에 유리	
1990년대 이후	• 수도권을 중심으로 기술·지식 집약적 첨단 산업 발달 예 반도체, 컴퓨터, 신소재, 생명 공학 등 └→ 정보와 자본, 고급 인력 등 풍부 • 탈공업화 및 생산 공장의 해외 이전 활발	

★ 2 우리나라 공업의 특징

(1) 공업 구조의 고도화 노동 집약적 경공업 → 자본 집약적 중화학 공업 → 기술·지식 집약적 첨단 산업
(2) 공업의 지역적 편재 정부 주도의 수출 지향 정책으로 수도권과 영남권에 공업 집중 → 국토 성장의 불균형 초래
(3) 공업의 이중 구조 사업체 수 비중은 중소기업이 높지만, 종사자 수 비중과 출하액 비중은 대기업이 높음. → 대기업과 중소기업 간의 생산성 격차가 매우 큼. └→ 천연자원이 부족하여 원자재 가격 변동에 민감
(4) 원료의 높은 해외 의존도 임해 지역을 중심으로 원료를 수입·가공하여 제품을 수출하는 가공 무역 발달

핵심 기출 자료 분석   우리나라 공업의 특징

▲ 우리나라 공업 구조의 변화

▲ 기업 규모별 공업 구조

분석 I 우리나라는 1960년대 경공업, 1970~1980년대 중화학 공업, 1990년 이후 첨단 산업 발달로 공업 구조의 고도화가 나타난다. 한편 대기업이 출하액의 절반 이상을 차지하는 공업의 이중 구조도 나타난다.

2 공업의 입지 요인과 입지 유형

1. 공업의 입지 요인

(1) 공업의 입지 공업이 특정한 장소에 자리 잡는 것 → 이윤을 최대화하기 위해 최소 비용 지점 또는 최대 이윤 지점에 입지
(2) 공업 입지 요인의 변화
① 과거 생산비 중 운송비 비중이 커 운송비가 저렴한 곳에 입지
② 최근 교통의 발달로 운송비보다 정부 정책, 소비자 요구, 환경 등 다양한 요인을 고려하여 입지

★ 2 공업의 입지 유형

원료 지향형	• 제조 과정에서 원료의 무게나 부피가 감소하는 공업 예 시멘트 • 원료가 쉽게 부패 또는 변질되는 공업 예 통조림
시장 지향형	• 제조 과정에서 제품의 무게나 부피가 증가하는 공업 예 음료, 가구 • 제품이 변질·파손되기 쉬운 공업 예 유리, 식품 • 소비자와의 잦은 접촉이 필요한 공업 예 인쇄
적환지 지향형	무게나 부피가 큰 원료를 해외에서 수입하고 제품을 수출하는 공업 예 제철, 정유
노동 지향형	생산비 중 노동비 차지 비중이 큰 공업 예 섬유, 전자 조립
집적 지향형	• 한 가지 원료에서 다양한 제품을 생산하는 공업 예 석유 화학 • 제품 생산에 많은 부품이 필요한 조립형 공업 예 자동차, 조선
입지 자유형	운송비에 비해 부가 가치가 큰 공업 예 반도체, 정보 통신

핵심 기출 자료 분석   주요 공업의 입지

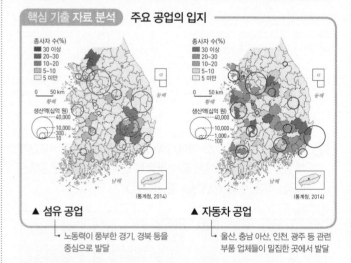

▲ 섬유 공업
└→ 노동력이 풍부한 경기, 경북 등을 중심으로 발달

▲ 자동차 공업
└→ 울산, 충남 아산, 인천, 광주 등 관련 부품 업체들이 밀집한 곳에서 발달

3 공업 지역의 형성

1. 공업 지역의 형성 과정

	└→ 서울, 부산, 대구 등
1960년대	저임금 노동력이 풍부한 대도시 중심으로 경공업 발달
1970년대~ 1980년대	• 인천·안산 등 수도권을 중심으로 다양한 공업 발달 • 원료 수입과 제품 수출에 유리한 남동 임해 지역을 중심으로 중화학 공업 발달 └→ 포항·울산·창원·광양·여수 등
1990년대 이후	공업 지역의 불균형을 해소하기 위해 충청·호남 공업 지역의 해안을 중심으로 새로운 공업 지역 조성
최근	연구 개발 및 관련 정보, 고급 기술 인력이 풍부한 수도권에 지식 기반 산업 집중

② 우리나라의 주요 공업 지역

수도권 공업 지역	• 풍부한 자본과 노동력, 넓은 소비 시장, 편리한 교통, 오랜 전통 등 공업 발달에 유리 • 우리나라 최대의 종합 공업 지역 → 최근 첨단 및 지식 기반 산업 빠르게 발달 ┌ 공업의 과도한 집중으로 발생하는 지가 상승, 교통 혼잡, 환경 오염 등의 문제 • 집적 불이익 현상 심화 → 공업 분산 추진
태백산 공업 지역	• 풍부한 지하자원을 바탕으로 시멘트 등 원료 지향형 공업 발달 • 교통이 불편하고 소비 시장과 거리가 멀어 공업의 집적도가 낮은 편
충청 공업 지역	• 수도권과 인접하고 육상 교통이 편리 → 수도권에서 분산되는 공업 수용 • 해안 지역(서산, 당진)은 중화학 공업, 내륙 지역(대전)은 첨단 산업 발달
호남 공업 지역	• 공업의 지역적 불균형 해소를 위해 조성 • 중국과의 교역 증가, 서해안 개발 및 국토 균형 발전 추진 → 제2의 임해 공업 지역으로 성장 가능
영남 내륙 공업 지역	• 과거 풍부한 노동력과 편리한 육상 교통을 바탕으로 노동 집약적 경공업 발달 ┌ 기술 개발, 부품 조달, 정보 교류 등의 상승효과를 위한 산업 집적지 • 최근 산업 클러스터를 통한 첨단화 추진
남동 임해 공업 지역	• 우리나라 최대의 중화학 공업 지역 • 원료 수입과 제품 수출에 유리한 항만을 중심으로 적환지 지향형 공업 발달

핵심 기출 자료 분석 | 우리나라의 주요 공업 지역

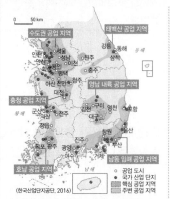

▲ 우리나라의 주요 공업 지역

분석 | 1960년대 공업 발달 초기에는 수도권 공업 지역과 영남 내륙 공업 지역을 중심으로 경공업이 발달하였다. 1970~1980년대에는 남동 임해 지역을 중심으로 중화학 공업이 발달하였으며, 1990년대 이후에는 지역적 불균형 해소를 위해 충청 공업 지역과 호남 공업 지역의 해안을 중심으로 새로운 공업 단지를 조성하였다.

4 공업 지역의 변화와 주민 생활

1. 공업 지역의 변화

(1) 집적 불이익과 공업 분산 ┌ 예 지방 산업 단지 조성, 산업 클러스터 지정 | 수도권 및 남동 임해 공업 지역에 집적 불이익 발생 → 공업 분산 정책 추진

(2) 교통·통신의 발달과 기업의 공간적 분업 | 운송비가 공업 입지에 미치는 영향 감소 → 기업의 공간적 분업, 다국적 기업으로 성장
  • 본사: 자본과 정보 수집에 유리한 대도시
  • 연구소: 연구 인력 확보에 유리한 대학 및 연구소 밀집 지역
  • 생산 공장: 임금이 저렴한 지방 및 개발 도상국

2. 주민 생활의 변화

(1) 공업 지역의 형성 | 일자리 창출, 인구 증가, 기반 시설 확충 → 지역 경제 활성화, 서비스업 성장

(2) 공업 지역의 쇠퇴 및 이전 | 실업률 증가, 인구 유출 → 지역 경제 위축

개념 암기

1 설명이 맞으면 ○표, 틀리면 ✕표 하시오.

(1) 우리나라의 공업은 지역별로 균형 있게 성장한 것이 특징이다. (   )

(2) 최근 정부 정책, 소비자 요구, 환경 등의 요인이 공업 입지에서 중요하게 고려되고 있다. (   )

2 빈칸에 들어갈 알맞은 말을 쓰시오.

(1) 우리나라는 천연자원이 부족하여 원료를 수입·가공하여 제품을 수출하는 (   )이/가 발달하였다.

(2) 우리나라는 소수의 대기업이 출하액 비중의 절반 이상을 차지하는 공업의 (   )이/가 나타나고 있다.

(3) 1990년대 이후 정부는 공업이 수도권 및 남동 임해 공업 지역에 과도하게 집중하여 발생하는 (   )을/를 해소하기 위해 공업 분산 정책을 추진하였다.

3 다음에서 설명하는 공업을 〈보기〉에서 골라 기호를 쓰시오.

┤ 보기 ├
ㄱ. 섬유 공업　　　　　ㄴ. 제철 공업
ㄷ. 시멘트 공업　　　　ㄹ. 반도체 공업

(1) 생산비에서 노동비 비중이 큰 공업 (   )

(2) 운송비에 비해 부가 가치가 큰 공업 (   )

(3) 제조 과정에서 원료의 무게나 부피가 감소하는 공업 (   )

(4) 무게나 부피가 큰 원료를 해외에서 수입하고 제품을 수출하는 공업 (   )

4 우리나라 주요 공업 지역의 특징을 바르게 연결하시오.

(1) 수도권 공업 지역 　•

(2) 태백산 공업 지역 　•

(3) 영남 내륙 공업 지역 　•

• ㉠ 우리나라 최대의 종합 공업 지역

• ㉡ 최근 산업 클러스터를 통한 첨단화 추진

• ㉢ 풍부한 지하자원을 바탕으로 원료 지향형 공업 발달

1 우리나라 공업의 발달과 특징

01 자료는 시기별 공업 발달 과정을 나타낸 것이다. 이에 대한 옳은 설명만을 〈보기〉에서 있는 대로 고른 것은?

1960년대	1970년대~1980년대	1990년대 이후
• 노동 집약적 경공업 발달 • 노동력이 풍부한 대도시에서 주로 발달	• 자본 집약적 중화학 공업 발달 • 남동 임해 공업 지역을 중심으로 발달	• 첨단 산업 발달 • 연구·기술 개발 인력이 풍부한 수도권을 중심으로 발달

┤ 보기 ├
ㄱ. 1960년대는 섬유, 의류, 신발 공업이 발달하였다.
ㄴ. 1970년대~1980년대 공업은 적환지 지향의 입지 특성을 보인다.
ㄷ. 1990년대 이후 공업은 전문 노동력이 확보된 지역에 입지한다.
ㄹ. 1960년대 공업은 1990년대 공업보다 제품의 부가 가치가 높다.

① ㄱ, ㄴ ② ㄴ, ㄷ ③ ㄷ, ㄹ
④ ㄱ, ㄴ, ㄷ ⑤ ㄴ, ㄷ, ㄹ

[02~03] 그래프는 업종별 공업 구조의 변화를 나타낸 것이다. 이를 보고 물음에 답하시오.

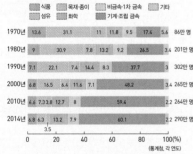

■ 식품 ■ 목재·종이 ■ 비금속·1차 금속 ■ 기타
■ 섬유 ■ 화학 ■ 기계·조립 금속

연도								종사자 수
1970년	13.6	31.1	11	11.8	9.5	17.4	5.6	86만 명
1980년	9	30.9	7.8	13.2	9.2	26.5	3.4	201만 명
1990년	7.1	22.1	7.4	14.4	8.3	37.7	3	302만 명
2000년	6.8	16.5	6.4	11.6	7.1	48.2	3.4	265만 명
2010년	6.6	7.3 3.8	12.7	8		59.4	2.2	264만 명
2014년	6.8	6.3 3.5	13.2	7.9		60.1	2.2	290만 명

(통계청, 각 연도)

02 그래프에 대한 설명으로 옳지 않은 것은?
① 공업의 부가 가치가 높아졌다.
② 섬유 공업의 비중이 감소하였다.
③ 중화학 공업의 비중이 증가하였다.
④ 기계·조립 금속 공업의 종사자 수가 증가하였다.
⑤ 최근까지 공업의 종사자 수가 지속적으로 증가하였다.

주관식

03 그래프와 같이 공업 구조가 노동 집약적 경공업 중심에서 자본·기술 집약적 공업으로 전환되는 것을 무엇이라 하는지 쓰시오.

2 공업의 입지 요인과 입지 유형

표는 공업의 입지 유형을 정리한 것이다. 밑줄 친 ㉠~㉤ 중에서 옳지 않은 것은?

입지 유형	특징	대표 공업
원료 지향형	제조 과정에서 원료의 무게나 부피가 감소하는 공업, ㉠ 제품의 운반 과정에서 파손되기 쉬운 공업	시멘트, 통조림
시장 지향형	제조 과정에서 제품의 무게나 부피가 증가하는 공업, ㉡ 소비자와 잦은 접촉을 필요로 하는 공업	가구, 인쇄
㉢ 적환지 지향형	대량의 원료를 해외에서 수입하고, 제품을 대부분 수출하는 공업	제철, 정유
노동 지향형	㉣ 생산비에서 노동비의 비중이 큰 공업, 값싸고 풍부한 노동력이 필요한 공업	섬유, 신발, 전자 조립
집적 지향형	공정이 계열화된 공업이나 조립형 공업	㉤ 석유 화학, 자동차

① ㉠ ② ㉡ ③ ㉢
④ ㉣ ⑤ ㉤

05 지도는 어느 공업의 지역별 종사자 비율과 생산량을 나타낸 것이다. 이 공업에 대한 옳은 설명을 〈보기〉에서 고른 것은?

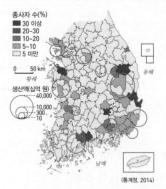

(통계청, 2014)

┤ 보기 ├
ㄱ. 원료의 해외 의존도가 높다.
ㄴ. 소비자와의 잦은 접촉이 필요하다.
ㄷ. 총 생산비에서 노동비가 차지하는 비중이 높다.
ㄹ. 1970~1980년대에 추진된 정부 정책에 따라 성장하였다.

① ㄱ, ㄴ ② ㄱ, ㄹ ③ ㄴ, ㄷ
④ ㄴ, ㄹ ⑤ ㄷ, ㄹ

06 지도는 주요 공업의 지역별 제조업 종사자 비율과 생산량을 나타낸 것이다. (가), (나)에 해당하는 공업을 바르게 연결한 것은?

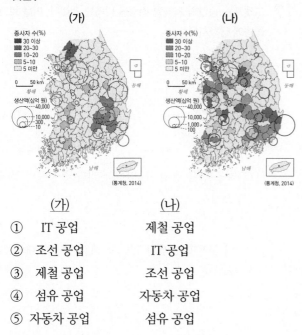

(통계청, 2014)

	(가)	(나)
①	IT 공업	제철 공업
②	조선 공업	IT 공업
③	제철 공업	조선 공업
④	섬유 공업	자동차 공업
⑤	자동차 공업	섬유 공업

07 (가), (나) 그래프와 관련된 공업 유형의 사례를 바르게 연결한 것은?

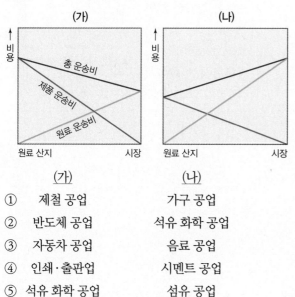

	(가)	(나)
①	제철 공업	가구 공업
②	반도체 공업	석유 화학 공업
③	자동차 공업	음료 공업
④	인쇄·출판업	시멘트 공업
⑤	석유 화학 공업	섬유 공업

3 공업 지역의 형성

08 지도는 우리나라의 공업 지역을 나타낸 것이다. A~E 공업 지역에 대한 설명으로 옳은 것은?

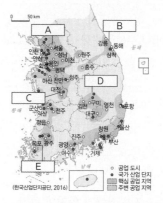

(한국산업단지공단, 2016)

① A - 풍부한 지하자원을 바탕으로 원료 지향형 공업이 발달하였다.

② B - 중국과의 접근성이 뛰어나 대중국 교역의 거점 지역으로 성장하고 있다.

③ C - 우리나라 최대의 중화학 공업 지역이다.

④ D - 최근 산업 클러스터를 통한 첨단화가 추진되고 있다.

⑤ E - 수도권에서 분산되는 공업이 입지하면서 빠르게 성장하고 있다.

09 (가), (나)에 해당하는 공업 지역을 바르게 연결한 것은?

(가) 지역 내에서 생산되는 석회석 등 지하자원을 바탕으로 원료 지향형 공업이 발달하였다. 교통이 불편하고 소비 시장과의 거리가 멀어 공업의 집적도가 낮다.

(나) 풍부한 노동력을 바탕으로 섬유 공업과 전자 조립 공업이 발달한 지역이다. 1980년대 후반 국내 임금 상승으로 가격 경쟁력이 약화되어 지역 경제가 침체되기도 하였으나, 최근 업종의 첨단화를 통해 재도약의 기회를 마련하고 있다.

	(가)	(나)
①	충청 공업 지역	호남 공업 지역
②	태백산 공업 지역	영남 내륙 공업 지역
③	수도권 공업 지역	남동 임해 공업 지역
④	영남 내륙 공업 지역	수도권 공업 지역
⑤	남동 임해 공업 지역	태백산 공업 지역

4 공업 지역의 변화와 주민 생활

10 다음 글은 우리나라 공업 발달에 대한 것이다. 밑줄 친 ㉠~㉤에 대한 설명으로 옳지 <u>않은</u> 것은?

> 공업 지역의 변화는 정부의 공업 정책, ㉠ 교통 및 통신의 발달, 기술의 발달 등에 힘입어 ㉡ 생산 요소의 중요성이 바뀔 때에도 변화할 수 있다. 또한 최근에는 기업 조직이 성장하면서 ㉢ 공간적 분업 현상이 나타나고 공업 지역이 변화하고 있다. 특히, 수도권 공업 지역은 공업의 입지 여건이 유리하여 공업이 집중되었지만, 현재는 과도한 집중에 따른 ㉣ 집적 불이익이 나타나 ㉤ 정부 주도의 공업 분산 정책이 시행되고 있다.

① ㉠ - 운송비의 중요도가 낮아져 입지의 공간 제약이 약화되었다.

② ㉡ - 원료, 시장, 자본 등이 포함된다.

③ ㉢ - 업무·관리 기능과 생산 기능의 공간적 입지가 분리되는 현상이다.

④ ㉣ - 지가 상승, 교통 체증, 환경 오염 등이 발생한다.

⑤ ㉤ - 최근 남동 임해 지역으로 공업 분산을 유도하고 있다.

11 다음은 학생이 제출한 수행 평가의 핵심 자료이다. 수행 평가의 주제로 가장 적절한 것은?

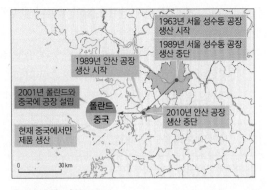

① 공업의 이중 구조

② 공업 구조의 고도화

③ 공업의 지역적 편재성

④ 공업 지역의 변화와 주민 생활

⑤ 기업 성장에 따른 공업 입지의 변화

(서술형 문제)

12 그래프는 공업의 지역별 비중을 나타낸 것이다. 이를 보고 물음에 답하시오.

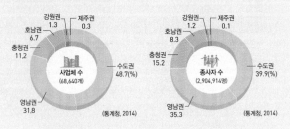

(1) 그래프를 통해 알 수 있는 우리나라 공업의 문제를 쓰시오.

(2) (1)의 문제가 발생한 원인과 해결 방안에 대해 서술하시오.

13 다음 글을 통해 추론할 수 있는 오늘날 당진시의 변화 모습을 긍정적·부정적 측면에서 한 가지씩 서술하시오.

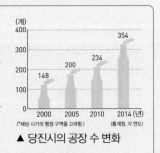

> 1997년 충청남도 당진군은 지역의 철강 업체가 부도를 맞으면서 심각한 위기를 맞았다. 그러나 2004년 제철소가 입지하면서 변화하기 시작하여, 2012년에는 당진시로 승격되었다.

▲ 당진시의 공장 수 변화

01 다음 글은 공업의 발달 과정에 대한 것이다. 밑줄 친 ㉠~㉤에 대한 설명으로 옳은 것은?

> 우리나라는 ㉠ 1960년대 초반부터 공업이 본격적으로 발달하였다. 풍부한 저임금 노동력을 바탕으로 ㉡ 섬유, 의복, 신발 등의 경공업을 육성하여 공업 국가로 성장할 수 있는 발판을 만들었다. 1970년대부터는 중화학 공업 육성에 박차를 가해 ㉢ 중화학 공업이 크게 성장하였고, 1980년대에는 그동안 축적된 자본과 기술력을 바탕으로 ㉣ 자동차, 조선 공업 등이 경쟁력을 확보하면서 성장하였다. 이후 1990년대에는 ㉤ 기술 및 지식 집약적 첨단 산업이 급속히 성장하였고, 2000년대에 들어서는 정보 기술 관련 산업이 급속히 성장하여 세계적인 정보 산업 국가 대열에 들어서게 되었다.

① ㉠ – 낙후된 지역에 우선적으로 투자하는 균형 개발 정책으로 공업 지역이 형성되었다.

② ㉡ – 초기에 대규모 설비 시설에 대한 투자 비용이 드는 장치 산업이다.

③ ㉢ – 원료의 수입과 제품의 수출에 유리한 충청 공업 지역에서 주로 성장하였다.

④ ㉣ – 계열화된 조립 공업으로서 관련 산업의 집적이 중요하다.

⑤ ㉤ – 생산비 중 운송비의 비중이 ㉣보다 높다.

02 지도의 (나) 공업과 비교한 (가) 공업의 상대적 특성을 그림의 A~E에서 고른 것은? (단, (가), (나)는 1차 금속 공업과 섬유 공업 중 하나임.)

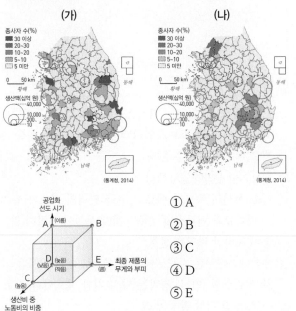

① A
② B
③ C
④ D
⑤ E

03 (가), (나)에 해당하는 공업 지역을 지도의 A~E에서 고른 것은?

> (가) 편리한 교통을 바탕으로 인근 공업 지역에서 분산되는 공업이 많이 들어서고 있다. 내륙 지역에는 첨단 산업이, 해안 지역에는 중화학 공업이 발달해 있다.
>
> (나) 제조업 종사자 수와 생산액이 국내 전체 공업의 절반에 이르는 우리나라 최대의 종합 공업 지역이다.

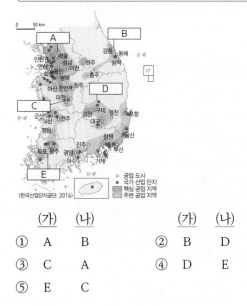

	(가)	(나)		(가)	(나)
①	A	B	②	B	D
③	C	A	④	D	E
⑤	E	C			

04 다음 글은 어느 지역의 변화 모습을 나타낸 것이다. 이에 대한 옳은 설명을 〈보기〉에서 고른 것은?

> ○○ 공업 단지는 1960년대부터 섬유, 봉제, 의류 산업을 시작으로 1970년대~1980년대까지 우리나라 총 수출액의 10% 이상을 차지할 정도로 활기를 띠었다. 그러나 ㉠ 1980년대 후반부터 산업 구조가 변화함에 따라 기존 산업의 경쟁력이 약화되었다. 이와 함께 ___㉡___. 2000년대 중반부터 이 지역으로 ㉢ 정보 통신 산업 및 벤처 기업들이 모여 들어 △△ 디지털 산업 단지로 명칭이 변경되었다.

┌ 보기 ┐

ㄱ. 국내 임금 및 지가 상승이 ㉠의 주요 원인이다.

ㄴ. ㉡에는 '지역 내 인구가 증가하고 관련 산업이 집적하였다.'가 들어갈 수 있다.

ㄷ. ㉢은 지리적으로 가까이 입지함으로써 이익을 얻을 수 있다.

ㄹ. 노동 집약적 경공업의 비중이 점차 높아지고 있다.

① ㄱ, ㄴ
② ㄱ, ㄷ
③ ㄴ, ㄷ
④ ㄴ, ㄹ
⑤ ㄷ, ㄹ

04 서비스업의 변화와 교통·통신의 발달

주요 소매 업태별 매출 비교

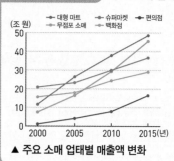

▲ 주요 소매 업태별 매출액 변화

분석 | 2015년 기준 매출액은 대형마트가 가장 많으며, 무점포 소매, 슈퍼마켓, 백화점, 편의점 순으로 높게 나타난다. 특히 무점포 소매의 성장이 두드러진다.

1 상업 및 소비 공간의 변화

1. 상업의 의미와 입지
좁은 의미로는 상품 매매, 넓은 의미로는 운송업, 보관업, 보험업, 무역업 등도 포함

(1) 상업의 의미 생산과 소비를 연결하는 여러 가지 유통 활동

(2) 상업의 입지 *상업의 입지 요인: 접근성, 지가, 소비자의 수요, 유동 인구, 집적 이익, 교통·통신의 발달, 도시 구조의 변화 등*

① 상점의 유지 조건 최소 요구치 ≤ 재화의 도달 범위

최소 요구치	중심지(상점)의 기능을 유지하기 위한 최소한의 수요
재화의 도달 범위	중심지(상점)의 기능이 영향을 미치는 최대한의 공간 범위 → 교통이 발달할수록 넓어짐.

└ 소비자가 상품 구입을 위해 기꺼이 교통비를 지불하고 오는 거리

② 상품 종류에 따른 입지 특성

생활용품	주거지와 가까운 주변 소규모 상점 이용 → 상대적으로 상점의 수가 많고, 상점 간 거리가 가까우며, 소비자 분포에 따라 분산하여 입지 예 식품
전문 용품	거리가 멀더라도 백화점이나 전문 상가에서 구매 → 상대적으로 상점의 수가 적고, 상점 간 거리가 멀거나 특정 지역에 집중하여 입지 예 귀금속, 자동차

2. 상업 및 소비 공간의 변화

(1) 정기 시장의 쇠퇴 인구 증가, 교통 발달 → 상설 시장 발달

(2) 유통 단계의 감소 정보 통신망 확충에 따라 전자 상거래 활성화 → 도매업의 기능 약화, 택배업 및 물류업 발달

(3) 상권의 확대 교통 발달에 따라 상품 구매 가능 거리 증가 → 대형 복합 상업 시설의 성장, 교외 지역에 전문 쇼핑몰 등장

(4) 다양한 쇼핑 공간의 등장

전통 시장	시설 노후화, 편의 시설 부족, 대형 마트 증가 등으로 경쟁력 약화 → 판매 환경 개선, 다양한 마케팅 전략 도입 등으로 활성화 도모
편의점	도시 곳곳 분포, 일상생활에 필요한 기본 상품을 24시간 판매
백화점	주로 고급 상품 판매, 접근성이 높은 도심이나 부도심에 입지
대형 마트	생활용품을 저렴한 가격으로 대량 판매
대형 복합 쇼핑몰	쇼핑 시설, 여가 활동 시설, 식당 등이 결합된 시설, 교외 지역으로 확산
무점포 상점	TV 홈쇼핑, 인터넷 쇼핑, 소셜 커머스 등을 통한 거래, 시공간 제약이 적어 자유로운 입지 → 택배 산업의 발달 촉진

2 서비스 산업의 고도화와 공간 변화

1. 우리나라 산업 구조의 변화

전 공업화 사회	공업화 사회	탈공업화 사회
·1960년대 이전 ·1차 산업(농업) 비중이 높음. ·주요 생산 요소: 토지, 노동력	·1960년대~1980년대 ·2차 산업의 비중이 빠르게 증가 ·주요 생산 요소: 자본	·1990년대 이후 ·2차 산업 비중 감소, 3차 산업 비중 증가 ·주요 생산 요소: 지식, 정보

지식 기반 서비스업이 성장 주도 → 전문직, 연구직 등의 종사자 비중 증가

2. 서비스 산업의 고도화와 공간 변화
★ 서비스 산업의 유형

소비자 서비스업	개인 소비자가 이용하는 서비스업 → 소비자의 이동 거리를 최소화하고 업체 간 경쟁을 줄이기 위해 분산하여 입지 예 도·소매업, 음식업, 숙박업 등
생산자 서비스업	기업의 생산 활동을 지원하는 서비스업 → 고객과의 접근성이 높고 관련 정보 획득에 유리한 대도시의 도심, 부도심에 집적하여 입지 예 금융업, 보험업, 광고업, 법률 서비스업 등

서비스 산업의 분포

인구 분포에 따라 분산 입지함.
사업체 수(개, 2014년)
15,000
6,000
3,000
1,000

기업과의 접근성이 우수하고 정보 획득에 유리한 핵심 지역에 집중 입지함.
사업체 수(개, 2014년)
1,500
800
400
100

0   5km   (서울특별시, 2016)
0   5km   (서울특별시, 2016)

▲ 소비자 서비스업의 분포   ▲ 생산자 서비스업의 분포

(2) 서비스 산업의 고도화 서비스업이 세분화·전문화되면서 부가 가치가 높은 서비스업의 비중이 증가하는 현상 → 생산자 서비스업의 비중 증가

(3) 지식 기반 산업의 입지 특성

① 기술 혁신의 속도가 빠르고 고급 인력의 확보가 용이한 곳 → 대학교와 연구소 등 연구·개발 시설이 인접해 있으며 교통이 편리한 지역을 선호

② 우리나라에서는 수도권에 집중적으로 분포(서울은 지식 기반 서비스업, 인천·경기는 지식 기반 제조업이 주로 발달) → 지역 간 격차 발생 우려

③ 교통·통신의 발달과 공간 변화

1. 우리나라의 교통 발달

20세기 초반	철도망 건설 → 근대적 교통 체계 수립
1960년대	경제 성장과 함께 산업 철도, 도로 건설
1970년대	경부 고속 국도 개통(1970년), 지하철 개통(1974년)
2000년 이후	• 경부 및 호남 고속 철도 개통 → 지역 간 교류 활성화, 도시 간 접근성 향상 • 인천 국제공항 개항 → 동북아시아의 허브 공항 역할, 국제 무역 증가

1960년대 → 대도시 교통 혼잡 해결
2000년 이후 경부 및 호남 → 전국 단위의 반나절 생활권 형성

★ 2 교통수단별 특징

→ 사람이나 물자를 목적지까지 바로 연결해 주는 정도

도로	• 지형적 제약이 적음, 기동성·문전 연결성이 높음. • 기종점 비용은 가장 낮지만, 주행 비용 증가율이 높음. → 단거리 수송에 적합
철도	• 지형적 제약이 많음, 정시성·안전성이 높음. • 기종점 비용·주행 비용이 도로와 해운의 중간임. → 중거리 수송에 적합
해운	• 기상 조건의 제약이 많음, 무역량 증가로 화물 수송의 비중 증가 • 기종점 비용이 높고, 주행 비용 증가율이 낮음. → 대량 화물의 장거리 수송에 적합
항공	• 기상 조건의 제약이 많음, 신속성이 높음. • 기종점 비용·주행 비용이 모두 높음. → 장거리 여객 수송과 고부가 가치 제품 수송에 적합

핵심 기출 자료 분석 **교통수단별 운송비 비교**

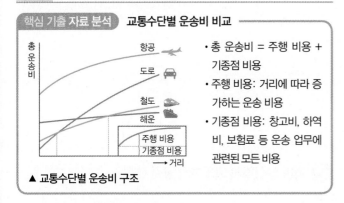

• 총 운송비 = 주행 비용 + 기종점 비용
• 주행 비용: 거리에 따라 증가하는 운송 비용
• 기종점 비용: 창고비, 하역비, 보험료 등 운송 업무에 관련된 모든 비용

▲ 교통수단별 운송비 구조

3. 교통·통신의 발달과 공간 변화
(1) 시·공간적 제약의 완화 지역 간 인적·물적 교류 증가, 생활권 확대, 대도시권 형성
(2) 공간의 재조직 교통이 편리한 지역에 인구와 산업의 '집중 → 과밀화 → 분산 → 재집중' 현상 반복
(3) 공간적 불균형 교통이 편리한 지역은 성장, 교통이 불편한 지역은 쇠퇴하거나 정체 → 지역 격차 심화
(4) 기업 활동의 변화 공장 입지에서 운송비의 영향 감소, 통신망을 이용한 정보 공유 가능 → 관리 및 생산 기능의 공간적 분업 현상 심화
(5) 생산·유통 공간의 확대 전자 상거래 확대 → 물류업, 택배업 성장
(6) 정보화 전문직·연구직 종사자 비중 증가, 정보 유출 및 사생활 침해 등의 문제 발생

개념 암기

1 빈칸에 들어갈 알맞은 말을 쓰시오.
(1) (   )은/는 중심지나 상점의 기능을 유지하기 위한 최소한의 수요를 말한다.
(2) 정보 통신망 확충으로 (   )이/가 활성화되면서 도매업의 기능은 약화되고, 택배 산업이 성장하고 있다.
(3) (   )은/는 고객과의 접근성이 높고 관련 정보 획득에 유리한 대도시의 도심, 부도심에 집적하여 입지한다.
(4) 교통·통신의 발달로 시·공간적 제약이 완화됨에 따라 지역 간 교류가 증가하고, 통근권 및 통학권 등 (   )이/가 확대되고 있다.

2 설명이 맞으면 ○표, 틀리면 ✕표 하시오.
(1) 편의점은 백화점에 비해 재화의 도달 범위가 넓다.
(   )
(2) 서비스 산업은 수요자의 유형에 따라 소비자 서비스업과 생산자 서비스업으로 구분된다. (   )
(3) 우리나라는 1970년대 지하철이 개통되면서 지역 간 접근성이 향상되어 전국이 반나절 생활권에 속하게 되었다.
(   )

3 다음에서 설명하는 용어를 쓰시오.

2차 산업의 비중이 줄어들고, 지식과 정보를 주요 생산 요소로 하는 3차 산업 중심으로 산업 구조가 바뀌어 가는 현상

(   )

4 다음에서 설명하는 교통수단을 〈보기〉에서 골라 기호를 쓰시오.

┤보기├
ㄱ. 도로   ㄴ. 철도   ㄷ. 해운   ㄹ. 항공

(1) 기동성·문전 연결성이 가장 높다. (   )
(2) 지형적 제약이 많으나, 정시성·안전성이 높다.
(   )
(3) 장거리 여객 수송 및 고부가 가치 제품 수송에 적합하다.
(   )
(4) 최근 무역량의 증가로 화물 수송 비중이 여객 수송 비중보다 높아지고 있다. (   )

1 상업 및 소비 공간의 변화

[01~02] 자료는 중심지의 성립 조건을 나타낸 것이다. 이를 보고 물음에 답하시오.

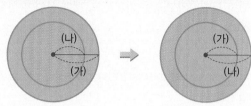

〈상점 유지 불가능〉 〈상점 유지 가능〉

 (가), (나)에 대한 설명으로 옳지 않은 것은?

① (가)는 중심지와 그 기능이 유지되기 위한 최소한의 수요이다.

② (가)는 인구 밀도가 높아질수록 범위가 넓어진다.

③ (나)는 중심지 기능이 미치는 최대한의 공간 범위이다.

④ (나)는 교통이 발달할수록 범위가 넓어진다.

⑤ (가)와 (나)의 범위가 같을 때도 중심지는 유지될 수 있다.

주관식
02 (가), (나)에 해당하는 용어를 각각 쓰시오.

03 다음 글의 ㉠에 들어갈 내용으로 적절한 것만을 〈보기〉에서 있는 대로 고른 것은?

> 시장은 일정 기간에만 장이 열리는 정기 시장의 형태를 띠다가 ___㉠___ 등으로 점차 정기 시장의 수는 감소하였고, 상설 시장의 수가 증가하였다. 또한 상품의 종류에 따라 상업이 전문화·분업화되는 경향이 나타나고 있다.

보기
ㄱ. 인구 증가   ㄴ. 교통 발달
ㄷ. 인구의 고령화   ㄹ. 소득 수준의 향상

① ㄱ, ㄴ   ② ㄷ, ㄹ   ③ ㄱ, ㄴ, ㄷ
④ ㄱ, ㄴ, ㄹ   ⑤ ㄴ, ㄷ, ㄹ

04 표는 주요 소매 업태별 매출액 변화를 나타낸 것이다. (가)~(다)에 해당하는 소매 업태를 바르게 연결한 것은?

(단위: 조 원)

유형 \ 연도	2010	2011	2012	2013	2014	2015
백화점	24.8	27.6	29.1	29.8	29.1	28.9
(가)	38.1	42.2	44.8	45.9	47.5	48.6
슈퍼마켓	29.9	32.5	34.0	35.1	35.9	36.8
(나)	7.8	9.2	10.9	11.7	12.8	16.5
(다)	29.7	32.6	35.9	38.4	41.5	45.5

	(가)	(나)	(다)
①	편의점	대형 마트	무점포 상점
②	편의점	무점포 상점	대형 마트
③	대형 마트	편의점	무점포 상점
④	대형 마트	무점포 상점	편의점
⑤	무점포 상점	대형 마트	편의점

2 서비스 산업의 고도화와 공간 변화

 그래프는 우리나라의 산업별 종사자 변화를 나타낸 것이다. (가) 시기와 비교한 (나) 시기의 상대적 특징으로 옳은 것은?

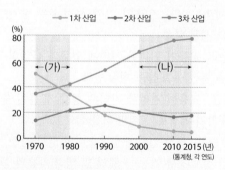

① 제조업의 공간적 분업이 감소한다.
② 경제 활동의 공간적 제약이 커진다.
③ 탈공업화의 경향이 나타나고 있다.
④ 토지가 가장 중요한 생산 요소이다.
⑤ 농·임·어업의 고용 비중이 증가한다.

06 지도는 수요자 유형에 따라 분류한 서비스업의 지역별 분포를 나타낸 것이다. (가), (나)에 대한 옳은 설명만을 〈보기〉에서 있는 대로 고른 것은?

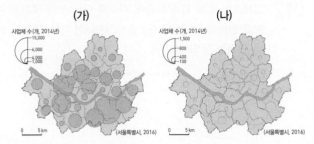

(가)　　　　　　(나)

보기
ㄱ. 음식업, 도·소매업은 (가)에 속한다.
ㄴ. (가)는 (나)에 비해 업체당 종사자 수가 많다.
ㄷ. (나)는 (가)에 비해 지역 간 분포의 편차가 크다.
ㄹ. (나)는 (가)에 비해 관련 산업의 집적 이익이 크다.

① ㄱ, ㄴ　　　② ㄷ, ㄹ　　　③ ㄱ, ㄴ, ㄷ
④ ㄱ, ㄷ, ㄹ　　　⑤ ㄴ, ㄷ, ㄹ

08 그래프는 업종별 서비스 산업의 종사자 수 증감률을 나타낸 것이다. 이에 대한 설명으로 옳지 <u>않은</u> 것은?

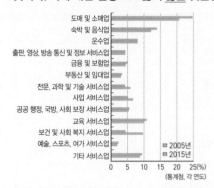

① 사회 복지에 대한 수요가 크게 증가하였다.
② 서비스 산업이 고도화되고 있음을 알 수 있다.
③ 부가 가치가 높은 서비스업의 비중이 높아졌다.
④ 지식 기반 서비스에 대한 관심이 크게 증가하였다.
⑤ 생산자 서비스업 종사자 수에 비해 소비자 서비스업 종사자 수의 증가가 두드러진다.

07 지도는 수요자 유형에 따라 분류한 시·도별 서비스업 종사자 수를 나타낸 것이다. 이에 대한 설명으로 옳은 것은?

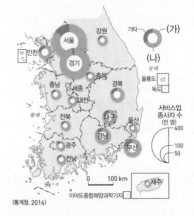

① (가)는 소비자 서비스업, (나)는 생산자 서비스업이다.
② (가)는 금융업, 보험업 등이 해당된다.
③ (나)는 업체 간 경쟁을 줄이기 위해 분산하여 입지한다.
④ (나)는 (가)에 비해 노동 집약적인 성격이 강하다.
⑤ 광역시는 소비자 서비스업 종사자보다 생산자 서비스업 종사자가 많다.

3 교통·통신의 발달과 공간 변화

09 그래프는 교통수단의 운송비 구조를 나타낸 것이다. 이에 대한 설명으로 옳지 <u>않은</u> 것은?

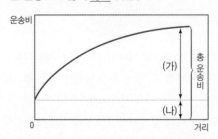

① 총 운송비는 (가)와 (나)의 합이다.
② (가)는 주행 비용, (나)는 기종점 비용이다.
③ (가)는 주행 거리에 따라 증가한다.
④ (나)는 도로가 가장 높고, 항공이 가장 낮다.
⑤ (나)는 하역비, 보험료, 창고비 등으로 구성된다.

10 표의 A~D 교통수단에 대한 옳은 설명을 <보기>에서 고른 것은? (단, 지하철은 제외됨.)

☆은 해당 교통수단이 상대적으로 유리함, ○는 보통, △는 불리함을 나타냄.

구분		A	B	C	D
이용자 측면	정시성	△	☆	○	○
	접근성	☆	○	△	△
	신속성	○	☆	☆	△
사회·경제적 측면	에너지 소비	△	☆	△	○
	대량 수송	△	☆	○	☆
	안전성	△	☆	○	○

▲ 교통수단별 특성 비교

┤ 보기 ├
ㄱ. A는 현재 국내 여객 수송 비중이 가장 높다.
ㄴ. B는 C보다 기종점 비용이 크다.
ㄷ. C는 신속성이 높으며 장거리 여객 수송과 고부가 가치 화물 수송에 유리하다.
ㄹ. D는 A보다 단거리 수송에 유리하다.

① ㄱ, ㄴ   ② ㄱ, ㄷ   ③ ㄴ, ㄷ
④ ㄴ, ㄹ   ⑤ ㄷ, ㄹ

11 다음은 한국지리 수업의 한 장면이다. 교사의 질문에 대해 옳은 대답을 한 학생을 고르면?

교사: 다음 그래프와 같은 현상이 가져올 변화에 대해 발표해 볼까요?

〈통신 서비스 가입자 수 변화〉

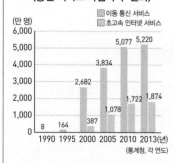

갑: 상거래의 시공간적 제약이 점차 커질 것입니다.
을: 상품을 판매할 수 있는 공간 범위가 점차 축소될 것입니다.
병: 전자 상거래가 활발해지면서 물류 산업이 발달할 것입니다.
정: 지능형 홈 네트워크, U-City 등 유비쿼터스 공간이 크게 발달할 것입니다.

① 갑, 을   ② 갑, 병   ③ 을, 병
④ 을, 정   ⑤ 병, 정

서술형 문제

12 그래프는 소매 업태별 판매 지수를 나타낸 것이다. 이를 보고 물음에 답하시오. (단, A~C는 대형 마트, 무점포 상점, 편의점 중 하나임.)

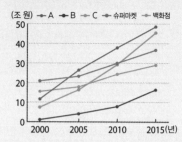

(1) A~C에 해당하는 소매 업태의 명칭을 쓰시오.

(2) A~C 소매 업태의 특징을 한 가지씩 서술하시오.

13 그래프는 국내 여객 수송 비중을 나타낸 것이다. 이를 보고 물음에 답하시오.

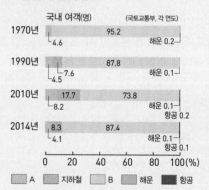

(1) A, B 교통수단의 명칭을 쓰시오.

(2) A, B 교통수단의 특징을 각각 두 가지씩 서술하시오.

01 다음 글을 통해 알 수 있는 상점의 최소 요구치와 재화의 도달 범위의 변화로 옳은 것은?

> 상점 근처에 대단위 아파트 단지가 들어서면서 주민 수가 늘었다. 또한 주변 도로가 확충되고 지하철역이 들어서면서 교통이 편리해졌다.

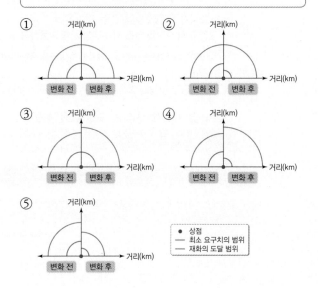

02 지도는 소매 업태의 분포를 나타낸 것이다. (나)와 비교한 (가)의 상대적 특성을 그림의 A~E에서 고른 것은? (단, (가), (나)는 백화점, 편의점 중 하나임.)

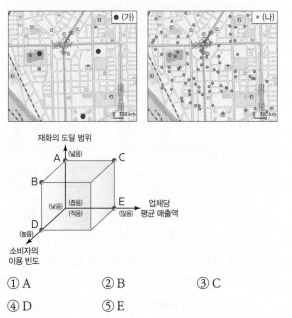

① A   ② B   ③ C
④ D   ⑤ E

03 그래프의 (가)~(다) 소매 업태에 대한 설명으로 옳은 것은? (단, (가)~(다)는 무점포 상점, 백화점, 편의점 중 하나임.)

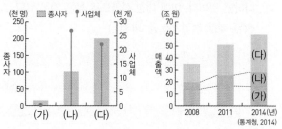

① (가)는 (나)보다 사업체 간 평균 거리가 멀다.
② (가)는 (다)보다 입지 제약이 적다.
③ (나)는 (가)보다 고가 제품의 판매 비중이 높다.
④ (다)는 (가)보다 소비자와의 대면 접촉 빈도가 높다.
⑤ 재화의 도달 범위는 (나)>(가)>(다) 순으로 넓다.

04 그래프는 주요 교통수단의 국내 수송 분담률을 나타낸 것이다. (가)~(다) 교통수단의 특징을 그림의 A~D에서 고른 것은?

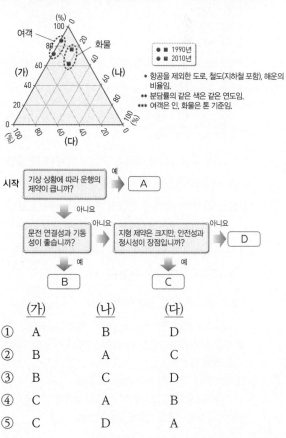

	(가)	(나)	(다)
①	A	B	D
②	B	A	C
③	B	C	D
④	C	A	B
⑤	C	D	A

| 교육청 기출 |

01 그래프는 A~C를 이용하는 발전 설비 용량의 권역별 비중을 나타낸 것이다. 이에 대한 설명으로 옳은 것은? (단, A~C는 석유, 석탄, 천연가스 중 하나임.)

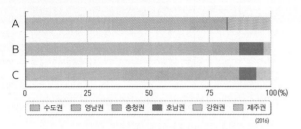

(2016)

① A는 우리나라 총발전량에서 차지하는 비중이 가장 높다.
② B는 주로 수송용 연료 및 화학 공업의 원료로 이용된다.
③ C는 A보다 국내 생산량이 많다.
④ B는 A보다 상용화된 시기가 이르다.
⑤ C는 B보다 연소 시 대기 오염 물질의 배출량이 적다.

| 교육청 기출 |

02 그래프는 지도에 표시된 네 지역의 1차 에너지원별 공급량을 나타낸 것이다. 이에 대한 설명으로 옳은 것은? (단, A~D는 석유, 석탄, 원자력, 천연가스 중 하나임.)

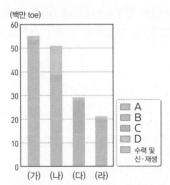

(에너지 통계 연보, 2017)

① (가)는 경남, (나)는 충남, (다)는 전남에 해당한다.
② A는 주로 수송용 연료 및 화학 공업 원료로 이용된다.
③ B는 고생대 평안계 지층에 주로 매장되어 있다.
④ A는 C보다 연소 시 대기 오염 물질 배출량이 많다.
⑤ 우리나라 1차 에너지 소비 구조에서 차지하는 비중은 A>B>C>D 순으로 높다.

02-1 모의고사 기출 **틀린 선지 더 찾기**

① A는 주로 제철 공업 및 화력 발전의 원료로 이용된다.
② B는 우리나라에 매장되어 있으나 경제성이 낮아 대부분을 수입하고 있다.
③ C는 우리나라에서 소량 생산되고 있다.
④ D를 이용한 발전소는 냉각수 공급에 유리한 지역에 입지한다.
⑤ A보다 D를 이용한 발전량 비중이 높다.

| 교육청 기출 |

03 (가)~(다) 발전 양식에 해당하는 그래프를 A~C에서 고른 것은?

발전 양식	특징
(가)	• 일사량이 풍부한 곳에 입지하는 것이 유리 • 태양의 빛 에너지를 전환하여 발전
(나)	• 조차가 큰 지역에 입지하는 것이 유리 • 간조 시 수위와 만조 시 수위의 차를 이용하여 발전
(다)	• 바람이 강한 해안이나 산지 지역에 입지하는 것이 유리 • 바람으로 날개를 회전시켜 생긴 회전력으로 발전

〈주요 신·재생 에너지의 시·도별 발전량 비중〉

A	전남 25.6(%)	전북 18.2	경북 10.7	충남 9.5	경남 8.4	기타 27.6
B	강원 29.6(%)	제주 25.9	경북 24.6	전남 11.9	인천 3.9 기타 4.1
C	경기 100(%)				

(신·재생 에너지 센터, 2015)

	(가)	(나)	(다)
①	A	B	C
②	A	C	B
③	B	A	C
④	B	C	A
⑤	C	A	B

| 교육청 기출 |

04 그래프에 대한 설명으로 옳은 것은? (단, (가)~(라)와 A~D는 각각 수력, 조력, 풍력, 태양광 중 하나임.)

《(가)~(라)의 생산량 변화》 〈A~D의 권역별 생산량 비율〉

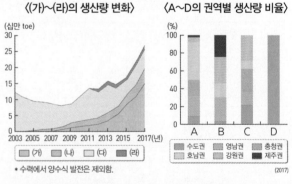

* 수력에서 양수식 발전은 제외함.

(2017)

① (가)는 (나)보다 발전 시 소음으로 인한 피해가 크다.
② (다)는 (라)보다 상용화된 시기가 늦다.
③ B와 D는 모두 물의 낙차를 이용해 발전한다.
④ 2017년 전국 생산량은 A>C>B>D 순으로 많다.
⑤ 충청권은 2017년에 A의 생산량보다 C의 생산량이 많다.

| 평가원 기출 |

05 (가)~(다) 지도에 표현된 농업 관련 지표로 옳은 것은? (단, (가)~(다)는 겸업농가 비율, 밭 면적 비율, 벼 재배 면적 비율 중 하나임.)

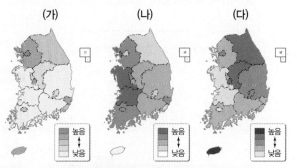

* 겸업농가 비율은 지역 내 전체 농가 중 겸업농가의 비율임.
** 밭 면적 비율은 지역 내 경지 면적 중 밭 면적의 비율임.
*** 벼 재배 면적 비율은 지역 내 작물 재배 면적 중 벼 재배 면적의 비율임.
(통계청, 2015)

	(가)	(나)	(다)
①	겸업농가 비율	밭 면적 비율	벼 재배 면적 비율
②	겸업농가 비율	벼 재배 면적 비율	밭 면적 비율
③	밭 면적 비율	벼 재배 면적 비율	겸업농가 비율
④	벼 재배 면적 비율	겸업농가 비율	밭 면적 비율
⑤	벼 재배 면적 비율	밭 면적 비율	겸업농가 비율

| 교육청 기출 |

06 그래프는 (가)~(다) 작물의 시·도별 재배 면적 비중을 나타낸 것이다. 이에 대한 설명으로 옳은 것은? (단, (가)~(다)는 쌀, 과수, 채소 중 하나임.)

* (가)~(다) 작물 각각 전국 재배 면적(노지 재배 기준)에 대한 시도별 비중을 면적 크기로 나타낸 것임. (2017)

① (나)는 최근 1인당 소비량이 증가하는 추세이다.
② (다)의 재배 면적은 호남 지방이 영남 지방보다 넓다.
③ (가)는 주로 밭, (나)는 주로 논에서 재배된다.
④ A는 B보다 겸업농가 비중이 높다.
⑤ B는 A보다 농가 수가 많다.

| 수능 기출 |

07 그래프는 세 작물의 지역별 재배 면적 비율을 나타낸 것이다. (가)~(라) 지역에 대한 설명으로 옳은 것을 〈보기〉에서 고른 것은? (단, (가)~(라)는 각각 지도에 표시된 지역 중 하나임.)

* 노지 재배 면적 기준임.
** 각 작물별 재배 면적 기준 상위 5개 지역만 표현함. (통계청, 2018)

| 보기 |
ㄱ. (나)는 (가)보다 농가당 경지 면적이 넓다.
ㄴ. (다)는 (라)보다 시설 재배 면적이 넓다.
ㄷ. (라)는 (가)보다 경지 면적 중 밭 비율이 높다.
ㄹ. (가)~(라) 중 농가 수는 (라)가 가장 많다.

① ㄱ, ㄴ ② ㄱ, ㄷ ③ ㄴ, ㄷ
④ ㄴ, ㄹ ⑤ ㄷ, ㄹ

07-1 모의고사 기출 틀린 선지 더 찾기

① (가)는 (나)보다 겸업농가 수가 많다.
② (가)는 (라)보다 벼 재배 면적이 넓다.
③ (나)는 (가)보다 경지를 집약적으로 이용한다.

| 교육청 기출 |

08 그림은 농업의 문제점과 대책을 마인드맵으로 나타낸 것이다. (가)~(라)에 들어갈 적절한 대책만을 〈보기〉에서 있는 대로 고른 것은?

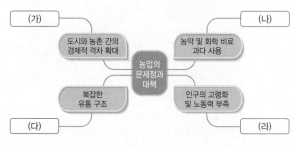

| 보기 |
ㄱ. (가) - 지리적 표시제를 통한 소득 증대 방안 마련
ㄴ. (나) - 무농약 농업 등 친환경 농업 확대
ㄷ. (다) - 수입 농산물 시장의 개방 확대
ㄹ. (라) - 영농의 기계화를 통한 노동 생산성 증대

① ㄱ, ㄴ ② ㄴ, ㄷ ③ ㄷ, ㄹ
④ ㄱ, ㄴ, ㄹ ⑤ ㄱ, ㄷ, ㄹ

| 교육청 기출 |

09 다음 자료의 (가) 공업에 대한 설명으로 옳은 것은?

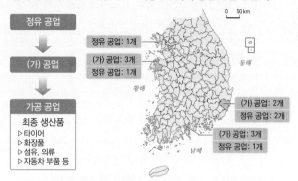

〈(가) 공업의 연계 산업〉　　〈정유 및 (가) 공업의 설비 분포〉

① 대표적인 원료 지향형 공업이다.

② 계열화된 공정이 필요한 집적 지향형 공업이다.

③ 제품의 부가 가치가 큰 공업으로 입지가 자유롭다.

④ 전체 생산비 중 노동비의 비중이 큰 노동 집약적 공업이다.

⑤ 소비자와의 잦은 접촉을 필요로 하는 시장 지향형 공업이다.

| 교육청 기출 |

10 A~C 제조업에 대한 옳은 설명을 〈보기〉에서 고른 것은? (단, A~C는 1차 금속, 화학 물질 및 화학 제품(의약품 제외), 전자 부품·컴퓨터·영상·음향 및 통신 장비 제조업 중 하나임.)

〈세 도(道)의 제조업 업종별 출하액 비중〉

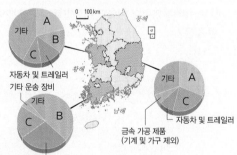

* 도(道)별 상위 4개 업종만을 제시하였으며, 종사자 수 10인 이상 사업체만 고려함. (2017)

┤ 보기 ├

ㄱ. A는 대량의 원료를 수입하는 적환지 지향형 공업이다.

ㄴ. B는 1960년대 우리나라 수출을 주도하였다.

ㄷ. C의 최종 제품은 자동차 공업의 주요 재료로 이용된다.

ㄹ. A는 B보다 사업체당 종사자 수가 많다.

① ㄱ, ㄴ　　　② ㄱ, ㄷ　　　③ ㄴ, ㄷ

④ ㄴ, ㄹ　　　⑤ ㄷ, ㄹ

| 교육청 기출 |

11 다음은 한국지리 수업 장면이다. 교사의 질문에 옳게 대답한 학생을 고른 것은? (단, (가)~(다)는 섬유(의복 제외), 1차 금속, 자동차 및 트레일러 제조업 중 하나임.)

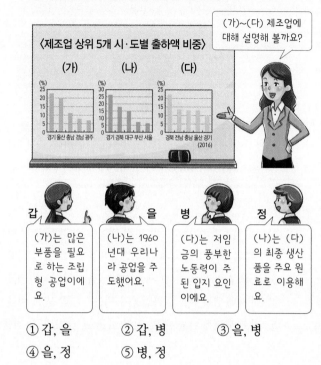

〈제조업 상위 5개 시·도별 출하액 비중〉

(가)~(다) 제조업에 대해 설명해 볼까요?

갑 (가)는 많은 부품을 필요로 하는 조립형 공업이에요.

을 (나)는 1960년대 우리나라 공업을 주도했어요.

병 (다)는 저임금의 풍부한 노동력이 주된 입지 요인이에요.

정 (나)는 (다)의 최종 생산품을 주요 원료로 이용해요.

① 갑, 을　　② 갑, 병　　③ 을, 병

④ 을, 정　　⑤ 병, 정

| 교육청 기출 |

12 (가)~(다) 제조업에 대한 설명으로 옳은 것은? (단, (가)~(다)는 섬유(의복 제외), 자동차 및 트레일러, 전자 부품·컴퓨터·영상·음향 및 통신 장비 제조업 중 하나임.)

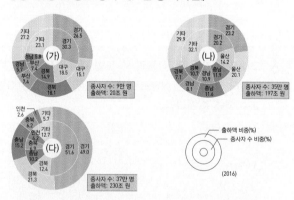

① (가)는 대량의 원료를 수입하기 쉬운 해안에 주로 입지한다.

② (나)는 많은 부품을 필요로 하는 계열화된 조립 공업이다.

③ (가)는 (나)보다 생산비 중 노동비가 차지하는 비중이 낮다.

④ (나)는 (다)보다 최종 제품의 무게가 가볍고 부피가 작다.

⑤ (가)~(다) 중 종사자당 출하액은 (나)가 가장 많다.

| 교육청 기출 |

13 (가), (나) 소매 업태의 상대적 특징으로 옳은 것은? (단, (가), (나)는 대형 마트, 편의점 중 하나임.)

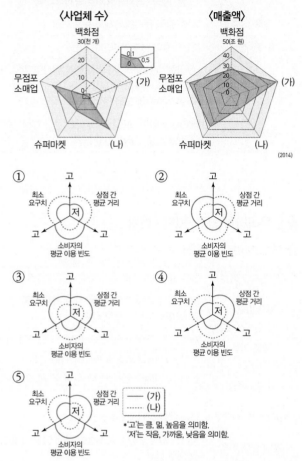

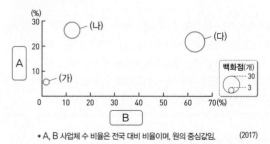

*'고'는 큼, 멂, 높음을 의미함.
'저'는 작음, 가까움, 낮음을 의미함.

| 교육청 기출 |

14 그래프는 세 지역의 A, B 사업체 수 비율 및 백화점 수를 나타낸 것이다. 이에 대한 설명으로 옳은 것은? (단, (가)~(다)는 각각 경기, 서울, 인천 중 하나이고, A, B는 각각 편의점, 경영 컨설팅업 중 하나임.)

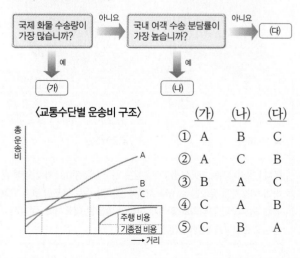

* A, B 사업체 수 비율은 전국 대비 비율이며, 원의 중심값임.　(2017)

① 경기는 서울보다 백화점 수가 많다.
② 서비스업 종사자 수는 (가) > (나) > (다) 순으로 많다.
③ A는 B보다 사업체당 매출액이 많다.
④ B는 A보다 수도권의 사업체 수 집중도가 높다.
⑤ A는 생산자 서비스업, B는 소비자 서비스업에 속한다.

| 교육청 기출 |

15 (가)~(라) 교통수단에 대한 설명으로 옳은 것은? (단, (가)~(라)는 도로, 철도(지하철 포함), 항공, 해운 중 하나임.)

〈통행 거리·시간별 전국 일일 평균 통행자 수(단위: 천 명)〉

거리	(가)	(나)	(다)	(라)
30 km 미만	0	13	9,737	74,875
30~60 km	0	9	682	4,090
60~90 km	0	6	115	1,154
90~150 km	0	5	86	1,036
150 km 이상	76	4	165	816

시간	(가)	(나)	(다)	(라)
30분 미만	0	75	4,878	67,368
30~60분	34	7	3,352	12,447
60~90분	42	8	1,586	1,065
90~150분	0	16	797	718
150분 이상	0	7	173	372

① (가)는 문전 연결성과 기동성이 우수하다.
② (나)는 화물 수송 분담률이 여객 수송 분담률보다 높다.
③ (다)는 주행 비용 증가율이 가장 높다.
④ (라)는 (나)보다 대량 화물의 장거리 수송에 유리하다.
⑤ (라)는 (다)보다 지형적 제약이 크고 정시성이 우수하다.

15-1 모의고사 기출 틀린 선지 더 찾기

① (가)는 기종점 비용과 주행 비용이 모두 높다.
② (나)는 지형 조건의 제약이 많다.
③ (라)는 기동성과 문전 연결성이 우수하다.

| 교육청 기출 |

16 그림은 세 교통수단의 특성을 나타낸 것이다. (가)~(다) 교통수단을 그래프의 A~C에서 고른 것은? (단, (가)~(다)는 도로, 철도, 해운 중 하나임.)

국제 화물 수송량이 가장 많습니까? → 아니요 → 국내 여객 수송 분담률이 가장 높습니까? → 아니요 → (다)

예 ↓ (가)　　예 ↓ (나)

〈교통수단별 운송비 구조〉

총운송비 / 거리 (A, B, C) — 주행 비용, 기종점 비용

	(가)	(나)	(다)
①	A	B	C
②	A	C	B
③	B	A	C
④	C	A	B
⑤	C	B	A

01 인구 분포와 인구 구조의 변화

~02 인구 문제와 공간 변화

1 우리나라의 인구 분포와 인구 이동

1. 우리나라의 인구 분포
→ 인구 밀도(단위 면적당 인구수)를 통해 파악할 수 있음.

(1) 인구 분포에 영향을 미치는 요인

자연적 요인	기후, 지형, 토양, 자원 등
사회·경제적 요인	정치, 경제, 산업, 역사, 문화, 교통 등

★2 우리나라의 인구 분포

① 전통적 인구 분포　자연적 요인의 영향이 큼.

인구 밀집 지역	기후가 온화하고 경지 비율이 높은 남서부 평야 지대
인구 희박 지역	겨울이 길고 추우며 산지가 많은 북동부 산간 지대

② 오늘날 인구 분포　사회·경제적 요인의 영향이 큼.

인구 밀집 지역	·수도권 → 국토 면적의 약 12%에 불과하지만 전체 인구의 약 50%가 거주 ·부산, 대구, 대전, 광주 등의 대도시와 위성 도시 ·남동 임해 지역(포항, 울산, 광양) 등 공업 발달 지역
인구 희박 지역	태백·소백산맥 일대의 산간 지대와 농어촌 지역

핵심 기출 자료 분석　우리나라의 인구 분포

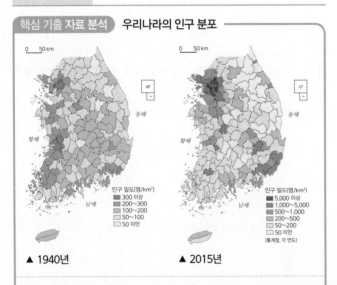

▲ 1940년　　　▲ 2015년

분석 | 우리나라는 1960년대 이전에는 인구 대부분이 1차 산업에 종사하여 벼농사에 유리한 남서부 지역에 인구가 주로 분포하였다. 오늘날에는 도시화와 산업화로 2·3차 산업이 발달한 대도시와 공업 지역을 중심으로 인구가 밀집해 있다.

2. 우리나라의 인구 이동

(1) 인구 이동의 특징　근대화 이후 교통의 발달로 활발해짐.

(2) 시기별 인구 이동

일제 강점기	·광공업이 발달한 북부 지방으로 이동 ·일본·중국·러시아 등지로 국제적 이동
광복 이후	일본·중국 등지에서 해외 동포 귀국
6·25 전쟁	피난민들이 남부 지방으로 이동
1960~1980년대	·산업화가 진행되면서 이촌 향도 현상이 활발 → 수도권, 대도시에 인구 집중 └ 농촌의 인구가 도시로 이동하는 현상 ·건설 기술자와 고급 인력의 국외 취업 증가
1990년대 이후	대도시의 인구 과밀화로 교외화 현상 발생 → 대도시 주변 위성 도시의 인구 증가 └ 대도시의 인구 및 기능이 주변 지역으로 확산되는 현상

2 우리나라 인구 구조의 변화

★1 우리나라의 인구 성장
→ 자연적 증감(출생자 수 − 사망자 수)
＋ 사회적 증감(전입자 수 − 전출자 수)

조선 시대 이전	높은 출생률과 사망률 → 낮은 인구 성장률
일제 강점기	근대 의료 기술 도입, 위생 시설 확충, 식량 증산으로 사망률 감소 → 인구 급증
광복 이후	재외 동포 귀국, 북한 동포 월남 → 인구의 사회적 증가 전쟁이나 불경기가 끝난 후 사회적·경제적으로 안정되면서 출산율이 급증하는 현상
6·25 전쟁	전쟁 중 사망률 급증, 전쟁 후 출산 붐으로 출산율 급증 → 인구 급증
1960~1990년대	산아 제한 정책으로 출산율 감소
2000년대 이후	지나친 출산율 감소로 저출산 문제 발생 → 출산 장려 정책 실시

핵심 기출 자료 분석　우리나라의 인구 성장

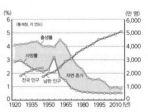

▲ 인구 변천 모형　　　▲ 우리나라의 인구 성장

분석 | 제1단계는 출생률과 사망률이 모두 높은 다산다사, 제2단계는 사망률 급감으로 인구가 급증하는 다산감사, 제3단계는 출생률이 낮아지는 감산소사, 제4단계는 출생률과 사망률이 낮은 수준으로 안정되는 소산소사 단계이다. 우리나라는 제4단계로 인구 성장률이 지속적으로 감소하여 2035년경에는 총인구도 감소할 것으로 전망된다.

2. 우리나라의 인구 구조 변화

(1) 성별 인구 구조
→ 과거 남아 선호 사상으로 성비 불균형이 나타났으나 점차 완화되고 있음.

① 출생 시에는 남초 현상이 나타나 성비가 높고, 노년층으로 갈수록 여초 현상이 나타나 성비가 낮음.

② 지역의 특성에 따라 여초 현상(대도시, 관광 도시, 촌락)과 남초 현상(중화학 공업 도시, 군사 도시)이 나타남.

(2) 연령별 인구 구조 → 0~14세는 유소년층, 15~64세는 청장년층, 65세 이상은 노년층으로 구분함.

① 유소년층과 청장년층 저출산으로 비율 감소, 도시에서 높은 비율

② 노년층 기대 수명 증가로 비율 증가, 농어촌에서 높은 비율

③ ★ 우리나라 인구 구조의 변화 → 점차 종형에서 방추형으로 변화됨.

1960년대 이전	높은 출생률과 사망률 → 피라미드형 인구 구조
1990년대 후반	출생률과 사망률 감소 → 종형 인구 구조
2015년 이후	• 유소년층 인구 비율 감소, 노년층 인구 비율 증가 → 인구 부양비 증가 예상 • 2060년경 역피라미드형 인구 구조 예측

③ 우리나라의 인구 문제와 공간 변화

★ ① 저출산·고령화 현상

(1) 저출산 현상 → 노년층 인구가 7% 이상이면 고령화 사회, 14% 이상이면 고령 사회, 20% 이상이면 초고령 사회로 구분함.

| 현황 | 2015년 기준 합계 출산율 1.24명으로 세계 최저 수준으로 초저출산 국가로 분류됨. |
| 원인 | 결혼 및 자녀에 대한 가치관 변화, 초혼 연령 상승, 미혼 인구 증가, 여성의 사회 진출 확대, 자녀 양육비 부담 증가 등으로 합계 출산율 감소 |

(2) 고령화 현상

| 현황 | 노년층 인구 비율이 2000년 7% 이상으로 고령화 사회에 진입함, 2026년경 초고령 사회에 진입 예상됨. |
| 원인 | • 출산율 감소 → 유소년층 인구 비율 감소
• 의학 기술 발달 및 생활 수준 향상 → 기대 수명 연장, 사망률 감소 |

★ ② 저출산·고령화 현상의 영향

(1) 사회적 변화

| 저출산 현상의 영향 | • 단기적으로 유소년 부양비 감소로 경제 발전에 도움
• 장기적으로 생산 및 소비 인구 감소 → 노동력 부족, 경기 침체 → 국가 경쟁력 약화 |
| 고령화 현상의 영향 | • 노년 부양비 증가로 청장년층 부담 가중
• 사회 복지 비용 증가로 국가 재정 부담
• 생산 가능 인구 감소로 노동력 부족 및 생산성 저하 |

→ 15~64세의 청장년층

(2) 공간적 변화

① 노년층을 위한 문화·교육 등 사회 기반 시설이 증가함.

② 정주 여건이 잘 갖추어진 대도시 지역은 인구 유입이 활발한 반면, 일부 농촌 및 지방 중소 도시는 쇠퇴함.

3. 저출산·고령화 현상에 따른 대책

| 저출산 현상의 대책 | • 정부의 정책 마련: 출산 휴가 및 육아 휴직 제도 개선, 다자녀 가구 우대 정책 실시, 양육비 지원 등
• 개인의 인식 변화: 양성평등 문화 확산, 가족 친화적인 사회 분위기 조성 등 |
| 고령화 현상의 대책 | • 경제적 안정 지원: 정년 연장, 직업 재교육, 연금 제도 개선 등
• 노인 복지 정책 시행: 실버산업 육성, 노인 복지 시설 확충 등 |

개념 암기

1 설명이 맞으면 ○표, 틀리면 ✕표 하시오.

(1) 교통과 과학 기술의 발달로 인구 분포에 있어 사회·경제적 요인이 큰 영향을 미치고 있다. (　　　)

(2) 오늘날 우리나라의 인구는 농업에 유리한 남서부 평야 지대에 밀집해 있다. (　　　)

(3) 우리나라의 인구 구조는 종형에서 피라미드형으로 변화하고 있으며, 2060년경에는 역피라미드형 인구 구조가 나타날 것으로 예측된다. (　　　)

(4) 저출산·고령화 현상이 지속될 경우 생산 가능 인구가 감소하여 경제 활동이 위축되고 국가 경쟁력이 약화되는 문제가 발생한다. (　　　)

2 빈칸에 들어갈 알맞은 말을 쓰시오.

(1) 우리나라는 1960~1980년대에 산업화가 진행되면서 농촌의 인구가 도시로 이동하는 (　　　) 현상이 활발히 나타났다.

(2) (　　　)(이)란 전쟁이나 불경기가 끝난 이후 출산율이 급증하는 현상으로, 우리나라는 6·25 전쟁 이후에 나타났다.

(3) 지역의 특성에 따라 대도시나 관광 도시, 촌락 등은 (　　　) 현상이, 중화학 공업 도시나 군사 도시 등은 (　　　) 현상이 나타난다.

(4) 2026년경에는 현재보다 유소년층 인구 비율이 줄고 노년층 인구 비율이 늘어나 (　　　) 사회에 진입할 것으로 예상된다.

3 다음에서 설명하는 용어를 쓰시오.

> 인구가 밀집한 대도시에서 교통 혼잡, 집값 상승, 환경 오염 등으로 인해 생활 환경이 악화되면서 쾌적한 근교 지역으로 이동하는 현상

(　　　　　　　)

4 저출산·고령화 현상에 대한 대책을 〈보기〉에서 골라 기호를 쓰시오.

┌ 보기 ┐
ㄱ. 정년 연장　　　　　ㄴ. 실버산업 육성
ㄷ. 양성평등 문화 확산　ㄹ. 육아 휴직 제도 개선

(1) 저출산 현상의 대책: (　　　)
(2) 고령화 현상의 대책: (　　　)

1 우리나라의 인구 분포와 인구 이동

 지도는 오늘날 우리나라의 인구 분포를 나타낸 것이다. 이에 대한 설명으로 옳지 <u>않은</u> 것은?

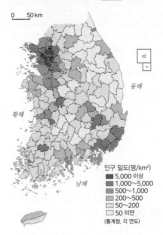

① 인구가 특정 지역에 집중하여 분포한다.
② 2·3차 산업이 발달한 지역이 인구 밀도가 높다.
③ 인구 분포에 있어 사회·경제적 요인이 중요하게 작용하였다.
④ 남동 임해 지역에 인구가 밀집한 것은 일자리가 풍부하기 때문이다.
⑤ 대도시의 인구 밀도가 높고, 주변 위성 도시는 대체로 인구 밀도가 낮다.

02 표는 상·하위 4개 시·도의 인구 순이동을 나타낸 것이다. 이에 대한 분석 및 추론으로 옳은 내용을 〈보기〉에서 고른 것은?

지역	순이동(명)	지역	순이동(명)
경기	116,162	서울	-98,486
세종	34,690	부산	-28,398
충남	19,401	대전	-16,175
제주	14,005	대구	-11,936

┤ 보기 ├
ㄱ. 서울로의 인구 집중이 더욱 심화되고 있다.
ㄴ. 대도시의 교외화 현상이 활발히 나타나고 있다.
ㄷ. 충남은 수도권과의 접근성이 향상되었을 것이다.
ㄹ. 경기에서 서울로 출퇴근하는 인구는 줄어들었을 것이다.

① ㄱ, ㄴ   ② ㄱ, ㄷ   ③ ㄴ, ㄷ
④ ㄴ, ㄹ   ⑤ ㄷ, ㄹ

03 지도는 두 시기의 인구 이동을 나타낸 것이다. (가), (나) 시기에 대한 설명으로 옳은 것은? (단, (가), (나)는 1980년대와 2000년대 중 하나임.)

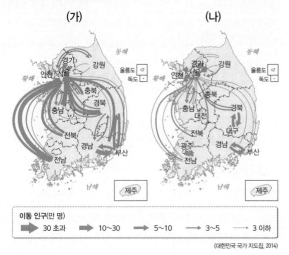

① (가) 시기에는 서울의 인구가 감소하였다.
② (나) 시기의 인구 이동은 산업화의 영향이 크게 반영되었다.
③ (나) 시기에는 서울특별시와 경기도 간의 인구 이동이 가장 많았다.
④ (가) 시기보다 (나) 시기에 인구 이동이 활발하였다.
⑤ (가) 시기에는 교외화 현상, (나) 시기에는 이촌 향도 현상이 나타났다.

2 우리나라 인구 구조의 변화

04 그래프의 (가) 단계보다 (나) 단계에서 크거나 높게 나타나는 항목을 〈보기〉에서 고른 것은?

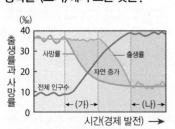

┤ 보기 ├
ㄱ. 중위 연령   ㄴ. 인구 성장률
ㄷ. 노령화 지수   ㄹ. 유소년층 인구 비율

① ㄱ, ㄴ   ② ㄱ, ㄷ   ③ ㄴ, ㄷ
④ ㄴ, ㄹ   ⑤ ㄷ, ㄹ

[05~06] 그래프는 우리나라의 인구 변화를 나타낸 것이다. 이를 보고 물음에 답하시오.

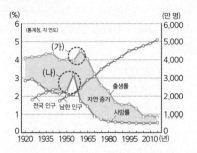

05 (가), (나) 시기에 나타나는 인구 변화로 옳은 설명을 〈보기〉에서 고른 것은?

┤보기├
ㄱ. (가) – 인구 증가율이 둔화되었다.
ㄴ. (가) – 전쟁 이후 사회·경제적으로 안정되면서 출생률이 높아졌다.
ㄷ. (나) – 6·25 전쟁의 영향으로 사망률이 높아졌다.
ㄹ. (나) – 남한의 총인구가 감소하였다.

① ㄱ, ㄴ   ② ㄱ, ㄷ   ③ ㄴ, ㄷ
④ ㄴ, ㄹ   ⑤ ㄷ, ㄹ

주관식

06 (가) 시기 우리나라의 인구 성장 과정에 나타난 현상을 가리키는 용어를 쓰시오.

 다음 글은 우리나라의 인구 성장에 대한 것이다. 밑줄 친 ㉠~㉤ 중 옳지 <u>않은</u> 것은?

우리나라의 인구는 조선 시대까지 ㉠ <u>다산 다사의 인구 정체기</u>였다. 일제 강점기에는 ㉡ <u>식민지 수탈 정책이 본격화되면서 사회적 인구가 크게 감소</u>하였다. 그러나 광복 이후에는 해외 동포의 귀국, 북한 동포의 월남 등으로 인해 ㉢ <u>대도시 지역을 중심으로 인구가 빠르게 증가</u>하였다. 6·25 전쟁 이후에는 ㉣ <u>출산 붐에 의해 인구의 자연적 증가가 뚜렷하게 나타났다.</u> ㉤ <u>1960년대부터 1980년대까지는 정부의 출산 장려 정책으로 자연 증가율이 빠르게 높아졌다.</u>

① ㉠   ② ㉡   ③ ㉢
④ ㉣   ⑤ ㉤

08 (가)에서 (나)로 인구 구조가 변화하면서 나타나는 현상으로 옳은 것은?

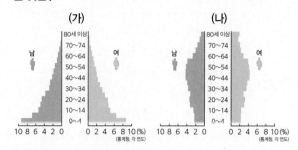

① 평균 기대 수명이 짧아진다.
② 인구의 자연 증가율이 높아진다.
③ 출생률과 사망률이 모두 높아진다.
④ 인구 구조가 피라미드형에서 종형으로 변화한다.
⑤ 유소년 인구 부양비가 증가하고, 노년 인구 부양비가 감소한다.

3 우리나라의 인구 문제와 공간 변화

09 다음은 한국지리 수업 장면이다. (가)에 들어갈 옳은 내용을 〈보기〉에서 고른 것은?

교사: 다음 표에서 다른 국가들에 비해 우리나라는 어떤 특징이 나타날까요?

국가	고령화 사회	⇔ 기간	고령 사회	⇔ 기간	초고령 사회
한국	2000년	18년	2018년	9년	2027년
일본	1970년	25년	1995년	12년	2007년
미국	1944년	69년	2013년	20년	2033년
영국	1930년	45년	1975년	55년	2030년

(미국 인구 조사국, 2016)
▲ 주요 국가의 고령화 사회 진입 시기와 도달 시간

갑: 우리나라는 다른 국가들에 비해 고령화가 이루어지는 시기가 늦은 편이지만, 그 속도는 빠르게 진행되고 있어요.
을: 그 이유는 _____(가)_____ 때문이에요.

┤보기├
ㄱ. 평균 기대 수명이 짧기
ㄴ. 의학 기술이 발달하였기
ㄷ. 합계 출산율이 매우 낮기
ㄹ. 소득 수준의 양극화가 뚜렷하기

① ㄱ, ㄴ   ② ㄱ, ㄷ   ③ ㄴ, ㄷ
④ ㄴ, ㄹ   ⑤ ㄷ, ㄹ

10 빈칸 ⊙~ⓒ에 해당하는 내용을 그래프의 A~E에서 고른 것은?

> 저출산 현상은 단기적으로 보면 유소년 인구 부양 비의 (⊙)로 경제 발전에 도움이 될 수 있으나, 장기적으로는 미래 생산 인구의 (ⓒ)와 소비 인구의 감소를 초래한다. 이는 사회 전반의 활력을 떨어뜨릴 뿐 아니라 생산성 하락과 소비 시장의 축소, 경제 활동의 위축 등을 가져오며, 사회적 부담 비용의 (ⓒ)로 복지 수준 향상에 걸림돌이 될 수 있다.

유소년 인구 부양비
A (증가)
C
B
E 사회적 부담 비용
(감소)
(증가)
D
(증가)
미래 생산 인구

① A   ② B   ③ C
④ D   ⑤ E

주관식

11 다음 신문 기사의 (가)에 들어갈 용어를 쓰시오.

> **△△신문**
>
> ___(가)___ 시대를 대비한 주요 계획
>
> • 육아기 근로 시간 단축 청구권 및 근로 시간 저축 휴가제 도입
> • 직장 보육 시설 설치 기준 완화 및 운영 지원 확대
> • 신혼부부 대상 주택 자금 지원 확대
> • 보육비·교육비 지원 대상 확대 및 공공형·자율형 어린이집 증설

서술형 문제

12 다음 인구 피라미드에 나타난 변화를 연령별, 시기별로 나누어 각각 서술하시오.

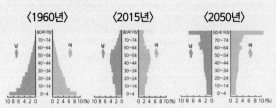
〈1960년〉　　〈2015년〉　　〈2050년〉

13 다음 인구 부양비 그래프를 보고 물음에 답하시오.

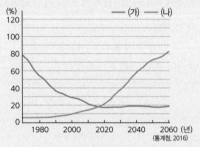
(통계청, 2016)

(1) (가), (나)에 해당하는 인구 부양비를 각각 쓰시오.

(2) 그래프를 보고 총인구 부양비의 변화를 서술하시오.

14 다음 연령별 인구 구성비의 변화를 나타낸 그래프를 보고 물음에 답하시오.

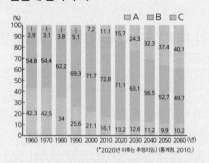
(*2020년 이후는 추정치임) (통계청, 2010)

(1) A, B, C에 해당하는 인구 연령층을 쓰시오.

(2) 위 그래프와 같은 변화가 지속될 때 나타날 수 있는 문제점과 대책을 두 가지씩 서술하시오.

01 다음은 한국지리 수업 장면이다. 대화의 (가)에 들어갈 적절한 내용을 〈보기〉에서 고른 것은?

교사: 다음 지도는 우리나라 인구 중심점의 이동을 나타 낸 것입니다. 인구 중심점은 어떤 지역에 사는 모 든 사람들과의 거리의 합이 가장 작은 지점을 의 미합니다.

학생: 인구 중심점이 변화하는 이유는 무엇인가요?

교사: _____(가)_____ 때문이에요.

┤ 보기 ├
ㄱ. 수도권의 인구 비중이 증가하였기
ㄴ. 산업화로 이촌 향도 현상이 나타났기
ㄷ. 인구와 기능을 분산하는 정책이 시행되었기
ㄹ. 자연적 요인이 인구 분포에 미치는 영향력이 커졌기

① ㄱ, ㄴ   ② ㄱ, ㄷ   ③ ㄴ, ㄷ
④ ㄴ, ㄹ   ⑤ ㄷ, ㄹ

02 우리나라의 연령별 인구 구조가 (가)에서 (나)로 변화할 때 인구 부양비의 변화 양상을 그래프의 A~E에서 고른 것은?

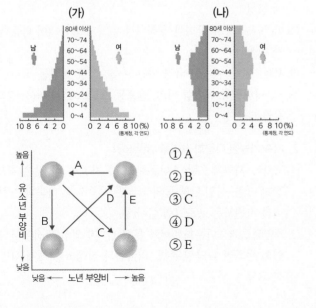

① A
② B
③ C
④ D
⑤ E

03 A, B 지역의 상대적인 인구 특성을 비교할 때, 그래프의 (가)~(다)에 들어갈 지표로 옳은 것은?

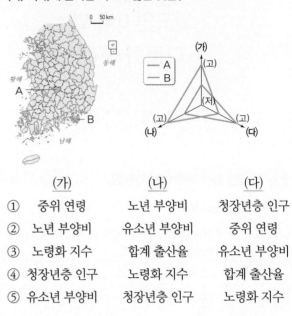

	(가)	(나)	(다)
①	중위 연령	노년 부양비	청장년층 인구
②	노년 부양비	유소년 부양비	중위 연령
③	노령화 지수	합계 출산율	유소년 부양비
④	청장년층 인구	노령화 지수	합계 출산율
⑤	유소년 부양비	청장년층 인구	노령화 지수

04 그래프는 우리나라 두 지역의 인구 구조 변화를 나타낸 것이 다. 이에 대해 분석 및 추론한 내용으로 옳은 것은? (단, (가), (나)는 충남 아산시와 경북 의성군 중 하나임.)

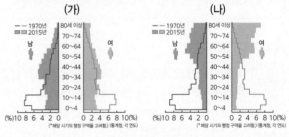

① (가) 지역은 1970년보다 2015년의 유소년층 인구 비 중이 높다.
② (가) 지역의 청장년층 인구 변화는 사회적 요인의 영 향을 더 많이 받았다.
③ (나) 지역은 2·3차 산업 종사자 수 비중이 높다.
④ (가) 지역은 (나) 지역보다 2015년 총부양비가 높다.
⑤ (가)와 (나) 지역 모두 2015년에 노년층에서 남초 현 상이 나타난다.

VI. 인구 변화와 다문화 공간

03 외국인 이주와 다문화 공간

1 외국인 이주자의 증가와 분포

1. 외국인의 증가와 분포

배경	교통·통신의 발달로 세계화가 빠르게 진행 → 노동 시장 개방, 국가 위상 제고, 한류 열풍 강화 등
유형	외국인 근로자, 결혼 이민자, 유학생 순으로 많음.
국적	중국인이 절반가량을 차지하며, 미국인, 베트남인 순으로 비중이 높음.
분포	• 일자리와 교육 기회가 많은 수도권, 공업이 발달한 충청 및 영남 지방에 주로 거주함. • 촌락은 결혼 이민자의 비중이 높음.

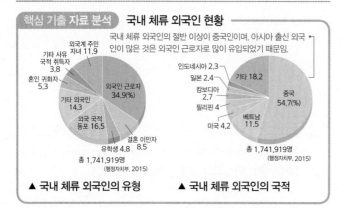

핵심 기출 자료 분석 국내 체류 외국인 현황

국내 체류 외국인의 절반 이상이 중국인이며, 아시아 출신 외국인이 많은 것은 외국인 근로자로 많이 유입되었기 때문임.

▲ 국내 체류 외국인의 유형

외국인 근로자 34.9(%)
외국 국적 동포 16.5
기타 외국인 14.3
외국계 주민 자녀 11.9
결혼 이민자 8.5
혼인 귀화자 5.3
유학생 4.8
기타 사유 국적 취득자 3.8
총 1,741,919명

▲ 국내 체류 외국인의 국적

중국 54.7(%)
기타 18.2
베트남 11.5
미국 4.2
필리핀 4
캄보디아 2.7
일본 2.4
인도네시아 2.3
총 1,741,919명
(행정자치부, 2015)

2 외국인 근로자의 유입

배경	저출산·고령화로 노동력 부족, 국내 생산직 근로자의 임금 상승, 3D 업종 기피 현상 ←·산업 연수생 제도, 고용 허가제, 방문 취업제 시행의 영향
현황	• 중소기업과 서비스 │업계의 수요 증가로 중국을 비롯한 아시아 지역에서 저임금 노동력 유입 • 최근 다국적 기업의 활발한 국내 진출로 고임금·전문직 외국인 근로자의 유입 증가 ←연구 개발, 국제 금융 등

3 국제결혼의 증가

배경	농어촌 지역의 결혼 적령기 성비 불균형 심화, 외국인 근로자 증가, 국제결혼에 대한 가치관 변화 등
현황	• 국제결혼 비율은 촌락 지역이 높지만, 총 국제결혼 건수는 도시 지역이 많음. • 2000년대 중반까지 국제결혼 급증, 최근 다소 감소

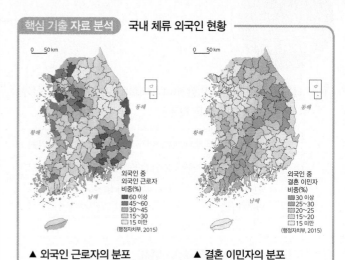

핵심 기출 자료 분석 국내 체류 외국인 현황

외국인 중 외국인 근로자 비중(%)
■ 60 이상
■ 45~60
□ 30~45
□ 15~30
□ 15 미만
(행정자치부, 2015)

▲ 외국인 근로자의 분포

외국인 중 결혼 이민자 비중(%)
■ 30 이상
■ 25~30
□ 20~25
□ 15~20
□ 15 미만
(행정자치부, 2015)

▲ 결혼 이민자의 분포

분석 | 국내에 체류하는 외국인 근로자는 산업의 발달로 일자리가 풍부한 수도권, 충청권, 영남권에 주로 분포한다. 반면 결혼 이민자는 촌락 지역의 성비 불균형에 따른 국제결혼으로 촌락 지역에서의 비중이 높다.

2 다문화 사회의 형성

1. 다문화 사회의 형성과 영향

(1) 다문화 사회의 형성 외국인 근로자의 유입 및 국제결혼의 증가로 다문화 사회 형성

(2) 다문화 사회의 영향

긍정적 영향	• 제조업 및 단순 서비스업의 인력난 완화에 도움 → 경제 성장에 기여 • 저출산·고령화 현상을 완화 • 다양한 문화적 자산 공유 • 초국가적 네트워크 형성을 통한 새로운 성장 동력 확보
부정적 영향	• 국내 근로자와의 일자리 경쟁 • 민족·인종·종교의 차이에 따른 사회적 편견과 차별 • 다문화 가정 자녀의 정체성 혼란과 사회 부적응 • 자녀 보육 및 적응 등의 문제를 겪는 결혼 이민자 ←국적·인종·문화 등이 다른 가족으로 구성된 가정 • 문화적 이질감에 따른 갈등

(3) 다문화 공간의 형성

① 국적·종교 등 문화적 배경이 비슷한 이주자들이 모여 공동체 형성

② 이주자 공동체 문화와 우리나라 문화가 융합되어 다문화 공간 형성

③ 사례 안산 원곡동 국경 없는 마을, 서울 혜화동 필리핀 거리, 이태원동 이슬람 거리, 반포동 프랑스 서래 마을, 광희동 몽골 타운 등

2. 지속 가능한 다문화 사회를 위한 노력

(1) 국가적·사회적 노력 「다문화 가족 지원법」과 같은 제도적 장치 마련, 시민 단체 등의 외국인 이주자 및 다문화 가정 자녀를 지원하는 프로그램 실시 등

(2) 개인적 노력 다문화주의와 문화 상대주의적 관점에서 외국인의 문화적 다양성 존중, 외국인과 상생하는 세계 시민 의식 고양

개념 암기

1 설명이 맞으면 ○표, 틀리면 ╳표 하시오.

(1) 최근 다국적 기업의 진출, 한류 열풍 강화 등에 따라 국내에 체류하는 외국인이 증가하고 있다. ( )

(2) 외국인 근로자들은 대부분 연구 개발, 국제 금융 등 고임금·전문직 분야에 종사하고 있다. ( )

(3) 외국인 근로자의 유입과 국제결혼의 증가로 다문화 사회가 형성되면서, 우리나라의 인구 감소 문제는 더욱 심화되고 있다. ( )

2 빈칸에 들어갈 알맞은 말을 쓰시오.

(1) 외국인 근로자들은 주로 일자리와 교육 기회가 많은 ( )에 거주하고 있다.

(2) 결혼 적령기의 ( ) 현상이 심각한 농어촌 지역은 국제결혼의 비율이 높은 편이다.

(3) 다른 국적, 인종, 문화 등을 가진 가족 구성원이 포함된 가정을 ( )(이)라고 한다.

(4) 우리나라에서 지속 가능한 다문화 사회를 만들기 위해서는 ( )와/과 문화 상대주의적 관점에서 외국인의 문화적 다양성을 존중해야 한다.

3 괄호 안의 내용 중 알맞은 말에 ○표 하시오.

(1) 우리나라에 거주하는 외국인의 절반 이상은 (중국인, 미국인)이다.

(2) 국제결혼의 비율은 (촌락, 도시) 지역이 높지만, 총 국제결혼 건수는 (촌락, 도시) 지역이 많다.

(3) 서울 혜화동 필리핀 거리, 반포동 프랑스 서래 마을 등은 이주자 공동체의 문화가 우리나라의 문화와 (분화, 융화)되어 형성된 공간이다.

(4) 「다문화 가족 지원법」 등 제도적 장치를 마련하는 것은 외국인 이주자와 상생하며 지속 가능한 다문화 사회를 만들기 위한 (개인적, 국가적) 노력에 해당한다.

4 다문화 사회가 형성되면서 우리나라에 미친 긍정적인 영향을 〈보기〉에서 모두 골라 기호를 쓰시오.

┤ 보기 ├
ㄱ. 인력난 완화　　　ㄴ. 문화적 자산 공유
ㄷ. 노령화 지수 상승　　ㄹ. 새로운 성장 동력 확보

( )

내신 기출

1 외국인 이주자의 증가와 분포

01 그래프는 국내 체류 외국인 수와 비율의 변화를 나타낸 것이다. 이러한 변화의 배경으로 옳지 **않은** 것은?

① 세계화로 한류 열풍이 강화되었기 때문이다.

② 노동 시장의 폐쇄성이 심화되고 있기 때문이다.

③ 국내 생산직 근로자의 3D 업종 기피 현상 때문이다.

④ 다국적 기업이 활발하게 국내에 진출하고 있기 때문이다.

⑤ 국제결혼 및 외국인에 대한 가치관이 변화하고 있기 때문이다.

02 그래프는 국내 체류 외국인의 유형별 변화를 나타낸 것이다. (가)~(다)를 바르게 연결한 것은?

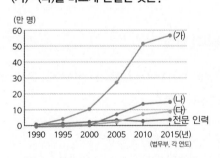

	(가)	(나)	(다)
①	유학생	결혼 이민자	외국인 근로자
②	결혼 이민자	유학생	외국인 근로자
③	결혼 이민자	외국인 근로자	유학생
④	외국인 근로자	유학생	결혼 이민자
⑤	외국인 근로자	결혼 이민자	유학생

[03~04] 그래프는 국내 체류 외국인의 유형을 나타낸 것이다. 이를 보고 물음에 답하시오. (단, (가)~(다)는 유학생, 결혼 이민자, 외국인 근로자 중 하나임.)

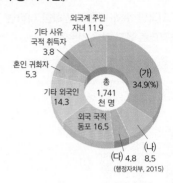

03 (가)~(다)에 대한 설명으로 옳지 <u>않은</u> 것은?

① (가)는 여성보다 남성의 비중이 높다.
② (가)는 도시보다 촌락에 거주하는 경우가 많다.
③ (나)는 선진국보다 개발 도상국 출신이 많다.
④ (다)는 (나)보다 평균 연령이 낮다.
⑤ (가)~(다)의 유입은 우리나라의 인구 문제 완화에 기여한다.

주관식

04 (가)~(다)와 같은 국내 체류 외국인의 출신 국가 중 가장 많은 비중을 차지하는 국가를 쓰시오.

2 다문화 사회의 형성

05 다문화 가정이 증가하면서 나타나는 현상으로 옳은 설명을 〈보기〉에서 고른 것은?

┤ 보기 ├
ㄱ. 인구의 고령화 현상이 완화되었다.
ㄴ. 다문화 가정의 학생 수가 매년 증가하고 있다.
ㄷ. 외국인과 내국인 간의 일자리 경쟁이 완화되었다.
ㄹ. 다문화 가정의 높은 출산율로 총인구의 감소 시기가 빨라졌다.

① ㄱ, ㄴ ② ㄱ, ㄷ ③ ㄴ, ㄷ
④ ㄴ, ㄹ ⑤ ㄷ, ㄹ

06 그래프는 우리나라에 거주하는 결혼 이민자가 겪는 어려움을 설문 조사한 결과이다. 이에 대한 적절한 대책을 〈보기〉에서 고른 것은?

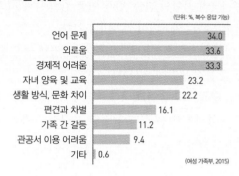

┤ 보기 ├
ㄱ. 민족주의적 관점 강조
ㄴ. 한국어 교육 프로그램 제공
ㄷ. 출산 휴가 및 육아 휴직 제도 개선
ㄹ. 출신 국가별 지역 공동체 지원 정책 마련

① ㄱ, ㄴ ② ㄱ, ㄷ ③ ㄴ, ㄷ
④ ㄴ, ㄹ ⑤ ㄷ, ㄹ

〔 서술형 문제 〕

07 그래프는 외국인 인구 상위 10개 시·군·구를 나타낸 것이다. 이를 보고 물음에 답하시오.

(1) 외국인 인구 상위 10개 지역의 공통점을 서술하시오.

(2) 위 지역에 주로 거주하는 외국인 유형이 증가할 경우 우리나라에 미치는 긍정적인 영향을 <u>두 가지</u>만 서술하시오.

01 (가), (나) 지도에 나타난 외국인 유형에 대한 설명으로 옳은 것은? (단, (가), (나)는 결혼 이민자 비중, 외국인 근로자 비중 중 하나임.)

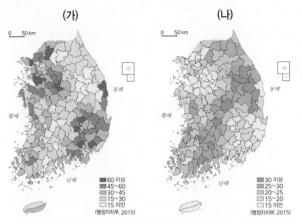

(가)

(나)

60 이상
45~60
30~45
15~30
15 미만
(행정자치부, 2015)

30 이상
25~30
20~25
15~20
15 미만
(행정자치부, 2015)

① (가)는 중국을 비롯한 동남아시아, 남부 아시아 출신이 많다.

② (가)는 남성보다 여성의 비중이 높다.

③ (나)는 개발 도상국에 비해 선진국 출신이 많다.

④ (나)는 1990년대 이후 현재까지 급속히 증가하는 추세이다.

⑤ (나)는 (가)보다 총 국내 체류 외국인에서 차지하는 비중이 높다.

02 그래프는 국내에 체류하는 외국인 현황을 나타낸 것이다. 이에 대한 설명으로 옳지 <u>않은</u> 것은?

〈국내 체류 외국인의 국적〉

〈외국인 근로자의 취업 직종〉

인도네시아 2.3
일본 2.4
캄보디아 2.7
필리핀 4
미국 4.2
기타 18.2
중국 54.7(%)
베트남 11.5
총 1,741,919명
(행정자치부, 2015)

농림·어업 4.4
전기·운수·통신·금융업 1.6
건설업 9.2
제조업 46.5(%)(광업 0.2)
도·소매 및 숙박·음식점업 19.1
사업·개인·공공 서비스 및 기타 서비스업 19.2
총 938,000명
(통계청, 2015)

① 공업이 발달한 지역에 거주하는 외국인이 많을 것이다.

② 2차 산업에 종사하는 외국인 근로자의 비율이 가장 높다.

③ 선진국보다 개발 도상국에서의 외국인 유입 비중이 높다.

④ 외국인 근로자의 유입은 고임금 전문 노동력의 부족 문제를 완화하고 있다.

⑤ 국내 체류 외국인은 우리나라보다 평균 소득이 적은 국가 출신이 60% 이상이다.

03 그래프는 우리나라의 국제결혼 추이를 나타낸 것이다. 이에 대한 옳은 설명을 〈보기〉에서 고른 것은? (단, (가), (나)는 한국 남성+외국 여성, 한국 여성+외국 남성 중 하나임.)

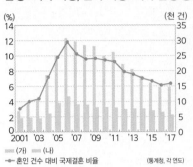

(%) (천 건)

(가) (나)
혼인 건수 대비 국제결혼 비율
(통계청, 각 연도)

┤ 보기 ├

ㄱ. (가)는 (나)보다 아시아 출신의 비중이 높다.

ㄴ. (나)는 (가)보다 촌락에 거주하는 비중이 높다.

ㄷ. 우리나라의 다문화 가정은 감소하는 추세이다.

ㄹ. 한국 남성보다 한국 여성의 국제결혼 건수가 많다.

① ㄱ, ㄴ   ② ㄱ, ㄷ   ③ ㄴ, ㄷ

④ ㄴ, ㄹ   ⑤ ㄷ, ㄹ

04 그래프는 서로 다른 두 지역의 외국인 인구 구조이다. (가), (나) 지역에 대한 옳은 추론을 〈보기〉에서 고른 것은? (단, 두 지역은 시(市), 군(郡) 중 하나임.)

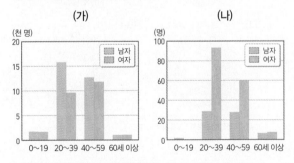

(가)

(나)

(천 명)

남자
여자

0~19   20~39   40~59   60세 이상

(명)

남자
여자

0~19   20~39   40~59   60세 이상

┤ 보기 ├

ㄱ. (가)는 군(郡), (나)는 시(市)일 것이다.

ㄴ. (가)는 (나)보다 제조업이 발달하였을 것이다.

ㄷ. (가)는 (나)보다 외국인 인구의 성비가 낮을 것이다.

ㄹ. (나)는 (가)보다 결혼 이민자 비율이 높을 것이다.

① ㄱ, ㄴ   ② ㄱ, ㄷ   ③ ㄴ, ㄷ

④ ㄴ, ㄹ   ⑤ ㄷ, ㄹ

| 교육청 기출 |

01 지도는 전국 대비 시·도별 현 거주지 출생 인구 및 유입 인구의 비중을 나타낸 것이다. 이에 대한 분석으로 옳은 것은?

① 총인구가 가장 많은 곳은 서울이다.

② 부산의 총인구는 광주의 총인구보다 4배 이상 많다.

③ 수도권은 현 거주지 출생 인구가 유입 인구보다 많다.

④ 모든 광역시는 현 거주지 출생 인구가 유입 인구보다 많다.

⑤ 영남 지방의 시·도는 모두 현 거주지 출생 인구가 유입 인구보다 많다.

| 평가원 기출 |

02 그래프는 (가)∼(라) 지역의 인구 변화에 관한 것이다. 이에 대한 옳은 설명을 〈보기〉에서 고른 것은?

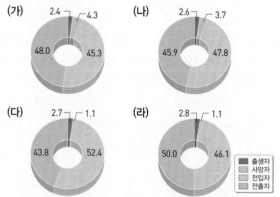

* 인구 변화는 해당 연도의 출생, 사망, 전입, 전출로 한정하고 출생자, 사망자, 전입자, 전출자의 합을 100%로 함.
(통계청, 2010)

┤ 보기 ├

ㄱ. (가), (나)는 인구의 자연적 증가가 나타났다.

ㄴ. (가), (라)는 자연적 증감의 폭이 사회적 증감의 폭보다 크다.

ㄷ. (나), (다)는 인구 순이동이 양(+)의 값이다.

ㄹ. (다)는 인구가 증가, (라)는 인구가 감소하였다.

① ㄱ, ㄴ　　② ㄱ, ㄷ　　③ ㄴ, ㄷ
④ ㄴ, ㄹ　　⑤ ㄷ, ㄹ

| 평가원 기출 |

03 그래프에 대한 옳은 분석을 〈보기〉에서 고른 것은?

〈○○○도 시·군별 인구 증감(2005∼2009년)〉

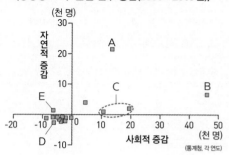

(통계청, 각 연도)

┤ 보기 ├

ㄱ. A는 B보다 인구가 더 많이 증가하였다.

ㄴ. C는 인구의 사회적 증가가 자연적 증가보다 크다.

ㄷ. D는 E보다 인구가 더 많이 감소하였다.

ㄹ. 출생자가 사망자보다 많은 시·군은 모두 전입자가 전출자보다 많다.

① ㄱ, ㄴ　　② ㄱ, ㄷ　　③ ㄴ, ㄷ
④ ㄴ, ㄹ　　⑤ ㄷ, ㄹ

| 평가원 기출 |

04 그래프는 지도에 표시된 3개 시·도의 시기별 인구 변동을 나타낸 것이다. (가)∼(다)에 대한 옳은 설명을 〈보기〉에서 고른 것은?

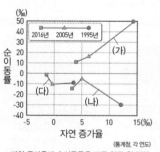

(통계청, 각 연도)

* 자연 증가율과 순이동률은 모두 인구 천 명당 숫자임.
** 인구 증가율 = 자연 증가율 + 순이동률

┤ 보기 ├

ㄱ. (가)와 (다)는 수도권에 위치해 있다.

ㄴ. 1995년에 인구가 증가한 시·도는 (가)와 (나)이다.

ㄷ. 2005년에 순전출을 보이는 시·도는 (나)와 (다)이다.

ㄹ. 2016년에 출생자 수에 비해 사망자 수가 많은 시·도는 (다)이다.

① ㄱ, ㄴ　　② ㄱ, ㄷ　　③ ㄴ, ㄷ
④ ㄴ, ㄹ　　⑤ ㄷ, ㄹ

| 평가원 기출 |

05 다음은 〈글자 카드〉를 활용한 한국 지리 수업 활동이다. (가)에 들어갈 내용으로 옳은 것은?

교사: 다음 내용이 의미하는 용어를 〈글자 카드〉에서 찾아 하나씩 빼세요.
- 단위 면적에 분포하는 인구
- 가로축은 성별, 세로축은 연령대별 인구나 비율을 표시하여 인구 구조를 나타낸 그래프

〈글자 카드〉

피	드	밀	구	라	인
비	구	도	인	성	미

교사: 〈글자 카드〉에서 빼고 남은 글자를 모두 활용하여 만들 수 있는 인구 관련 용어에 대해 설명하세요.

학생: _____(가)_____ 입니다.

교사: 예, 맞습니다. 참 잘했습니다.

① 여성 100명에 대한 남성의 수
② 청장년층 인구에 대한 노년층 인구의 비
③ 청장년층 인구에 대한 유소년층 인구의 비
④ 여성 한 명이 평생 출산하는 자녀 수의 평균
⑤ 두 연도 간의 인구 변화를 기준 연도의 인구로 나눈 백분율

| 교육청 기출 | 변형 |

06 그래프는 (가), (나) 지역의 시기별 인구 구조를 나타낸 것이다. 이에 대한 분석으로 옳지 <u>않은</u> 것은?

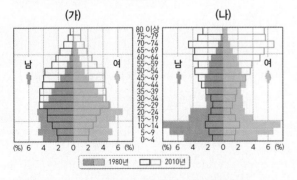

① (가)는 노년층 비율이 2배 이상 증가하였다.
② (나)는 2010년 노년층에서 여초 현상이 나타났다.
③ (가)는 (나)보다 2010년 노년 부양비가 낮다.
④ (나)는 (가)보다 두 시기 모두 청장년층의 비율이 높다.
⑤ (가), (나)는 모두 중위 연령이 상승하였다.

| 평가원 기출 |

07 그래프는 A, B 지역의 인구 특성을 나타낸 것이다. A, B의 상대적 특성을 비교할 때 그림의 (가), (나)에 들어갈 지표로 옳은 것은?

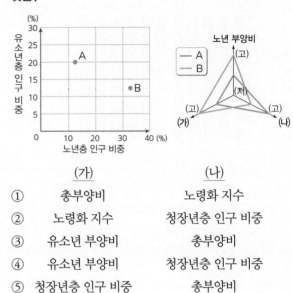

	(가)	(나)
①	총부양비	노령화 지수
②	노령화 지수	청장년층 인구 비중
③	유소년 부양비	총부양비
④	유소년 부양비	청장년층 인구 비중
⑤	청장년층 인구 비중	총부양비

| 교육청 기출 |

08 (가)~(다)에 해당하는 지역을 지도의 A~C에서 고른 것은?

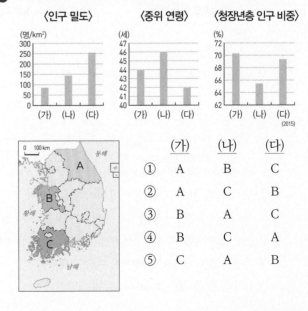

	(가)	(나)	(다)
①	A	B	C
②	A	C	B
③	B	A	C
④	B	C	A
⑤	C	A	B

| 평가원 기출 |

09 그래프는 우리나라 인구 구성 비율의 추이를 나타낸 것이다. 이에 대한 옳은 분석을 〈보기〉에서 고른 것은?

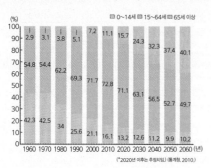

보기

ㄱ. 2010년에는 노령화 지수가 100 이상이다.

ㄴ. 1980년에 비해 2010년에 총부양비는 감소하였다.

ㄷ. 1990년에 비해 2030년에 중위 연령이 낮을 것이다.

ㄹ. 2000년에 비해 2050년에 노년 부양비가 5배 이상이 될 것이다.

① ㄱ, ㄴ   ② ㄱ, ㄷ   ③ ㄴ, ㄷ

④ ㄴ, ㄹ   ⑤ ㄷ, ㄹ

09-1 모의고사 기출 틀린 선지 더 찾기

① 2000년에 우리나라는 고령 사회였다.

② 2020년에는 노년 부양비가 유소년 부양비를 넘어설 것이다.

③ 우리나라는 종형에서 피라미드형 인구 구조로 변화하고 있다.

| 교육청 기출 |

10 그래프는 우리나라의 전체 읍·면·동별 인구 특성이다. 이에 대한 설명으로 옳은 것은?

〈연령층별 인구 비중〉　〈총부양비와 노령화 지수〉

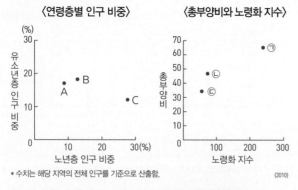

* 수치는 해당 지역의 전체 인구를 기준으로 산출함.　(2010)

① 도시화 과정에서 C는 인구 유입이 활발하였다.

② 우리나라 총인구에서 차지하는 비중은 B가 A보다 높다.

③ ㉠은 노년 부양비가 유소년 부양비보다 2배 이상 높다.

④ ㉠은 ㉢보다 3차 산업 종사자 비중이 높다.

⑤ B와 ㉡은 읍·면·동 중에서 동에 해당한다.

| 교육청 기출 |

11 다음 자료는 권역별 인구 특성을 나타낸 것이다. (가)~(라)에 대한 설명으로 옳은 것은? (단, (가)~(라)는 수도권, 영남권, 충청권, 호남권 중 하나임.)

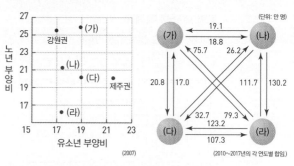

① 충청권은 호남권보다 노령화 지수가 높다.

② 수도권은 영남권보다 청장년층 인구 비중이 높다.

③ 영남권에서 호남권으로의 유출 인구는 충청권에서 영남권으로의 유출 인구보다 많다.

④ (나)는 (라)보다 총인구가 많다.

⑤ (가), (다)는 모두 수도권으로부터의 유입 인구보다 수도권으로의 유출 인구가 많다.

11-1 모의고사 기출 틀린 선지 더 찾기

① 수도권의 인구 이동 규모가 가장 크다.

② 노년 부양비가 가장 높은 지역은 호남권이다.

③ 수도권은 노년층 인구 비중보다 유소년층 인구 비중이 낮다.

④ 충청권은 나머지 세 권역으로 인구의 순유출이 나타난다.

| 평가원 기출 |

12 그래프는 인구 구조 변화를 추정한 것이다. 우리나라의 변화에 대한 해석으로 옳지 <u>않은</u> 것은?

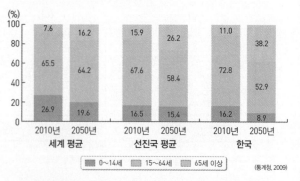

① 중위 연령은 선진국 평균보다 높아질 것이다.

② 노령화 지수는 선진국 평균보다 높아질 것이다.

③ 합계 출산율은 선진국 평균보다 낮아질 것이다.

④ 총부양비는 세계 평균보다 높아질 것이다.

⑤ 유소년 부양비는 세계 평균보다 높아질 것이다.

| 수능 기출 |

13 그래프는 우리나라의 인구 구조 변화를 나타낸 것이다. 이러한 변화에 대한 대책으로 적절하지 <u>않은</u> 것은?

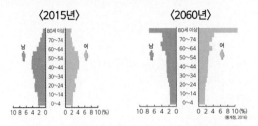

〈2015년〉　　　〈2060년〉

① 노인이 취업할 수 있는 일터를 개발한다.

② 출산 장려금 지급과 양육비 지원을 확대한다.

③ 노인 복지 시설을 확충하고 실버산업을 육성한다.

④ 정년 단축을 통해 청년층의 취업 기회를 확대한다.

⑤ 육아 휴직을 활성화하고 직장 내 보육 시설을 확대한다.

13-1 모의고사 기출 **틀린 선지 더 찾기**

① 일과 가정이 양립하는 방안을 마련한다.

② 기업에서 적극적으로 외국인 근로자를 고용한다.

③ 산아 제한 정책을 시행하여 청장년층의 부양 부담을 줄인다.

| 교육청 기출 |

14 지도는 시·도별 외국인 근로자 수를 나타낸 것이다. 이에 대한 옳은 분석을 〈보기〉에서 고른 것은?

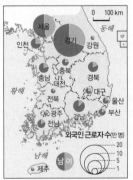

* 전체 외국인 근로자 수: 588,944명
(행정안전부, 2012)

┤ 보기 ├

ㄱ. 충남은 경남보다 남성 외국인 근로자 수가 많다.

ㄴ. 수도권의 외국인 근로자 수는 전국의 절반 이상을 차지한다.

ㄷ. 외국인 근로자의 성별 비율 차이가 가장 작은 지역은 서울이다.

ㄹ. 광역시의 경우 항구 도시들보다 내륙 도시들의 외국인 근로자 수가 많다.

① ㄱ, ㄴ　　② ㄱ, ㄷ　　③ ㄴ, ㄷ

④ ㄴ, ㄹ　　⑤ ㄷ, ㄹ

| 수능 기출 |

15 지도에 나타난 현상의 원인으로 가장 적절한 것은?

〈국제결혼율〉

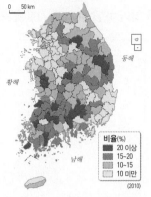

① 은퇴한 베이비 붐 세대의 귀농 증가

② 유아 사망률 감소와 평균 수명 증가

③ 촌락 지역의 청장년층 성비 불균형

④ 균형 발전을 위한 공공 기관의 지방 이전

⑤ 다국적 기업의 국내 진출에 의한 외국 고급 인력 유입

| 교육청 기출 |

16 다음 자료에 대한 옳은 분석을 〈보기〉에서 고른 것은?

〈국제결혼 건수〉　　〈외국인 아내의 국적별 촌락 유입 건수〉

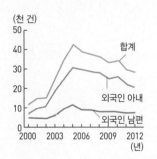 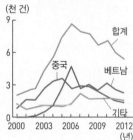

┤ 보기 ├

ㄱ. 우리나라 남성과 외국 여성의 결혼 건수는 2012년이 2005년보다 많다.

ㄴ. 2000년 대비 2005년 국제결혼 건수의 증가는 우리나라 여성과 외국 남성의 결혼 건수 증가가 주된 원인이다.

ㄷ. 2009년~2012년 촌락에 유입된 외국인 아내는 중국보다 베트남 출신이 많다.

ㄹ. 2012년에 우리나라 남성과 결혼한 외국인 여성은 촌락보다 도시에 더 많이 거주한다.

① ㄱ, ㄴ　　② ㄱ, ㄷ　　③ ㄴ, ㄷ

④ ㄴ, ㄹ　　⑤ ㄷ, ㄹ

우리나라 지도 워크북

1 지도에서 다음 지역을 찾아 해당 위치에 기호를 표시해 보세요.

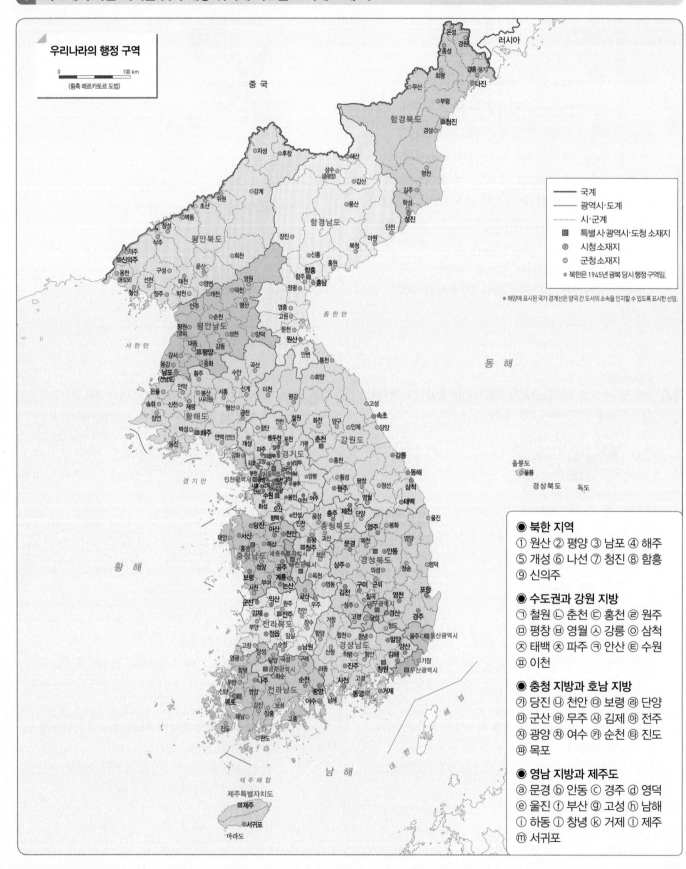

● **북한 지역**
① 원산 ② 평양 ③ 남포 ④ 해주
⑤ 개성 ⑥ 나선 ⑦ 청진 ⑧ 함흥
⑨ 신의주

● **수도권과 강원 지방**
㉠ 철원 ㉡ 춘천 ㉢ 홍천 ㉣ 원주
㉤ 평창 ㉥ 영월 ㉦ 강릉 ㉧ 삼척
㉨ 태백 ㉩ 파주 ㉪ 안산 ㉫ 수원
㉬ 이천

● **충청 지방과 호남 지방**
㉮ 당진 ㉯ 천안 ㉰ 보령 ㉱ 단양
㉲ 군산 ㉳ 무주 ㉴ 김제 ㉵ 전주
㉶ 광양 ㉷ 여수 ㉸ 순천 ㉹ 진도
㉺ 목포

● **영남 지방과 제주도**
ⓐ 문경 ⓑ 안동 ⓒ 경주 ⓓ 영덕
ⓔ 울진 ⓕ 부산 ⓖ 고성 ⓗ 남해
ⓘ 하동 ⓙ 창녕 ⓚ 거제 ⓛ 제주
ⓜ 서귀포

수도권

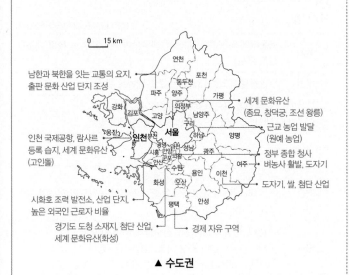

0 15 km

남한과 북한을 잇는 교통의 요지, 출판 문화 산업 단지 조성

연천

동두천

포천

파주 양주 가평

강화 김포 고양 구리 의정부 남양주

세계 문화유산 (종묘, 창덕궁, 조선 왕릉)

인천 국제공항, 람사르 등록 습지, 세계 문화유산 (고인돌)

옹진 인천 부천 서울 하남 양평

광명 과천 성남

근교 농업 발달 (원예 농업)

시흥 안양 안산 군포 의왕 광주

정부 종합 청사

수원 용인 이천

여주

벼농사 활발, 도자기

화성 오산

도자기, 쌀, 첨단 산업

시화호 조력 발전소, 산업 단지, 높은 외국인 근로자 비율

평택 안성

경기도 도청 소재지, 첨단 산업, 세계 문화유산(화성)

경제 자유 구역

▲ 수도권

강원 지방

0 25 km

침식 분지, 배꼽 축제

철원 고성

용암 대지, 쌀, 한탄강 레저(래프팅)

화천 양구 속초

석호(영랑호, 청초호), 사빈

인제

북한강과 소양강의 합류, 도청 소재지, 침식 분지, 대륙성 기후

춘천 양양

양수식 수력 발전, 송이 버섯 축제

홍천 강릉

석호(경포호), 정동진 해안 단구, 유역 변경식 발전, 강릉 단오제

한우

횡성 평창 동해

기업 도시, 혁신 도시, 의료 산업 클러스터, 강원도에서 인구 가장 많음.

원주 정선

삼척

카르스트 지형, 감입 곡류 하천 (오십천)

카르스트 지형, 감입 곡류 하천(한반도 마을)

영월 태백

석탄 박물관, 고랭지 농업

동계 올림픽 개최, 풍력 발전소, 대관령, 고랭지 농업, 목축업, 스키장

▲ 강원 지방

충청 지방

0 25 km

기업 도시, 충주댐

제철 공업 발달

교통 발달, 지하철로 서울과 연결

충주 제천 단양

음성

카르스트 지형

당진 진천 증평

신두리 해안 사구, 람사르 등록 습지, 화력 발전

태안 서산 아산 천안 괴산

석유 화학 산업 단지

예산 청주

홍성

우리나라 17번째 광역 자치 단체로 출범, 중앙 행정 기능 분담

공주 세종 보은

청양

머드 축제, 석탄 박물관, 화력 발전

보령 대전 옥천

부여 계룡 영동

경부 고속 국도와 호남 고속 국도의 분기점으로, 육상 교통의 요지

서천 논산 금산

▲ 충청 지방

호남 지방

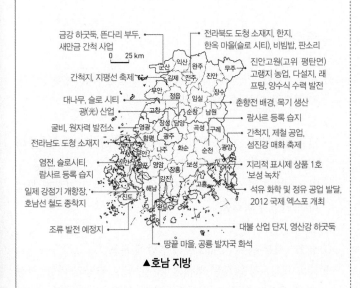

금강 하굿둑, 뜬다리 부두, 새만금 간척 사업

0 25 km

전라북도 도청 소재지, 한지, 한옥 마을(슬로 시티), 비빔밥, 판소리

간척지, 지평선 축제

군산 익산 완주 무주

김제 전주 진안

진안고원(고위 평탄면) 고랭지 농업, 다설지, 래프팅, 양수식 수력 발전

대나무, 슬로 시티 광(光) 산업

부안 정읍 임실 장수

굴비, 원자력 발전소

고창 순창 남원

춘향전 배경, 목기 생산

전라남도 도청 소재지

영광 장성 담양 곡성 구례

람사르 등록 습지

염전, 슬로시티, 람사르 등록 습지

함평 광주 화순

나주 순천 광양

간척지, 제철 공업, 섬진강 매화 축제

일제 강점기 개항장, 호남선 철도 종착지

무안 영암 보성

목포 장흥

지리적 표시제 상품 1호 '보성 녹차'

강진 고흥

조류 발전 예정지

진도 해남

석유 화학 및 정유 공업 발달, 2012 국제 엑스포 개최

대불 산업 단지, 영산강 하굿둑

땅끝 마을, 공룡 발자국 화석

▲ 호남 지방

영남 지방

경상북도 도청 소재지, 안동댐과 임하댐, 안개일수 증가, 세계 문화유산(하회 마을)

원자력 발전소, 대게 축제, 석회 동굴

석탄 박물관, 문경 새재

영주 봉화 울진

풍력 발전소, 대게 축제

문경 예천 안동 영양

상주 의성 청송 영덕

울릉도

독도

구미 군위 영천 포항

제철 공업

내륙 침식 분지, 섬유 공업 특화

김천 칠곡 대구 경산 경주

세계 문화유산(역사 유적 지구, 석굴암, 불국사, 양동 마을), 원자력 발전소

람사르 등록 습지(우포늪)

성주 고령 청도 울산

거창 합천 창녕

조선, 자동차, 석유 화학

함양 의령 밀양 양산

슬로 시티, 녹차

산청 진주 창원 김해 부산

낙동강 하굿둑, 원자력 발전소, 국제 영화제

하동 고성 함안 창원

다랭이 마을, 죽방렴, 한려 해상 국립 공원

남해 통영

조선 공업

마산, 진해, 창원이 통합, 기계 산업 발달

공룡 발자국 화석, 공룡 축제

▲ 영남 지방

01 지역의 의미와 지역 구분

~02 북한 지역의 특성과 통일 국토

1 지역의 의미와 다양한 지역 구분

1. 지역과 지역성
(1) 지역 주변의 다른 곳과 지리적 특성이 구별되는 지표상의 공간 범위
(2) 지역성 지역의 자연적·문화적 특성이 오랜 기간 동안 상호 작용하여 형성된 그 지역만의 고유한 특성 → 지역 간 교류로 지역성이 변하기도 하고 약화되기도 함.

2. 지역의 구분

동질 지역	특정한 지리적 현상이 동일하게 분포하는 공간적 범위 예 기후 지역, 농업 지역, 문화 지역 등
기능 지역	하나의 중심지와 그 중심 기능이 영향을 미치는 공간적 범위 예 상품의 배달 범위, 통근권, 통학권, 상권 등
점이 지대	서로 인접한 두 지역의 특성이 함께 섞여 나타나는 지역, 지역 간의 경계에서 나타남.

3. 우리나라의 지역 구분
★ (1) 전통적 지역 구분 산줄기, 고개, 대하천 등의 지형지물을 기준으로 구분
철령은 함경남도 안변군과 강원도 회양군을 연결하는 고개로, 철령관은 여기에 설치된 관문임.

구분	행정 구역	구분 경계 및 위치
관북 지방	함경남·북도	철령관의 북쪽
관서 지방	평안남·북도	철령관의 서쪽
관동 지방	강원도	철령관의 동쪽 대관령을 기준으로 영서와 영동 지방으로 구분
해서 지방	황해도	한양을 기준으로 바다 건너 서쪽
경기 지방	경기도	도읍지인 한양을 둘러싸고 있는 곳
호서 지방	충청남·북도	금강(호강) 상류의 서쪽 또는 제천 의림지의 서쪽
호남 지방	전라남·북도	금강(호강)의 남쪽 또는 김제 벽골제의 남쪽
영남 지방	경상남·북도	조령(문경 새재)의 남쪽

(2) 위치에 따른 일반적 구분 북부 지방(휴전선 북쪽), 중부 지방(수도권·충청권·강원권), 남부 지방(전라권, 영남권, 제주권)
(3) 권역에 따른 구분 수도권, 충청권, 호남권, 영남권, 강원권, 제주권

2 북한 지역의 특성

★1 북한의 자연환경
(1) 지형

정상부 화구에 형성된 칼데라호가 있음.

산지	북동부에 마천령·함경산맥, 백두산과 개마고원 등 높고 험준한 산지 분포
하천	두만강을 제외한 대하천은 주로 황해로 유입
평야	• 동해안에 규모가 작은 해안 평야 발달 • 대하천이 흐르는 서해안 지역에 큰 평야 발달

(2) 기후

기온	• 연교차가 크고 겨울이 긴 대륙성 기후 • 산맥과 바다의 영향으로 동해안 지역이 동위도의 서해안 지역보다 겨울 기온이 높음.
강수	• 지형과 풍향의 영향으로 강수량의 지역 차가 큼. • 다우지: 동해안의 원산 일대, 청천강 중·상류 • 소우지: 대동강 하류, 관북 해안 지역

핵심 기출 자료 분석 **북한의 지형과 기후**

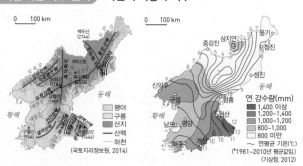

▲ 지형과 산맥 분포   ▲ 기온과 강수량 분포

분석 | 북한은 남한보다 높은 산지가 많으며, 위도가 높아 비교적 겨울이 길고 추우며 여름은 짧고 서늘하다. 연강수량은 북한이 남한보다 적은 편인데, 지형과 풍향의 영향으로 강수량의 지역 차가 크다.

(3) 자연환경과 주민 생활 밭농사 발달, 관북 지방에서는 폐쇄적인 가옥 구조(田자형 가옥, 정주간 등)가 나타남.

2. 북한의 인문 환경
(1) 인구
① 특징 남한 인구수의 절반 수준이며, 출산 제한 정책 실시와 빈곤으로 인구 증가율 둔화
② 분포
• 인구 밀집 지역 농업·공업이 발달한 서부 평야 지역에 인구의 40% 이상이 거주, 좁은 동해안 평야 지역을 따라 인구 집중
• 인구 희박 지역 북부 내륙 지방은 산지가 많고 기후가 한랭하여 인구가 희박함.
(2) 도시
① 분포 서부 평야 지대와 동해 연안에 분포
② 주요 도시 평양(북한 최대의 도시), 남포(평양의 외항, 서해 갑문 설치로 물류 기능 성장), 함흥·원산·청진(일제 강점기부터 공업 도시로 성장)

(3) 자원   높은 산지가 많고 하천의 폭이 좁아 수력 발전에 유리
    예 압록강, 장진강, 부전강 등
① 지하자원   석회석, 무연탄, 철광석 등 풍부
② 에너지 자원   화력 발전, 수력 발전으로 전력 생산, 석탄이
    1차 에너지 자원의 소비량에서 45% 차지
(4) 교통   철도 교통이 육상 수송의 중심, 도로 교통은 철도역과
    주변 사이를 연결하는 기능으로 활용   지형의 영향으로 동서 간
    교통로 연결 미약
(5) 산업   군수 산업과 연계된 기계, 금속 등 중공업 중심 → 산
    업 구조의 불균형 발생

3 북한의 개방 정책과 통일 국토의 미래

1. 북한의 개방 정책
(1) 개방의 필요성   1990년 사회주의 경제권의 붕괴로 산업 연
    관 관계가 단절됨에 따라 대외 경제 개방을 모색
★ 주요 개방 지역

나선 경제특구	• 중국, 러시아와 인접한 북한 최초의 개방 지역 • 사회 간접 자본 부족, 대외 개방을 위한 제도적 기반 미비로 외국 자본 투자가 부진
신의주 특별 행정구	• 중국 홍콩처럼 개발하기 위해 외자 유치 및 교역 확대를 유도 • 중국과의 마찰로 사업 중단
금강산 관광 지구	• 관광객 유치 목적으로 조성, 이산가족 상봉 등 남북 교류의 장으로 활용 • 2008년 이후 잠정 중단 상태
개성 공업 지구	• 남한의 수도권, 서해안과 인접한 이점을 이용해 기업 유치를 목적으로 조성 • 남한의 자본과 기술 + 북한의 노동력 → 남북 교류 증대에 큰 역할 • 2016년 이후 정치적 마찰로 중단 상태

핵심 기출 자료 분석 북한의 개방 지역

분석 | 북한의 개방 지역은 교역에 유리하면서도 내부 체제에 미치는 영향을 최소화할 수 있는 국경과 해안 지역을 중심으로 분포한다.

2. 남북 교류 현황
(1) 경제 교류   초기에는 단순 상품 교역 → 이후 위탁 가공 교
    역, 대북 직접 투자 등으로 확대
(2) 인도적·인적·문화적 교류   식량·비료 지원, 이산가족 상봉,
    문화 공연 등
3. 통일 국토의 미래   국토 면적 확대, 인구 증가, 남한의 자본 및
    기술과 북한의 지하자원 및 노동력의 경제적 상호 보완, 국
    토의 효율적 이용과 균형적 발전, 평화 지대 구축 등

개념 암기

1 빈칸에 들어갈 알맞은 말을 쓰시오.
(1) (   )은/는 다른 지역과 구분되는 그 지역의
    고유한 특성이다.
(2) (   )은/는 특정한 지리적 현상이 동일하게
    분포하는 공간 범위이다.
(3) (   )은/는 하나의 중심지와 주변 지역이 기
    능적으로 결합된 공간 범위이다.

2 우리나라의 전통적인 지역 구분을 바르게 연결하시오.
(1) 관동 지방•   • ㉠ 강원도
(2) 관북 지방•   • ㉡ 경상남도, 경상북도
(3) 관서 지방•   • ㉢ 충청남도, 충청북도
(4) 영남 지방•   • ㉣ 함경남도, 함경북도
(5) 호서 지방•   • ㉤ 평안남도, 평안북도
(6) 호남 지방•   • ㉥ 전라남도, 전라북도

3 설명이 맞으면 ○표, 틀리면 ✕표 하시오.
(1) 북한은 서부 지역에 높은 산지가 분포한다. (   )
(2) 북한은 연교차가 크고 겨울이 긴 대륙성 기후가 나타
    난다.   (   )
(3) 대동강 하류, 관북 해안 지역은 북한의 대표적인 소우
    지이다.   (   )
(4) 북부 내륙 지방은 인구 희박 지역이다.   (   )
(5) 북한의 1차 에너지 소비 구조에서 석유가 가장 큰 비중
    을 차지한다.   (   )
(6) 북한의 육상 수송의 중심은 도로이다.   (   )

4 지도의 A~D 북한 개방 지역의 특징을 〈보기〉에서 고르시오.

┤ 보기 ├
ㄱ. 북한의 최초 개방 지역
ㄴ. 중국 홍콩처럼 개발하기 위해 조성
ㄷ. 관광객 유치를 위해 조성된 관광 지구
ㄹ. 남한의 자본 및 기술과 북한의 노동력을 결합한 경제
    협력 지구

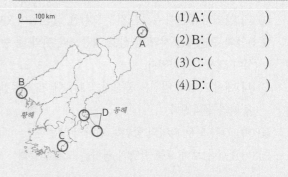

(1) A: (   )
(2) B: (   )
(3) C: (   )
(4) D: (   )

1 지역의 의미와 다양한 지역 구분

01 지역과 지역성에 대한 설명으로 옳지 <u>않은</u> 것은?

① 지역성은 시간의 흐름에 따라 변화한다.

② 하나의 장소는 여러 유형으로 구분될 수 있다.

③ 교통·통신의 발달로 지역 간 교류가 확대되면서 고유한 지역성은 점차 강화된다.

④ 중심지와 주변 지역이 기능적으로 결합되어 있는 공간적 범위를 기능 지역이라고 한다.

⑤ 지역은 지리적인 측면에서 다른 곳과 구별되면서 내부적으로 공통된 속성을 지니는 공간적 범위이다.

02 그림은 지역 구분을 모식적으로 나타낸 것이다. (가)의 특성이 나타나는 사례로 적합하지 <u>않은</u> 것은?

① 아시아 대륙의 종교 지역 구분

② 경관에 따른 도시와 농촌 지역의 구분

③ 충청남도와 충청북도의 행정 구역 구분

④ 도시 내부의 상업 지역과 공업 지역의 구분

⑤ 영남 내륙 지방과 해안 지방의 방언권 구분

03 (가), (나)는 같은 지역을 서로 다른 기준에 의해 구분한 것이다. 이에 대한 설명으로 옳은 것은?

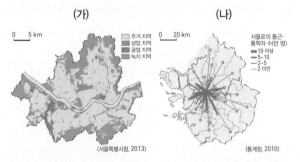

(가) (나)

(서울특별시청, 2013) (통계청, 2010)

① (가)와 지역 구분이 유사한 것은 도시권, 상권 등이 있다.

② (나)의 구분에는 지역 간 상호 작용보다 지역 내 동질성이 크게 작용하였다.

③ (나)에서 지역의 범위는 중심지가 보유한 기능의 정도에 따라 달라진다.

④ (가), (나) 모두 지역의 범위는 변하지 않는다.

⑤ (가)는 (나)보다 교통 발달의 영향을 크게 받는다.

04 자료는 학생이 작성한 노트 필기의 일부이다. ㄱ~ㄹ 중에서 옳은 내용을 고른 것은?

〈우리나라의 전통적인 지역 구분〉

ㄱ. 관서·관북·관동 지방은 철령관을 기준으로 구분된다.

ㄴ. 관동 지방은 대관령을 기준으로 영서 지방과 영동 지방으로 구분된다.

ㄷ. 호남 지방과 호서 지방은 차령산맥을 기준으로 구분된다.

ㄹ. 영남 지방은 금강의 남쪽이라는 데서 유래되었다.

(국토지리정보원, 2014)

① ㄱ, ㄴ ② ㄱ, ㄷ ③ ㄴ, ㄷ
④ ㄴ, ㄹ ⑤ ㄷ, ㄹ

2 북한 지역의 특성

05 자료는 북한의 지형을 나타낸 것이다. 이에 대한 설명으로 옳지 <u>않은</u> 것은?

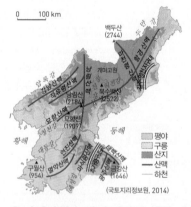

(국토지리정보원, 2014)

① 낭림산맥은 관서 지방과 관북 지방의 경계이다.

② 관서 지방보다 관북 지방의 평균 해발 고도가 더 높다.

③ 유로가 길고 경사가 완만한 하천은 대부분 동해로 흐른다.

④ 평양평야, 안주·박천평야 등 대부분의 큰 평야는 서부 해안 지역에 분포한다.

⑤ 지형의 대부분이 산지이며, 해발 고도가 2,000m 이상의 높은 산지가 연속적으로 분포한다.

[06~07] (가), (나)는 북한 어느 두 지역의 기후 그래프이다. 이를 보고 물음에 답하시오.

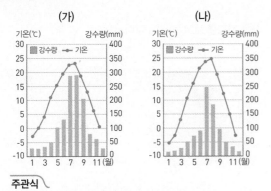

(가)　　　　　(나)

주관식

06 다음 글의 빈칸에 들어갈 알맞은 말을 쓰시오.

> (가), (나) 기후 그래프를 통해 볼 때, 북한 지역은 연교차가 크고 겨울이 긴 (　　　　) 기후가 나타난다.

07 (가), (나) 기후 특성이 나타나는 지역을 지도의 A~D에서 고른 것은?

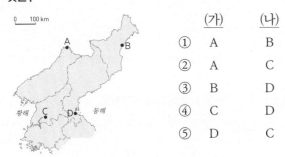

	(가)	(나)
①	A	B
②	A	C
③	B	D
④	C	D
⑤	D	C

08 지도의 (가), (나) 발전 양식에 대한 설명으로 옳은 것은?

◀ 북한의 주요 발전 설비 용량

(에너지경제연구원, 2015)

① (가)는 수력, (나)는 화력 발전에 해당한다.
② (가)는 주로 석유를 이용해 발전한다.
③ 남한의 경우 (나)의 발전량 비중이 가장 높다.
④ (가)는 (나)보다 대기 오염 물질의 배출량이 적다.
⑤ (나)는 (가)보다 발전소 입지 선정에 있어 자연 조건의 영향을 크게 받는다.

09 다음 자료를 통해 알 수 있는 북한의 교통망에 대한 설명으로 적절하지 <u>않은</u> 것은?

(통일부, 2014)

① 철도 교통을 이용하여 화물의 대부분을 수송한다.
② 고속 국도는 평양을 중심으로 방사상으로 뻗어있다.
③ 서부 지역과 동부 지역을 연결하는 교통망이 크게 발달하였다.
④ 주요 교통망은 서부 평야 지역과 동부 해안 지역을 따라 발달하였다.
⑤ 도로, 하천 및 해상 수송은 철도 수송의 연계를 위한 보조적인 역할을 한다.

10 지도의 A~E 지역의 특성에 대한 모둠별 탐구 주제를 정리한 것이다. 각 조사 지역에 대한 탐구 주제의 선정이 적절한 모둠을 고른 것은?

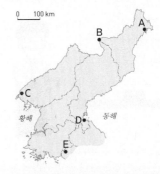

모둠	조사 지역	탐구 주제
(가)	A	나선 경제특구의 입지 선정 과정
(나)	B	카르스트 지형의 관광 자원 활용
(다)	C	용암의 열하 분출로 형성된 지형
(라)	D	일제 강점기 때 공업 도시로의 성장
(마)	E	갑문 설치에 따른 항구의 물동량 변화

① (가), (나)　　　② (가), (라)　　　③ (나), (다)
④ (나), (마)　　　⑤ (라), (마)

3 북한의 개방 정책과 통일 국토의 미래

 북한의 개방 지역에 대한 발표 내용이 옳은 학생을 고른 것은?

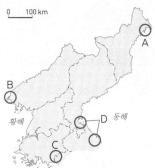

갑: A는 중국과의 주요 무역 통로로, 2002년 특별 행정구로 지정되었어요.

을: B는 1991년 유엔 개발 계획(UNDP)의 지원을 계기로 지정되었어요.

병: C는 남한의 자본 및 기술과 북한의 노동력이 결합된 공업 지구예요.

정: D는 남한과 육로로 연결된 관광 지구지만, 2008년 이후 중단 상태예요.

① 갑, 을　　② 갑, 병　　③ 을, 병
④ 을, 정　　⑤ 병, 정

12 다음 자료에 대한 옳은 설명을 〈보기〉에서 고른 것은?

서울에서 (㉠)을(를) 잇는 경원선 철도가 연결되면 기차로 시베리아 여행을 할 수 있습니다.

• 유라시아 횡단 철도
• 아시안 하이웨이

┤ 보기 ├
ㄱ. 통일로 육상 교통로가 회복되면 주변국과의 교류는 줄어들 우려가 있다.
ㄴ. 통일이 되면 유라시아 횡단 철도 및 아시안 하이웨이와 연결되어 물류비용을 줄일 수 있다.
ㄷ. ㉠은 북한 지역의 대표적인 다우지이다.
ㄹ. ㉠은 관광객 유치를 목적으로 조성된 관광 지구로, 이산가족 상봉 등 남북 교류의 장으로 활용된다.

① ㄱ, ㄴ　　② ㄱ, ㄷ　　③ ㄴ, ㄷ
④ ㄴ, ㄹ　　⑤ ㄷ, ㄹ

서술형 문제

13 다음 지도를 보고 물음에 답하시오.

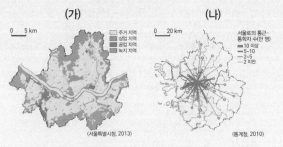

(1) (가), (나) 지역 구분의 유형을 쓰시오.

(2) (가), (나) 지역 구분 유형의 특징을 쓰고, 각각의 사례를 <u>두 가지</u> 서술하시오.

14 다음 지도를 보고 물음에 답하시오.

(1) A~E 중 최한월 평균 기온이 가장 낮은 곳과 연 강수량이 가장 많은 곳의 기호와 지명을 각각 쓰시오.

(2) 북한의 주요 개방 지역 중 하나인 E의 명칭을 쓰고, 그 특징을 서술하시오.

01 (가), (나)에 해당하는 지역을 지도의 A~D에서 고른 것은?

> (가) 남쪽은 철령이 한계이고, 동북쪽은 두만강이 경계이다. 남북 길이는 2천 리를 넘으나 바다에 면하여 동서로는 백 리가 채 못 된다. …(중략)… 산천이 험악하고 기후가 춥고 토지도 메말랐다.
> – 이중환, 《택리지》 –
>
> (나) 태백산 왼쪽에서 나온 하나의 큰 지맥은 동해로 바싹 붙어 내려오다가 동래 바닷가에서 그쳤고, 오른쪽에서 나온 하나의 큰 지맥은 소백, 덕유, 지리 등의 산이 된 다음, 남해가에서 그쳤는데 두 지맥 사이에 기름진 들판이 천 리이다.
> – 이중환, 《택리지》 –

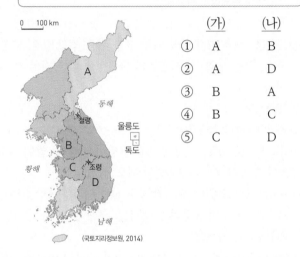

(국토지리정보원, 2014)

	(가)	(나)
①	A	B
②	A	D
③	B	A
④	B	C
⑤	C	D

02 그래프는 (가)~(라) 지역의 기후 특성을 나타낸 것이다. 이에 해당하는 지역을 지도의 A~E에서 고른 것은?

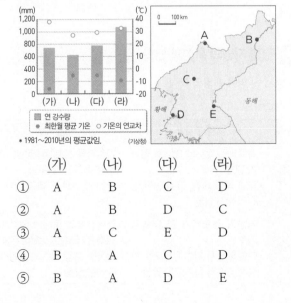

연 강수량
최한월 평균 기온
기온의 연교차
* 1981~2010년의 평균값임. (기상청)

	(가)	(나)	(다)	(라)
①	A	B	C	D
②	A	B	D	C
③	A	C	E	D
④	B	A	C	D
⑤	B	A	D	E

03 다음 자료에 대한 옳은 설명을 〈보기〉에서 고른 것은?

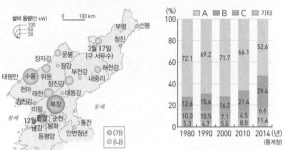

설비 용량(만 kW)
(에너지경제연구원, 2015)

▲ 북한의 주요 발전 설비 용량

▲ 북한의 1차 에너지 소비 구조 변화

┤보기├
ㄱ. (가)는 B를 연료로 한다.
ㄴ. (가)는 비재생 자원, (나)는 재생 자원을 활용한다.
ㄷ. 남한에서는 C보다 A의 해외 의존도가 높다.
ㄹ. 남한의 경우 C가 A보다 수송용으로 많이 이용된다.

① ㄱ, ㄴ   ② ㄱ, ㄷ   ③ ㄴ, ㄷ
④ ㄴ, ㄹ   ⑤ ㄷ, ㄹ

04 다음 자료를 통해 알 수 있는 북한 경제의 특징으로 옳지 않은 것 두 개는?

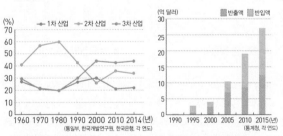

1차 산업 2차 산업 3차 산업
(통일부, 한국개발연구원, 한국은행, 각 연도)

▲ 북한의 산업 구조

반출액 반입액
(통계청, 각 연도)

▲ 남북 교역액 변화

① 서비스업의 비중은 1980년에 비해 2000년이 높다.
② 2000년에는 광공업의 비중이 농업보다 작아지기도 했다.
③ 1980년 이후 산업 구조의 고도화가 지속적으로 이루어졌다.
④ 2015년 남북 교역액은 2005년 남북 교역액의 2배 이상이다.
⑤ 2010년에 남북 교역의 반출액과 반입액의 격차가 최대로 증가하였다.

03

수도권과 강원 지방

1 수도권의 특성과 문제점 및 해결 방안

1. 수도권의 위치와 특성 한반도 중서부에 위치하며, 서울특별시, 인천광역시, 경기도로 구성

2. 수도권의 공간적 집중

인구 집중	우리나라 전체 면적의 약 12%에 불과하지만, 인구는 전체 인구의 절반 정도를 차지함.
기능 집중	• 중앙 정부 기관, 대기업 본사, 언론사, 금융 기관 본점, 각종 문화 시설 집중 • 서비스업, 제조업의 집중으로 국내 총생산(GDP)의 절반 정도를 차지함.
교통망 집중	교통망이 서울 등 수도권을 중심으로 연결되어 있음.

핵심 기출 자료 분석 수도권 집중도 및 인구 변화

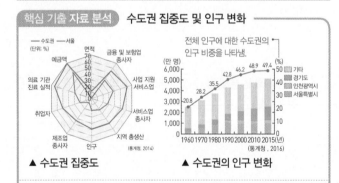

▲ 수도권 집중도   ▲ 수도권의 인구 변화

분석 | 수도권의 면적은 우리나라 전체 면적의 약 12%에 불과하지만, 우리나라 전체 인구와 국내 총생산의 약 절반가량이 집중되어 있으며 다양한 분야에서 집중도가 높게 나타난다. 한편 수도권의 인구 비중은 급격이 증가했으나 1990년 이후 과밀화로 서울의 인구가 인천이나 경기도 지역으로 이동하며 서울의 인구는 정체되어 있다.

3. 수도권의 공간 구조 변화

⭐시기별 경제적 공간 구조의 변화 ┌ 한국 수출 산업 공단(구로 공단) 조성
① 1960년대 서울을 중심으로 제조업 발달
② 1970년대~1980년대 서울의 외곽 지역으로 제조업 분산
③ 1990년대 서울을 중심으로 3차 산업 비중 증가
④ 2000년대 이후 지식 기반 산업, 생산자 서비스업 성장
(2) 수도권의 산업 변화
① 서울의 탈공업화 서울의 제조업이 경기·충청권으로 이전

② 지식 기반 산업의 공간적 분화 지식 기반 제조업은 경기·인천에, 지식 기반 서비스업은 서울에 입지

핵심 기출 자료 분석 수도권의 지식 기반 산업

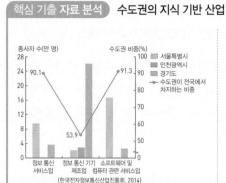

▲ 수도권의 지식 기반 산업 종사자 수

분석 | 상대적으로 넓은 부지가 필요한 지식 기반 제조업은 경기에, 고급 인력과 최신 정보 확보 및 관련 업체와의 협력을 필요로 하는 지식 기반 서비스업은 주로 서울에 분포한다.

(3) 문화적 공간 구조의 변화 서울을 중심으로 다양한 문화 유적·현대적 문화 공간 발달, 최근 다양한 문화 시설이 경기와 인천으로 확산

4. 수도권의 문제점과 해결 방안   ┌ 각종 기능이 한정된 장소에 모이면서 발생하는 불이익
(1) 원인 인구와 기능의 과도한 집중 → 집적 불이익 발생
(2) 문제점 생활 기반 시설 부족, 교통 체증, 집값 상승, 도심 노후화, 환경 오염, 국토 공간의 불균형에 따른 지역 간 갈등 발생
(3) 해결 방안
① 인구와 기능의 집중 억제
• 과밀 부담금 제도 인구 집중을 유발하는 상업·업무 시설이 들어설 때 부담금을 부과하는 제도
• 수도권 공장 총량제 수도권 공장 건축 면적의 총량을 설정하고, 기준 초과 시 공장의 신·증설을 규제하는 제도
② 인구 및 기능의 분산
• 수도권 정비 계획 수도권에 과도하게 집중된 인구와 산업을 적정하게 배치하여 균형 있게 발전시키려는 계획
• 다핵 연계형 공간 구조 도시권별 자족성을 높이고, 지역별 중심 도시 간 연계를 강화하여 균형 발전 추구

2 강원 지방의 특성과 변화

⭐영서 및 영동 지방의 특성
        └ 태백 산맥을 경계로 구분
(1) 자연환경

구분	영서 지방	영동 지방
지형	• 서쪽으로 갈수록 대체로 경사가 완만 • 감입 곡류 하천, 고위 평탄면, 침식 분지 발달	• 급경사의 산지, 동해안을 따라 좁은 해안 평야 발달 • 하천의 유로가 짧고, 경사가 급함.
기후	• 기온의 연교차가 큰 대륙성 기후 • 여름철 남서 기류 유입으로 지형성 강수와 집중 호우 발생	• 태백산맥과 동해의 영향으로 여름이 서늘하고 겨울이 온난함. • 겨울철 북동 기류의 영향으로 강설량 많음.

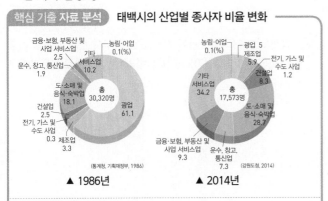

▲ 홍천   ▲ 강원도 8월 평균
기온과 해발 고도   ▲ 강릉

분석 | 동해와 태백산맥의 영향으로 강릉은 홍천보다 겨울철 기온이 온화하며 겨울철 강수량이 많은 편이다. 반면 내륙에 위치한 홍천은 강릉보다 기온의 연교차가 크며 여름철 강수량이 많다.

(2) 인문 환경

구분	영서 지방	영동 지방
언어	수도권과 유사한 방언 사용	북부 지방이나 영남 지방과 비슷한 방언 사용
생활	• 밭농사 비율이 높아 옥수수, 감자를 이용한 음식 발달 • 고랭지 농업, 목축업 발달	• 동해와 접해 있어 해산물을 이용한 음식 발달 • 반농 반어촌, 관광 산업 발달

2. 강원 지방의 변화

(1) 산업 구조의 변화

① 석탄 산업 쇠퇴   1980년대에 석회석, 무연탄 등을 바탕으로 국내 최대 광업 지역으로 성장 → <u>석탄 산업 합리화 정책으로 쇠퇴</u>
└ 에너지 소비 구조 변화와 해외 자원 수입량 증가 등으로 석탄 산업이 쇠퇴함.

② 관광 산업 성장   탄광촌을 관광지로 복원, 산업 철도를 이용한 레저 활동 등

금융·보험, 부동산 및 사업 서비스업 2.5
운수, 창고, 통신업 1.9
농림·어업 0.1(%)
기타 서비스업 10.2
도·소매 및 음식·숙박업 18.1
건설업 2.5
전기, 가스 및 수도 사업 0.3
제조업 3.3
총 30,320명
광업 61.1
(통계청, 기획재정부, 1986)

▲ 1986년

농림·어업 0.1(%)
광업 5
제조업 5.9
전기, 가스 및 수도 사업 1.2
건설업 8.3
기타 서비스업 34.2
도·소매 및 음식·숙박업 28.7
금융·보험, 부동산 및 사업 서비스업 9.3
운수, 창고, 통신업 7.3
총 17,573명
(강원도청, 2014)

▲ 2014년

분석 | 석탄 소비가 감소하자 정부는 석탄 산업 합리화 정책을 추진하였고, 이 때문에 주요 석탄 생산지였던 태백시는 인구가 감소하고 지역 경제가 침체되었다. 이를 극복하기 위해 태백시는 관광 산업 중심의 산업 구조로 변화하고 있다.

(2) 새로운 성장 방향

① 관광 산업 특화   고위 평탄면을 이용한 목장, 자연환경을 이용한 생태 및 휴양 관광 등

② 도시별 전략 산업 육성   춘천의 바이오 산업, 원주의 의료 기기 산업 클러스터, 강릉의 해양·신소재 산업 등
└ 유사 업종에서 다른 기능을 수행하는 기업, 대학, 연구소 등이 한 곳에 모여 있는 것

개념 암기

1 빈칸에 들어갈 알맞은 말을 쓰시오.

(1) (   )의 범위는 서울특별시, 인천광역시, 경기도를 포함한다.

(2) 서울의 제조업이 경기도나 충청권으로 이전하여 서울의 (   )이/가 나타났다.

(3) 수도권에는 인구와 각종 기능이 과도하게 집중되어 있어 (   )이/가 발생하였다.

(4) (   )은/는 인구 집중을 유발하는 상업·업무 시설이 들어설 때 부담금을 부과하는 제도이다.

2 괄호 안의 내용 중 알맞은 말에 ○표 하시오.

(1) (서울, 경기)의 인구 성장은 1990년 이후 정체되었다.

(2) 지식 기반 제조업은 (서울, 경기·인천)에, 지식 기반 서비스업은 (서울, 경기·인천)에 주로 위치한다.

3 영동 지방과 영서 지방의 특징을 바르게 연결하시오.

               • ㉠ 수도권과 유사한 방언

(1) 영동 지방 •   • ㉡ 반농 반어촌과 관광 산업 발달

               • ㉢ 급경사의 산지와 좁은 해안 평야

(2) 영서 지방 •   • ㉣ 완만한 경사의 산지와 침식 분지

4 설명이 맞으면 ○표, 틀리면 ✕표 하시오.

(1) 영동 지방은 태백산맥이 한랭한 북서 계절풍을 막아 주고 상대적으로 따뜻한 동해의 영향으로 영서 지방보다 겨울철이 따뜻하다.   (   )

(2) 강원 지방은 1989년에 시행된 석탄 산업 합리화 정책 이후 광업이 쇠퇴하면서 지역 경제가 침체되었다.   (   )

(3) 강원 지방은 춘천의 의료 기기 산업 클러스터, 원주의 바이오 산업, 강릉의 해양·신소재 사업 등 도시별 전략 산업을 육성하고 있다.   (   )

1 수도권의 특성과 문제점 및 해결 방안

01 그래프는 각종 지표의 수도권 및 서울 집중도를 나타낸 것이다. 이에 대한 설명으로 옳지 <u>않은</u> 것은?

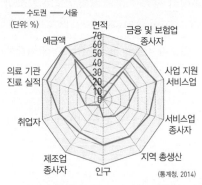

① 수도권의 면적은 전국의 20%를 넘지 않는다.
② 수도권의 예금액 비중은 전국의 70%에 달한다.
③ 서울 인구는 수도권 인구의 절반에 미치지 못한다.
④ 서울의 취업자 비중은 경기와 인천을 합한 것보다 작다.
⑤ 수도권의 제조업 종사자 집중도가 서비스업 종사자 집중도보다 크다.

02 다음 자료에 대한 옳은 설명을 〈보기〉에서 고른 것은?

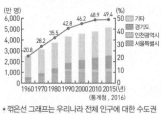

▲ 수도권의 인구 변화

구분	수도권	비수도권
면적	12%	78%
인구	50%	50%
대학교	34%	66%
미술관	43%	57%

▲ 수도권 집중도 현황(2015)

* 꺾은선 그래프는 우리나라 전체 인구에 대한 수도권 인구의 비중을 나타냄.

┤ 보기 ├
ㄱ. 수도권의 인구 비중이 작아지고 있다.
ㄴ. 경기도가 수도권의 인구 증가를 주도하고 있다.
ㄷ. 수도권은 비수도권보다 인구 밀도가 높다.
ㄹ. 수도권의 대학교 집중도는 미술관 집중도보다 높다.

① ㄱ, ㄴ　　　② ㄱ, ㄷ　　　③ ㄴ, ㄷ
④ ㄴ, ㄹ　　　⑤ ㄷ, ㄹ

03 그래프는 수도권의 산업 구조를 나타낸 것이다. 이에 대해 옳은 설명을 한 학생을 고른 것은?

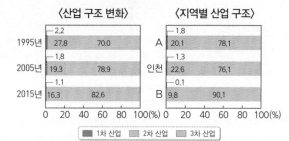

* 2015년 산업별 취업자 기준　　　(통계청, 2016)

갑: 수도권은 탈공업화가 진행되었어.
을: 인천은 서울보다 2차 산업 종사자 비중이 높아.
병: A는 2차 산업 비중이 B보다 크므로 서울이야.
정: B는 1차 산업 비중이 가장 작으므로 경기야.

① 갑, 을　　　② 갑, 병　　　③ 을, 병
④ 을, 정　　　⑤ 병, 정

04 그래프는 수도권의 지식 기반 산업 종사자 수와 지역별 비중을 나타낸 것이다. (가)~(다)에 해당하는 지역으로 옳은 것은?

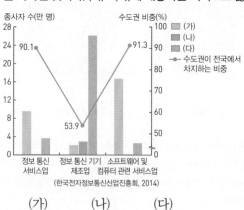

(한국전자정보통신산업진흥회, 2014)

	(가)	(나)	(다)
①	경기	서울	인천
②	경기	인천	서울
③	서울	경기	인천
④	서울	인천	경기
⑤	인천	경기	서울

05 표는 수도권의 제조업 사업체 수 변화를 나타낸 것이다. 이에 대한 옳은 설명을 〈보기〉에서 고른 것은? (단, (가)~(다)는 서울, 인천, 경기 중 하나임.)

구분	2004년	2014년
(가)	5,693개	4,589개
(나)	18,306개	23,955개
(다)	4,712개	4,870개

┤ 보기 ├

ㄱ. (가)에서는 상대적으로 넓은 부지를 구하기 쉬워 주로 지식 기반 제조업이 분포한다.

ㄴ. (가)는 (다)보다 지식 기반 서비스업 종사자 비중이 크다.

ㄷ. (나)의 사업체 수가 증가한 것은 (가)의 집적 불이익이 커졌기 때문이다.

ㄹ. (나), (다)에서 탈공업화 현상이 나타나고 있다.

① ㄱ, ㄴ　　　② ㄱ, ㄷ　　　③ ㄴ, ㄷ
④ ㄴ, ㄹ　　　⑤ ㄷ, ㄹ

06 자료는 제3차 수도권 정비 계획 중 생활권 중심 도시 구상에 대한 내용이다. 밑줄 친 ㉠~㉤ 중에서 옳지 <u>않은</u> 것은?

제3차 수도권 정비 계획은 ㉠ 수도권에 과도하게 집중된 인구와 산업을 적정하게 배치하도록 유도하여 수도권을 질서 있게 정비하고 균형 있게 발전시키기 위한 수도권 정비에 관한 종합적인 계획이다. 균형적인 수도권 개발을 위해서는 1차적으로 ㉡ 서울 의존적 공간 구조를 바꾸는 것이 필요하다. 정부는 ㉢ 수도권 내에 생활권별로 10개의 중심 도시를 육성하여 ㉣ 서울 중심의 다핵 구조를 단핵 구조로 바꾸는 계획을 진행 중이다. 또한, ㉤ 지역별 특성을 고려한 클러스터형 산업 배치로 각 도시권의 자족성 강화를 도모하고 있다.

① ㉠　　　② ㉡　　　③ ㉢
④ ㉣　　　⑤ ㉤

---

2 강원 지방의 특성과 변화

[07~09] 다음 지도를 보고 물음에 답하시오.

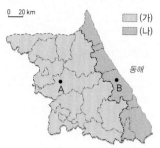

07 (가), (나) 지방에 대한 옳은 설명을 〈보기〉에서 고른 것은?

┤ 보기 ├

ㄱ. (가) 지방은 (나) 지방보다 경기 지방과의 교류가 적은 편이다.

ㄴ. 여름철 남풍 계열의 기류가 유입되어 (가) 지방에 지형성 강수가 내린다.

ㄷ. 태백산맥으로 인해 (가), (나) 지방 간 지형, 기후, 문화 등의 차이가 발생한다.

ㄹ. (가) 지방은 수산물을 이용한 음식이, (나) 지방은 감자, 메밀 등을 이용한 음식이 주로 발달한다.

① ㄱ, ㄴ　　　② ㄱ, ㄷ　　　③ ㄴ, ㄷ
④ ㄴ, ㄹ　　　⑤ ㄷ, ㄹ

주관식

08 A, B 지역의 기후 그래프를 〈보기〉에서 골라 쓰시오.

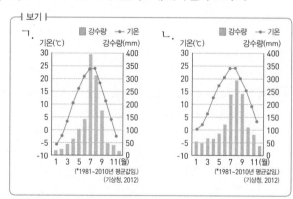

09 (나) 지방과 비교한 (가) 지방의 상대적 특징을 그림의 A~E에서 고른 것은?

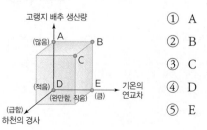

① A
② B
③ C
④ D
⑤ E

10 다음 자료는 강원도 태백시의 산업별 종사자 비율 변화 그래프를 참고하여 만든 보고서이다. 보고서에서 옳은 내용만 있는 대로 고른 것은?

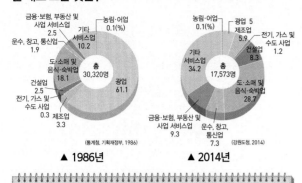

▲ 1986년　　▲ 2014년

＊＊＊＊＊＊＊＊＊＊＊＊＊＊＊＊＊＊＊＊＊
태백시의 산업 구조 변화
㉠ 산업 구조 변화: 농업 중심의 기반 산업이 광업 중심으로 변화
㉡ 변화의 원인: 석탄 산업 합리화 정책, 에너지 소비 구조 변화
㉢ 현재의 주력 산업: 관광 관련 산업 활성화
㉣ 태백시의 노력: 석탄 박물관 운영, 탄광 이야기 마을 조성, 눈 관련 축제 개최 등

① ㉠, ㉡　　② ㉠, ㉣　　③ ㉡, ㉢
④ ㉠, ㉡, ㉣　　⑤ ㉡, ㉢, ㉣

11 (가)~(다)는 강원도 어느 지역의 홍보 문구이다. (가)~(다)에 해당하는 지역을 지도의 A~E에서 고른 것은?

(가) 2018 동계 올림픽을 개최한 스포츠 관광 도시로 놀러 오세요!
(나) 석탄 산업의 역사 학습과 탄광 체험을 해요!
(다) 한우가 사람보다 많은 ○○으로 명품 한우를 맛보러 오세요!

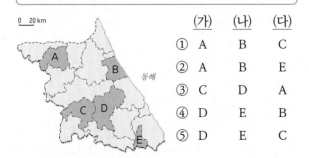

	(가)	(나)	(다)
①	A	B	C
②	A	B	E
③	C	D	A
④	D	E	B
⑤	D	E	C

(서술형 문제)

12 그래프는 수도권의 지식 기반 산업 종사자 수와 지역별 비중을 나타낸 것이다. 이를 보고 물음에 답하시오. (단, (가)~(다)는 서울, 경기, 인천 중 하나임.)

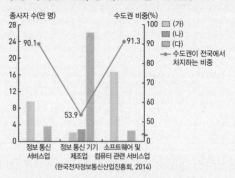

(1) (가), (나), (다) 지역을 각각 쓰시오.

(2) 수도권의 지식 기반 제조업과 지식 기반 서비스업의 분포 특징을 쓰고, 이와 같은 특징이 나타나는 이유를 서술하시오.

13 지도는 강원도의 1월 평균 기온 분포를 나타낸 것이다. 이를 보고 물음에 답하시오.

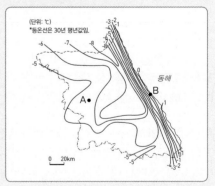

(1) A, B 지역 중 1월 평균 기온이 더 높은 곳을 쓰시오.

(2) (1)과 같은 겨울 평균 기온 특징이 나타나는 이유를 두 가지 서술하시오.

01 수도권의 각 지역에 대한 설명으로 옳은 것은? (단, (가)~(다), A~C는 서울, 인천, 경기 중 하나임.)

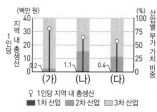

▲ 수도권 지역 내 총생산 및 산업별 부가 가치

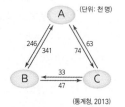

▲ 수도권 내 전입·전출 인구수

① (가)는 (나)로 전출하는 인구보다 (나)에서 전입해 오는 인구가 더 많다.

② (다)의 교외화 현상으로 (나)로 인구가 유출되고 있다.

③ (다)는 A와 같은 지역이다.

④ A는 수도권 내에서 1인당 지역 내 총생산이 가장 많다.

⑤ B는 C보다 3차 산업의 비중이 크다.

02 다음 제3차 수도권 정비 계획에서 수도권 공간 구조를 아래와 같이 개편하려는 목적으로 가장 적절한 것은?

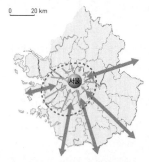

▲ 수도권 공간 구조 개편 전   ▲ 수도권 공간 구조 개편 후

① 남북 통일 시대에 대응하는 공간 구조 개편

② 교통로 확충을 통한 서울로의 통근 거리 단축

③ 세계 도시의 역할을 수행하기 위한 경쟁 요소 구축

④ 산업 시설 입지 제한을 통한 수도권 인구 집중 억제

⑤ 다핵 연계형 공간 구조로의 전환을 통한 수도권의 균형 발전

03 다음은 강원 지방에 대해 정리한 것이다. ㉠~㉤에 대한 설명으로 옳지 <u>않은</u> 것은?

〈강원 지방〉

1. 강원 지방의 특성
(1) 물 자원과 ㉠ 삼림 자원의 보고
(2) 풍력 발전 활발
(3) ㉡ 푄 현상으로 영서 지방과 영동 지방 간 기온과 강수량 차이 발생
2. 강원 지방의 산업과 지역 변화
(1) 옥수수, 감자 등 ㉢ 밭작물 재배 활발
(2) 여름철 ㉣ 고위 평탄면에서 고랭지 채소 생산
(3) ㉤ 광업 쇠퇴 및 관광 산업 발달

① ㉠ – 태백산맥을 중심으로 넓은 산지가 분포하기 때문이다.

② ㉡ – 여름철 남풍 계열의 기류가 유입되어 영동 지방에 지형성 강수가 내린다.

③ ㉢ – 상대적으로 평지가 적기 때문이다.

④ ㉣ – 일정 습도가 유지되어 초지 형성에 유리하기 때문에 목축업이 발달한다.

⑤ ㉤ – 에너지 소비 구조의 변화, 채광 여건의 악화 등의 영향이 크다.

04 강원도의 A~E 지역을 답사하면서 촬영할 목록으로 적절하지 <u>않은</u> 것은?

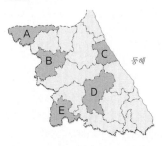

① A – 용암과 물이 만든 협곡을 따라 래프팅을 즐기는 관광객의 모습

② B – 소양강과 북한강이 만나는 아름다운 자연 경관

③ C – 국토 정중앙 배꼽마을의 모습

④ D – 하늘과 초원이 만나는 고원에서 목장 체험을 하는 관광객의 모습

⑤ E – 의료 기기 테크노 밸리의 건물들

04 충청 지방과 호남 지방
~05 영남 지방과 제주도

1 빠르게 성장하는 충청 지방

1. 충청 지방의 위치와 주요 특성

(1) 위치　남한 중심부 → 전국 각 지역과의 접근성이 우수

(2) 특성　과거에는 남한강과 금강을 이용한 내륙 수운 발달 → 현재는 여러 고속 도로 및 고속 철도 개통, 수도권 전철 연장 등으로 교통과 물류의 중심지로 성장

2. 충청 지방의 공업 발달

(1) 요인　편리한 교통, 수도권 공장 총량제에 따른 수도권 공업 기능의 이전 등

입지　┗ 특히 충남 지역에서 활발

서해안 지역	서산(석유 화학 공업), 당진(제철 공업), 아산(자동차 공업, IT)
내륙 지역	청주(오송 생명 과학 단지, 오창 과학 산업 단지), 대전(대덕 연구 개발 특구)

핵심 기출 자료 분석　충청 지방의 제조업 출하액

(통계청, 2016 / 한국산업단지공단, 2016)

분석 | 충청 지방은 수도권의 공업 기능 이전으로 산업 구조가 고도화되었다. 특히 아산은 전자 부품 등의 제조업, 당진은 1차 금속 제조업, 서산은 화학 물질 및 화학 제품 제조업의 출하액 비중이 크다.

☆ 충청 지방의 도시 성장

세종특별자치시	중앙 행정 기능 분담과 국토 균형 발전을 위해 출범
내포 신도시	충남 홍성군과 예산군 일대, 충청남도 도청·도의회 등 충청남도의 지방 행정 기능 이전
기업 도시	충주(지식 기반형 산업), 태안(관광 레저형 산업)
혁신 도시	진천·음성(정부 기관 이전, 산·학·연·관의 협력)

2 다양한 산업이 발전하는 호남 지방

1. 호남 지방의 위치와 농지 개간

(1) 위치　한반도 서남부에 위치, 광주광역시·전라북도·전라남도로 구성

(2) 농지 개간과 간척 사업

① 농지 개간　수리 시설 확충 등으로 농경지 확장

② 대규모 간척 사업　농경지 확장, 산업 단지 조성 예 김제시 광활면, 부안군 계화도, 새만금 등

☆ 호남 지방의 산업 구조 변화

(1) 1차 산업　1차 산업 비중이 큼, 벼농사 활발 → 국내 쌀 생산량의 1/3 차지
┗ 호남평야(김제·만경평야), 나주평야

(2) 공업의 발달 과정

1970년대	여수 석유 화학 산업 단지 조성 → 중화학 공업 발달
1980년대	광양 제철소 건설
1990년대	중국과의 교역 확대를 위해 영암 대불 산업 단지, 군산 산업 단지 조성 → 제조업 육성

핵심 기출 자료 분석　지역별 제조업 출하액 비중

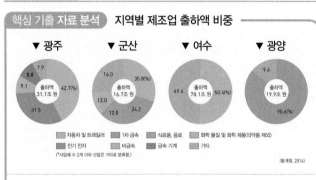

(통계청, 2014)

분석 | 광주와 군산은 자동차 공업, 여수는 석유 화학 공업, 광양은 제철 공업의 비중이 크다.

(3) 관광 산업

① 자연환경 활용　지리산, 덕유산, 변산반도, 다도해 등 국립공원

② 인문 환경 활용　세계 문화유산(판소리, 고인돌), 다양한 지역 축제(김제 지평선 축제, 순천만 갈대 축제, 보성 다향 대축제, 함평 나비 축제) 등

③ 슬로 시티 지정　완도군 청산면, 담양군 창평면, 전주 한옥 마을

3. 호남 지방의 발전 방향

(1) 신산업 육성　광주는 광(光) 산업, 전주는 첨단 부품 소재 산업 육성

(2) 혁신 도시 지정　전주·완주, 나주

(3) 경제 자유 구역 지정　군산 새만금 사업 지역, 광양만권

3 산업과 도시가 발달한 영남 지방

1. 영남 지방의 위치와 지역 특성

(1) 위치　한반도 남동부에 위치, 부산광역시·대구광역시·울산광역시·경상북도·경상남도로 구성

(2) 주요 도시

부산	우리나라 최대 무역항, 영상·국제 물류·금융 산업 중심
대구	섬유 산업의 첨단화, 첨단 의료 복합 단지 유치
울산	자동차, 조선, 석유 화학 공업을 기반으로 첨단 산업 육성
창원	2010년 마산·진해와 통합, 경상남도 도청 소재지, 기계 공업 단지
안동	조선 시대 고택·서원·향교, 경상북도 도청 소재지
경주	신라의 수도, 불교 관련 유적, 유네스코 세계 문화유산 보유

(3) 인구 분포의 특징

① 인구 밀집·희박 지역 대도시와 공업 도시에는 인구가 많지만, 공업 발달이 미약한 경북 북부와 경남 서부 지역은 인구 감소와 고령화 현상 심화

② 최근 인구 증가 지역 부산과 대구의 교외화 현상 진행 → 양산·김해, 경산 등의 위성 도시 성장
└ 부산의 위성 도시   └ 대구의 위성 도시

★2 영남 지방의 산업 분포
└ 1960년대에는 노동력이 풍부한 부산·대구에 경공업이 발달하였고, 1970년대에는 대규모 국가 산업 단지가 조성되어 중화학 공업이 발달

농업	북부 내륙 지역의 과수 농업, 낙동강 하구 삼각주와 대도시 근교 지역의 시설·원예 농업 발달
공업	• 영남 내륙 공업 지역: 풍부한 노동력 + 편리한 육상 교통 → 경공업 발달 예) 대구(섬유, 기계), 구미(전자) • 남동 임해 공업 지역: 항만 건설에 유리한 입지 + 정부의 중화학 공업 육성 정책 → 우리나라 최대의 중화학 공업 지역 예) 포항(제철), 울산(조선, 자동차, 석유 화학), 거제(조선), 창원(기계)

4 세계적인 관광지로 발전하는 제주도

★1 제주도의 지역 특성

(1) 자연환경

기후	우리나라 남쪽에 위치, 난류의 영향 → 연교차가 작고 겨울이 온화한 해양성 기후
지형	신생대 화산 활동으로 형성된 화산섬 → 한라산, 오름(기생 화산), 주상 절리, 용암동굴 등

(2) 독특한 문화
방패 모양의 화산, 정상부의 일부는 종 모양 → 화산, 정상에는 화산호인 백록담

① 전통 취락 입지 기반암이 현무암이라 하천 발달 미약 → 해안가 용천대를 따라 취락 발달

② 농목업 지표수 부족으로 밭농사·과수 농업 발달, 중산간 지대 초지에서 목축업 성행

③ 전통 가옥 그물 지붕과 돌담, 난방과 취사의 분리
└ 강한 바람에 대비   └ 겨울이 온화해 난방의 필요성이 적기 때문

2. 제주도의 발전 노력

(1) 국제 자유 도시 지정(2002년) 비자 없이 외국인 입국, 자유로운 상품·자본 이동, 외국 입주 기업 세금 감면 등

(2) 제주특별자치도 지정(2006년) 고도의 자치권 부여, 사람·상품·자본의 자유로운 이동, 기업 활동의 편의성 보장

(3) 제주특별자치도의 발전 방향

① 관광 산업 육성 유네스코 생물권 보존 지역, 세계 자연유산, 세계 지질 공원 등으로 지정 → 생태 관광 상품 개발

② 마이스(MICE) 산업, 고부가 가치 관광 산업, 첨단 산업 육성
└ Meetings(기업 주최 회의), Incentives(포상 관광), Conventions(각종 국제 회의), Exhibitions(전시회, 박람회 등)의 약자로, 이것을 유치하고 진행하는 것과 관련된 산업

개념 암기

1 설명이 맞으면 ○표, 틀리면 X표 하시오.

(1) 충청 지방은 1970년대 정부의 중화학 공업 육성 정책으로 우리나라 최대의 중화학 공업 지역이 되었다.
(   )

(2) 서산은 석유 화학 공업, 당진은 제철 공업이 발달하였다.
(   )

(3) 수도권에 집중된 중앙 행정 기능을 분담하기 위해 내포 신도시가 만들어졌다. (   )

2 그래프는 호남 지방 주요 도시의 공업 구조를 나타낸 것이다. 그래프에 해당하는 도시를 〈보기〉에서 고르시오.

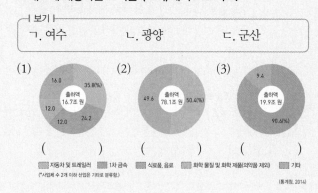

┌ 보기 ┐
| ㄱ. 여수 | ㄴ. 광양 | ㄷ. 군산 |

(1) 출하액 16.7조 원 (35.8%, 16.0, 12.0, 24.2, 12.0)
(2) 출하액 78.1조 원 (50.4%, 49.6)
(3) 출하액 19.3조 원 (90.6%, 9.4)

(   ) (   ) (   )

■ 자동차 및 트레일러 ■ 1차 금속 ■ 식료품, 음료 ■ 화학 물질 및 화학 제품(의약품 제외) ■ 기타
(*사업체 수 2개 이하 산업은 기타로 분류함.)
(통계청, 2014)

3 괄호 안의 내용 중 알맞은 말에 ○표 하시오.

(1) 호남 지방은 (1차 산업, 3차 산업) 종사자 비중이 전국 평균보다 크다.

(2) 호남 지방은 중국과의 교역을 확대하기 위해 (대불, 여수 석유 화학) 산업 단지를 조성하였다.

(3) (영남 내륙, 남동 임해) 공업 지역은 항만 건설에 유리한 입지와 정부의 중화학 공업 육성 정책을 바탕으로 공업이 성장하였다.

4 영남 지방 주요 도시의 특징을 바르게 연결하시오.

(1) 울산 • • ㉠ 영상·국제 물류·금융 산업 발달

(2) 부산 • • ㉡ 자동차, 조선, 석유 화학 공업 발달

(3) 창원 • • ㉢ 기계 공업 단지 조성, 경상남도 도청 소재지

5 빈칸에 들어갈 알맞은 말을 쓰시오.

(1) 제주도는 신생대 (   ) 활동으로 형성되었으며, (   ) 기후가 나타난다.

(2) 제주도는 지표수가 부족하여 (   )을/를 따라 취락이 분포한다.

1 빠르게 성장하는 충청 지방

01 다음 인터뷰의 빈칸에 들어갈 적절한 내용을 〈보기〉에서 고른 것은?

> 앵커: 수도권에서 충청권으로 공장을 이전한 ○○회사 사장님과 인터뷰를 해 보겠습니다. 왜 공장을 옮기셨나요?
> 사장: 충청권은 _____ 때문입니다.

┤ 보기 ├
- ㄱ. 수도권에서의 집적 불이익을 줄일 수 있기
- ㄴ. 수도권과 달리 공장 총량제로 제약을 받지 않기
- ㄷ. 수도권보다 대소비 시장과 가까워 운송비를 줄일 수 있기
- ㄹ. 수도권보다 고급 기술 인력이 풍부하여 첨단 산업 발달에 유리하기

① ㄱ, ㄴ　　② ㄱ, ㄷ　　③ ㄴ, ㄷ
④ ㄴ, ㄹ　　⑤ ㄷ, ㄹ

02 그래프는 충청 지방의 지역 총생산 및 산업별 생산액 비중 변화를 나타낸 것이다. 이에 대한 설명으로 옳지 <u>않은</u> 것은?

■농림·어업　■광업·제조업　■사회 간접 자본 및 서비스업
(* 세종특별자치시는 과거 행정 구역을 기준으로 충청북도 및 충청남도에 포함함. / * 총 부가 가치 기준임.)　(통계청, 각 연도)

① 2014년에 농림·어업 생산액이 가장 많은 지역은 충청남도이다.
② 대전은 세 지역 중 사회 간접 자본 및 서비스업의 비중이 가장 크다.
③ 세 지역 모두 2000년 대비 2014년에 사회 간접 자본 및 서비스업의 비중이 커졌다.
④ 충청남도가 충청북도보다 2000년 대비 2014년의 광업·제조업 생산액이 크게 증가하였다.
⑤ 충청남도의 광업·제조업 비중 증가율이 높은 이유는 수도권으로부터 공업 기능 이전이 활발했기 때문이다.

03 다음은 충청 지방의 제조업 출하액을 나타낸 것이다. 이에 대한 옳은 설명을 〈보기〉에서 고른 것은?

(통계청, 2016 / 한국산업단지공단, 2016)

┤ 보기 ├
- ㄱ. 수도권 인접 지역이 호남권 인접 지역보다 제조업이 발달하였다.
- ㄴ. 충청 지방 북부 지역은 남부 지역보다 제조업이 더 발달하였다.
- ㄷ. 서해안 지역에는 첨단 산업, 내륙 지역에는 중화학 공업이 발달하였다.
- ㄹ. 당진의 경우 지나가는 고속 국도의 수가 대전보다 많아서 특히 제조업이 발달하였다.

① ㄱ, ㄴ　　② ㄱ, ㄷ　　③ ㄴ, ㄷ
④ ㄴ, ㄹ　　⑤ ㄷ, ㄹ

04 (가)~(라)에 해당하는 지역을 지도의 A~D에서 고른 것은?

> (가) 수도권 전철의 연장 개통으로 수도권으로의 통근·통학 인구가 증가하였다.
> (나) 기업 도시로 선정되어 국가 균형 발전에 중요한 역할을 담당한다.
> (다) 산·학·연의 협력을 바탕으로 혁신 여건과 수준 높은 주거 환경을 갖춘 혁신 도시이다.
> (라) 경부 고속 국도와 호남 고속 국도의 분기점으로 육상 교통의 요충지이다.

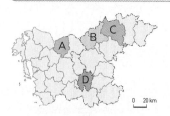

	(가)	(나)	(다)	(라)
①	A	B	C	D
②	A	C	B	D
③	B	D	A	C
④	C	A	B	D
⑤	D	B	C	A

05 지도의 A~D 지역에 대해 옳은 설명을 한 학생을 고른 것은?

갑 | 을 | 병 | 정

A는 충청남도의 지방 행정 기능이 이전된 곳이야.

B는 중앙 행정 기능 분담과 국토 균형 발전을 위해 출범되었어.

C는 지식 기반형 산업이 성장하는 기업 도시야.

D는 대규모 석유 화학 단지가 있어 제조업 출하액이 많아.

① 갑, 을 　　② 갑, 병 　　③ 을, 병
④ 을, 정 　　⑤ 병, 정

2 다양한 산업이 발전하는 호남 지방

06 그래프는 호남 지방의 산업별 생산액 비중 변화를 나타낸 것이다. 이에 대한 설명으로 옳지 <u>않은</u> 것은?

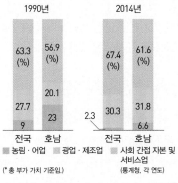

(* 총 부가 가치 기준임.)
■ 농림·어업　■ 광업·제조업　■ 사회 간접 자본 및
　　　　　　　　　　　　　　　서비스업
(통계청, 각 연도)

① 호남 지방은 산업 구조가 고도화되고 있다.
② 호남 지방은 전국 평균과 비교하여 1차 산업 생산액의 비중이 크다.
③ 호남 지방은 2014년에 전국 평균보다 2차 산업 생산액 비중이 더 크다.
④ 호남 지방의 1990년 대비 2014년의 생산액 비중 증가율은 3차 산업이 가장 높다.
⑤ 벼농사 및 양식업 발달에 유리한 자연환경이 호남 지방의 농림·어업 생산액 비중에 영향을 주었다.

[07~08] 다음 지도를 보고 물음에 답하시오.

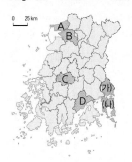

07 지도의 A~D 지역에 대한 옳은 설명만을 〈보기〉에서 있는 대로 고른 것은?

┤ 보기 ├

ㄱ. A – 방조제를 쌓아 만든 새만금 간척지가 있으며, 조차를 극복하기 위한 뜬다리 부두 시설이 있다.
ㄴ. B – 호남평야의 벽골제에서 황금빛 들판과 지평선을 볼 수 있다.
ㄷ. C – 1990년대 이후 친환경 녹색 산업인 광(光) 산업을 육성하였다.
ㄹ. D – 원자력 발전소가 있고, 지역 특산물인 굴비로 유명하다.

① ㄱ, ㄴ 　　② ㄱ, ㄹ 　　③ ㄷ, ㄹ
④ ㄱ, ㄴ, ㄷ 　　⑤ ㄴ, ㄷ, ㄹ

08 그래프는 호남 지방 주요 도시의 제조업 업종별 출하액 비중을 나타낸 것이다. 지도의 (가), (나) 지역의 공업 구조를 〈보기〉에서 고른 것은?

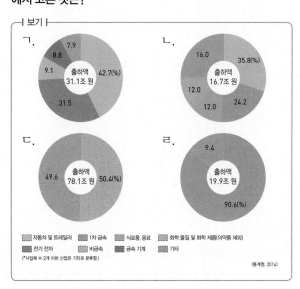

┤ 보기 ├

ㄱ. 출하액 31.1조 원 / 42.7(%) / 7.9 / 8.8 / 9.1 / 31.5

ㄴ. 출하액 16.7조 원 / 35.8(%) / 16.0 / 12.0 / 12.0 / 24.2

ㄷ. 출하액 78.1조 원 / 50.4(%) / 49.6

ㄹ. 출하액 19.9조 원 / 90.6(%) / 9.4

■ 자동차 및 트레일러　■ 1차 금속　■ 식료품, 음료　■ 화학 물질 및 화학 제품(의약품 제외)
■ 전기 전자　■ 비금속　■ 금속 기계　■ 기타
(*사업체 수 2개 이하 산업은 기타로 분류함.)
(통계청, 2014)

	(가)	(나)		(가)	(나)
①	ㄱ	ㄴ	②	ㄴ	ㄷ
③	ㄷ	ㄹ	④	ㄹ	ㄱ
⑤	ㄹ	ㄷ			

9 다음 글의 (가), (나) 지역을 지도의 A~D에서 고른 것은?

> (가) 지리산 북서쪽에 위치하고, 춘향전의 배경이 된 곳으로 관광객이 많다. 또한 전통 공예품인 목기로 유명하다.
> (나) 풍부한 농산물을 재료로 비빔밥, 한정식 등이 유명한 맛의 고장이다. 전통 한옥 700여 채가 밀집해 있는 일부 지역은 국제 슬로 시티로 지정되었으며, 매년 세계 소리 축제 등이 개최되고 있다.

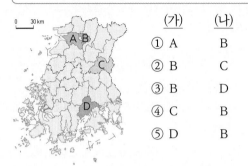

	(가)	(나)
①	A	B
②	B	C
③	B	D
④	C	B
⑤	D	B

10 지도의 A~E 지역에 대한 탐구 학습 주제로 가장 적절한 것은?

① A – 고랭지 농업 확대가 고원 지형에 미치는 영향
② B – 대규모 제철소 입지에 따른 지역 산업 구조의 변화
③ C – 한옥 마을, 판소리 등의 문화적 자원과 장소 마케팅
④ D – 녹차의 지리적 표시제 등록을 통한 브랜드 가치 창출
⑤ E – 하굿둑 건설이 하천 환경에 미치는 영향

---

3 산업과 도시가 발달한 영남 지방

11 지도의 (나) 지역과 비교한 (가) 지역의 상대적 특징을 그림의 A~E에서 고른 것은?

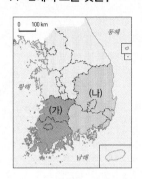

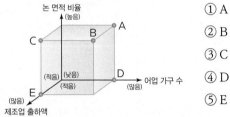

① A
② B
③ C
④ D
⑤ E

12 그래프는 우리나라의 지역별 공업 비중을 나타낸 것이다. 이에 대한 설명과 분석으로 옳지 않은 것은?

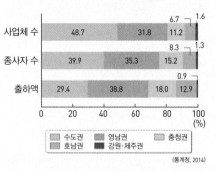

(통계청, 2014)

① 수도권은 영남권보다 사업체당 종사자 수가 적다.
② 영남권은 수도권보다 사업체 수 대비 출하액이 많다.
③ 충청권은 수도권보다 사업체당 종사자 수가 더 많다.
④ 우리나라에서 공업 출하액이 가장 많은 곳은 영남권이다.
⑤ 영남권은 수도권보다 생산자 서비스업이 더 발달했을 것이다.

13 지도의 A~E 지역에 대한 설명으로 옳지 <u>않은</u> 것은?

① A – 전자 조립, 정보 통신 산업 등이 발달하였다.

② B – 세계 문화유산으로 등재된 전통 마을이 있고, 해마다 국제 탈춤 페스티벌이 열린다.

③ C – 조선, 자동차, 석유 화학 공업의 비중이 높다.

④ D – 2010년에 마산, 창원, 진해가 통합되어 대도시가 되었다.

⑤ E – 1990년대 이후 교외화가 나타나 주변 위성 도시의 인구가 증가하였다.

14 그래프는 영남 지방 주요 도시의 공업 구조를 나타낸 것이다. (가)~(다)에 해당하는 지역을 지도의 A~C에서 고른 것은?

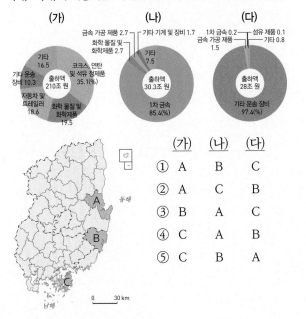

	(가)	(나)	(다)
①	A	B	C
②	A	C	B
③	B	A	C
④	C	A	B
⑤	C	B	A

15 지도의 (가), (나) 공업 지역에 대한 옳은 설명을 〈보기〉에서 고른 것은?

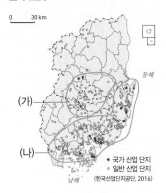

〈보기〉
ㄱ. (가)는 풍부한 노동력, 편리한 교통 등을 바탕으로 성장하였다.
ㄴ. (가)에는 우리나라에서 조선 공업의 생산액이 가장 많은 도시가 포함되어 있다.
ㄷ. (가)는 (나)보다 철광석과 원유 소비량이 많다.
ㄹ. (나)는 원료의 수입과 제품의 수출에 유리하다.

① ㄱ, ㄴ   ② ㄱ, ㄹ   ③ ㄴ, ㄷ
④ ㄴ, ㄹ   ⑤ ㄷ, ㄹ

4 세계적인 관광지로 발전하는 제주도

[16~17] 다음 메모는 제주도의 지역 특성에 대한 것이다. 이를 보고 물음에 답하시오.

〈제주도〉
- 전체 경사가 ㉠ 완만한 방패 모양
- ㉡ 한라산 정상에는 ㉢ 백록담 형성
- 소규모의 화산 폭발로 수많은 ㉣ 기생 화산 형성
- ㉤ 용암동굴, 주상 절리 등 다양한 화산 지형 분포
- 기반암이 현무암 → 하천 발달 미약 → 전통 취락이 해안가 (　　)을(를) 따라 발달

16 밑줄 친 ㉠~㉤에 대한 설명으로 옳지 <u>않은</u> 것은?

① ㉠ – 유동성이 큰 용암의 분출로 형성되었다.
② ㉡ – 우리나라에서 식생의 수직적 분포가 가장 뚜렷하다.
③ ㉢ – 분화구에 물이 고여서 형성된 호수이다.
④ ㉣ – '오름' 또는 '악'이라고 불린다.
⑤ ㉤ – 기반암이 용식을 받아 형성되었다.

주관식
17 빈칸에 들어갈 말을 쓰시오.

18 그래프는 제주도의 산업별 취업자 비중을 나타낸 것이다. 이에 대한 옳은 설명만을 〈보기〉에서 있는 대로 고른 것은?

(통계청, 2015)

| 보기 |

ㄱ. 감귤 재배, 목축업 등 1차 산업이 발달하였다.

ㄴ. 관광 산업이 발달하여 3차 산업 종사자 비중이 크다.

ㄷ. 적은 인구, 낮은 운송비 경쟁력 등으로 2차 산업 발달에 불리하다.

ㄹ. 해외에서 원료를 수입한 뒤 완제품을 만들어 수출하는 가공 무역이 발달하였다.

① ㄱ, ㄴ 　② ㄴ, ㄷ 　③ ㄷ, ㄹ

④ ㄱ, ㄴ, ㄷ 　⑤ ㄴ, ㄷ, ㄹ

19 자료는 제주도 관광 산업에 대한 것이다. 이에 대한 설명으로 옳지 않은 것은?

(*숫자는 외국인 관광객 비율임)
(제주특별자치도 관광협회, 각 연도)

▲ 제주도 방문 관광객 수 변화

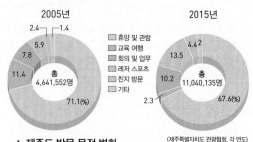

▲ 제주도 방문 목적 변화

(제주특별자치도 관광협회, 각 연도)

① 다양한 목적으로 제주도를 방문하고 있다.

② 제주도 방문 관광객 수는 꾸준히 증가하고 있다.

③ 외국인 관광객의 비중이 지속적으로 감소하고 있다.

④ 고부가 가치를 창출할 수 있는 관광 산업의 다변화가 나타나고 있다.

⑤ 총 관광객 수는 1985년~1995년보다 2005년~2015년에 더 많이 증가하였다.

서술형 문제

20 다음 자료를 보고 물음에 답하시오.

(1) 충청남도의 지방 행정 기능이 이전한 (가) 지역의 명칭을 쓰시오.

(2) (가)와 세종특별자치시가 만들어진 궁극적인 목적을 서술하시오.

21 다음 자료는 영남 지방의 공업 지역을 나타낸 것이다. 이를 보고 물음에 답하시오.

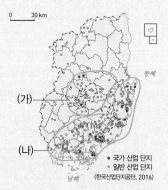

(한국산업단지공단, 2016)

(1) (가), (나) 공업 지역의 명칭을 쓰시오.

(2) (가), (나) 공업 지역의 입지 요인을 서술하시오.

01 다음은 충청 지방의 주요 도시에 관한 자료이다. A~D 도시에 대한 옳은 설명을 〈보기〉에서 고른 것은?

> • A시: 동쪽에 치우쳐서 발전해 온 충남의 불균형을 해소하기 위해 충남도청 신청사 이전과 더불어 도시를 조성 중이다.
> • B시: 우리나라 17번째 광역 자치 단체로 정부 기관과 국책 연구 기관의 이전으로 행정 중심 도시의 기능을 수행한다.
> • C시: 국가 차원의 지역 균형 발전을 위해 11개 공공 기관 이전과 더불어 도시를 조성 중이다.
> • D시: 민간 투자를 촉진하고 지역 경제에 기여하려는 목적으로 연구 기반형 신도시 개발 예정 지역으로 지정되었다.

> ┤ 보기 ├
> ㄱ. A는 충청 지방의 불균형 발전을 해소하기 위해 조성되고 있다.
> ㄴ. A는 민간 주도로 조성되었으며, D는 기업 도시로 개발되고 있다.
> ㄷ. B는 국가 균형 발전의 일환으로 중앙 행정 기능을 분담하기 위해 출범하였다.
> ㄹ. C는 수도권 규제 완화 정책의 일환으로 조성되었다.

① ㄱ, ㄴ ② ㄱ, ㄷ ③ ㄴ, ㄷ
④ ㄴ, ㄹ ⑤ ㄷ, ㄹ

02 그래프는 호남 지방 3개 도시의 제조업 업종별 출하액 비중을 나타낸 것이다. A~C에 대한 설명으로 가장 적절한 것은?

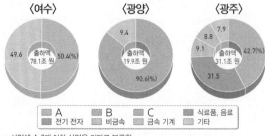

〈여수〉 49.6 / 출하액 78.1조 원 / 50.4(%)
〈광양〉 9.4 / 출하액 19.9조 원 / 90.6(%)
〈광주〉 7.9 / 8.8 / 9.1 / 출하액 31.1조 원 / 42.7(%) / 31.5

■ A ■ B ■ C ■ 식료품, 음료
■ 전기 전자 ■ 비금속 ■ 금속 기계 ■ 기타

＊ 사업체 수 2개 이하 산업은 기타로 분류함.

(국토지리정보원, 2014)

① A는 많은 부품을 필요로 하는 산업이다.
② A의 원자재는 대부분 국내에서 생산된다.
③ B의 출하액은 광주가 광양보다 많다.
④ C는 1960년대 수출 주력 산업이었다.
⑤ B에서 생산한 제품은 C의 원자재로 사용한다.

03 다음은 한국 지리 수업 장면이다. 지도의 A~E 지역에 대한 발표 내용이 옳지 <u>않은</u> 학생을 고른 것은?

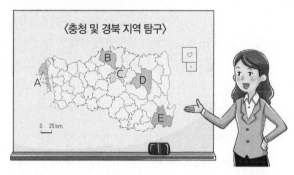

〈충청 및 경북 지역 탐구〉
0 25 km

① 갑: A에는 신두리 해안 사구와 큰 규모의 화력 발전소가 있어요.
② 을: A, B에는 혁신 도시가 개발되고 있어요.
③ 병: C에는 과거 탄광 지역이 관광지로 활용되고 있어요.
④ 정: B, D에는 수력 발전소가 있어요.
⑤ 무: D, E에는 유네스코 세계 문화유산이 있어요.

04 다음 글의 밑줄 친 ㉠~㉤에 대한 설명으로 옳지 <u>않은</u> 것은?

> 제주도는 신생대 제3기에서 제4기에 걸쳐 일어난 화산 활동으로 형성된 화산섬이다. 섬 중앙부에는 ㉠ 한라산이 있으며, 산중턱이나 기슭에는 소규모의 화산 폭발로 인한 ㉡ 오름이 형성되어 있다. 한편, ㉢ 기후가 온화하여, 저지대에서는 ㉣ 난대성 식물이 자라며, 한라산에서는 해발 고도가 높아질수록 기온이 낮아져 다양한 식생 경관을 볼 수 있다. 제주도는 빗물이 지하로 잘 스며들어 ㉤ 비가 내릴 때에만 하천에 물이 흐른다.

① ㉠ – 정상부에는 화구가 함몰된 곳에 물이 고여 형성된 백록담이 있다.
② ㉡ – 기생 화산이라고도 한다.
③ ㉢ – 겨울이 따뜻해 난방 시설과 취사 시설이 분리되어 있다.
④ ㉣ – 동백나무, 감귤나무 등이 대표적이다.
⑤ ㉤ – 절리가 발달한 현무암 때문이다.

| 교육청 기출 | 변형 |

01 다음 글의 ㉠~㉢에 대한 설명으로 옳지 <u>않은</u> 것은?

> 지역은 지리적 특성이 다른 곳과 구별되는 지표상의 공간 범위이다. 지역의 유형에는 특정한 지리적 현상이 동일하게 나타나는 ㉠ 동질 지역과 중심지와 그 중심지의 기능이 미치는 영향 범위인 ㉡ 기능 지역이 있다. 지역 간의 경계에서는 ㉢ 점이 지대가 나타난다.

① ㉠의 사례로 기후 지역, 문화권 등이 있다.
② ㉡의 사례로 통학권, 상권 등이 있다.
③ ㉢은 서로 인접한 두 지역의 특성이 섞여 나타난다.
④ ㉠은 ㉡보다 지역 간 계층 구조를 설명하는 데 적합하다.
⑤ ㉢은 ㉠과 ㉡에서 모두 나타날 수 있다.

| 교육청 기출 | 변형 |

02 지도는 방언에 따른 지역 구분을 나타낸 것이다. 이에 대한 설명으로 옳은 것은?

① 영남 지방은 모두 동일한 방언을 사용한다.
② 충청 지방에서는 주로 '칙간'이라는 방언을 사용한다.
③ 방언에 따른 지역 구분 유형은 동질 지역에 해당한다.
④ 지도에 나타난 정보는 주로 위성 영상을 통해 수집한다.
⑤ 지도를 통해 중심지와 배후지 간 계층 구조를 알 수 있다.

| 교육청 기출 |

03 그래프는 세 지역의 기후 특성을 나타낸 것이다. (가)~(다)에 해당하는 지역을 지도의 A~C에서 고른 것은?

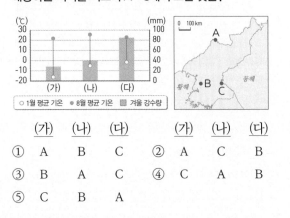

	(가)	(나)	(다)		(가)	(나)	(다)
①	A	B	C	②	A	C	B
③	B	A	C	④	C	A	B
⑤	C	B	A				

| 교육청 기출 |

04 그래프는 남북한의 주요 지표를 상대적으로 나타낸 것이다. 이를 토대로 북한에 대해 옳게 설명한 내용만을 〈보기〉에서 있는 대로 고른 것은?

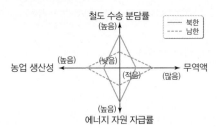

> ┤ 보기 ├
> ㄱ. 도로의 발달이 미약하여 철도 수송 분담률이 높다.
> ㄴ. 무역 상대국이 적고 산업 구조가 고도화되지 않아서 무역액이 적다.
> ㄷ. 원자력과 천연가스의 생산량이 많아서 에너지 자원의 자급률이 높다.
> ㄹ. 농업 기술 수준이 낮고 농업 기반 시설이 부족하여 농업 생산성이 낮다.

① ㄱ, ㄷ   ② ㄱ, ㄹ   ③ ㄴ, ㄷ
④ ㄱ, ㄴ, ㄹ   ⑤ ㄴ, ㄷ, ㄹ

04-1 모의고사 기출 틀린 선지 더 찾기

① 북한은 무역의 상당 부분을 중국에 의존한다.
② 북한은 국내산 석탄에 대한 의존도가 높다.
③ 북한의 고속 국도는 철도보다 노선의 총 길이가 길다.

| 평가원 기출 | 변형 |

05 그래프는 남·북한 산업 구조 및 인구 구조 변화에 대한 것이다. 이에 대한 설명으로 옳은 것은? (단, A, B는 남한 또는 북한임.)

〈남·북한의 산업 구조 변화〉　　〈남·북한의 인구 구조 변화〉

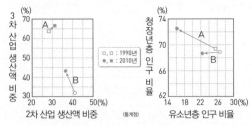

① 1990년 2차 산업 생산액 비중은 북한이 남한보다 작다.
② 2010년 1차 산업 생산액 비중은 남한이 북한보다 크다.
③ 1990년 대비 2010년 남·북한 모두 1차 산업 생산액 비중은 감소하였다.
④ 2010년 총부양비는 북한이 남한보다 낮다.
⑤ 2010년 노령화 지수는 북한이 남한보다 높다.

| 평가원 기출 |

06 다음은 북한 지역에 대한 한국 지리 수업 장면이다. 교사의 질문에 대한 학생의 발표 내용으로 옳은 것은?

(가) 유엔 개발 계획(UNDP)의 지원을 계기로 1991년 경제특구로 지정

(나) 1988년 남한 정부와 민간 기업의 노력으로 개방된 후 2002년 관광특구로 지정, 남한 관광객이 많이 방문했으나 현재는 중단

(다) 남한의 기술과 자본, 북한의 노동력이 결합된 공단 조성, 남북 경제 협력 활성화에 기여

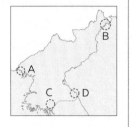

(가)~(다)에서 설명하는 지역을 지도의 A~D 중에서 찾아 하나씩 지운 후, 남은 지역에 대해 설명해 볼까요?

① 갑: 인접국의 투자 개발이 논의되었던 황금평이 있어요.
② 을: 중화학 공업의 중심지로 관북 지방에 위치해 있어요.
③ 병: 고려 시대 수도였던 곳으로 역사 문화 유적이 많아요.
④ 정: 대동강 유역에 위치해 있으며 북한 최대 공업 지역이에요.
⑤ 무: 기반암이 풍화 침식되어 형성된 일만이천 봉의 명산이 있어요.

| 교육청 기출 | 변형

07 다음 자료의 ㉠~㉢에 대한 설명으로 옳은 것은?

남(南) 열차 북녘 철도 따라 2,600km 이동

남북 공동조사단은 ㉠ <u>경의선의 개성~신의주 구간</u> 약 400km와 ㉡ <u>동해선의 금강산~두만강 구간</u> 약 800km를 이동하며 철로 레일과 침목 상태 등 ㉢ <u>북한의 철도 교통</u> 상황을 전반적으로 점검한다. 남북 공동조사단의 북한 철도 이동거리는 총 2,600km에 이른다.

① ㉠에는 북한 최초로 지정된 경제특구가 있다.
② ㉡에는 남북 합작으로 설립된 공업 단지가 있다.
③ ㉢은 도로 교통보다 여객과 화물 수송 분담률이 높다.
④ ㉠보다 ㉡ 구간에 위치한 도시의 총 인구가 많다.
⑤ ㉠은 러시아, ㉡은 중국의 철도와 직접 연결된다.

| 평가원 기출 |

08 (가)의 ㄱ~ㄷ에 해당하는 지역을 (나)의 A~C에서 고른 것은? (단, ㄱ~ㄷ, A~C는 특별시·광역시·도 규모임.)

(가) 〈지역 간 인구 순 이동〉

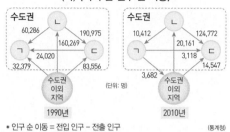

* 인구 순 이동 = 전입 인구 - 전출 인구 (통계청)

(나) 〈수도권의 부문별 IT 사업체 수〉

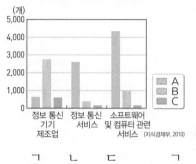

	ㄱ	ㄴ	ㄷ		ㄱ	ㄴ	ㄷ
①	A	B	C	②	A	C	B
③	B	A	C	④	C	A	B
⑤	C	B	A				

08-1 모의고사 기출 틀린 선지 더 찾기

① ㄴ의 교외화 현상으로 ㄷ의 전입 인구가 증가하였다.
② ㄷ은 주간 인구 지수가 ㄴ보다 높다.
③ IT 산업의 공간적 분업으로 지식 기반 제조업은 A에 집중한다.

| 평가원 기출 |

09 그래프에 대한 설명으로 옳지 않은 것은? (단, (가)~(다)는 경기, 서울, 인천 중 하나이고, A~C는 전문 서비스업, 자동차 및 트레일러 제조업, 전자 부품·컴퓨터·영상·음향 및 통신 장비 제조업 중 하나임.)

〈2·3차 산업 종사자 비율 및 총 종사자 수〉 〈A~C 업종별 사업체 수 비교〉

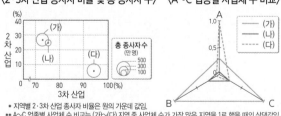

* 지역별 2·3차 산업 종사자 비율은 원의 가운데 값임.
** A~C 업종별 사업체 수 비교는 (가)~(다) 지역 중 사업체 수가 가장 많은 지역을 1로 했을 때의 상댓값임.
*** 전문 서비스업에는 법률, 회계, 광고업 등이 포함됨.
(2015) (통계청)

① (나)는 인천이다.
② (가)는 (다)보다 인구가 많다.
③ A는 생산자 서비스업에 포함된다.
④ B의 종사자 수는 수도권이 영남권보다 많다.
⑤ B는 C보다 최종 제품의 무게가 무겁고 부피가 크다.

| 평가원 기출 |

10 지도의 A~E 지역에 대한 설명으로 옳지 <u>않은</u> 것은?

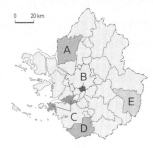

① A는 대북 접경 지역으로 남한과 북한을 연결하는 교통 요충지로서의 역할이 기대되고, 최근 신도시 개발이 이루어지고 있다.

② B는 서울의 위성 도시로 개발되었고, 대규모 산업 단지가 조성되어 제조업 종사자의 비중이 높다.

③ C는 서울의 공업 시설과 인구의 분산을 위해 계획적으로 개발되었고, 외국인 근로자의 유입으로 '국경 없는 마을'이 형성되었다.

④ D는 수도권 남부의 중심 항구 도시로 물류 기능이 발달해 있으며, 경제 자유 구역으로 지정된 곳이 있다.

⑤ E는 하천 주변에 발달한 충적지에서 벼농사가 활발하게 이루어지며, 도자기 축제가 열리는 곳이다.

| 평가원 기출 |

11 자료의 (가)~(다) 지역을 지도의 A~E에서 고른 것은?

지역	DMZ 인근 시·군 소개
(가)	• LCD 산업 클러스터 입지 • 남북 정상 회담이 열린 판문점
(나)	• 한탄강을 따라 펼쳐진 용암 대지 • 지리적 표시제에 등록된 쌀
(다)	• 람사르 습지로 등록된 대암산 용늪 • 내린천의 급류를 활용한 래프팅

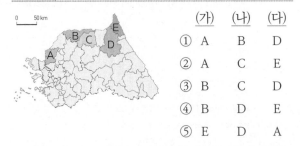

	(가)	(나)	(다)
①	A	B	D
②	A	C	E
③	B	C	D
④	B	D	E
⑤	E	D	A

11-1 모의고사 기출 틀린 선지 더 찾기

① A는 공업 시설 분산을 위해 개발된 곳으로, 조력 발전소가 있다.
② B의 오대쌀은 한탄강 주변에서 생산된 것이다.
③ C는 강원도 도청 소재지이다.
④ D에는 석회암이 주로 분포하여 시멘트 공업이 발달하였다.

| 평가원 기출 |

12 그래프는 강원 지방 (가)~(다) 산업 종사자 수의 시·군별 비중을 순위별로 나타낸 것이다. 이에 해당하는 산업으로 옳은 것은?

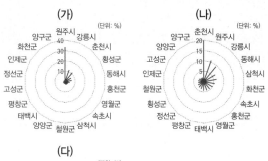

	(가)	(나)	(다)
①	제조업	숙박 및 음식점업	공공 및 기타 행정
②	제조업	공공 및 기타 행정	숙박 및 음식점업
③	숙박 및 음식점업	공공 및 기타 행정	제조업
④	공공 및 기타 행정	제조업	숙박 및 음식점업
⑤	공공 및 기타 행정	숙박 및 음식점업	제조업

| 수능 기출 |

13 지도의 A~E 지역 특성을 활용한 탐구 주제로 가장 적절한 것은?

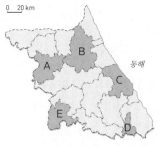

① A – 천연기념물로 지정된 석회 동굴을 활용한 지역 홍보 방안

② B – 석탄 산업 쇠퇴 후 폐광의 관광 자원화 현황

③ C – 조력 발전소 건설 이후 해양 생태계의 변화

④ D – 국토 정중앙 테마 공원 조성을 통한 관광객 유치 방안

⑤ E – 기업 도시 조성 현황과 첨단 의료 복합 도시로의 성장 방안

| 수능 기출 |

14 다음 자료에 대한 옳은 설명을 〈보기〉에서 고른 것은? (단, (가)~(다)는 대전, 세종, 충북·충남 중 하나임.)

〈연령별 인구 비중〉

지역 연령	(가)	(나)	(다)
15세 미만	19.8	14.3	14.6
15~64세	69.7	70.1	74.6
65세 이상	10.5	15.6	10.8

〈산업별 종사자 비중〉

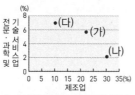

(* 그래프의 값은 해당 지역의 전체 종사자에서 산업별 종사자가 차지하는 비중임.) (통계청)

| 보기 |

ㄱ. (가)는 충북·충남, (나)는 세종이다.
ㄴ. 대전은 세종보다 유소년 부양비가 낮다.
ㄷ. 세종은 충북·충남보다 노령화 지수가 낮다.
ㄹ. 충북·충남은 대전보다 제조업 종사자 비중이 낮다.

① ㄱ, ㄴ   ② ㄱ, ㄷ   ③ ㄴ, ㄷ
④ ㄴ, ㄹ   ⑤ ㄷ, ㄹ

14-1 모의고사 기출 **틀린 선지 더 찾기**

① (가)는 군 지역을 포함하여 노년층 비중이 크다.
② (다)에는 대덕 연구 단지가 있어 전문·과학 및 기술 서비스업 종사자 비중이 크게 나타난다.
③ 대전은 세종보다 제조업 종사자 비중이 크다.

| 교육청 기출 |

15 지도의 A~E 지역과 관련된 지리 조사 주제와 내용으로 적절하지 **않은** 것은?

	〈조사 주제〉	〈조사 내용〉
A	제철 공업 발달과 경제 성장	산업 구조와 지역 내 총생산액 변화
B	갯벌의 분포와 관광업 발달	관광객 수와 관광 수입액 변화
C	행정 기관 이전과 도시 개발	행정 기관 이전 전후의 토지 이용 변화
D	기업 도시 지정과 지역 변화	산업 단지 면적 및 사업체 수 변화
E	수도권 전철 확장과 인구 이동	수도권과의 통근·통학 인구 변화

① A   ② B   ③ C   ④ D   ⑤ E

| 수능 기출 |

16 다음 자료는 학생이 작성한 체험 학습 보고서의 일부이다. (가)~(다)에 해당하는 지역을 지도의 A~C에서 고른 것은?

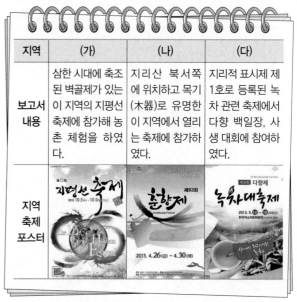

지역	(가)	(나)	(다)
보고서 내용	삼한 시대에 축조된 벽골제가 있는 이 지역의 지평선 축제에 참가해 농촌 체험을 하였다.	지리산 북서쪽에 위치하고 목기(木器)로 유명한 이 지역에서 열리는 축제에 참가하였다.	지리적 표시제 제1호로 등록된 녹차 관련 축제에서 다향 백일장, 사생 대회에 참여하였다.
지역 축제 포스터			

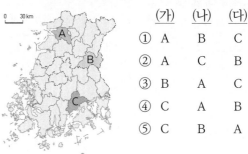

	(가)	(나)	(다)
①	A	B	C
②	A	C	B
③	B	A	C
④	C	A	B
⑤	C	B	A

| 수능 기출 |

17 지도의 A~E 지역에 대한 탐구 학습 주제로 가장 적절한 것은?

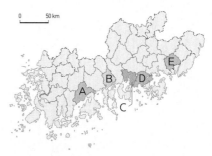

① A – 대규모 제철소 입지에 따른 토지 이용 변화
② B – 람사르 협약에 등록된 연안 습지의 보존 방안
③ C – 하굿둑 건설이 주변 환경에 미치는 영향
④ D – 공룡 발자국 화석을 활용한 장소 마케팅 전략
⑤ E – 혁신 도시 조성에 따른 공공 기관의 이전 현황

단원 마무리

| 수능 기출 |

18 다음은 영남 및 호남 지방에 대한 수업 장면이다. 발표 내용이 옳지 **않은** 학생을 고른 것은?

A~E의 지역 특성에 대해 발표해 볼까요?

갑: A에서는 국제 탈춤 페스티벌이 개최돼요.

을: B에는 유네스코가 지정한 세계 유산이 있어요.

병: C에서는 전통 한옥 마을이 관광지로 이용되고 있어요.

정: D에서는 나비를 주제로 축제가 열려요.

무: E는 지리적 표시제로 등록된 녹차가 유명해요.

① 갑　　② 을　　③ 병
④ 정　　⑤ 무

| 평가원 기출 |

19 지도의 A~E 지역 특성을 고려한 탐구 학습 주제로 적절한 것은?

① A – 원자력 발전소 입지에 따른 환경 변화
② B – 세계 문화유산 등재에 따른 외국인 관광객 유치 실태
③ C – 람사르 협약에 등록된 습지의 생태적 의의
④ D – 대규모 제철소 건설에 따른 토지 이용 변화
⑤ E – 낙동강 삼각주의 시설·원예 농업 실태

| 평가원 기출 |

20 (가)~(다) 지역의 상대적 특성을 그림과 같이 나타낼 때 A, B에 들어갈 지표로 적절한 것은?

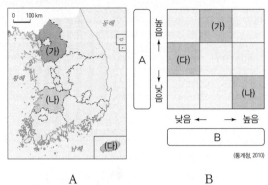

(통계청, 2010)

	A	B
①	인구 밀도	논 면적 비율
②	인구 밀도	제조업 종사자 비율
③	논 면적 비율	인구 밀도
④	전업 농가 비율	인구 밀도
⑤	제조업 종사자 비율	전업 농가 비율

20-1 모의고사 기출 **틀린 선지 더 찾기**

① (가)~(다) 중 전업 농가 비율은 (가)가 가장 높다.
② (가)~(다) 중 제조업 종사자 비율은 (나)가 가장 낮다.
③ (가)~(다) 중 인구수는 (다)가 가장 적다.

| 수능 기출 |

21 그래프는 지도에 표시된 네 지역의 산업 구조와 취업자 수를 나타낸 것이다. (가)~(라) 지역에 대한 설명으로 옳은 것은?

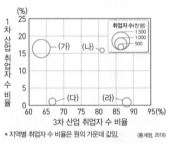

* 지역별 취업자 수 비율은 원의 가운데 값임.　(통계청, 2018)

① (가)는 (라)보다 제조업 출하액이 적다.
② (나)는 (가)보다 지역 내 총 발전량 중 화력 발전이 차지하는 비율이 높다.
③ (나)는 (다)보다 1인당 지역 내 총생산이 많다.
④ (다)는 광역시, (라)는 도(道)이다.
⑤ (가)~(라) 중 전문 서비스업체 수는 (나)가 가장 많다.

우정은 풍요를 더 빛나게 하고,
풍요를 나누고 공유해 역경을 줄인다.

키케로(Marcus Tullius Cicero)

기쁨을 나누면 배가 되고

슬픔을 나누면 반이 된다고 합니다.

혹시 주변에 힘들어 하는 친구가 있나요?

오늘 그 친구의 손을 꼭 잡고 위로의 말을 건네보세요.

* 친구와 함께 열심히 공부해 보세요. 효과가 더 커진답니다.

내신

다품

정답과 해설

힘내

고등 한국지리

내신 더풀

내신 **다:품**

고등 한국지리

정답과 해설

I. 국토 인식과 지리 정보

01 국토의 위치와 영토 문제

01 한 나라의 위치는 자연환경이나 역사, 문화, 경제, 국제 관계 등에 큰 영향을 받기 때문에 위치는 국가의 과거와 현재를 이해하고 미래를 설계하는 데 도움이 된다.

> **왜 틀렸을까?** 선택지 뜯어 보기
>
> ㄴ. 관계적 위치는 고정되어 변하지 않는 절대적 특징을 갖는다.
> ➡ 관계적 위치는 주변 국가와의 관계에 따라 변하는 상대적 특징을 갖는다.
> ㄷ. 수리적·지리적 위치는 시대와 상황에 따라 변하는 상대적이고 가변적인 특징을 갖는다.
> ➡ 수리적·지리적 위치는 고정된 것이기 때문에 절대적 특징을 갖는다.

02 우리나라는 대륙에서 해양으로 돌출해 있어 대륙과 해양 양방향으로의 진출과 교류에 유리하다. ① 위도는 기후와 식생 분포, 계절 등에 영향을 미친다. 우리나라는 북위 33°~43°에 위치하여 사계절이 뚜렷한 냉·온대 기후가 나타난다. ② 경도는 국가의 표준시 결정에 영향을 미친다. 동경 124°~132°에 위치한 우리나라는 동경 135°를 표준 경선으로 사용하여 본초 자오선이 지나는 영국보다 표준시가 9시간이 빠르다. ③ 유라시아 대륙의 동쪽, 태평양의 서쪽에 위치한 우리나라는 대륙의 영향을 받아 기온의 연교차가 큰 대륙성 기후가 나타난다. ⑤ 수리적 위치는 위도와 경도로 표현되는 위치이기 때문에 ㉠과 ⓛ이 해당되고, 지리적 위치는 대륙, 해양, 산천 등과 같은 자연 지물로 표현되는 위치이기 때문에 ⓒ과 ⓔ이 해당된다.

03 관계적 위치는 주변 국가와의 정치·문화·경제적 이해관계에 따라 변한다. 우리나라는 대륙과 해양 세력의 중간에 위치하여 주변 국가의 영향을 많이 받았다. 근대 이전에는 중국의 문화를 수용하여 일본에 전달하는 역할을 하였으며, 제2차 세계 대전 이후에는 자본주의 진영과 공산주의 진영이 대립하는 공간이 되기도 하였다. 오늘날에는 동북아시아 및 태평양 시대의 새로운 중심 국가로 도약하고 있다.

04 우리나라는 유럽과 아시아, 북아메리카를 잇는 지리적 교차로에

위치하기 때문에 이 점을 활용하면 동북아시아 교통의 허브 역할을 하는 중심 국가로 발돋움할 수 있다.

05 A는 영해 기선으로부터 200해리까지의 바다에서 영해를 제외한 수역인 배타적 경제 수역이다.

06 영역은 한 국가의 주권이 미치는 공간적 범위로 영공(B), 영해(C), 영토(D)로 구성된다. ① 배타적 경제 수역은 영역에 해당하지 않는다.

> **자료 심층 분석** 영역의 구성
>
>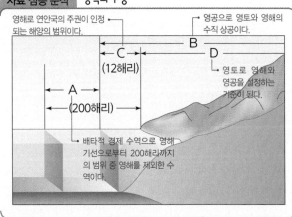
>
> 영해로 연안국의 주권이 인정되는 해양의 범위이다.
> 영공으로 영토와 영해의 수직 상공이다.
> C (12해리)
> B
> D
> 영토로 영해와 영공을 설정하는 기준이 된다.
> A (200해리)
> 배타적 경제 수역으로 영해 기선으로부터 200해리까지의 범위 중 영해를 제외한 수역이다.

07 우리나라의 동해안 대부분, 제주도, 울릉도, 독도 등은 통상 기선을 적용한다.

> **왜 틀렸을까?** 선택지 뜯어 보기
>
> ① 서해안의 간척 사업으로 영해가 확대되고 있다.
> ➡ 간척 사업이 이루어지더라도 영해는 확대되지 않는다.
> ② 동해안의 영일만과 울산만은 통상 기선이 적용된다.
> ➡ 동해안의 영일만과 울산만은 예외적으로 직선 기선이 적용된다.
> ③ 직선 기선으로부터 육지 쪽에 있는 수역도 영해이다.
> ➡ 직선 기선으로부터 육지 쪽에 있는 수역은 내수에 해당한다.
> ④ 대한 해협 부근에서는 통상 기선으로부터 3해리까지가 영해이다.
> ➡ 대한 해협 부근은 직선 기선을 기준으로 3해리까지를 영해로 설정한다.

08 우리나라는 중국, 일본과 배타적 경제 수역이 상당 부분 겹친다. 그래서 우리나라는 일본, 중국과 어업 협정을 맺고, 겹치는 수역에서 양국이 공동으로 어족 자원을 보존·관리하고 있다. A는 우리나라와 중국 간 협정에 의해 설정된 한·중 잠정 조치 수역이고, B는 우리나라와 일본 간 협정에 의해 설정된 한·일 중간 수역이다. 일본과의 협상 과정에서 울릉도를 기준으로 중간 수역이 설정되어 독도 주변 12해리를 제외한 대부분의 범위가 중간 수역에 포함되었다. ㄴ. B는 어느 나라의 영해도 아니기 때문에 모든 선박과 항공기가 통행할 수 있다.

09 (가)는 울릉도, (나)는 독도이다. 두 섬은 모두 우리나라 고유의 영토로 동해상에 위치하며, 독도는 우리나라의 동쪽 끝을 확정한다. 독도에서 가장 가까운 유인도는 울릉도로, 맑은 날에는 울릉도에서 육안으로 독도를 볼 수 있어 예부터 독도가 울릉도 주민들의 일상생활 범위에 포함되었다. ②는 (나) 독도에 대한 설명이다.

10 독도는 천연기념물 제336호 독도 천연 보호 구역으로 지정되어 특별하게 관리·보호되고 있다.

11 『신증동국여지승람』에 수록된 「팔도총도」에는 독도가 우산도로 표기되어 울릉도와 함께 그려져 있다. 이를 통해 선조들이 오래 전부터 독도를 우리나라의 영토로 인식하였음을 알 수 있다. 또한 하야시 시헤이에 의해 일본에서 제작된 「삼국접양지도」에는 울릉도와 독도가 조선과 같은 색으로 채색되어 있고 섬 옆에 '조선의 것'이라고 명기되어 있어, 일본 역시 독도를 조선의 영토로 인식하였음을 알 수 있다.

왜 틀렸을까? 선택지 뜯어 보기

ㄷ. (나)에는 울릉도, 독도가 일본 열도와 같은 색으로 채색되어 있다.
➡ 울릉도와 독도를 조선과 같은 색으로 칠했다.

ㄹ. 일본은 (나) 지도를 근거로 독도를 일본의 영토라고 주장하고 있다.
➡ (나) 지도는 일본 역시 독도를 우리나라의 영토라고 인정한 사료에 해당한다.

12 (가) 동해라는 명칭은 기원전부터 우리 민족에게 일반화된 고유 명칭이었으며, 일본국이 역사에 등장한 것은 8세기이므로 '아니요'에 해당한다. (나) 동해라는 명칭은 『삼국사기』의 「동명왕편」과 광개토대왕릉비문에서도 확인할 수 있으므로 '예'에 해당한다. (다) 1929년 국제 수로 기구(IHO)는 해양 지명의 표준화를 추진하였고, 이때 일본은 동해라는 본래의 이름 대신 일본해라고 등록하였으므로 '예'에 해당한다. (라) 우리나라 정부와 민간단체는 동해 표기를 확산하기 위해 노력하고 있으며, 그 결과 동해를 표기하는 지도가 늘어나고 있으므로 '예'에 해당한다.

13 (1) **답** A-배타적 경제 수역, B-영공, C-영해, D-영토
(2) **모범 답안** 우리나라 동해안의 대부분 수역은 해안선이 단조로워 최저 조위선인 통상 기선으로부터 12해리까지를 영해로 설정하였다. 반면, 서·남해안은 해안선이 복잡하고 섬이 많아 최외곽 섬들을 연결한 직선 기선으로부터 12해리까지를 영해로 설정하였다.

만점 포인트 단조로운 해안선, 통상 기선, 복잡한 해안선, 직선 기선

구분	채점 기준
상	우리나라 동해안과 서·남해안의 영해 설정 방식을 제시된 조건을 두 가지 모두 포함하여 바르게 서술한 경우
하	우리나라 동해안과 서·남해안의 영해 설정 방식을 제시된 조건 중 한 가지만 포함하여 서술한 경우

14 (1) **답** 수리적 위치
(2) **모범 답안** 설명에 해당하는 지역은 독도로 우리 영역의 동쪽 끝을 확정하여 배타적 경제 수역 설정의 중요한 기준점이 되고, 태평양을 향한 해상 전진 기지의 역할을 한다.

만점 포인트 독도, 배타적 경제 수역 설정 기준, 해상 전진 기지

구분	채점 기준
상	독도를 쓰고, 영역적 가치를 두 가지 모두 바르게 서술한 경우
하	독도를 쓰고, 영역적 가치를 한 가지만 바르게 서술한 경우

내신 1등급   11쪽

01 ⑤   02 ④   03 ②   04 ④

01 우리나라는 북위 33°~43°의 중위도에 위치하여 사계절의 변화가 뚜렷한 냉·온대 기후가 나타나고, 우리나라의 표준 경선은 동경 135°여서 우리나라는 본초 자오선이 지나는 영국보다 표준시가 9시간이 빠르다. 또한 우리나라는 유라시아 대륙의 동쪽에 위치하여 계절풍의 영향을 많이 받고, 반도국이어서 대륙과 해양 양방향으로 진출·교류하기에 유리하다.

만점 노트 우리나라의 위치

수리적 위치	• 위도: 북위 33°~43°(북반구 중위도)에 위치 → 사계절이 뚜렷한 냉·온대 기후가 나타남. • 경도: 동경 124°~132°에 위치 → 동경 135°를 표준 경선으로 사용하여 본초 자오선(경도 0°)이 지나는 영국보다 표준시가 9시간 빠름.
지리적 위치	• 유라시아 대륙 동안: 기온의 연교차가 큰 대륙성 기후가 나타나며, 계절풍의 영향으로 여름에는 고온 다습하고, 겨울에는 한랭 건조함. • 반도국: 대륙과 해양 양방향으로의 진출과 교류에 유리하여 국제 무역과 문화 교류가 활발함.
관계적 위치	근대 이전부터 대륙 세력과 해양 세력의 영향을 많이 받음. → 광복 이후 자본주의 진영과 공산주의 진영이 대립하는 공간이 됨. → 태평양 시대의 중심 국가로 발돋움하고 있음.

02 ㄱ. 대한민국의 영해에서는 외국 어선이 어업 활동을 할 수 없다. ㄷ. 배타적 경제 수역은 영해에 속하지 않으므로 모든 선박이 자유롭게 항행할 수 있다.

03 ㄱ. 지도에 표시된 A는 우리나라의 영해이므로 외국 선박이 함부로 들어올 수 없다. ㄷ. 대한 해협(C)에서는 직선 기선에서 3해리까지가 영해이다.

왜 틀렸을까? 선택지 뜯어 보기

ㄴ. B에서 간척 사업이 이루어지면 영해가 확대된다.
➡ B는 내수에 해당되기 때문에 간척 사업이 이루어지더라도 영해의 범위에는 변화가 없다.

ㄹ. D에서의 기선은 해안의 최저 조위선을 기준으로 한다.
➡ D에서는 해안의 끝이나 최외곽 섬을 연결하는 직선 기선이 적용된다.

04 (가)는 마라도, (나)는 독도이다. ④ (가) 마라도는 우리나라 영토의 극남이다.

왜 틀렸을까? 선택지 뜯어 보기

① ㉠은 지리적 위치에 해당한다.
➡ 위도와 경도로 위치를 표현하는 것은 수리적 위치에 해당한다.

② ㉡은 우리나라의 영토이다.
➡ 이어도는 수중 암초이기 때문에 영토에 속하지 않는다.

③ ㉢에는 우리나라 종합 해양 과학 기지가 있다.
➡ 이어도와 가거초에 우리나라 종합 해양 과학 기지가 있다.

⑤ (나)의 주변 12해리는 우리나라의 배타적 경제 수역에 해당한다.
➡ 독도 주변 12해리는 우리나라의 영해이다.

02 국토 인식의 변화 ~ 03 지리 정보와 지역 조사

개념 암기　　　　　　　　　　　　　　13쪽

1 풍수지리　　**2** (1) 관찬　(2) 택리지　(3) 혼일강리역대국도지도
(4) 지구전후도　　**3** (1) ○　(2) X　　**4** (1) ⓒ　(2) ⓛ　(3) ⓘ
5 ㄴ - ㄹ - ㄷ - ㄱ

내신 기출　　　　　　　　　　　　　　14~16쪽

01 ②　**02** ⑤　**03** ③　**04** ③　**05** ①　**06** ②　**07** ⑤
08 지리 정보 시스템(GIS)　**09** ③　**10** ②　**11** 해설 참조
12 해설 참조

01 풍수지리 사상은 신라 말기에 중국에서 들어와 고려 시대 및 조선 시대의 국토 인식에 큰 영향을 준 사상으로, 지모 사상과 음양오행설 등이 결합하여 우리 환경에 맞게 토착화된 전통적인 국토관이다.

02 (가)는 「혼일강리역대국도지도」이고, (나)는 「천하도」이다. 두 지도 모두 중국이 중심부에 표현되어 있어 중화사상이 반영되었음을 알 수 있다.

> **왜 틀렸을까?**　**선택지 뜯어 보기**
>
> ① (가)는 경·위선을 사용하였다. ➡ 사용하지 않았다.
> ② (나)는 조선 후기 실학사상의 영향을 받았다.
> 　➡「천하도」는 조선 중기에 제작된 관념도이다.
> ③ (나)는 지구를 구(球)로 인식하고 표현하였다.
> 　➡「천하도」는 천원지방(天圓地方) 세계관을 토대로 제작되었다.
> ④ (가)는 (나)보다 제작 시기가 늦다.

03 (가)는 조선 전기에 만들어진 『신증동국여지승람』이고, (나)는 조선 후기에 만들어진 『택리지』이다. 『신증동국여지승람』은 국가 통치의 기초 자료를 확보하기 위해 만들어졌으므로 각 지역의 특성이 백과사전식으로 나열되어 있다. 반면, 실학사상의 영향을 받은 『택리지』에는 각 지역의 특성이 종합적이면서도 체계적으로 설명되어 있다.

> **왜 틀렸을까?**　**선택지 뜯어 보기**
>
> ① (가)는 실학사상의 영향을 받았다. ➡ (나)
> ② (가)는 (나)보다 제작 시기가 더 늦다.

> **만점 노트**　조선 전기와 후기의 고문헌 비교
>
> | 구분 | 조선 전기 | 조선 후기 |
> |---|---|---|
> | 성격 | 관찬 지리지 | 사찬 지리지 |
> | 편찬 배경 | 효율적 통치를 위함. | 실학의 영향, 국토의 실체 규명 |
> | 기술 방식 | 백과사전식 기술 | 설명식 기술 |
> | 대표 문헌 | 『세종실록지리지』, 『신증동국여지승람』 | 『도로고』, 『택리지』 |

04 「대동여지도」에서는 산줄기의 굵기를 달리하여 대략적인 산세를 표시하였다.

05 (가)는 전통적인 국토관, (나)는 일제 강점기의 국토관, (다)는 산업화 시대의 국토관, (라)는 오늘날의 생태적 국토관이다.

06 (가) 지리 정보는 지표 공간상의 다양한 지리적 현상들을 확인·분석하고 그 특성을 파악하는 데 필요한 모든 정보를 말하므로 '예'에 해당한다. (나) 공간 정보는 지리적 현상의 위치, 모양, 형태 등을 나타내는 정보로 점, 선, 면으로 표현하므로 '예'에 해당한다. (다) 속성 정보는 지역의 자연적·인문적 특성을 나타내는 정보이므로 '예'에 해당한다. (라) 관계 정보는 주변 지역과의 상호 관계, 즉 인접성, 계층성, 연결성 등으로 나타내는 정보이므로 '예'에 해당한다. (마) 모든 지리 정보는 시간이 흐름에 따라 그 특성이 변하므로 '아니요'에 해당한다.
(나)와 (마)에 바르게 답했으므로 학생의 점수는 2점이다.

07 경지 이용률과 같이 등급을 나눌 수 있는 자료는 단계 구분도(ㄹ)로 표현하는 것이 적합하고, 벚꽃 개화 예상일과 같이 연속적인 자료를 나타내는 데에는 등치선도(ㄴ)가 적합하다.

08 제시된 글은 지리 정보 시스템(GIS)에 대한 설명이다.

09 지역 조사 과정은 (다) 조사 계획 수립 → (나) 지리 정보 수집 → (라) 지리 정보 분석 → (가) 보고서 작성의 순서로 진행된다.

10 (가)는 야외 조사, (나)는 지리 정보 분석이다. 야외 조사 단계에서는 설문, 면담 등을 통해 지역을 조사하고, 지리 정보 분석 단계에서는 수집된 자료를 바탕으로 지도, 통계표 등을 작성한다. ㄴ은 조사 계획 수립 단계, ㄹ은 지리 정보 수집 단계 중 실내 조사에 해당한다.

11 **모범 답안** 「대동여지도」는 목판본으로 제작되어 필요에 따라 많은 양의 지도를 찍을 수 있고, 분첩 절첩식 지도이기 때문에 휴대와 열람에 편리하다.
만점 포인트 「대동여지도」, 대량 생산, 휴대 및 열람 편리

구분	채점 기준
상	「대동여지도」의 장점을 제시된 조건을 두 가지 모두 포함하여 바르게 서술한 경우
하	「대동여지도」의 장점을 제시된 조건 중 한 가지만 포함하여 서술한 경우

12 **모범 답안** 중첩 분석 등을 통해 각종 시설물의 입지를 선정할 수 있고, 위성 항법 장치(GPS)를 이용하는 내비게이션을 활용하여 목적지까지 갈 수 있는 최적 경로를 찾을 수 있다.
만점 포인트 최적 입지 선정, 최단 경로 검색 등

구분	채점 기준
상	지리 정보 시스템의 활용 분야를 바르게 서술한 경우
하	지리 정보 시스템의 활용 분야를 미흡하게 서술한 경우

01 ③	02 ④	03 ③	04 ④

01 ㉠은 조선 후기 실학사상의 영향을 받아 저술된 이중환의 『택리지』이다.

> **왜 틀렸을까?** 선택지 뜯어 보기
>
> ① 조선 전기에 편찬되었다. ➡ 후기
> ② 백과사전식으로 서술되었다.
>   ➡ 각 지역의 지리적 특성을 체계적이고 종합적으로 설명하였다.
> ④ 국가 통치 자료를 수집하기 위해 만들어졌다.
>   ➡ 조선 전기 관찬 지리지의 특성이다.
> ⑤ 풍수지리 사상을 가거지의 조건에서 제외하였다.
>   ➡ 가거지의 '지리'에서 풍수지리적 명당을 중시하였다.

02 대동여지도에서는 산줄기의 선의 굵기를 달리하여 산세를 표현하였다. D는 E보다 산줄기를 표현하는 선의 굵기가 얇으므로 산세가 약하다는 것을 알 수 있다.

> **왜 틀렸을까?** 선택지 뜯어 보기
>
> ① A는 선박의 운항이 가능하다.
>   ➡ A는 단선으로 표현된 하천이므로 운항이 불가능한 하천이다.
> ② B와 C 사이의 거리는 30리 이상이다.
>   ➡ B와 C 사이의 거리는 20리를 조금 넘는다.
> ③ C에서 가장 가까운 역참은 서쪽에 있다. ➡ 남동쪽
> ⑤ E는 해발 고도를 정확하게 알 수 있다. ➡ 알 수 없다.

03 제시된 3가지 〈조건〉을 모두 만족하는 새로운 아이스크림 가게의 최적 입지는 C이다.

구분	A	B	C	D	E
인구 수	○	×	○	×	○
기존 아이스크림 가게	×	○	○	○	○
도로와의 거리	○	○	○	○	×

04 ㉠은 실내 조사 단계로 인터넷, 문헌 등을 통해 자료를 수집하고 야외 조사를 위한 준비를 하는 단계이다. ㉡은 야외 조사 단계로 지역을 직접 방문하여 관찰, 설문, 실측, 사진 촬영, 면담 등을 통해 자료를 수집하는 단계이다. 따라서 ㉠에 해당하는 활동으로는 ㄴ과 ㄷ이, ㉡에 해당하는 활동으로는 ㄱ이 적절하다.

> **만점 노트** 지역 조사 과정

조사 계획 수립	• 조사 주제 선정 • 조사 목적에 맞는 조사 지역 선정	
↓		
지리 정보 수집	실내 조사	문헌 조사, 인터넷 조사, 설문지 제작 등
	야외 조사	면담, 설문 조사, 사진 촬영 등
↓		
지리 정보 분석	• 수집한 정보의 분류 및 분석 • 분석한 자료를 도표, 수치 지도, 통계 지도 등으로 표현	
↓		
보고서 작성	조사 목적, 방법, 결론이 잘 드러나도록 보고서 작성	

01 ②	02 ③	03 ④	04 ④	05 ⑤	06 ①	07 ⑤	08 ①
09 ③	10 ③	11 ①	12 ①	13 ③	14 ⑤	15 ②	16 ⑤

01 (가)는 수리적 위치, (나)는 관계적 위치, (다)는 지리적 위치이다. ㄱ. 표준시는 경도에 의해 결정되므로 수리적 위치의 특징이다. ㄴ. 연교차가 큰 대륙성 기후가 나타나는 것은 우리나라가 유라시아 대륙의 동안에 위치하기 때문이다. 이는 지리적 위치의 특징이다. ㄷ. 동북아시아 중심 국가로 발돋움하는 것은 우리나라의 위상이 과거와 달라졌음을 의미하므로 관계적 위치의 특징이다.

02 A는 유원진, B는 마안도, C는 독도, D는 마라도로 우리나라의 4극에 해당한다. ③ 독도(C) 주변 해역은 한류와 난류가 교차하는 조경 수역이 형성되어 있다.

> **왜 틀렸을까?** 선택지 뜯어 보기
>
> ① A는 우리나라 영토의 최동단이다. ➡ 최북단
> ② B는 우리나라에서 일몰 시각이 가장 이르다. ➡ 늦다.
> ④ D는 영해 설정 시 직선 기선이 적용된다. ➡ 통상 기선
> ⑤ D는 A보다 우리나라 표준 경선과의 최단 거리가 가깝다.
>   ➡ 우리나라의 표준 경선은 135°E이기 때문에 D보다 A에 더 가깝다.

> **자료 심층 분석** 우리나라 영토의 4극

> 유원진으로 기온의 연교차가 크다.
>
> 마안도로 압록강 하구에 발달한 삼각주 형태의 섬이며, 우리나라에서 일출과 일몰이 가장 늦다.
>
> 독도로 우리나라에서 일출과 일몰이 가장 이르다. 주변 해역은 조경수역을 이룬다.
>
> 마라도로 기온의 연교차가 작고 연중 난류가 흐른다.

(국토지리정보원, 2014)

03 ㄱ. A에서는 직선 기선이, 울릉도와 독도에서는 통상 기선이 적용된다. ㄷ. 우리나라와 일본이 인접한 C에서는 직선 기선에서 3해리까지가 우리나라의 영해이다.

04 배타적 경제 수역(A)은 영해 기선으로부터 200해리까지의 바다에서 영해를 제외한 수역이다. ㄴ. 배타적 경제 수역은 영역에 포함되지 않기 때문에 모든 나라는 다른 나라의 배타적 경제 수역에서 항행, 상공 비행 등을 할 수 있다. ㄹ. 배타적 경제 수역은 연안국에게 천연자원에 대한 주권적 권리가 보장되는 수역이기 때문에 다른 나라에서 허가 없이 해저 자원을 조사할 수 없다.

> **04-1** 모의고사 기출 틀린 선지 더 찾기   답 ②, ③
>
> ② 연안국이 바다에 인공 섬을 설치할 수 없다.
>   ➡ 연안국은 배타적 경제 수역에 대해 경제적 주권을 갖기 때문에 해당 바다에 인공 섬을 설치 할 수 있다.
> ③ 타국 어선의 자유로운 어로 활동이 가능하다.
>   ➡ 불가능하다.

만점 노트　배타적 경제 수역 내 연안국의 권리

- 해수면과 해저의 천연자원 탐사 및 개발 · 보존 → 어족 및 광물 자원에 대한 경제적 권리
- 인공 섬과 시설물 설치 및 사용에 대한 권리
- 해양 과학 조사, 해양 환경의 보호와 보전에 대한 권리
- 해수, 해류 및 해풍을 이용한 에너지 생산에 대한 권리
- 항행, 상공 비행, 해저 전선 부설 등의 활동은 타국도 가능함.

05 ㉠은 이어도이다. 이어도는 우리나라 배타적 경제 수역에서 가장 가까운 공해상에 위치하는 수중 암초로, 영토에 해당하지는 않으나 가장 가까운 유인도에 귀속되므로 우리나라에 관할권이 있다. 우리나라는 2003년 6월 이어도에 주변의 해양 및 기상 관련 자료를 수집하기 위한 종합 해양 과학 기지를 설립하였으며, 주변 해역은 연중 난류의 영향을 받아 조기, 민어, 갈치 등 난류성 어종이 다양하게 분포한다.

왜 틀렸을까?　선택지 뜯어 보기

① 영해 설정 시 직선 기선이 적용된다.
　➡ 우리나라 영토에 속하지 않는다.
② 천연 보호 구역으로 지정된 유인도이다.
　➡ 독도에 대한 설명이다.
③ 우리나라보다 중국의 영토에 더 가깝다.
④ 수직 상공은 우리나라의 영공에 해당된다.
　➡ 우리나라 영토에 속하지 않아 영공을 가지지 않는다.

06 ㉠은 독도이다. 독도는 우리나라 가장 동쪽에 위치한 섬으로, 약 460만~250만 년 전 해저 용암의 분출로 형성된 화산섬이다. 경상북도 울릉군에 속하는 독도는 동도와 서도 및 89개의 부속 도서로 이루어져 있으며, 배타적 경제 수역 설정의 기준이 되므로 그 영역적 가치가 매우 크다. 또한 주변 바다에는 미래의 에너지로 주목받는 메탄 하이드레이트가 분포하며 생태적 가치도 지니고 있어 섬 전체가 천연 보호 구역으로 지정되어 있다.

왜 틀렸을까?　선택지 뜯어 보기

② 영해 설정에 직선 기선이 적용된다. ➡ 통상 기선
③ 현재 행정 구역상 강원도에 속한다. ➡ 경상북도
④ 우리나라에서 일몰 시각이 가장 늦다. ➡ 이르다.
⑤ 종합 해양 과학 기지가 건설되어 있다.
　➡ 이어도에 대한 설명이다.

07 (가)는 조선 전기에 국가가 주도하여 제작한 『신증동국여지승람』이고, (나)는 조선 후기에 이중환이 지은 『택리지』이다. ⑤ 택리지의 복거총론에서는 사람이 살만한 곳인 가거지의 조건을 서술하고 있다. 가거지의 조건에는 풍수지리상의 명당을 의미하는 지리(地理), 경제적 기반이 유리한 곳인 생리(生利), 사람들의 인심이 좋은 곳인 인심(人心), 아름다운 경치를 의미하는 산수(山水)가 있다. 따라서 ㉠은 가거지의 조건 중 '생리(生利)'와 관련있다.

07-1 모의고사 기출　틀린 선지 더 찾기　　답 ④

④ (가)는 (나)를 요약하여 편찬되었다.
　➡ (가)는 (나)보다 먼저 편찬되었다.

08 (가)는 「대동여지도」이고, (나)는 「혼일강리역대국도지도」이다. ① 「대동여지도」는 남북을 120리 간격으로 22층으로 나누고, 동서를 80리 간격으로 19판으로 나누어 병풍처럼 접고 펼 수 있게 분첩 절첩식 지도로 만들어졌다.

왜 틀렸을까?　선택지 뜯어 보기

② (나)에는 아메리카 대륙이 표현되어 있다.
　➡ (나)에는 유럽과 아프리카 대륙까지 표현되어 있지만, 아메리카 대륙은 표현되어 있지 않다.
③ (가)는 (나)보다 제작 시기가 이르다.
　➡ (가)는 1861년, (나)는 1402년에 제작되었다.
④ (나)는 (가)보다 대량 생산에 유리하다.
　➡ 목판본으로 제작된 (가)가 (나)보다 대량 생산에 유리하다.
⑤ (가), (나) 모두 지도표를 통해 지리 정보를 표현하였다.
　➡ (가)에만 지도표가 사용되었다.

만점 노트　「대동여지도」의 특징

분첩 절첩식	남북을 22단으로 나누고(분첩), 동서를 19면으로 접을 수 있게(절첩) 함. → 휴대 및 열람에 유리
축척 개념 도입	10리마다 방점으로 찍어 실제 거리를 나타냄.
목판본	필요시 대량 인쇄가 가능함.
산줄기 표현	• 산의 크기를 선의 굵기로 표현하였으나 해발 고도는 알 수 없음. • 산지를 이어진 산줄기 형태로 표현하여 분수계 파악에 유리함.
하천 표현	배가 다닐 수 있는 하천(쌍선)과 다닐 수 없는 하천(단선)을 구분해서 표현함.

09 예안에서 안동으로 가는 가장 짧은 도로를 따라가다 보면 두 개 이상의 고개를 지나게 된다.

자료 심층 분석　「대동여지도」 분석

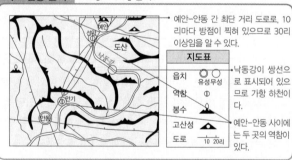

- 예안-안동 간 최단 거리 도로로, 10리마다 방점이 찍혀 있으므로 30리 이상임을 알 수 있다.

지도표	
읍치	◎○○ 유성무성
역참	①
봉수	▲
고산성	▲
도로	10 20리

- 낙동강이 쌍선으로 표시되어 있으므로 가항 하천이다.
- 예안-안동 사이에는 두 곳의 역참이 있다.

09-1 모의고사 기출　틀린 선지 더 찾기　　답 ①

① 도산의 해발 고도를 정확히 알 수 있다.
　➡ 「대동여지도」에서는 산의 해발 고도를 정확히 알 수 없다.

10 오늘날에는 국토를 단순히 경제적 논리로 접근하는 국토관에서 벗어나, 국토를 자연과 인간이 상호 의존적이고 균형과 조화를 이루는 상생의 공간으로 인식하자는 국토관이 확산되고 있다.

11 제시된 글에서 ㉠은 신두리 해안 사구의 위치를 나타내므로 공간 정보, ㉡은 신두리 해안 사구의 특성을 나타내므로 속성 정보에 해당한다.

만점 노트 지리 정보의 유형

공간 정보	지리적 현상의 위치, 모양, 형태 등을 나타내는 정보
속성 정보	지역의 자연적·인문적 특성을 나타내는 정보
관계 정보	주변 지역과의 상호 관계, 즉 인접성, 계층성, 연결성 등으로 나타내는 정보

12 광주광역시, 전라남도, 전라북도의 연령층별 인구 비율을 나타내기에는 도형 표현도(ㄱ)가 적절하고, 광주광역시, 전라남도, 전라북도 간 인구 이동 규모를 표현하기에는 유선도(ㄴ)가 적절하다. ㄷ은 등치선도, ㄹ은 점묘도에 해당한다.

만점 노트 통계지도의 유형

도형 표현도	도형의 크기를 달리하여 자료의 공간적 차이를 표현하거나 도형을 세분화하여 두 가지 이상의 지리 정보를 한번에 표현한 지도 **예** 수출액, 1·2·3차 산업 생산액 등
단계 구분도	등급을 나눌 수 있는 자료를 색상 등 유형을 달리하여 표현한 지도 **예** 인구 밀도, 경지 이용률 등
유선도	사람, 물자 등의 이동을 화살표의 방향과 굵기로 표현한 지도 **예** 인구 이동, 항공기 운항 편수 등
등치선도	통계값이 같은 지점을 선으로 연결하여 표현한 지도 **예** 연평균 기온, 단풍 시작일, 꽃 개화일 등
점묘도	통계값을 일정한 단위의 점으로 환산하여 지리 현상의 분포를 표현한 지도 **예** 백화점 분포, 인구 분포 등

13 제시된 자료에는 지역별 황사 피해 정도나 호흡기 환자 수 분포 등이 제시되어 있지 않으므로 황사에 따른 호흡기 환자 수를 분석할 수 없다.

14 제시된 두 가지 〈조건〉을 모두 고려한 ○○ 시설의 최적 입지는 E에 해당한다.

구분	A	B	C	D	E
도로와의 거리	×	○	○	○	○
주거 용지	○	×	×	○	○
인접한 면과의 해발 고도 차이	×	×	○	×	○

15 ⓛ은 지역의 자연적, 인문적 특성을 나타내는 속성 정보에 해당한다.

16 우리나라의 최동단 섬은 '독도'이고, 한 국가의 주권이 미치는 해양 범위는 '영해'이며, 산, 바람, 물의 흐름 등으로 명당을 찾는 사상은 '풍수지리'이다. 이 글자들을 〈글자판〉에서 모두 지우면 '지역 조사'라는 단어가 남는다. ①은 지모 사상, ②는 『택리지』, ③은 「혼일강리역대국도지도」, ④는 「천하도」이다.

II. 지형 환경과 인간 생활

01 한반도의 형성과 산지 지형

개념 암기   23쪽

1 (1) 편마암 (2) 고생대   **2** (1) ⓒ (2) ⓔ (3) ⓛ (4) ⓘ   **3** (1) X (2) ○ (3) X (4) ○   **4** (1) ㄴ (2) ㄱ (3) ㄴ   **5** (1) 동고서저 (2) 고위 (3) 돌산

내신 기출   24~26쪽

01 ④   **02** ②   **03** ⑤   **04** 대보 화강암   **05** ④   **06** ③   **07** ②   **08** ①   **09** ②   **10** ①   **11** ⑤   **12** 해설 참조   **13** 해설 참조

01 (가)는 퇴적암, (나)는 화성암, (다)는 변성암이다. ㄴ. (나) 화성암은 마그마가 지하에서 관입하여 형성된 심성암과 마그마가 지표 위로 분출하여 형성된 화산암으로 구분된다. 화강암은 대표적인 심성암이다. ㄹ. 한반도에 분포하는 암석은 시·원생대에 형성된 편마암이 가장 많다.

왜 틀렸을까?   선택지 뜯어 보기

ㄱ. (가)는 암석이 높은 열과 압력을 받아 형성된다.
➡ (가) 퇴적암은 퇴적물이 호수나 바다 밑에 쌓여 형성된다.
ㄷ. 설악산의 기반암은 (다)로 되어 있다.
➡ 설악산은 중생대에 관입한 화강암이 지표에 드러나 형성된 돌산이다.

02 A는 두만 지괴와 길주·명천 지괴, B는 평북·개마 지괴, C는 평남 분지, D는 경기 지괴, E는 옥천 습곡대, F는 영남 지괴, G는 경상 분지이다. (가)는 신생대에 해침을 받아 형성된 두만 지괴와 길주·명천 지괴, (나)는 중생대에 경상도를 중심으로 형성된 경상 분지에 대한 설명이다.

03 조선 누층군(A)은 고생대 전기에 얕은 바다에서 형성된 해성층으로 석회석이 매장되어 있다. 평안 누층군(B)은 고생대 후기에서 중생대 전기에 걸쳐 해안 습지에 식물 등이 퇴적되어 형성된 육성층으로 무연탄이 매장되어 있다. A와 B는 시·원생대의 지괴 사이에 자리 잡고 있다.

자료 심층 분석   고생대의 지체 구조

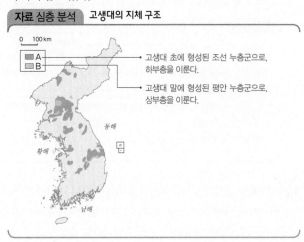

고생대 초에 형성된 조선 누층군으로, 하부층을 이룬다.

고생대 말에 형성된 평안 누층군으로, 상부층을 이룬다.

04 중생대 중기에는 대보 조산 운동이 발생해 한반도 중·남부 지방을 중심으로 북동–남서 방향의 구조선이 만들어졌다. 이 시기에 지하 깊은 곳에서 마그마가 관입하여 대보 화강암이 형성되었다.

05 제시된 표에 들어갈 (가)는 송림 운동, (나)는 대보 조산 운동, (다)는 경동성 요곡 운동, (라)는 화산 활동이다. ④는 (다) 경동성 요곡 운동과 관련이 있다.

06 그림은 동해 지각의 확장에 따른 지각 변동을 나타낸다. 신생대 제3기에 일어난 이 변동으로 한반도에 강력한 횡압력이 작용하였고, 특히 횡압력을 강하게 받은 동해안을 중심으로 경동성 요곡 운동이 진행되었다. 이로 인해 한반도는 동고서저의 비대칭인 골격을 갖게 되었다.

07 (가)는 후빙기, (나)는 빙기이다. 기후 환경이 온난 습윤한 후빙기에는 화학적 풍화 작용이, 한랭 건조한 빙기에는 물리적 풍화 작용이 활발하다.

> **만점 노트** 기후 변화에 따른 지형 형성
>
> | 구분 | 빙기 | 후빙기 |
> | --- | --- | --- |
> | 기후 변화 | 한랭 건조 | 온난 습윤 |
> | 풍화 작용 | 물리적 풍화 작용 활발 | 화학적 풍화 작용 활발 |
> | 하천 상류 | 퇴적 작용 활발 | 침식 작용 활발 |
> | 하천 하류 | 침식 작용 활발 | 퇴적 작용 활발 |
> | 지형 형성 | 하안 단구 발달 | 충적 평야 및 석호 발달 (하류) |

08 태백산맥과 함경산맥은 신생대 제3기 경동성 요곡 운동의 영향으로 융기한 1차 산맥으로, 해발 고도가 높고 산줄기의 연속성이 뚜렷하다.

09 지도에 나타난 지형은 고위 평탄면으로, 지반 융기로 형성되었으며, 해발 고도가 높아 여름철에 저지대보다 서늘하다. 이러한 자연환경으로 인해 배추, 무 등의 채소를 재배하거나 목축업을 주로 한다.

10 돌산에 해당하는 (가)의 사례로는 금강산, 북한산, 설악산 등이 있고, 흙산에 해당하는 (나)의 사례로는 지리산, 덕유산 등이 있다.

> **만점 노트** 돌산과 흙산
>
> | 구분 | 돌산 | 흙산 |
> | --- | --- | --- |
> | 형성 과정 | 중생대에 관입한 화강암이 지표에 드러나 형성 | 시·원생대의 변성암이 풍화되어 형성 |
> | 특징 | 암반이 드러나 있고 식생 밀도가 낮음. | 토양층이 두꺼워 식생이 발달함. |
> | 분포 | 북한산, 설악산, 금강산 등 | 지리산, 덕유산, 오대산 등 |

11 (가) 해발 고도 1,000m 이상의 고지대는 국토 면적의 약 10%에 불과하며, 해발 고도 200~500m의 저산성 산지가 40% 이상을 차지하므로 '예'에 해당한다. (나) 우리나라는 경동성 요곡 운동의

영향으로 동고서저의 지형 골격을 갖고 있으며, 이에 따라 하천도 주로 황·남해로 흐르므로 '아니요'에 해당한다. (다) 최근 기술의 발달로 산지 지역이 관광지 등으로 다양하게 이용되고 있으므로 '예'에 해당한다. (라) 산지 지역에 대한 무분별한 개발로 인해 문제가 발생하지 않도록 지속 가능한 발전 방향을 모색해야 하므로 '아니요'에 해당한다.

12 (1) **답** ㉠ – 1차, ㉡ – 2차

(2) **모범 답안** 1차 산맥은 2차 산맥에 비해 해발 고도가 높고 산줄기의 연속성이 뚜렷하다.

만점 포인트 높은 해발 고도, 뚜렷한 연속성

구분	채점 기준
상	2차 산맥과 비교한 1차 산맥의 특징을 제시된 조건을 두 가지 모두 포함하여 바르게 서술한 경우
하	2차 산맥과 비교한 1차 산맥의 특징을 제시된 조건 중 한 가지만 포함하여 서술한 경우

13 (1) **답** 고위 평탄면

(2) **모범 답안** 고위 평탄면은 고랭지 밭, 목장 등으로 이용되고 있으며, 최근에는 이곳에 스키장, 리조트 등이 들어서면서 관광 산업도 발달하고 있다.

만점 포인트 고랭지 밭, 목장, 스키장, 리조트

구분	채점 기준
상	고위 평탄면의 토지 이용 방식을 두 가지 모두 바르게 서술한 경우
하	고위 평탄면의 토지 이용 방식을 한 가지만 바르게 서술한 경우

내신 1등급   27쪽

01 ④	02 ②	03 ②	04 ①

01 (가)는 변성암 복합체, (나)는 조선 누층군, (다)는 평안 누층군, (라)는 경상 누층군, (마)는 경동성 요곡 운동이다. ④ 경상 누층군은 거대한 호수에 퇴적 물질이 쌓여 형성된 육성층으로, 심한 지각 변동을 겪지 않아 공룡 발자국 화석이 발견된다.

> **왜 틀렸을까?** 선택지 뜯어 보기
>
> ① (가)는 북한산, 설악산의 주요 기반암을 이루고 있다.
> ➡ 북한산, 설악산은 돌산에 해당한다.
> ② (나)에는 무연탄이 다량으로 매장되어 있다.
> ➡ 석회석이 해당된다.
> ③ (다)는 고생대 초기에 해침을 받아 형성되었다.
> ➡ 조선 누층군에 대한 설명이다.
> ⑤ (마)로 인해 중국 방향의 지질 구조선이 형성되었다.
> ➡ 중생대 중기에 발생한 대보 조산 운동의 영향이다.

02 (가)는 빙기, (나)는 후빙기이다. 후빙기에는 하천 하류의 해수면이 높아지면서 퇴적 작용이 활발해져 충적 평야가 형성되었다.

03 (가)는 고위 평탄면으로, 과거 오랜 기간 침식을 받아 평탄해진 곳이 융기한 후에도 남아 있는 지형이다.

만점 노트 고위 평탄면

형성 원인	신생대 제3기 경동성 요곡 운동의 영향으로 융기되어 형성
분포 지역	대관령 일대, 진안고원 등지
경관 특징	높은 고도에 있는 평탄면
기후 특징	동위도의 저지대에 비해 연평균 기온이 낮음.
토지 이용	목축업, 고랭지 농업, 풍력 발전, 관광업 등

04 (가)는 화강암이 지표로 드러나 있는 돌산인 도봉산이고, (나)는 변성암이 풍화되어 형성된 흙산인 지리산이다. 흙산의 또 다른 예로는 덕유산, 오대산 등이 있다.

02 하천 지형과 해안 지형

개념 암기   29쪽

1 (1) ○ (2) X (3) ○   **2** (1) 감입, 하방 (2) 선상지 (3) 자연 제방
3 침식 분지   **4** (1) 평행, 단조롭다 (2) 리아스 (3) 만   **5** (1) ㉡
(2) ㉣ (3) ㉢ (4) ㉠

내신 기출   30~34쪽

01 ⑤	02 ①	03 ②	04 ③	05 ②	06 ⑤	07 ⑤
08 하중도		09 ③	10 ②	11 ②	12 ①	13 ③
14 ③	15 해안 단구	16 ⑤	17 ①	18 ④	19 ④	
20 연안류		21 해설 참조		22 해설 참조		

01 ⑤ 하천 직강 공사는 홍수 피해를 최소화하려는 목적으로 실시된다. 우리나라는 감조 하천의 하구 부근에 하굿둑을 건설하여 염해를 방지하고 물 자원을 확보하고 있다.

02 (가) 하천 상류는 (나) 하천 하류에 비해 퇴적물의 평균 입자 크기가 크고, 경사가 급하며, 유량은 적다.

만점 노트 하천 상류와 하류의 특징

구분	상류	하류
하천 수	많음.	적음.
유역 분지 면적	좁음.	넓음.
하천 경사	급함.	완만함.
평균 유량	적음.	많음.
퇴적물 크기	큼.	작음.
퇴적물의 원마도	낮음.	높음.

03 그림에는 과거 곡류하던 하천이 지반의 융기로 하방 침식이 더 활발해지면서 깊은 골짜기를 이루며 감입 곡류 하천이 되는 과정이 나타나 있다. ㄱ. 하안 단구(A)에서는 과거의 하천이 흐를 때 마모되어 만들어진 둥근 자갈이 발견된다. ㄷ. C는 하천의 유로 단축 과정에서 더 이상 하천이 흐르지 않게 된 구하도이다.

04 그림에 나타난 지형은 선상지로, A는 선정, B는 선앙, C는 선단이다. ③ 선단(C)은 용천이 분포하여 취락과 논으로 이용된다.

만점 노트 선상지의 토지 이용

선정	취락과 농경지로 이용
선앙	하천의 복류로 지표수가 부족함. → 밭과 과수원으로 이용
선단	물이 다시 솟아남. → 취락과 논으로 이용

05 A는 감입 곡류 하천 주변에 나타나는 하안 단구이다. 하안 단구는 과거의 하상 또는 범람원이 융기하여 하방 침식이 우세해지면서 형성된다.

06 춘천 지역의 경우 시·원생대에 형성된 편마암이 기반암을 이루는 곳에 중생대에 화강암이 관입하였다. 이때 화강암이 주변부의 편마암보다 풍화와 침식에 대한 저항력이 약해 빠르게 침식을 받아 춘천 분지가 형성되었다.

07 자유 곡류 하천(C) 주변에서는 하천의 범람으로 형성된 범람원을 흔히 볼 수 있는데, 범람원은 자연 제방(B)과 배후 습지(A)로 구성되어 있다. 자연 제방은 주로 모래 등이 퇴적되어 형성되고, 배후 습지는 주로 점토질이 퇴적되어 형성된다.

왜 틀렸을까? 선택지 뜯어 보기

ㄱ. A는 B보다 해발 고도가 높다.
ㄴ. A는 B에 비해 배수가 양호하다.

자료 심층 분석 자유 곡류 하천과 범람원

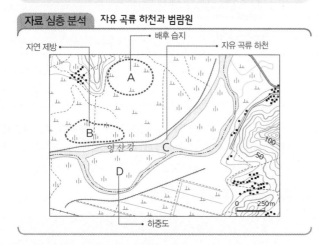

하중도

08 자유 곡류 하천의 유로 변동 과정에서 하천 가운데 생긴 퇴적 지형을 하중도라고 한다.

09 항공 사진에 나타난 지형은 삼각주이다. 조차가 큰 황해와 남해의 경우, 조류에 의해 하천 퇴적 물질이 쉽게 제거되므로 삼각주의 발달이 미약하다.

10 (가)는 감입 곡류 하천, (나)는 자유 곡류 하천이다. ② 자유 곡류 하천은 측방 침식이 활발하여 유로가 자주 변경된다.

왜 틀렸을까? 선택지 뜯어 보기

① (가)는 하천 하류에서 발달한다. ➡ 상류
③ (가)는 (나)보다 하천의 경사가 완만하다.
④ (가)는 (나)보다 하천 주변 퇴적물의 평균 입자가 작다.
⑤ (나)는 (가)보다 지반 융기의 영향을 크게 받았다.

11 도시화 과정에서 포장 면적이 늘어나고 녹지 면적이 감소함에 따라 강수 발생 시 빗물이 하천으로 도달하는 데 걸리는 시간이 짧아졌고, 하천의 최고 수위도 높아졌다. 이러한 문제가 지속될 경우 도시에 잦은 홍수가 발생하게 된다.

12 ㄱ. 동해안은 경동성 요곡 운동의 영향으로 서·남해안보다 지반의 융기량이 많았다. ㄴ. 동해안의 해안선은 태백산맥, 함경산맥과 평행하게 형성되어 있다.

왜 틀렸을까? 선택지 뜯어 보기

ㄷ. ⓒ – 파랑의 영향이 커서 갯벌이 넓게 분포한다. ➡ 조류
ㄹ. ⓔ – 빙커 때 해수면 하강의 영향으로 형성되었다. ➡ 후빙기, 상승

만점 노트 우리나라의 해안 비교

동해안	• 지반 융기의 영향을 많이 받음, 산맥과 해안선의 방향이 평행함. → 단조로운 해안선 • 수심이 깊고 조차가 작으며, 파랑의 작용이 활발함.
서·남해안	• 산맥이 해안을 향해 뻗어 있음, 후빙기 해수면 상승 때 침수됨. → 복잡한 해안선 • 수심이 얕고 조차가 크며, 조류의 작용이 활발함.

13 (가)는 육지가 바다 쪽으로 돌출한 곶이고, (나)는 바다가 육지 쪽으로 들어간 만이다. 파랑이 해안으로 접근하는 경우 곶에는 파랑의 힘이 집중되는 반면, 만에서는 분산된다. 그래서 파랑의 힘이 집중되는 곳에서는 침식 작용이 활발하고, 파랑의 힘이 분산되는 만에서는 퇴적 작용이 활발하다. 시간이 지나면 곶은 점차 깎여서 육지 쪽으로 후퇴하게 되고, 만에는 퇴적물이 계속 쌓이게 되므로 해안선은 점차 단조롭게 변화한다.

14 (가)는 해식애, (나)는 파식대, (다)는 시 스택으로 모두 파랑의 힘이 집중되는 곳에 발달하는 해안 침식 지형이다.

왜 틀렸을까? 선택지 뜯어 보기

① 주로 해수욕장으로 이용된다.
➡ 사빈에 대한 설명이다.
② 지하에 담수가 저장되어 있다.
➡ 해안 사구에 대한 설명이다.
④ 밀물 때 잠기고 썰물 때 드러나는 지형이다.
➡ 갯벌에 대한 설명이다.
⑤ 조류에 의해 운반된 미립 물질이 퇴적되어 형성된다.
➡ 갯벌에 대한 설명이다.

15 모식도는 A 지형의 형성 과정을 나타낸 것으로, A는 과거의 파식대가 지반의 융기로 인해 현재 해수면보다 높은 곳에 위치하게 된 해안 단구이다.

16 해안 단구는 지반의 융기량이 많았던 동해안에서 특히 잘 나타나며, 지형이 평탄하기 때문에 취락, 농경지, 교통로 등으로 이용된다. 단구면에서는 과거 바닷가에 퇴적되어 있던 둥근 자갈을 볼 수 있고, 해안 단구 하단에는 새로운 파식대가 형성된다.

17 지도에 표시된 A는 후빙기 해수면 상승 과정에서 침수되어 형성된 섬이다. B는 갯벌로, 오염 물질 정화 기능이 있으며 다양한 해양 생물의 서식지 역할을 한다.

왜 틀렸을까? 선택지 뜯어 보기

ㄷ. C는 시간이 지남에 따라 바다 쪽으로 성장한다. ➡ 육지 쪽으로 후퇴
ㄹ. D는 주로 조류의 퇴적 작용으로 형성된다. ➡ 파랑

18 사진에 표시된 (가) 지형은 석호에 해당한다. 석호의 물은 담수와 해수의 중간 정도의 염분을 가지고 있기 때문에 농업용수로 사용하기 어렵다.

19 (가)는 조류의 퇴적 작용에 의해 형성된 갯벌, (나)는 바람의 퇴적 작용으로 형성된 해안 사구이다. 갯벌은 조차가 큰 서·남해안에서 잘 발달하고, 해안 사구는 북서풍의 영향을 많이 받는 서해안에서 대규모로 발달한다.

20 최근 훼손된 해안 지형을 복구하고 해양 생태계를 보호하기 위한 다양한 노력이 이루어지고 있다. 훼손된 사빈을 복구하기 위해 그로인을 설치하면, 연안류에 의해 모래가 운반·퇴적되어 해안 침식을 방지할 수 있다.

21 (1) **답** 침식 분지

(2) **모범 답안** 침식 분지는 변성암이 기반암을 이루는 곳에 중생대에 화강암이 관입하였고, 화강암 지대가 주변의 변성암 지대보다 차별적으로 더 빠르게 풍화와 침식을 받아 형성되었다.

만점 포인트 차별 풍화, 차별 침식, 변성암, 화강암

구분	채점 기준
상	침식 분지의 형성 원인을 제시된 조건 두 가지를 모두 활용하여 바르게 서술한 경우
하	침식 분지의 형성 원인을 제시된 조건 중 한 가지만 활용하여 서술한 경우

22 (1) **답** 석호

(2) **모범 답안** 석호는 후빙기 해수면 상승으로 형성된 만의 입구를 사주가 성장하면서 가로막아, 만이 바다로부터 분리되면서 형성되었다.

만점 포인트 후빙기 해수면 상승, 만, 사주

구분	채점 기준
상	석호의 형성 과정을 바르게 서술한 경우
하	석호의 형성 과정을 미흡하게 서술한 경우

---

01 지도에 표시된 (가)는 하천의 상류, (나)는 하천의 하류에 해당한다. 하천은 상류에서 하류로 감에 따라 평균 유량이 증가하고, 이와 함께 하폭이 넓어지고 수심이 깊어진다. 또한 하천에 의해 운반되는 물질들은 하류로 이동하면서 깨지고 마모되어 점차 둥글어진다.

02 지도에 표시된 (가)는 하천이 산지 사이를 곡류하며 흐르는 상류 지역이고, (나)는 하천이 비교적 넓은 들판 위를 흐르는 하류 지역이다. ① 하천의 상류는 빙기에 강수량이 적어서 퇴적물의 공급량에 비해 퇴적물을 운반할 수 있는 유량이 적어서 퇴적 작용이 활발하였지만, 후빙기에는 습윤해지면서 운반 물질의 양에 비해 하천의 유량이 많아져 침식 작용이 활발하다. ③ A는 하천의 유로 변동 과정에서 유로가 절단되어 형성된 구하도이다. ④ B와 하천 사이에는 등고선이 두 개가 그어져 있지만 C와 하천 사이에는 등고선이 없으므로, B가 C보다 인근 하상과의 고도 차가 크다. ⑤ D는 E보다 고도가 높고 밭농사가 이루어지는 것으로 보아 자연 제방이고, E는 D의 뒤쪽에 위치하고 벼농사가 이루어지는 것으로 보아 배후 습지에 해당한다. 따라서 D는 E보다 퇴적물의 평균 입자 크기가 크다.

03 지도에 표시된 (가) 해안은 서해안, (나) 해안은 남해안, (다) 해안은 동해안이다. 동해안은 서·남해안에 비해서 해안 퇴적물의 평균 입자 크기가 크고, 파랑 에너지의 세기가 강하며 갯벌의 규모가 작다.

04 지도에 표시된 A는 사빈, B는 해식애, C는 갯벌, D는 석호, E는 사주에 해당한다. 갯벌(C)은 밀물 때 바닷물에 잠기고 썰물 때 물 위로 드러나는 지형이다.

03 화산 지형과 카르스트 지형

01 지도에 표시된 곳은 모두 화산 활동에 의해 형성되었다. A는 백두산, B는 철원 일대, C는 울릉도, D는 독도, E는 한라산에 해당한다. 백두산(A)의 정상부에는 칼데라에 물이 고여 형성된 호수인 천지가 있다.

왜 틀렸을까? 선택지 뜯어 보기

② B − 점성이 큰 용암이 폭발적으로 분화하였다.
➡ 철원 일대에는 점성이 작은 용암이 지각의 약한 틈을 통하여 서서히 분출하여 형성된 용암 대지가 분포한다.

③ C − 전체적으로 경사가 완만한 방패 모양의 산지이다.
➡ 울릉도는 전체적으로 경사가 급한 종 모양의 화산이다.

④ D − 화산체의 대부분이 해수면 위로 드러나 있다.
➡ 독도의 화산체 대부분은 해저에 있으며 해수면 위에는 매우 적은 부분이 드러나 있다.

⑤ E − 칼데라 분지 안에 화구가 솟아 있는 이중 화산체이다.
➡ 울릉도(C)에 대한 설명이다. 제주도의 한라산(E)은 현무암질 용암이 여러 차례 분출하여 만들어진 방패 모양의 화산으로, 정상부 일부는 종 모양의 화산으로 이루어져 있다.

02 (가)는 철원 일대의 용암 대지, (나)는 제주도의 화산 지형이 나타나 있는 지형도이다. ㄷ. 한탄강 주변의 용암 대지는 하천 등에 의해 운반된 물질들이 쌓여 넓은 평야를 이루고 있으며, 주변의 수리 시설을 바탕으로 논농사가 이루어지고 있다. 제주도는 지표수가 부족하여 밭농사가 활발하게 이루어진다. ㄹ. (가)와 (나) 모두 신생대에 발생한 화산 활동과 관련이 있는 지역이다.

왜 틀렸을까? 선택지 뜯어 보기

ㄱ. (가)의 한탄강 주변부는 하상과의 고도 차가 거의 없는 평야이다.
➡ 지형도에서 한탄강의 양안에 등고선이 조밀한 것으로 보아 하상과의 고도 차가 큰 수직 절벽이 분포한다는 것을 알 수 있다. 한탄강 주변에는 깊은 협곡이 형성되어 있는데, 이는 한탄강의 하방 침식으로 형성된 것이다.

ㄴ. (나)의 오름들은 용암의 열하 분출에 의해 형성되었다.
➡ 오름은 화산의 중턱에서 용암과 화산 쇄설물이 분출하여 형성된 작은 화산을 말한다.

자료 심층 분석 철원 일대의 용암 대지와 제주도의 화산 지형

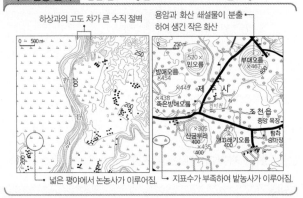

하상과의 고도 차가 큰 수직 절벽

용암과 화산 쇄설물이 분출하여 생긴 작은 화산

넓은 평야에서 논농사가 이루어짐.

지표수가 부족하여 밭농사가 이루어짐.

03 (가)는 칼데라에 물이 고여 형성된 칼데라호인 천지이고, (나)는 화구에 물이 고여 형성된 화구호인 백록담이다. (가)와 (나) 모두 신생대의 화산 활동으로 형성된 지형에 만들어진 호수이다.

04 A는 석회암이 용식되어 형성된 우묵한 지형인 돌리네이고, B는 서로 다른 돌리네(A)가 결합하여 형성된 우발레이며, C는 동굴 천장에서 자라는 종유석이다. 석회암(D)은 고생대 초기에 형성된 해성층인 조선 누층군에 주로 분포한다. ② 돌리네(A) 내부는 주변에서 모여든 토사가 쌓여 두꺼운 토양층이 형성되며 배수가 잘되기 때문에 주로 밭으로 이용된다.

05 을. 카르스트 지형의 기반암인 석회석은 시멘트의 원료가 되므로 석회석 산지 곳곳에 시멘트 공장이 들어선다. 정. 카르스트 지형은 경관이 매우 신비로워 관광지로 개발된다.

왜 틀렸을까? 선택지 뜯어 보기

갑. 논농사가 발달했어요. ➡ 밭농사
병. 고랭지 농업이 활발하게 이루어져요.
➡ 고위 평탄면에서 발달한 농업이다.

06 (1) 답 주상 절리
(2) 모범 답안 주상 절리는 화산 활동으로 분출된 용암이 굳는 과정에서 수축이 일어나면서 다각형 모양의 수많은 틈이 생기고 이 틈이 길게 연장되면서 만들어졌다.

만점 포인트 용암, 수축, 틈

구분	채점 기준
상	주상 절리의 형성 과정을 바르게 서술한 경우
하	주상 절리의 형성 과정을 미흡하게 서술한 경우

내신 1등급   39쪽

01 ①   **02** ①   **03** ④   **04** ④

01 ㄱ. (가)는 현무암질 용암의 열하 분출로 형성된 철원 일대의 용암 대지와 관련된 내용이다. ㄴ. 철원평야는 한탄강의 하방 침식을 받아 현재와 같은 깊은 협곡이 형성되었다.

왜 틀렸을까? 선택지 뜯어 보기

ㄷ. ⓒ은 화강암의 특징이다. ➡ 현무암
ㄹ. ⓒ은 마그마가 지하에서 식어서 만들어졌다.
➡ ⓒ은 주상 절리로, 화산 활동으로 분출된 용암이 굳는 과정에서 수축이 일어나면서 다각형 모양의 수많은 틈이 생기고 이 틈이 길게 연장되면서 만들어졌다.

02 지도에는 석회암의 분포가 표시되어 있다. ①은 경상 분지에서 볼 수 있는 모습이다.

03 (가)는 용암동굴, (나)는 석회동굴이다. ④ 석회동굴은 지하로 침투한 빗물이나 지하수에 의해 석회암이 용식되어 형성된다.

만점 노트 용암동굴과 석회동굴

구분	용암동굴	석회동굴
형성 원인	용암의 냉각 속도 차이	지하수에 의한 석회암의 용식
기반암 형성	신생대에 형성	고생대에 형성
내부 구조	일반적으로 원통형의 공동(空洞)	종유석, 석순, 석주 등이 발달하여 복잡한 내부

04 ㄴ. 울릉도는 북쪽 중앙부의 나리 분지 안에서 알봉이 분화한 이중 화산의 형태를 띠고 있다. ㄹ. 나리 분지는 화구가 함몰되어 형성된 칼데라 분지이다.

단원 마무리   40~43쪽

01 ③	02 ②	03 ④	04 ②	05 ⑤	06 ⑤	07 ④	08 ⑤
09 ④	10 ②	11 ③	12 ①	13 ①	14 ②	15 ①	16 ⑤

01 ㉠ 인왕산의 기반암은 중생대에 관입한 화강암, ㉡ 다랑쉬 오름의 기반암은 신생대 화산 활동에 의해 형성된 현무암으로 주로 구성된다. 따라서 ㉠은 B에, ㉡은 A에 속한다.

02 (가)는 삼엽충 화석이 주로 발견되는 고생대의 조선 누층군이고, (나)는 공룡 발자국 화석이 주로 발견되는 중생대의 경상 누층군이다. 지도의 A는 조선 누층군, B는 평안 누층군, C는 화강암, D는 경상 누층군이다.

03 그래프에 표시된 ㉠은 후빙기이고, ㉡은 빙기에 해당한다. 후빙기에 비해 한랭 건조한 빙기에는 식생의 밀도가 낮은 편이고, 수분의 동결과 융해 작용으로 인하여 암석의 물리적 풍화 작용이 활발했다.

03-1 모의고사 기출 틀린 선지 더 찾기   답 ③

③ 하천의 상류보다 하류에서 퇴적 작용이 활발하다.
➡ 빙기에 하천의 상류에서는 퇴적 작용이, 하류에서는 침식 작용이 활발하다.

04 그림에서 A는 1차 산맥, B는 2차 산맥이다. 1차 산맥은 신생대 제3기 경동성 요곡 운동의 영향을 받아 지반이 융기되어 형성된 것으로, 해발 고도가 높고 연속성이 뚜렷하다. 함경산맥, 낭림산맥, 태백산맥 등이 이에 속한다.

05 지도에는 우리나라의 대표적인 고위 평탄면인 대관령 일대가 나타나 있다. ⑤ 공룡 발자국 화석이 다수 분포하는 지역은 경상 분지 일대이다.

06 (가)는 돌산인 북한산, (나)는 흙산인 덕유산, (다)는 화산인 한라산이다. ⑤ 북한산의 주요 기반암은 중생대에 형성된 화강암이고, 덕유산의 주요 기반암은 시·원생대에 형성된 변성암이다.

07 (가)는 하천의 상류, (나)는 하천의 하류이다. 하천의 상류는 하류에 비해 퇴적물의 평균 입자 크기가 크고, 평균 유량은 적으며, 평균 하폭은 좁고, 하천 바닥의 경사도는 크다.

08 왼쪽 지도는 하천 상류에서 볼 수 있는 지형이고, 오른쪽 지도는 하천 하류에서 볼 수 있는 지형이다. ㄷ. C는 E 하천이 직선화됨에 따라 따로 떨어져 나간 호수이다. ㄹ. B는 감입 곡류 하천이 쌓아 놓은 퇴적물로 주로 모래의 비율이 높고, D는 점토질이 쌓여 형성된 배후 습지이므로, B가 D보다 퇴적물의 평균 입자 크기가 더 크다.

08-1 모의고사 기출 틀린 선지 더 찾기   답 ②

② B에서는 퇴적보다 침식이 우세하다.
➡ B에서는 퇴적 작용이 활발하다.

09 (가)는 삼각주, (나)는 범람원, (다)는 선상지이다. ④ 하천 하류(하구)에 형성되는 (가) 삼각주는 하천 상류에 형성되는 (다) 선상지보다 퇴적물의 평균 입자 크기가 작다.

10 자료는 침식 분지의 형성 과정을 보여 준다. A는 시·원생대에 형성된 변성암, B는 중생대에 관입한 화강암, C는 충적층 분포 지역이다. ㄷ. 침식 분지는 화강암이 변성암보다 풍화와 침식에 대한 저항력이 약해 두 기반암이 차별 침식을 받아 형성된다.

11 (가) 서해안은 (나) 동해안보다 조차가 크고, 조류의 작용이 활발하다.

① (가)에는 현재 석호가 많이 분포한다. ➡ (나)
② (나)에는 리아스 해안이 발달해 있다. ➡ (가)
④ (가)는 (나)보다 신생대 지반 융기의 영향을 크게 받았다.
⑤ (나)는 (가)보다 해안 퇴적물의 평균 입자 크기가 작다.

12 ⊙은 해안 사구, ⊙은 사빈, ⊙은 해안 단구, ⊙은 파식대, ⊙은 해식애이다. ① 해안 사구(⊙)는 지하에 담수를 저장하고 있다.

② ⊙은 ⊙보다 퇴적물의 평균 입자 크기가 크다.
③ ⊙과 ⊙은 주로 파랑 에너지가 분산되는 <u>만(灣)</u>에 발달한다.
　➡ 해안 단구(ⓒ)와 해식애(ⓜ)는 주로 파랑 에너지가 집중되는 곶(串)에 발달한다.
④ ⊙은 ⊙이 육지 쪽으로 후퇴하면서 점점 <u>좁아진다</u>. ➡ 넓어진다.
⑤ ⊙과 ⊙의 침식을 막기 위해 모래 포집기가 설치된다.
　➡ 모래 포집기는 해안 사구(⊙)와 사빈(ⓛ)의 침식을 막기 위해 설치된다.

12-1 모의고사 기출 **틀린 선지 더 찾기**　　　답 ③

③ ⊙과 ⊙은 모래보다 <u>점토</u>의 비율이 높다.
　➡ 해안 사구와 사빈은 점토보다 모래의 비율이 높다.

해안 침식 지형	• 해식애: 해안의 산지나 구릉이 파랑의 침식 작용에 의해 깎여서 형성된 절벽 • 파식대: 파랑의 침식 작용으로 해식애가 후퇴하면서 남은 넓고 평평한 바위면 • 해식동: 해식애의 약한 부분이 파랑의 침식 작용으로 깊게 파인 동굴 • 시 스택: 해식애가 파랑의 차별 침식을 받아 형성된 기둥 모양의 지형 • 해안 단구: 과거의 파식대가 지반의 융기나 해수면 하강으로 현재 해수면보다 높아지면서 형성된 계단 모양의 지형
해안 퇴적 지형	• 사빈: 파랑이나 연안류에 의해 모래가 퇴적된 지형 → 해수욕장으로 이용 • 해안 사구: 사빈의 모래가 바람에 의해 이동하여 사빈의 배후에 퇴적되어 형성된 모래 언덕 • 사주: 연안류를 따라 사빈의 모래가 이동하여 바다 쪽으로 길게 퇴적된 지형 • 석호: 해수면 상승으로 형성된 만의 입구를 사주가 가로막아 바다와 분리되면서 형성된 호수 • 갯벌: 조류에 의해 점토 등이 퇴적되어 형성된 지형

13 A는 갯벌, B는 해식애, C는 석호, D는 사빈이다. ㄱ. 갯벌은 다양한 해양 생물이 서식하는 곳으로, 생태적 가치가 높다. ㄴ. 해식애는 파랑 에너지가 집중하는 곳(串)에 잘 발달한다.

ㄷ. C는 면적이 <u>확대</u>되고 있으며 농업용수로 이용된다.
　➡ 석호는 인근 하천에서 유입하는 퇴적물로 인해 면적이 줄어들고 있으며, 석호의 물은 염분을 포함하고 있어 농업용수로 이용하기에 적합하지 않다.
ㄹ. D는 주로 <u>조류</u>의 퇴적 작용으로 형성되었다. ➡ 파랑

14 지도에 표시된 A는 석회암의 용식 작용으로 형성된 석회동굴이고, B는 화산 활동에 의해 용암이 흐르는 과정에서 형성된 용암동굴이다. 석회동굴에는 종유석, 석순 등이 발달해 있다.

ㄴ. <s>B</s>는 지하수의 용식 작용을 받아 형성되었다. ➡ A
ㄹ. A와 B가 분포하는 지역은 모두 <u>논농사</u>가 활발하게 이루어진다.
　➡ 밭농사

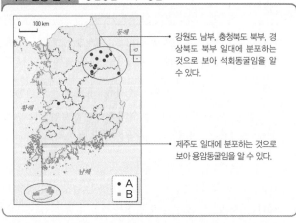

강원도 남부, 충청북도 북부, 경상북도 북부 일대에 분포하는 것으로 보아 석회동굴임을 알 수 있다.

제주도 일대에 분포하는 것으로 보아 용암동굴임을 알 수 있다.

15 지도에 표시된 (가) 철원 일대에는 용암 대지가 있고, (나) 백두산의 정상부에는 칼데라호인 천지가 있다.

(다) <u>제주도</u>에는 '알봉'이라는 중앙 화구구가 나타난다. ➡ 울릉도
(라) <u>울릉도</u>는 점성이 작은 용암이 분출한 순상 화산체이다. ➡ 제주도

16 주요 기반암이 석회암인 B 지역과 주요 기반암이 현무암인 D 지역은 절리가 발달하여 지표수가 지하로 잘 스며들기 때문에 논농사보다 밭농사에 유리하다.

① <s>B</s>는 현무암질 용암이 흘러서 형성되었다. ➡ D
② <s>D</s>에서는 석회암이 풍화된 붉은 색의 토양이 나타난다. ➡ A
③ C는 A보다 기반암의 형성 시기가 이르다.
④ A와 C 주변에는 기반암이 용식되어 형성된 동굴이 분포한다.
　➡ A 주변에는 기반암인 석회암이 용식되어 형성된 석회동굴이 분포하지만, C 주변에는 용암동굴이 분포한다.

16-1 모의고사 기출 **틀린 선지 더 찾기**　　　답 ③, ④

③ A는 주변보다 높고, C는 주변보다 낮은 지형이다.
④ B의 기반암은 화성암, D의 기반암은 퇴적암에 속한다.

Ⅲ. 기후 환경과 인간 생활

01 우리나라의 기후 특성

01 기후 요인은 기후 요소의 변화에 영향을 주는 요인으로 위도, 수
륙 분포, 지형, 해발 고도 등이 해당한다. (가) 남부 지방이 북부
지방보다 연평균 기온이 높은 것은 위도에 따른 일사량의 차이 때
문이다. (나) 대관령 일대가 주변 지역보다 여름철 기온이 낮은 것
은 해발 고도가 주변 지역보다 높기 때문이다.

02 북반구 중위도에 위치한 우리나라는 사계절의 변화가 뚜렷한
냉·온대 기후가 나타나며, 유라시아 대륙 동안에 위치하고 있어
계절에 따라 풍향이 바뀌는 계절풍의 영향을 크게 받는다. 중위도
에 위치하고 있기 때문에 연중 편서풍의 영향을 일정하게 받고 있
지만, 계절에 따라 풍향과 성질이 다른 계절풍의 영향도 크게 받
는다.

03 대륙 서안에 위치한 런던은 연중 편서풍과 난류의 영향을 받아 기
온의 연교차가 작고, 연중 강수량이 고르다. 반면에 유라시아 대
륙 동안에 위치한 서울은 계절풍의 영향으로 여름에는 고온 다습
하고, 겨울에는 한랭 건조하기 때문에 기온의 연교차가 크고, 여
름철 강수 집중률이 높은 편이다. 서울은 런던보다 여름철 기온과
습도가 높기 때문에 불쾌지수가 높게 나타난다.

04 (가)는 1월, (나)는 8월의 우리나라 평균 기온을 나타낸 지도이다.
두 시기 모두 저위도 지역에서 고위도 지역으로 갈수록 대체로 기
온이 낮아진다. 동해안은 비슷한 위도의 서해안보다 겨울철 기온
이 높은데, 이는 태백산맥이 차가운 북서 계절풍을 막아주고, 수
심이 깊고 수온이 높은 동해의 영향을 받기 때문이다. 우리나라는
여름보다 겨울에 지역 간 기온 차이가 크기 때문에 겨울 기온이
낮은 지역일수록 연교차가 크게 나타난다.

05 (가)는 세 지역 중 최난월 평균 기온이 가장 낮고 연 강수량이 가
장 많으므로 대관령이다. 기온의 연교차가 가장 큰 (나)는 내륙에
위치한 홍천이며, 최한월 평균 기온이 가장 높고, 겨울 강수 집중
률이 높은 (다)는 강릉이다. 홍천은 대관령보다 기온의 연교차가
크며, 강릉은 홍천에 비해 겨울 강수 집중률이 높다.

06 지도의 A는 군산, B는 구미, C는 포항이다. (가)는 군산(A)이 가
장 높고 구미(B)가 가장 낮으므로 연 강수량, (나)는 구미(B)가 가
장 높고 포항(C)이 가장 낮으므로 기온의 연교차이다. 연평균 기
온은 포항(C) 〉 구미(B) 〉 군산(A) 순으로 나타난다.

07 (가)는 북서풍이 탁월하므로 겨울인 1월, (나)는 남풍 계열의 바람
이 탁월하므로 여름인 7월이다. 겨울철에는 시베리아 고기압의
영향으로 한랭 건조한 북서 계절풍이 불고, 여름철에는 북태평양
고기압의 영향으로 고온 다습한 남동·남서 계절풍이 분다.

08 ㉠에 들어갈 용어는 푄 현상이다. 푄 현상은 습윤한 공기가 산지
를 타고 넘어갈 때 바람받이 사면에 강수를 발생시키고, 바람그늘
사면에서는 고온 건조한 공기로 변하는 현상이다.

09 여름철 북태평양 고기압에서 우리나라로 유입되는 기류는 고온
다습하기 때문에 바람받이 사면에 부딪쳐 많은 양의 지형성 강수
가 내린다. 바람받이 사면에 해당하는 다우지는 한강 중·상류 지
역, 남해안 일대, 청천강 중·상류 지역, 제주도 남부 지역 등이다.
개마고원 일대와 낙동강 중·상류 지역은 바람그늘 지역에 해당
하여 연중 강수량이 적은 소우지이다.

10 지도의 A는 대동강 하류, B는 개마고원, C는 한강 중·상류, D는
낙동강 중·상류, E는 울릉도이다. 지형이 평탄하여 상승 기류의
발생이 어렵기 때문에 비가 적게 내리는 지역은 대동강 하류(A)
이다.

11 삼한 사온 현상은 시베리아 기단의 주기적인 발달과 쇠퇴로 인해
추위가 심한 날과 덜한 날이 반복적으로 일어나는 현상이다. 한여
름 불볕더위와 열대야는 북태평양 기단의 확장으로 인해 발생하
며, 적도 기단의 영향으로 발생하는 기후 현상은 태풍이다.

12 (가)는 대륙에 고기압이 발달하고 등압선의 간격이 좁으므로 겨울, (나)는 바다에 강력한 고기압이 발달하고 대륙에 저기압이 발달하고 있으므로 한여름의 일기도이다. 겨울철에는 시베리아 기단의 영향으로 한랭 건조한 북서 계절풍이 불고, 여름철에는 북태평양 기단의 영향으로 고온 다습한 남풍 계열의 계절풍이 불기 때문에 겨울철보다 여름철의 상대 습도가 높다. 여름철에는 겨울철에 비해 강한 일사로 인한 대류성 강수인 소나기가 자주 내린다.

> **자료 심층 분석** 우리나라 겨울과 한여름의 일기도
>
>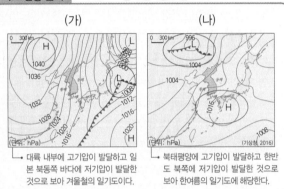
>
> (가) (나)
>
> → 대륙 내부에 고기압이 발달하고 일본 북동쪽 바다에 저기압이 발달한 것으로 보아 겨울철의 일기도이다.
>
> → 북태평양에 고기압이 발달하고 한반도 북쪽에 저기압이 발달한 것으로 보아 한여름의 일기도에 해당한다.

13 모범 답안 A는 대동강 하류 지역으로 지형이 낮고 평탄하여 상승 기류가 발생하기 어렵기 때문에 강수량이 적다. B는 낙동강 중·상류 지역(영남 내륙 지역)으로 소백산맥의 바람그늘 지역에 해당하기 때문에 강수량이 적다.

만점 포인트 대동강 하류, 평탄한 지형, 상승 기류, 낙동강 중·상류 지역, 영남 내륙 지역, 소백산맥의 바람그늘

구분	채점 기준
상	대동강 하류 지역과 낙동강 중·상류 지역의 강수량이 적은 이유를 각각 바르게 서술한 경우
하	대동강 하류 지역과 낙동강 중·상류 지역의 강수량이 적은 이유 중 하나만 서술한 경우

14 모범 답안 B 지역은 태백산맥이 차가운 북서 계절풍을 막아주고, 수심이 깊고 상대적으로 수온이 높은 동해의 영향을 받아 A 지역보다 1월 평균 기온이 높다.

만점 포인트 태백산맥, 북서 계절풍, 동해, 수심, 수온

구분	채점 기준
상	동해안(B) 지역이 서해안(A) 지역보다 1월 평균 기온이 높게 나타나는 이유를 두 가지 모두 서술한 경우
하	동해안(B) 지역이 서해안(A) 지역보다 1월 평균 기온이 높게 나타나는 이유를 한 가지만 서술한 경우

15 (1) 답 시베리아 기단
(2) 모범 답안 봄철에 시베리아 기단의 일시적 확장으로 인한 저온 현상인 꽃샘추위가 발생하고, 겨울철에 시베리아 기단의 성장과 쇠퇴로 인해 추위가 심한 날과 덜한 날이 반복되는 삼한 사온 현상이 발생한다.

만점 포인트 시베리아 기단, 꽃샘추위, 삼한 사온 현상

구분	채점 기준
상	시베리아 기단이 우리나라 기후에 미치는 영향을 두 가지 이상 바르게 서술한 경우
하	시베리아 기단이 우리나라 기후에 미치는 영향을 한 가지만 서술한 경우

내신 1등급 49쪽

01 ④   **02** ⑤   **03** ④   **04** ⑤

01 다양한 기후 요인은 기후를 구성하는 기후 요소의 변화에 영향을 준다. (가)는 해발 고도에 따른 기온의 지역 차, (나)는 지형에 따른 바람받이 지역과 바람그늘 지역의 강수 및 기온 차이를 보여주는 사례이다.

02 A는 서울, B는 신의주, C는 여수이다. 우리나라는 남쪽에서 북쪽으로 갈수록 대체로 연 강수량이 감소하고, 연교차가 커진다. 따라서 연 강수량은 여수, 서울, 신의주 순으로 많고, 기온의 연교차는 신의주, 서울, 여수 순으로 크다.

03 그림은 습윤한 공기가 산지를 타고 넘어갈 때 바람받이 사면에 강수를 발생시키는 지형성 강수를 나타낸 것이다. 바람 그늘에 해당하는 지역은 강수량이 적게 나타난다. ㄷ. 늦봄에서 초여름 사이고온 건조한 바람이 부는 지역은 바람그늘 사면인 영서 지역이다.

04 (가)는 시베리아 기단, (나)는 오호츠크해 기단, (다)는 적도 기단, (라)는 북태평양 기단이다. ㄱ. 시베리아 기단이 발달하는 겨울이 북태평양 기단이 발달하는 여름보다 풍속이 빠르다. ㄴ. 서고동저형 기압 배치에 영향을 미치는 기단은 시베리아 기단이다.

---

02 기후와 주민 생활

개념 암기 51쪽

1 (1) ㄷ   (2) ㄱ   (3) ㄹ   (4) ㄴ   **2** (1) 겨울철   (2) 빠르다   (3) 짜게
3 (1) ○   (2) X   **4** (1) 증   (2) 감   **5** (1) 기온 역전   (2) 그루갈이
(3) 고랭지

내신 기출 52~54쪽

01 ⑤   **02** ④   **03** ③   **04** ④   **05** ②   **06** ④   **07** ②   **08** ③
09 ④   **10** ⑤   **11** ②   **12** 해설 참조   **13** 해설 참조
14 해설 참조

01 우리나라 대부분의 지역은 겨울 기온이 낮기 때문에 아궁이에 불을 피워 방바닥을 데우는 난방 방식인 온돌이 설치되어 있다. 그러나 상대적으로 따뜻한 제주 지역은 온돌이 없는 경우도 있다.

02 우리나라에서 벼농사가 발달한 것은 여름철 기온이 높고 강수량이 풍부하여 벼의 성장에 유리하기 때문이다. 따라서 이와 관련된 주민 생활을 학습하기 위해 조사해야 할 기후 요소는 최난월 평균 기온과 강수량이다.

03 사진은 천일제염업과 사과 재배 농업을 나타낸 것이다. 천일제염업과 과수 재배 농업은 강수량이 적고 일조량이 풍부한 지역에서 활발하게 이루어진다.

04 김장은 겨울철 추위에 대비하기 위한 음식 문화이므로 겨울이 빨리 시작되는 지역일수록 김장을 일찍 담근다. 따라서 추운 북쪽 지역에서 따뜻한 남쪽 지역으로 갈수록 김장 시기가 늦어진다. 또한 상대적으로 겨울철 기온이 높은 남부 지방은 김치가 쉽게 시는 것을 방지하기 위해 맵고 짜게 담그는 반면, 겨울철 기온이 낮은 북부 지방은 싱겁고 담백하게 담근다. ㄷ. 김장 시기는 지역별 기온의 차이를 반영하고 있다.

05 제시된 일기도에 나타난 계절은 한여름이다. 조상들은 더운 여름을 극복하기 위해 죽부인과 부채와 같은 도구를 사용하였으며, 집에 대청마루를 만들어 바람을 잘 통하게 하였다. ㄴ, ㄹ은 겨울철과 관련된 생활 모습이다.

> **만점 노트** **여름철과 겨울철 기온에 따른 주민 생활**
>
> | 여름 | • 모시나 삼베로 만든 옷을 착용
• 죽부인이나 부채와 같은 도구를 이용함.
• 음식이 쉽게 상하지 않도록 염장 식품 발달
• 중부와 남부 지방에 대청마루 발달 |
> |---|---|
> | 겨울 | • 목화솜을 넣은 옷, 동물 가죽이나 털로 만든 옷을 착용
• 추운 겨울철에 대비한 김장 문화 발달
• 우리나라 대부분 지역에 온돌 발달 |

06 계절별 기온과 강수는 주민 생활에 특히 큰 영향을 미친다. 겨울철 강수와 관련된 (다)에 들어갈 적절한 사례는 겨울철 눈이 많이 내리기 때문에 가옥 외부에 우데기가 설치되어 있는 울릉도이다.

07 신문 기사 내용과 관련된 주민 생활은 강수(다우지)와 관련된 주민 생활이다. ㄴ, ㄹ. 호남 해안 지방의 까대기와 강화도 지역의 또아리집은 겨울철 차가운 북서 계절풍을 막기 위한 시설이다.

08 (가)는 전(田)자형의 겹집으로 정주간이 있는 관북형 가옥, (나)는 넓은 대청마루가 가옥의 중앙에 위치하고 있는 남부형 가옥이다. 겨울이 길고 추운 관북 지방은 폐쇄적인 가옥 구조, 남부 지방은 개방적인 가옥 구조가 나타난다.

> **왜 틀렸을까?** **선택지 뜯어 보기**
>
> ③ (가) 지역은 (나) 지역보다 1년 중 <u>온돌을 사용하는 기간이 짧다.</u>
> ➡ 관북 지방은 연평균 기온이 낮고 겨울이 춥기 때문에 남부 지방에 비해 온돌을 사용하는 기간이 길다.

09 제시된 사진은 제주도의 전통 가옥에 해당한다. 제주도는 강한 바람이 자주 불기 때문에 이에 대비하기 위해 전통 가옥의 지붕 경사를 완만하게 하고, 지붕이 바람에 날아가지 않도록 새끼줄로 엮어 놓았다.

10 열섬 현상의 발생 원인으로는 도시 인구 증가, 인공 열 방출량 증가, 지표 포장 면적 증가, 녹지 면적 감소 등이 있다. 도시 열섬 현상은 낮보다는 새벽에, 여름보다는 겨울에, 흐린 날보다는 맑은 날에 뚜렷하게 나타나는 것이 특징이다.

11 날씨와 기후는 오늘날 경제생활에 큰 영향을 미치고 있다. 기상 정보를 경영에 활용하는 분야는 제조업뿐만 아니라 농업, 서비스업, 관광업, 유통업 등 그 영역이 점차 넓어지고 있으며, 해당 기업은 제품 생산 및 출고량을 결정하는 데 기상 정보를 적극적으로 활용한다. ㄴ. 자료를 통해 강수가 기온보다 더 큰 영향을 미치는지 알 수 없다.

12 **모범 답안** 터돋움집. 강수량이 많아 홍수가 자주 발생하는 지역에서 홍수 피해를 줄이기 위해 흙이나 돌로 땅을 돋은 후 주변보다 높게 집을 지었다.

> **만점 포인트** 터돋움집, 홍수, 흙이나 돌, 주변보다 높음.
>
> | 구분 | 채점 기준 |
> |---|---|
> | 상 | 터돋움집의 명칭을 쓰고, 강수 특징과 관련하여 가옥이 발달한 이유를 바르게 서술한 경우 |
> | 중 | 터돋움집의 명칭을 쓰고, 가옥이 발달한 이유를 서술하였으나 미흡한 경우 |
> | 하 | 터돋움집의 명칭만 쓴 경우 |

13 **모범 답안** 울릉도. 겨울철 눈이 많이 내리기 때문에 폭설에 대비하여 우데기라는 외벽을 만들어 외벽 내부에 생긴 공간을 이동 및 생활 공간으로 활용할 수 있다.

> **만점 포인트** 울릉도, 겨울철 눈, 우데기, 외벽, 이동 및 생활 공간
>
> | 구분 | 채점 기준 |
> |---|---|
> | 상 | 울릉도를 쓰고, 지역의 기후와 관련하여 가옥의 특징을 바르게 서술한 경우 |
> | 중 | 울릉도를 쓰고, 가옥의 특징을 서술하였으나 미흡한 경우 |
> | 하 | 울릉도만 쓴 경우 |

14 (1) **답** 기온 역전 현상
(2) **모범 답안** 지표 부근의 기온이 하강하여 분지 내 농작물의 냉해 피해가 발생할 수 있으며, 대기 오염 물질의 확산이 어려워 안개와 오염 물질이 결합된 스모그가 발생할 수 있다.

> **만점 포인트** 농작물 냉해, 스모그
>
> | 구분 | 채점 기준 |
> |---|---|
> | 상 | 기온 역전 현상의 피해를 두 가지 모두 바르게 서술한 경우 |
> | 하 | 기온 역전 현상의 피해를 한 가지만 서술한 경우 |

01 ⑤   **02** ②   **03** ④   **04** ④

01 많은 양의 눈은 도로 교통을 마비시키고 가옥이나 농업 시설물 붕괴 피해 등을 유발한다. 울릉도에서는 우데기를 설치하여 눈에 대비한다.

02 (가)는 제주도, (나)는 울릉도의 전통 가옥에 대한 설명이다. 우리나라 남단에 위치한 제주도는 울릉도보다 서울과의 위도 차가 크다. 울릉도는 겨울철 강수 집중률이 높기 때문에 제주도보다 강수량의 계절 차가 작다.

> **왜 틀렸을까?** 선택지 뜯어 보기
>
> ㄴ. (가)는 (나)보다 최한월 평균 기온이 낮다.
> ➡ 제주도는 울릉도보다 남쪽에 위치하기 때문에 최한월 평균 기온이 높다.
> ㄹ. (나)는 (가)보다 최고 지점의 해발 고도가 높다.
> ➡ 울릉도의 최고 지점인 성인봉(987m)은 제주도의 최고 지점인 한라산(1947m)보다 낮다.

03 제시된 낱말 퍼즐의 가로 열쇠를 풀면 ①은 까대기, ②는 온돌, ③은 풍력 발전이다. 따라서 세로 열쇠 ㉠의 답은 기온 역전이다. 기온 역전 현상은 주로 분지에서 지표면 근처 대기의 기온이 급격히 낮아져 상층으로 갈수록 기온이 높게 나타나는 현상이다. ①은 도시 열섬 현상, ②는 터돋움집, ③은 대청마루, ⑤는 설피에 대한 설명이다.

04 제시된 지도에서 표시된 A 지역은 도심으로 교외 지역인 B 지역보다 기온이 높게 나타나는 열섬 현상이 발생하고 있다. A 지역은 B 지역과 비교해 인공 열의 방출량이 많고, 지표 포장 면적이 넓은 반면에 녹지 공간의 면적은 좁다. 열섬 현상이 일어나면 평균 기온 상승 및 강수 증가 현상이 나타나고 상대 습도, 평균 풍속 등은 감소한다.

03 자연재해와 기후 변화

1 (1) ㄴ, ㄷ, ㄹ, ㅁ   (2) ㄱ, ㅂ   **2** (1) ㉠   (2) ㉡
3 (1) X   (2) ○   **4** (1) 기후적   (2) 인위적   (3) 성대 토양
5 (1) 수평적   (2) 한라산   (3) 충적토

01 자연재해   **02** ①   **03** ①   **04** ⑤   **05** ②   **06** ②   **07** ③
08 ③   **09** ④   **10** ④   **11** (제주도) 한라산   **12** ④
13 해설 참조   **14** 해설 참조   **15** 해설 참조

01 자연재해란 인간 활동에 인적·물적 피해를 주는 자연 현상으로, 기후적 요인과 지형적 요인에 의해 발생한다.

02 기후적 요인에 따른 자연재해에는 가뭄, 한파, 태풍, 홍수 등이 있고, 지형적 요인에 따른 자연재해에는 지진, 지진 해일, 화산 활동 등이 있다.

03 태풍은 중심 부근의 최대 풍속이 17m/s 이상이며 폭풍우를 동반하는 열대 저기압으로, 저위도 해상에서 발생하여 중위도 지역으로 이동한다. 우리나라에서 태풍은 주로 여름~초가을에 발생하여 많은 양의 비와 강풍을 동반하기 때문에 풍수해 및 해일 피해가 발생하기도 한다.

> **왜 틀렸을까?** 선택지 뜯어 보기
>
> ㄷ. 태풍이 우리나라에 영향을 미치는 계절은 한겨울이다.
> ➡ 태풍이 우리나라에 영향을 미치는 계절은 여름부터 초가을 사이이다.
> ㄹ. 태풍 진행 방향의 왼쪽 반원인 A 지역이 오른쪽 반원인 B 지역보다 태풍 피해가 크다.
> ➡ 태풍 진행 방향의 오른쪽 반원(B)은 태풍이 중심을 향해 불어 들어오는 바람과 편서풍이 부는 방향이 일치하기 때문에 태풍 피해가 크다.

04 지진은 지각판이 분리되거나 충돌하면서 땅이 갈라지고 흔들리는 현상으로 지형적 요인에 따른 자연재해이다. 최근 우리나라에서도 2016년 경주, 2017년 포항을 중심으로 큰 규모의 지진이 관측된 적이 있다.

05 제시된 그래프와 같이 주로 봄철에 높은 발생 빈도를 보이는 자연재해는 황사이다. 황사는 중국과 몽골 내륙의 사막 등에서 발생한 모래 먼지가 편서풍을 타고 이동하는 현상으로 주로 봄철에 발생하며, 호흡기 질환과 안과 질환을 유발시킨다. 최근 중국의 사막화 현상 심화로 가을, 겨울에도 나타나고 있어 발생 빈도가 더욱 증가하고 있다.

06 (가)는 주로 겨울철에 발생하므로 대설이다. (나)는 장마 전선이 형성되는 7월에 집중적으로 발생하므로 호우, (다)는 주로 8~9월에 발생하므로 태풍이다.

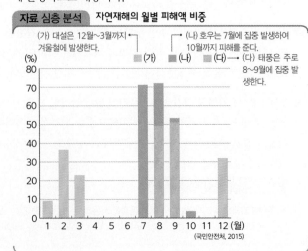

자료 심층 분석   자연재해의 월별 피해액 비중

07 사진 속의 자연재해는 가뭄이다. 가뭄이 발생하면 각종 용수가 부족해지기 때문에 보, 저수지, 다목적 댐 등의 수리 시설을 건설하여 평소에 빗물 저장 능력을 높이는 것이 중요하다.

08 기후 변화의 영향으로 여름 기간은 길어지고, 겨울 기간은 점점 짧아질 것으로 예측되고 있다. 지구의 평균 기온 상승으로 봄꽃 개화 시기는 빨라지고, 가을철 단풍 시기는 늦어질 것이며, 냉대림의 면적은 감소하고, 난대림의 면적은 증가할 것이다. ㄹ. 여름이 길어지기 때문에 냉방 전력 사용이 증가하고, 난방 전력 사용은 감소할 것이다.

09 교토 의정서에서 처음으로 도입된 배출권 거래제는 온실가스 감축을 목적으로 국가나 기업 간에 배출 권리를 사고팔 수 있도록 한 제도이다. 온실가스 배출 허용량보다 실제 배출량이 적은 경우 자율적으로 배출권을 판매하여 경제적 이익을 얻을 수 있다.

10 식생은 지표를 덮고 있는 식물 집단으로 주로 기후의 영향을 받아 분포 지역이 달라지는데 위도의 변화에 따른 수평적 분포와 산지의 해발 고도에 따른 수직적 분포로 나타난다. 따라서 ㉠에 들어갈 내용은 식생의 수평적 분포이며, ㉡에 들어갈 내용은 식생의 수직적 분포이다.

11 해발 고도가 높아질수록 기온이 낮아지기 때문에 높은 산지에서 식생의 수직적 분포가 잘 나타난다. 특히 제주도의 저지대에서는 난대림이 분포하므로, 한라산은 고도에 따라 난대림, 온대림, 냉대림, 고산 식물대까지 다양하게 분포하고 있다.

12 (가)는 기반암의 영향을 받아 붉은색을 띠는 토양이므로 석회암 풍화토, (나)는 하천 운반 물질이 퇴적되어 형성되었으므로 충적토, (다)는 간척지와 해안에 주로 분포하므로 염류토이다. 석회암 풍화토는 기반암이 석회암인 강원도 남부와 충청북도 북동부 지역에 분포한다. 충적토와 염류토 모두 퇴적 작용에 의해 형성되었기 때문에 농경에 유리하지만, 염류토는 염분 제거 후에만 농사가 가능하다.

> **왜 틀렸을까?** **선택지 뜯어 보기**
>
> ㄱ. (가)는 생성 기간이 짧은 미성숙토이다.
> ➡ (가)는 오랜 기간 기반암의 영향을 받아 형성된 토양으로 성숙토에 해당한다.
> ㄷ. (나)는 규모가 작은 하천 주변에서 잘 나타난다.
> ➡ (나)는 하천의 퇴적 작용에 의해 형성되기 때문에 규모가 큰 대하천이나 호수 주변에서 잘 나타난다.

13 (1) **답** 태풍
(2) **모범 답안** 태풍은 물 부족 문제나 적조 현상을 해소시키며, 지구의 열평형을 유지하는 데 도움을 준다. 그러나 강한 바람과 많은 비를 동반하기 때문에 풍수해 및 해일 피해가 발생할 수 있다.
만점 포인트 물 부족 문제, 적조 현상, 지구의 열평형 유지, 풍수해, 해일 피해

구분	채점 기준
상	태풍이 미치는 긍정적 영향과 부정적 영향을 각각 바르게 서술한 경우
하	태풍이 미치는 긍정적 영향과 부정적 영향 중 한 가지만 서술한 경우

14 **모범 답안** 기후 변화 문제를 해결하기 위한 개인적 차원의 노력으로는 에너지 효율이 높은 제품 및 친환경 제품 사용, 대중교통 이용, 냉난방 에너지 절약 등이 있다. 국가적 노력으로는 배출권 거래제 도입 및 시행, 신·재생 에너지 개발, 자원 절약형 산업 육성 등이 있으며, 국제적 노력으로는 기후 변화에 공동으로 대처하기 위한 국제 협약 체결이 있다.
만점 포인트 에너지 고효율 제품 및 친환경 제품 사용, 대중교통 이용, 에너지 절약, 배출권 거래제, 신·재생 에너지 개발, 자원 절약형 산업 육성, 국제 협약 체결

구분	채점 기준
상	기후 변화 문제를 해결하기 위한 개인적 차원, 국가적 차원, 국제적 차원의 노력을 각각 바르게 서술한 경우
중	기후 변화 문제를 해결하기 위한 개인적 차원, 국가적 차원, 국제적 차원의 노력 중 두 가지만 서술한 경우
하	기후 변화 문제를 해결하기 위한 개인적 차원, 국가적 차원, 국제적 차원의 노력 중 한 가지만 서술한 경우

15 **모범 답안** A. 기반암의 특성을 반영하는 간대토양이며 붉은색을 띤다.
만점 포인트 기반암, 간대토양, 붉은색

구분	채점 기준
상	A를 쓰고, 석회암 풍화토의 특징을 두 가지 이상 바르게 서술한 경우
하	A를 썼으나, 석회암 풍화토의 특징을 미흡하게 서술한 경우

내신 1등급			61쪽
01 ③	02 ②	03 ③	04 ④

01 (가)는 황사, (나)는 지진, (다)는 대설이다. ③에 제시된 터돋움집은 하천 주변 저지대에서 홍수에 대비하기 위해 땅 위로 바로 집을 짓지 않고, 흙이나 돌로 터를 돋우고 그 위에 지은 집이다. 대설에 대비한 전통 가옥으로는 대표적으로 울릉도의 우데기를 들 수 있다.

02 제시된 지도를 통해 1981~2010년 사이에 한반도의 기온은 평균적으로 상승했지만, 지역에 따라서는 기온 상승의 폭이 차이가 남을 알 수 있다. 특히 수도권과 대도시의 기온 상승 폭이 크며, 해발 고도가 높은 지역일수록 대체로 기온 상승 폭이 낮은 경향을 보이며, 소백산맥을 중심으로 기온 변화가 없는 지역이 분포하기도 한다.

왜 틀렸을까? 선택지 뜯어 보기

ㄴ. 해발 고도가 높은 지역일수록 기온 상승 폭이 크다.
➡ 해발 고도가 높은 지역일수록 기온 상승 폭이 낮은 경향을 보인다.
ㄹ. 기온 상승으로 서울의 봄꽃 개화 시기가 전국에서 가장 이를 것이다.
➡ 서울의 기온 상승 폭이 가장 크지만, 위도에 따른 기온의 남북차가 크기 때문에 제주도의 개화 시기가 더 이르다.

03 토양은 풍화 작용으로 암석 입자가 흙으로 변한 것으로 기후, 식생, 기반암 등에 의해 그 성질이 달라진다. 간대토양은 기반암 특성의 영향을 받은 토양으로 강원도 남부와 충청북도 북부에 분포하는 석회암 풍화토, 제주도와 울릉도, 철원 등에 분포하는 현무암 풍화토가 대표적이다. 중부 지방의 갈색 삼림토는 성대 토양의 예이다.

만점 노트 토양의 구분

토양 층위에 따른 구분	성숙토	형성 시기가 길고, 토양층의 분화가 잘 이루어짐.
	미성숙토	형성 시기가 짧고, 토양층의 분화가 잘 나타나지 않음.
토양 형성 요인에 따른 구분	성대 토양	• 기후나 식생의 영향을 받아 토양층이 뚜렷하게 구분되는 성숙한 토양 • 위도와 평행하게 발달, 식생 분포와 유사함.
	간대토양	기반암(모암)의 성질을 강하게 반영한 성숙한 토양

04 우리나라의 식생은 위도에 따른 기온의 영향으로 저위도에서 고위도로 가면서 난대림, 온대림, 냉대림이 순차적으로 나타나며, 온대림이 가장 넓은 범위를 차지하고 있다. 또한 저위도에서 고위도로 갈수록 기온이 낮아지기 때문에 냉대림의 경계 해발 고도가 낮아진다. ㄴ. 우리나라에서 가장 다양한 식생이 분포하는 지역은 한라산이다.

단원 마무리 62~65쪽

01 ③	02 ⑤	03 ①	04 ⑤	05 ⑤	06 ②	07 ④	08 ④
09 ④	10 ④	11 ③	12 ③	13 ①	14 ④	15 ⑤	16 ①

01 (가)에 들어갈 적절한 기후 요소는 지형이다. 지형에 따라 바람받이 지역과 바람그늘 지역의 강수량과 기온이 달라지며, 지형이 낮고 평탄한 경우 기류가 비를 내리지 못하고 지나가기 때문에 강수량이 적다.

02 자료에 제시된 벚꽃 축제, 매화 축제, 유채꽃 축제 등은 봄철과 관련된 축제이다. 봄철엔 이동성 고기압과 저기압이 교차하면서 심한 날씨 변화가 나타난다. ①은 늦가을, ②는 여름, ③은 겨울, ④는 여름에 나타나는 기후 특성이다.

02-1 모의고사 기출 틀린 선지 더 찾기 답 ①, ②

① 강한 일사로 인해 소나기가 자주 내린다.
➡ 대류성 강수인 소나기가 자주 내리는 계절은 여름철이다.
② 눈구름이 지나가는 서해안 지역에 폭설 피해가 발생한다.
➡ 서해안 지역에 눈이 많이 내리는 계절은 겨울철이다.

03 서울은 유라시아 대륙 동안에 위치하여 여름이 고온 다습하고 겨울이 춥고 건조하며 연교차가 크다. 그에 반해 대륙 서안에 위치한 런던은 편서풍의 영향을 받아 연중 강수량이 고르고 기온의 연교차가 작다. 따라서 서울은 런던에 비해 기온의 연교차가 크고, 여름 강수 집중률이 높으며, 최한월 평균 기온이 낮다.

04 ㄷ. 오호츠크해 기단이 세력을 확장하는 늦봄~초여름 사이 북동풍이 태백산맥을 넘으면서 고온 건조해져, 영서 지방과 경기 지방에 가뭄 피해가 발생할 수 있다. ㄹ. 태풍은 필리핀 동부 해상에서 발생하여 느리게 북서쪽으로 이동하다가 북위 30° 부근에서 편서풍의 영향으로 북동쪽으로 진로를 바꾸어 이동한다.

왜 틀렸을까? 선택지 뜯어 보기

ㄱ. ㉠은 육지와 바다의 비열 차로 인해 나타난다.
➡ 편서풍은 대기 대순환에 의해 중위도 지역에서 부는 탁월풍이다. 육지와 바다의 비열 차로 부는 바람은 계절풍이다.
ㄴ. ㉡은 우리나라를 통과할 때 주로 대류성 강수를 동반한다.
➡ 태풍은 저기압성 강수를 동반하며, 대류성 강수의 대표적인 예는 한여름에 발생하는 소나기이다.

05 지도에 표시된 A는 인천, B는 강릉, C는 서귀포이다. 세 지역 중 가장 남쪽에 위치한 서귀포는 기온의 연교차가 가장 작고, 동해안에 위치한 강릉은 서해안에 위치한 인천보다 기온의 연교차가 작다. 따라서 그래프의 (가)는 서귀포, (나)는 강릉, (다)는 인천에 해당한다.

06 자료의 '이 바람'은 높새바람이다. 높새바람은 오호츠크해 기단이 세력을 확장하는 늦봄부터 초여름 사이에 영서 지방과 경기 지방으로 불어오는 고온 건조한 북동풍이다. 태백산맥을 넘으면서 푄 현상으로 인해 고온 건조해진 높새바람은 영서 지방과 경기 지방에 가뭄 피해를 발생시킨다. ①은 여름철 북태평양 기단의 영향으로 부는 여름 계절풍, ③은 해륙풍, ④는 겨울철 시베리아 기단의 영향으로 부는 겨울 계절풍, ⑤는 산곡풍이다.

07 A는 중강진, B는 춘천, C는 서귀포에 해당한다. 연 강수량은 춘천이 서귀포보다 적으며, 최한월 평균 기온은 세 지역 중 서귀포가 가장 높다.

08 지도의 A는 서울, B는 대전, C는 대구, D는 목포이다. 네 지역 중 연 강수량이 가장 적은 (가)는 대구이다. (나)는 연교차가 가장 작으므로 목포이며, 연 강수량이 비슷한 (다), (라) 중 기온의 연교차가 상대적으로 큰 (다)는 서울이고, 연교차가 작은 (라)는 대전이다.

자료 심층 분석   지역별 연 강수량과 연교차의 상대적 비교

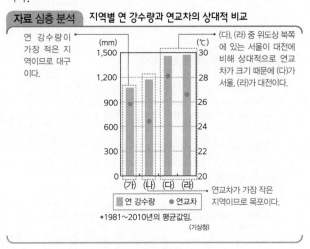

연 강수량이 가장 적은 지역이므로 대구이다.

(다), (라) 중 위도상 북쪽에 있는 서울이 대전에 비해 상대적으로 연교차가 크기 때문에 (다)가 서울, (라)가 대전이다.

연교차가 가장 작은 지역이므로 목포이다.

☐ 연 강수량 ● 연교차

*1981~2010년의 평균값임.
(기상청)

09 자료에서 설명하는 용어는 차례대로 장마, 삼한 사온, 설피이다.

〈글자판〉

퍼	마	열	삼
온	섬	사	시
한	도	장	설

글자판에서 세 용어에 해당하는 글자를 지우고 남은 네 글자로 조합할 수 있는 용어는 '도시 열섬'이다. 도시 열섬은 도시 중심부의 기온이 주변부보다 높게 나타나는 현상이다.

10 지표의 포장 면적이 넓어지면 빗물이 토양으로 흡수되지 못하고 곧장 하천으로 유출되기 때문에 도시는 주변 농촌보다 상대 습도가 낮아진다.

11 터돋움집은 범람원 지역에서 홍수에 대비하기 위한 가옥 구조, 정주간은 관북 지방에서 겨울철 추위를 극복하기 위한 가옥 구조, 그물망 지붕은 제주도에서 강풍에 대비하기 위한 가옥 구조이다.

12 (가)는 최한월 평균 기온이 0℃ 이상이고 연 강수량이 많은 남부 지방이다. (나)는 최한월 평균 기온이 0℃ 이상이고 계절별 강수량이 고른 울릉도이다. (다)는 최한월 평균 기온이 -17℃ 정도이고 연 강수량이 적은 관북 지방이다. 따라서 (가)는 대청마루가 있는 개방적 가옥 구조인 ㄴ, (나)는 겨울철 폭설에 대비한 우데기가 있는 ㄱ, (다)는 겨울철 추위에 대비한 정주간이 있는 ㄷ과 연결된다.

13 (가)는 폭염, (나)는 태풍, (다)는 지진, (라)는 한파이다. 폭염은 주로 여름에 발생한다.

14 (가)는 태풍, (나)는 호우, (다)는 대설이다. ㄹ. 우리나라 연 강수량에서 차지하는 비중은 호우가 대설보다 높다.

자료 심층 분석   태풍, 호우, 대설의 특징

(가)   (나)   (다)

*수치는 피해액 누적치(2006~2016년)가 가장 높은 지역의 값을 100으로 했을 때의 상댓값임.
(국민안전처)

남부 지방(영남권과 호남권)의 피해액이 크므로 태풍이다.

중부 지방(강원권과 수도권)의 피해액이 크므로 호우이다.

강원권, 충청권, 호남권의 피해액이 크므로 대설이다.

15 신문 기사의 (가)는 황사 현상이다. 황사가 발생하면 미세한 모래먼지의 증가로 인해 호흡기 질환과 안과 질환 발생이 증가하며, 정밀 기계 고장의 원인이 되기도 한다.

16 결빙 일수가 감소하고, 식물 성장 가능 기간이 증가하는 것은 지구 온난화에 따른 기후 변화와 관련된 현상이다. 한반도의 기온이 상승하면 남부 지방에서 난대림의 분포 면적은 점점 확대될 것이다.

Ⅳ. 거주 공간의 변화와 지역 개발

01 촌락의 변화와 도시 발달

개념 암기 67쪽

1 (1) ○ (2) X   2 (1) 용수 획득 (2) 수상 (3) 집촌   3 (1) 2·3차
(2) 촌락 (3) 도농 통합시   4 (1) ⓒ (2) ⓔ (3) ⓒ (4) ⓐ
5 종주 도시화

내신 기출 68~70쪽

01 배산임수   02 ④   03 ⑤   04 ④   05 ②   06 ②   07 ②
08 ③   09 ③   10 ③   11 ②   12 해설 참조   13 해설 참조

01 우리나라의 많은 촌락이 배산임수와 같은 풍수지리상 길지에 입지하고 있다. 배산임수 촌락은 겨울철 차가운 북서풍을 피하고, 각종 용수를 확보하는 데 유리하다.

02 범람원의 자연 제방은 주변보다 땅의 높이가 높고 배수가 양호하기 때문에 홍수의 위험이 적어 전통 취락이 입지한 사례이다.

만점 노트 전통 촌락의 입지

배산임수	북서풍 차단, 용수 확보에 유리
용수 획득	용천대를 따라 형성된 제주도의 촌락
홍수 예방	홍수를 피하기 위해 범람원의 자연 제방에 입지
교통	교통이 편리하여 접근성이 좋은 곳에 촌락 발달
방어	지형적으로 방어에 유리한 국경 및 해안에 입지

03 (가)는 집촌, (나)는 산촌이다. 산촌은 집촌에 비해 가옥 간의 거리가 멀어 협동 노동에 불리하고 주민 간의 공동체 의식이 약하다.

04 촌락은 기능에 따라 농촌, 어촌, 산지촌으로 분류할 수 있다. 산지촌은 경사가 급하고, 경지가 좁아 주민들은 대부분 밭농사, 임산물 채취, 목축업 등에 종사한다.

05 이촌 향도 현상으로 인해 청장년층 인구가 유출되어 임실군은 인구의 고령화와 노동력 부족 문제를 겪고 있다. ㄴ, ㄹ. 농촌 인구의 감소로 휴경지의 면적은 증가하고 있으며, 학생 수가 감소하여 학교가 통·폐합되고 있다.

왜 틀렸을까? 선택지 뜯어 보기

ㄴ. 학생 수가 증가하고, 학교가 신설됐다.
➡ 청장년층 인구와 유소년 인구의 감소로 학생 수가 감소하여, 학교가 통·폐합되고 있다.
ㄹ. 농가 인구가 증가하여, 휴경지의 면적이 감소했다.
➡ 농촌 인구의 감소로 휴경지의 면적이 증가하고 있다.

06 (가)는 슬로 시티 운동을 추진하고 있는 전라남도 담양군 창평면, (나)는 다양한 촌락 체험 행사를 진행하고 있는 경상남도 남해군 은점 마을 사례이다. 전통 경관을 이용하여 촌락의 관광 산업이 발달하게 되면서 지역 내 소득원이 다양해졌다.

07 (가)는 도시가 촌락보다 상대적으로 높게 나타나는 항목, (나)는 촌락이 도시보다 상대적으로 높게 나타나는 항목이다. 인구 밀도, 가구당 소득 수준은 도시가 촌락보다 상대적으로 높게 나타나며, 주민들 간의 공동체 의식, 1차 산업 종사자 비중은 촌락이 도시보다 상대적으로 높게 나타난다.

08 도시와 촌락은 서로 다른 기능과 역할을 분담하고, 서로 영향을 주고받는 상호 보완적 관계이다. 도시는 촌락에 각종 재화와 서비스를 제공하고, 촌락은 도시에 농축산물과 여가 및 휴식 공간을 제공한다.

09 우리나라는 도시화가 빠르게 진행되어 현재 도시화율이 90%를 넘는 종착 단계에 있다. 1960~1980년 사이 급격한 도시화와 이촌 향도 현상을 겪었으며, 그 이후로 도시화의 속도가 완만해지고 있다.

왜 틀렸을까? 선택지 뜯어 보기

ㄱ. 우리나라는 현재 도시화 과정 중 가속화 단계에 있다.
➡ 우리나라는 현재 도시화율이 90% 이상으로 종착 단계에 있다.
ㄹ. 2000년 이후 이촌 향도 현상의 심화로 도시화의 속도가 빨라졌을 것이다.
➡ 1990년대 이후 도시화가 완만한 속도로 진행되고 있다.

자료 심층 분석 우리나라의 도시화율

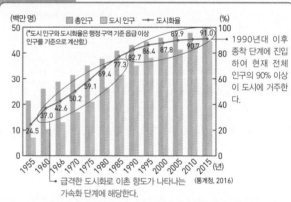

1990년대 이후 종착 단계에 진입하여 현재 전체 인구의 90% 이상이 도시에 거주한다.

급격한 도시화로 이촌 향도가 나타나는 가속화 단계에 해당한다.

10 우리나라는 대도시를 중심으로 도시화가 진행되어, 수도권과 일부 지방 대도시에 인구와 기능이 집중하는 국토 불균형 문제가 나타나고 있다. 1980년대 이후 정부가 추진한 균형 개발 정책에도 불구하고 도시 간의 격차는 점점 커지고 있다.

왜 틀렸을까? 선택지 뜯어 보기

ㄱ. 전국적으로 도시들이 고르게 성장하였다.
➡ 서울과 일부 지방 대도시를 중심으로 불균형하게 도시들이 성장하고 있다.
ㄹ. 정부의 적극적인 균형 개발 정책이 효과를 거두고 있다.
➡ 1980년대 이후 정부는 낙후된 지역을 개발하는 균형 개발 방식을 추구하고 있으나, 지역 간 불균형 문제가 해결되지 못하고 있다.

11 시외버스 운행 횟수를 통해 도시 간 계층 구조를 파악할 수 있다. 시외버스 운행 횟수가 가장 많은 서울은 최고차 중심지이며, 대구, 부산, 대전 등의 지방 대도시들이 고차 중심지에 해당한다. 고차 중심지일수록 다양한 중심지 기능을 가지고 있다.

12 (1) **답** ㉠ 포항, 울산, 창원, 여수 등, ㉡ 성남, 고양, 김해, 양산, 경산 등

(2) **모범 답안** 종주 도시화 현상. 종주 도시화 현상은 1위 도시의 인구 규모가 2위 도시 인구의 두 배 이상이 되는 현상으로 지역 간 불균형적인 도시 성장을 의미한다.

만점 포인트 종주 도시화 현상, 인구 규모, 1위 도시, 2위 도시, 지역 간 불균형

구분	채점 기준
상	종주 도시화 현상을 쓰고, 종주 도시화 현상의 의미를 바르게 서술한 경우
하	종주 도시화 현상을 쓰고, 종주 도시화 현상의 의미를 서술하였으나 미흡한 경우

13 (1) **답** 도농 통합시

(2) **모범 답안** 도농 통합시는 생활권이 같은 도시와 농어촌이 합쳐져 광역 생활권을 갖춘 도시로, 최근 인구 증가와 교통·통신의 발달로 도시와 촌락의 관계가 더욱 긴밀해지면서 출범하게 되었다.

만점 포인트 도농 통합시, 광역 생활권, 인구 증가, 교통·통신의 발달, 긴밀한 관계

구분	채점 기준
상	도농 통합시의 의미와 출범 배경을 각각 바르게 서술한 경우
하	도농 통합시의 의미와 출범 배경 중 한 가지만 서술한 경우

내신 1등급			71쪽
01 ④	02 ③	03 ⑤	04 ②

01 제주도 해안가의 용천대는 자연 상태에서 솟아나는 용천이 띠를 이루어 분포하는 지역으로, 물을 구하기 쉽기 때문에 용천대를 따라 취락이 분포하고 있다. ④는 범람원의 자연 제방으로 침수 피해를 예방하기 위해 취락이 형성된다.

02 제시된 그래프에서 볼 수 있듯이 대도시에서 멀리 떨어져 있는 봉화군은 촌락에 해당하며 도시화에 따른 이촌 향도 현상으로 인한 인구 유출이 활발하게 일어났다. 청장년층과 유소년층 인구의 감소로 노년층 인구 비중이 높아졌으며, 결혼 적령기 인구의 성비 불균형으로 인해 국제결혼이 증가했다. 따라서 고령화 지수는 높아졌고, 초등학교 학생 수는 감소했으며, 다문화 가정의 비중은 높아졌다.

03 (가)는 1980년대 이후에 성장한 서울의 위성 도시인 고양, (나)는 1970년대에 성장한 남동 임해 지역의 공업 도시인 창원이다. ㄱ. 창원이 고양보다 도시 발달 시기가 이르다. ㄴ. 창원은 중화학 공업을 중심으로 성장하였다.

04 제시된 도시 계층 구조에서 (가)는 대도시, (나)는 중도시, (다)는 소도시에 해당한다. 고차 중심지일수록 최소 요구치가 크고, 재화의 도달 범위가 넓으며, 중심지 간의 거리가 멀다. ㄹ. 우리나라 행정구역상 특별시와 광역시는 고차 중심지인 대도시, (다)에 해당한다.

02 도시 구조와 대도시권

개념 암기	73쪽

1 (1) ○ (2) ○ (3) X **2** (1) 상업·업무 (2) 집약적 (3) 혼재
3 (1) ㄷ (2) ㄴ (3) ㄹ (4) ㄱ **4** (1) 일일 생활권 (2) 신도시
(3) 상업적

내신 기출				74~76쪽
01 ④	02 ②	03 ②	04 ③	05 ②
06 ④	07 ③	08 ⑤		
09 ②	10 ⑤	11 해설 참조	12 해설 참조	

01 그래프의 (가)는 상업·업무 기능, (나)는 공업 기능, (다)는 주거 기능이다. 도시 내 다양한 기능은 접근성과 지대에 따라 지역별로 기능이 분화하여 입지한다. ㄴ. 지대 지불 능력이 낮은 공업 기능은 도심의 높은 지가를 감당할 수 없기 때문에 주변 지역으로 분산되는 경향을 보인다.

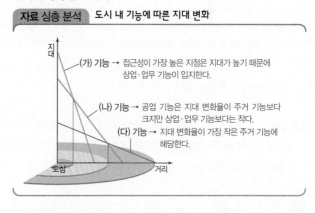

자료 심층 분석 도시 내 기능에 따른 지대 변화

(가) 기능 → 접근성이 가장 높은 지점은 지대가 높기 때문에 상업·업무 기능이 입지한다.

(나) 기능 → 공업 기능은 지대 변화율이 주거 기능보다 크지만 상업·업무 기능보다는 작다.

(다) 기능 → 지대 변화율이 가장 작은 주거 기능에 해당한다.

02 대도시의 도심에서 주변 지역으로 학교가 이전하는 것은 이심 현상으로 인해 주거 기능이 주변 지역으로 이전함으로써 도심의 학생 수가 감소하였기 때문이다. 지대 지불 능력이 낮은 공업, 주거 기능은 도심의 높은 지가를 감당하지 못하기 때문에 상대적으로 지가가 낮은 도시 외곽으로 빠져나간다. 서울의 경우 1970년대에는 강남 개발 정책에 따라 학교들이 이전되었으나, 최근에는 도심 인구 공동화 현상으로 도심의 학교들이 학생을 찾아 이주하고 있다. ② 과거의 위치인 도심의 지가는 현재 위치인 주변 지역보다 높다.

03 그림의 A는 도심, B는 부도심, C는 주변 지역, D는 위성 도시이다. (가)는 도심, (나)는 주변 지역을 답사하며 메모한 내용이다. 따라서 (가)는 A, (나)는 C와 연결할 수 있다.

만점 노트	도시 내부 구조
도심	접근성 및 지대가 높음, 중심 업무 기능 수행
부도심	교통이 편리한 곳에 형성, 도심의 일부 기능 분담
중간 지역	도심과 주변 지역 사이에 위치, 주거·상업·공업 기능 혼재
주변 지역	도시 경관과 농촌 경관 혼재, 주택·학교·공장 등 입지

04 그림의 E 지역은 개발 제한 구역(그린벨트)이다. 개발 제한 구역은 시가지의 무분별한 팽창을 막고, 자연 녹지 공간을 보존하기 위해 설정한 공간이다. ㄹ. 지가가 낮아 대단위 아파트 단지가 들어서는 지역은 주변 지역이다.

05 그래프의 (가)는 인구 공동화 현상이다. 인구 공동화 현상은 도심에 상업·업무 기능이 집중하고 있어 주간에는 인구는 많지만, 야간에는 주거지가 있는 주변 지역으로 귀가하기 때문에 주·야간 인구 밀도에 차이가 나는 현상이다.

> **왜 틀렸을까?** 선택지 뜯어 보기
>
> ㄴ. 도심은 주거 기능이 집중하고 있기 때문에 주간 인구가 많다.
> ➡ 도심은 상업·업무 기능이 집중하고 있기 때문에 주간 인구가 많은 반면에 주거 기능은 약하기 때문에 야간 인구가 급격히 감소한다.
> ㄹ. 상업·업무 기능보다 주거 기능의 지대 지불 능력이 크기 때문에 (가) 현상이 발생한다.
> ➡ 주거 기능의 지대 지불 능력이 작아 지가가 저렴한 주변 지역으로 이동하였기 때문에 주·야간의 인구 밀도 차이가 발생한다.

06 상업·업무 기능이 집중하고 있는 도심은 유동 인구가 많아 주간 인구 지수가 높고, 주변 지역으로 갈수록 주간 인구 지수가 대체로 낮아진다. ④ 주간 인구 지수가 낮은 주변 지역은 상주인구가 증가 추세를 보이고 있다.

07 (가)는 도심, (나)는 주변 지역이다. 도심이 높은 항목은 주간 인구 지수, 상업 지역 평균 지가, 토지 이용 집약도이고, 주변 지역이 높은 항목은 평균 통근 거리, 초등학교 학생 수이다.

08 대도시권은 대도시를 중심으로 일상적인 생활이 이루어지는 공간적 범위를 의미한다. 그 범위는 일반적으로 중심 도시로의 통근·통학이 가능한 일일 생활권을 말한다. 대도시권이 형성되면 중심 도시와 주변 지역이 기능적으로 연결되어 하나의 도시처럼 통합된 생활권을 형성하게 된다.

09 A는 중심 도시, B는 교외 지역, C는 배후 농촌 지역, D는 주말 생활권이다. ㄴ. 교외 지역은 중심 도시와 인접한 지역으로 도시적 토지 이용이 나타난다. ㄷ. 배후 농촌 지역은 근교 농촌 지역으로, 대도시와의 접근성을 이용한 상업적 농업이 활발하다.

10 이 지역은 1994~2014년 사이 인구가 크게 늘고, 논, 밭 등의 농업적 토지 이용 비중은 감소한 반면, 대지, 공장 용지, 학교 용지, 도로, 기타 토지 이용 비중은 증가하였다. 이 지역은 중심 도시로의 통근·통학이 가능한 대도시 영향권에 해당하는 지역으로 변하였다.

> **왜 틀렸을까?** 선택지 뜯어 보기
>
> ㄱ. 농업 종사자 비율이 증가하였을 것이다.
> ➡ 도시로의 통근자 수가 증가하면서 농업 종사자 비율이 감소하고, 주민 구성이 다양해진다.
> ㄴ. 주민들 간 공동체 의식이 강화되었을 것이다.
> ➡ 이주민의 증가로 주민 구성이 다양화되면서 전통적 의미의 공동체 의식이 약화된다.

11 (1) **답** (가) 집심 현상, (나) 이심 현상

(2) **모범 답안** 도시 내부의 지역 분화로 지대 지불 능력이 높은 상업·업무 기능은 접근성이 높은 도심으로 집중하고, 지대 지불 능력이 낮은 공업 기능과 주거 기능은 도심을 떠나 주변 지역으로 분산하게 된다.

만점 포인트 지대 지불 능력, 접근성, 도심, 주변 지역

구분	채점 기준
상	집심 현상과 이심 현상의 발생 원인을 바르게 서술한 경우
하	집심 현상과 이심 현상의 발생 원인을 서술하였으나 미흡한 경우

12 **모범 답안** 대도시권 범위에 포함된 A 지역은 2·3차 산업의 비중 증가로 농경지의 비중이 감소하고, 도시적 토지 이용이 증가하였다. 또한 새로운 이주민의 유입으로 겸업농가의 비율이 증가하고, 주민 구성이 이질적이고 다양해져 전통적 의미의 공동체 의식이 약화되었다.

만점 포인트 대도시권, 2·3차 산업, 도시적 토지 이용, 이주민 증가

구분	채점 기준
상	A 지역의 변화를 제시된 용어를 모두 활용하여 바르게 서술한 경우
하	A 지역의 변화를 제시된 용어 중 두 가지만 활용하여 서술한 경우

내신 1등급   **77쪽**

01 ②   **02** ②   **03** ④   **04** ①

01 (가)는 도심, (나)는 주변 지역이다. 도심은 주변 지역에 비해 접근성과 지가가 높고, 주요 상업·업무 기능이 집중하고 있어 금융업 업체 수가 많다. 도심의 높은 지가로 인해 주택, 학교 등이 주변 지역으로 빠져 나가기 때문에 초등학교 학생 수는 주변 지역이 도심보다 많다.

02 주간 인구 지수가 높고 상주인구가 적은 (가)는 도심, 주간 인구 지수가 100 미만이고 상주인구가 많은 (나)는 주변 지역이다. 주변 지역의 인구는 출근 시간대에 업무·상업 기능이 집중하고 있는 도심으로 인구가 유출된다.

03 대전광역시는 도시의 규모가 확장되고 다핵화되었다. 도시의 인구 증가와 새로운 교통수단 및 교통로의 형성으로 시가지가 확대되었으며, 도심의 기능을 분담하는 부도심이 형성되면서 도시의 구조가 다핵화되었다. ㄹ. 도시 구조가 다핵화되면서 주요 기능들도 새로운 중심지로 이동하였다.

04 1985년 지하철 종착역에 비해 2016년 종착역이 서울의 외곽 지역으로 이동하였다. 이는 서울을 중심 도시로 하는 대도시권의 범위가 확대된 것을 의미한다. ① 교통의 발달로 통근 가능권의 범위가 증가하면서 서울을 떠나 주변 지역으로 거주지를 옮기는 사람들이 생겨 서울의 상주인구는 감소했을 것이다.

03 도시 계획과 재개발 ~ 04 지역 개발과 공간 불평등

개념 암기 79쪽

1 (1) ㄱ (2) ㄷ (3) ㄴ **2** (1) 중앙 정부, 하향식 (2) 균형 (3) 역류
3 (1) ○ (2) X **4** (1) 불평등 (2) 혁신 도시 **5** (1) ㉡ (2) ㉠
(3) ㉢

내신 기출 80~82쪽

01 ② **02** ④ **03** ⑤ **04** ② **05** ① **06** ③ **07** ②
08 (가) 파급 효과, (나) 역류 효과 **09** ① **10** ③ **11** ④ **12** ④
13 해설 참조 **14** 해설 참조

01 1960년대의 도시 계획은 급속한 산업화와 도시화 추진으로 도시 기반 시설을 설치하고 시가지 개발을 위해 토지를 확보하는 것이 목적이었다.

02 기존의 골격을 유지하면서 필요한 부분을 수리 및 개조하는 방식은 수복 재개발, 역사 및 문화적으로 보존 가치가 있는 지역의 환경을 유지·관리하는 방식을 보존 재개발이라고 한다.

만점 노트 시행 방법에 따른 도시 재개발 방식 구분

철거 재개발	기존 건물과 시설을 완전히 철거하고 새로운 시설을 조성하는 방식
보존 재개발	역사 및 문화적으로 보전 가치가 있는 지역의 환경을 유지·관리하는 방식
수복 재개발	기존 골격을 유지하면서 필요한 부분을 수리 및 개조하여 보완하는 방식

03 (가)는 철거 재개발, (나)는 보존 재개발의 사례로 도시 재개발의 궁극적 목적은 도시재생이다.

04 (가)는 철거 재개발, (나)는 수복 재개발 방식이다. 일반적으로 수복 재개발 방식은 철거 재개발 방식보다 투입 자본 규모가 작고, 원거주민의 재정착률과 지역 주민의 참여도가 높다.

05 성장 거점 개발은 중앙 정부의 권한이 강하며 투자의 효율성이 높다. 균형 개발은 지역 주민의 참여도가 높으며, 지역 간 분배의 형평성이 높다.

만점 노트 지역 개발 방식

구분	성장 거점 개발 방식	균형 개발 방식
추진 방식	하향식 개발	상향식 개발
개발 주체	중앙 정부	지방 자치 단체와 지역 주민
개발 방법	성장 가능성이 큰 지역에 집중 투자	낙후된 지역에 우선 투자
개발 목표	경제적 효율성 추구	경제적 형평성 추구
장점	자원의 효율적 투자, 단 기간에 높은 성장	지역 간 균형 성장, 지역 주민의 의사 결정 존중
단점	지역 격차 심화, 지역 주민의 낮은 참여도	낮은 투자의 효율성, 지역 이기주의 초래

06 (가)는 성장 거점 개발 방식, (나)는 균형 개발 방식이다. (가)의 의사 결정 방식은 주로 하향식이고, (가)는 중앙 정부가, (나)는 지방 자치 단체 및 지역 주민이 개발 주체이다.

07 (가)는 파급 효과, (나)는 역류 효과를 보여 준다. 성장 거점 개발은 파급 효과를 추구하지만, 역류 효과가 발생할 가능성이 높다. 역류 효과가 발생하면 지역 격차가 심화된다.

08 파급 효과는 거점 지역의 집중 개발에 따른 효과가 주변 지역의 산업을 발전시켜 중심지와 주변 지역의 동반 성장을 가져오는 것이고, 역류 효과는 개발에 따른 이익이 주변으로 파급되지 못하고 오히려 주변 지역에서 거점 지역으로 인구 및 자본이 집중되는 것이다.

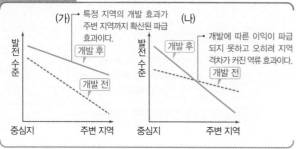

09 제1차 국토 종합 개발 계획에서는 수도권과 남동 임해 공업 지역을 성장 거점 지역으로 선정하여 개발이 이루어졌다. ㉠은 정부 주도의 하향식 개발, ㉢은 상향식 개발로 추진되었다. ㉣은 균형 개발 방식에 속한다.

10 제1차 국토 종합 개발 계획에 따라 공업 기반 구축을 위해 고속 국도가 건설되었다.

> **왜 틀렸을까?** 선택지 뜯어 보기
>
> ① ㉠은 ㉢보다 개발 과정에서 지역 이기주의가 나타날 가능성이 높다.
>
> ② ㉢은 지역 간 형평성보다 경제적 효율성을 중시한다. ➡ ㉠
>
> ④ ㉣을 위해 혁신 도시와 기업 도시를 육성하였다.
>
> ➡ 2000년대 이후에
>
> ⑤ ㉤을 위해 수도권 공장의 신축을 제한하는 제도를 폐지하였다.
>
> ➡ 실시

11 수도권 기능을 지방으로 이전하기 위해서는 산업 시설을 이전하거나 혁신 도시 및 기업 도시를 조성하는 것이 방법이다. 서울의 주택 부족 문제를 해결하기 위한 것은 서울 주변에 조성된 주거 기능의 위성 도시, 즉 신도시에 대한 설명이다.

12 (가)는 정부 주도로 만들어진 혁신 도시, (나)는 민간 기업 주도로 만들어진 기업 도시이다. (가), (나)는 모두 제4차 국토 종합 개발 계획 때 지정·육성되었으며, 지역 균형 발전에 기여한다.

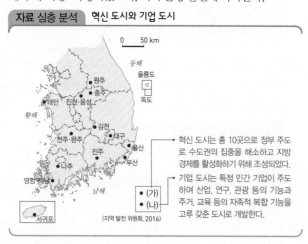

13 (1) **답** ㉠ 철거 재개발, ㉢ 수복 재개발

(2) **모범 답안** ㉢은 ㉠에 비해 기존 건물의 활용도가 높고 원거주민의 재정착률이 높으며, 투입되는 자본의 규모가 비교적 작다.

만점 포인트 높은 기존 건물의 활용도, 높은 원거주민의 재정착률, 비교적 작은 규모의 자본 투입

구분	채점 기준
상	세 가지 측면에서 ㉠과 비교한 ㉢ 방식의 상대적 특성을 바르게 서술한 경우
중	두 가지 측면에서 ㉠과 비교한 ㉢ 방식의 상대적 특성을 바르게 서술한 경우
하	한 가지 측면에서 ㉠과 비교한 ㉢ 방식의 상대적 특성을 바르게 서술한 경우

14 (1) **답** ㉠ 성장 거점 개발, ㉢ 균형 개발

(2) **모범 답안** ㉠은 자원의 효율적 투자가 가능하며 단기간에 개발 효과가 나타나는 반면, 역류 효과가 클 경우 지역 격차가 심화되며 지역 주민의 참여도가 낮다는 단점이 있다. ㉢은 지역 간 균형 성장을 도모하고 지역 주민의 의사 결정을 존중할 수 있는 반면, 투자의 효율성이 낮고 지역 이기주의가 초래될 수 있다는 단점이 있다.

만점 포인트 효율적 투자, 역류 효과, 지역 격차, 균형 성장, 지역 주민, 지역 이기주의

구분	채점 기준
상	㉠, ㉢ 개발 방식의 장점과 단점을 각각 한 가지씩 바르게 서술한 경우
중	㉠, ㉢ 개발 방식의 장점만 서술하거나 단점만 서술한 경우
하	㉠, ㉢ 개발 방식 중 한 가지의 장점과 단점만 서술한 경우

내신 1등급   83쪽

01 ③	02 ②	03 ②	04 ⑤

01 제시된 (가), (나)는 모두 주거지 재개발에 해당하며, (가)는 기존 골격을 유지하면서 필요한 부분을 수리 및 개조한 수복 재개발, (나)는 기존 시설을 완전히 철거하고 새로운 시설을 조성한 철거 재개발의 사례이다. 수복 재개발은 철거 재개발에 비해 재개발 이후 상대적으로 기존 건물의 활용도와 원거주민의 재정착률이 높다. 이에 비해 철거 재개발을 시행하면 수복 재개발에 비해 토지를 집약적으로 이용하기 때문에 재개발 이후 건물 고층화 정도가 높아진다.

02 (가)는 대규모 공업 기반 구축, 사회 간접 자본 확충이 나타나는 성장 거점 개발 방식, (나)는 균형·녹색·개방·통일 국토를 지향하는 균형 개발 방식으로 지역을 개발하던 시기이다. 균형 개발 방식은 성장 거점 개발 방식보다 중앙 정부의 주도성이 낮고, 분배의 형평성이 높으며, 환경 친화적이다.

03 (가)는 성장 거점 개발, (나)는 지역 간 불균형 해소, (다)는 균형 개발, (라)는 지방 도시 육성이 들어갈 수 있다. ㄴ. 기업 도시와 혁신 도시는 제4차 국토 종합 계획 시기에 추진되었다. ㄹ. 남동 임해 공업 지역은 제1차 국토 종합 개발 계획 때 성장 거점 지역으로 육성되었다.

04 ○○ 도시는 혁신 도시이다. 혁신 도시는 정부 주도로 공공 기관을 지방으로 이전하며 공공 기관과 산·학·연이 서로 긴밀히 협력할 수 있는 체계를 통해 지역 발전을 추구하는 도시이다. ⑤ 혁신 도시는 제4차 국토 종합 계획 기간에 추진된 정책이다.

단원 마무리							84~87쪽
01 ②	02 ⑤	03 ②	04 ⑤	05 ②	06 ④	07 ②	08 ②
09 ④	10 ②	11 ⑤	12 ⑤	13 ②	14 ⑤	15 ③	16 ①

01 도시는 촌락에 비해 2·3차 산업 종사자 비중이 높기 때문에 주민들의 직업 구성이 다양하다.

02 ⊙은 산촌, ⓒ은 집촌이다. 산촌은 집촌보다 가옥과 경지 간 평균 거리가 가까워 경지를 효율적으로 관리할 수 있다.

03 (가)는 서울의 강서구, (나)는 금천구, (다)는 중구이다. 상주인구가 많은 강서구가 중구보다 대형 마트 수가 많다.

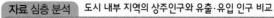

자료 심층 분석 도시 내부 지역의 상주인구와 유출·유입 인구 비교

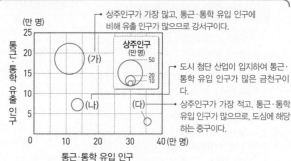

> 상주인구가 가장 많고, 통근·통학 유입 인구에 비해 유출 인구가 많으므로 강서구이다.
>
> 도시 첨단 산업이 입지하여 통근·통학 유입 인구가 많은 금천구이다.
>
> 상주인구가 가장 적고, 통근·통학 유입 인구가 많으므로, 도심에 해당하는 중구이다.

* 통근·통학 유입 및 유출 인구는 원의 가운데 값임.

04 표에서 의료 기관의 수를 토대로 기관의 규모를 알 수 있다. 중심지 수가 적을수록 고차 중심지이므로 (가)는 종합 병원, (나)는 의원에 해당한다. 지도의 A~C 세 도시도 의료 기관의 수를 토대로 지역의 규모를 파악할 수 있다. 의료 기관이 많을수록 규모가 큰 지역이기 때문에 지역의 규모는 C>B>A 순으로 크다. 지도에 표시된 지역은 북쪽에서부터 의성, 구미, 대구이다. ⑤ 고차 중심지인 종합 병원은 저차 중심지인 의원보다 중심지 유지를 위한 최소한의 수요 조건인 최소 요구치가 크다.

05 (가)는 서울로의 통근·통학 인구 비율이 높은 것으로 보아 광명시, (나)는 총인구가 많고, 서울로의 통근·통학 비율이 낮은 것으로 보아 화성시, (다)는 총인구가 적고 지역 내 통근·통학 인구 비율이 높은 것으로 보아 가평군이다. (나)는 (가)보다 서울로의 통근·통학 인구 비율이 현저하게 낮으므로 서울의 영향력을 상대적으로 적게 받는 도시이다.

06 대부분 공업 시설이 차지하던 토지가 고층 주택, 상업 업무지 이용으로 변화되었다. ㄱ. 지가가 상승했을 것이며, ㄷ. 토지 이용 집약도는 높아졌을 것이다.

07 (가)는 서울의 주변 지역, (나)는 도심에 해당하는 구(區)이다. (나) 지역은 주간 인구 지수가 100을 크게 초과하므로 통근·통학 유입 인구가 유출 인구보다 많다.

왜 틀렸을까? 선택지 뜯어 보기

① (가)는 2005년보다 2015년의 주간 인구가 감소하였다.
➡ (가) 지역은 2005년 대비 2015년에 주간 인구 지수가 거의 차이가 없고, 상주인구는 증가하였기 때문에 주간 인구는 증가했다.
③ (가)는 (나)보다 상업지의 평균 지가가 높다.
➡ 업무·상업 기능이 집중된 도심인 (나) 지역이 (가) 지역보다 상업지의 평균 지가가 높다.
④ (가)는 (나)보다 인구 공동화 현상이 뚜렷하다.
➡ 인구 공동화 현상은 도심인 (나) 지역에서 뚜렷하게 나타난다.
⑤ (나)는 (가)보다 초등학교 학생 수가 많다.
➡ 도심인 (나) 지역은 상주인구의 감소로 초등학교 학생 수가 (가)보다 적다.

07-1 모의고사 기출 틀린 선지 더 찾기   답①
① (가)는 서울의 도심, (나)는 주변 지역에 해당한다.

08 시기별 6대 도시의 인구 규모를 보면 전국 인구에서 차지하는 비중이 1970년 약 30%에서 2015년 약 42%로 증가했다. 또한 두 시기 모두 인구 1위 도시인 서울이 2위 도시인 부산보다 두 배 이상 인구가 많은 종주 도시화 현상이 나타나고 있다. 을. 6대 도시 중 인천의 인구 증가율이 가장 높다. 정. 시기별 전국 총인구가 크게 증가했고 대구와 광주의 전국 대비 인구 비중도 증가했기 때문에 두 도시의 인구는 증가했다.

자료 심층 분석 우리나라의 도시 간 인구 격차

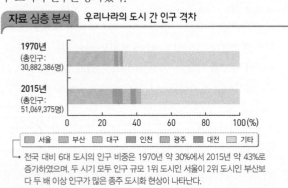

전국 대비 6대 도시의 인구 비중은 1970년 약 30%에서 2015년 약 43%로 증가하였으며, 두 시기 모두 인구 규모 1위 도시인 서울이 2위 도시인 부산보다 두 배 이상 인구가 많은 종주 도시화 현상이 나타난다.

09 (가)는 철거 재개발, (나)는 보존 재개발 방식의 사례이다. (나)는 기존 건물을 최대한 유지하기 때문에 (가)보다 건물의 평균 층수가 낮고 원거주민의 재정착률과 기존 건물 활용도가 높다.

10 (가)는 보존 재개발, (나)는 철거 재개발 사례이다. ① (가)는 (나)보다 투입 자본의 규모가 작다. ③ (나)는 (가)보다 원거주민의 재정착률이 낮다. ⑤ (가), (나)는 모두 주거지 재개발 유형에 속한다.

11 (가)는 성장 거점 개발 방식, (나)는 균형 개발 방식이다. ㄱ. 성장 거점 개발 방식은 하향식 의사 결정을 통한 개발 방식이다. ㄴ. 남동 임해 공업 지역의 조성은 성장 거점 개발 방식의 사례이다.

11-1 모의고사 기출 틀린 선지 더 찾기   답③
③ (가)는 (나)보다 지역 주민의 참여도가 높다.
➡ 성장 거점 개발 방식은 성장 잠재력이 큰 지역을 집중적으로 육성하는 방식으로 중앙 정부 주도의 하향식 개발 방식이다.

12 ㄱ. 거점 개발 방식은 성장 잠재력이 큰 지역을 선정하고 집중적으로 육성하여 파급 효과를 기대하는 방식으로 정부 주도의 하향식 개발 방식이다. ㄴ. 수도권의 규제를 완화하면 오히려 지역 간 격차를 심화시킬 수 있다.

13 ㄴ. 하향식 개발 정책은 중앙 정부가 주도하는 지역 개발 방식이다. ㄹ. 행정 및 공업 기능의 지방 분산 사례를 조사하는 것이 적당하다.

14 우리나라는 시기에 따라 서로 다른 발전 방식과 목표를 규정한 국토 종합 개발 계획을 토대로 국토 개발을 진행해 오고 있다. ㄱ. 개발 잠재력이 큰 거점을 선정하여 중앙 정부가 주도적으로 추진하였다. ㄹ. 신시가지의 개발로 인해 도심의 주거 기능이 강화되지는 않는다.

15 우리나라는 1970년대에는 거점 개발 방식을 채택하였고, 1980년대에는 광역 개발 방식, 1990년대 이후에는 균형 개발 방식을 채택하고 있다. ㄱ. 균형 개발 방식은 낙후 지역에 투자를 집중하여 지역 간 균형 개발을 도모한다. ㄹ. 혁신 도시와 기업 도시를 지정 및 육성한 것은 제4차 국토 종합 계획이다.

16 지도에 제시된 A는 1990년대 서울의 주택 부족을 해결하기 위해 조성된 1기 신도시, B는 2000년대에 수도권으로의 집중을 억제하고 지방의 균형 발전을 위해 공공 기관의 지방 이전을 추진한 혁신 도시, C는 1970년대 공업 단지 조성을 통해 건설된 도시에 해당한다. ㄷ. 공업 도시(C)는 성장 가능성이 큰 지역을 중심으로 정부가 주도적으로 개발을 추진하였다. ㄹ. 도시의 조성 시기는 C가 A보다 이르다.

자료 심층 분석 우리나라의 도시 성장

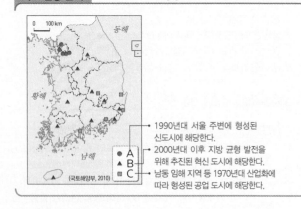

A ● 1990년대 서울 주변에 형성된 신도시에 해당한다.
B ▲ 2000년대 이후 지방 균형 발전을 위해 추진된 혁신 도시에 해당한다.
C ■ 남동 임해 지역 등 1970년대 산업화에 따라 형성된 공업 도시에 해당한다.

V. 생산과 소비의 공간

01 자원의 의미와 자원 문제 ~

02 농업의 변화와 농촌 문제

<table>
<tr><td>개념 암기</td><td>90쪽</td></tr>
</table>

1 (1) ⓒ (2) ⓖ (3) ⓛ **2** (1) ㄴ (2) ㄱ (3) ㄷ **3** (1) 태양광
(2) 천연가스 **4** (1) X (2) ○ (3) ○ **5** 지리적 표시제

<table>
<tr><td>내신 기출</td><td>90~94쪽</td></tr>
</table>

01 ② **02** ① **03** ② **04** ⑤ **05** ③
06 (가) 수력 발전, (나) 화력 발전, (다) 원자력 발전   **07** ① **08** ⑤
09 ④ **10** ① **11** ① **12** ④ **13** ④ **14** ① **15** ③ **16** ④
17 ④ **18** 해설 참조 **19** 해설 참조

01 그림에 제시된 (가)는 사용하면 고갈되는 재생 불가능한 자원으로 석유, 석탄, 천연가스를 포함하는 화석 연료가 해당한다. (나)는 사용량과 무관하게 재생 가능한 자원으로 수력, 조력, 풍력, 태양광 등이 해당한다.

02 (가)의 천연가스와 원유는 사용할수록 고갈되는 화석 연료이며, 유한성과 편재성이 나타나므로 그림의 A에 해당한다. (나)의 수력은 유량이 풍부하고 낙차를 이용할 수 있는 하천의 중·상류에 건설이 가능하므로 편재성이 있고, 무한성의 특징을 가지는 물을 이용하므로 그림의 B에 해당한다.

03 지도에 표시된 자원은 석회석이다. 석회석은 시멘트 공업의 주원료로 주로 고생대 조선계 지층에 매장되어 있고, 강원도 동해, 삼척, 영월과 충북 제천, 단양에서 생산된다. ①은 고령토, ③은 무연탄, ④는 텅스텐, ⑤는 철광석에 대한 설명이다.

04 제시된 글의 (가)는 석탄(무연탄), (나)는 석유이다. 그래프에서 가장 소비량이 많은 B는 석유, 소비량이 그 다음으로 많은 C는 석탄, 1990년대 이후 소비가 급증한 A는 천연가스이다.

05 우리나라는 에너지 자원의 대부분을 수입에 의존하고 있다. 그중 (가)는 석탄, (나)는 석유, (다)는 천연가스이다. ③ 연소 시 대기 오염 물질을 비교적 적게 배출하는 에너지 자원은 천연가스이다.

06 (가) 수력 발전은 한강과 낙동강 등 큰 하천을 따라 입지해 있고, 경북, 경남, 강원, 전북에서 비중이 높다. (나) 화력 발전은 지역별 발전 설비 용량이 가장 많고, 인천, 충남, 울산에서 비중이 높다. (다) 원자력 발전은 경북(울진, 월성), 부산(고리), 전남(영광)에서 비중이 높다.

07 (가)는 수력 발전으로 강수량, 지형 등 자연환경의 영향을 많이 받는 발전 방식이다. 우리나라의 경우 계절별 하천의 유량 변화가 크기 때문에 수력 발전소의 입지가 제한적이다.

08 제시된 신문 기사는 제주도에서 신·재생 에너지의 이용 비중을 높인다는 내용을 담고 있다. 신·재생 에너지는 높은 초기 투자 비용과 낮은 경제적 효율성으로 현재 이용 비중이 낮지만 친환경적이면서 화석 연료가 안고 있는 고갈 문제와 환경 오염 문제에 대한 부담이 적어 그 중요성이 점차 커지고 있다.

09 바람이 많은 해안이나 산지 지역에 입지하는 풍력 발전(A)은 강원도, 제주도 등에 분포한다. 일사량이 풍부한 지역에서는 태양광 발전(B)이 유리하며, 전남 신안 등에 분포한다. 조석 간만의 차를 이용하는 조력 발전(C)은 시화호 조력 발전소가 대표적이다.

10 바람이 많이 부는 강원, 제주 등에서 생산량 비중이 높은 (가)는 풍력, 일사량이 풍부한 전남, 전북 등에서 생산량 비중이 높은 (나)는 태양광, 대하천의 중·상류 지역이 속한 강원, 충북, 경북 등에서 생산량 비중이 높은 (다)는 수력이다.

11 그래프를 보면 1970년에서 2015년 사이 경지 이용률과 경지 면적은 감소하고 있으며, 농가 호당 경지 면적은 증가하고 있다. 이는 농가의 인구가 경지 면적보다 더 빠르게 감소하였기 때문에 나타나는 현상이다. 경지 이용률이 감소하였다는 것은 휴경지가 증가했다는 것을 의미한다.

12 그래프에서 볼 수 있듯이 1975년과 비교하여 2015년에는 도시화·산업화에 따라 총 경지 면적이 감소하였다. 또한 식량 작물 재배 비중이 감소하였는데, 쌀의 그루갈이 작물인 맥류는 외국 농산물 수입, 노동력 고령화 등으로 재배 지역이 감소하였고, 쌀 재배가 감소하면서 논의 면적도 감소하였다. 또한 도시의 인구 증가 및 소비 욕구 증가로 상품 작물의 생산량이 늘어 생산 작물의 다각화가 이루어졌다.

자료 심층 분석 작물별 경지 면적 변화

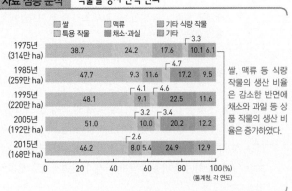

쌀, 맥류 등 식량 작물의 생산 비율은 감소한 반면에 채소와 과일 등 상품 작물의 생산 비율은 증가하였다.

13 우리나라는 쌀을 제외한 주요 곡물의 자급률이 감소하고 있다. 이촌 향도에 따라 농촌의 노동력이 부족해지고, 식생활 변화로 곡물 소비량이 감소함에 따라 농업 경쟁력이 약화되었기 때문이다. 더욱이 세계 무역 기구(WTO)의 출범, 자유 무역 협정(FTA)의 체결 확대 등으로 농산물 시장이 개방되어 값싼 외국산 농산물의 수입이 급증하면서, 외국산 농산물에 대한 의존도가 심화되고 있다. ④ 친환경 농산물 재배를 통해 경쟁력을 확보하는 것은 이러한 문제의 극복 방안이 될 수 있다.

14 경기도는 대도시인 서울과 인접하고 있어 경지의 가격이 높기 때문에 겸업농가 비중이 높다. 반면, 전라북도는 겸업농가에 비해 전업농가의 비중이 높은 편이다. 제주도는 세 지역 중에서 겸업농가 수와 전업농가 수를 합한 총 농가 수가 가장 적다. 따라서 (가)는 경기도(A), (나)는 전라북도(B), (다)는 제주도(C)이다.

15 (가)는 맥류, 쌀, 과수의 생산량 비중이 모두 낮으므로 수도·강원권, (나)는 맥류와 과수의 생산량 비중은 낮으나 쌀의 생산량 비중은 (다) 다음으로 많으므로 충청권이다. (다)는 맥류와 쌀의 생산량 비중이 가장 높으므로 호남·제주권이다. (라)는 맥류의 생산량 비중이 호남·제주권 다음으로 높고, 과수의 생산량 비중이 가장 높으므로 영남권이다.

16 농산물 브랜드화 및 지리적 표시제 확대 등은 농산물을 고급화하여 농업 경쟁력을 강화하려는 노력에 해당한다.

17 지리적 표시제는 농산물 및 그 가공품의 명성, 품질, 기타 특성이 본질적으로 특정 지역의 지리적 특성에 기인하는 경우, 그 지역에서 생산된 특산품임을 표시하는 제도이다. 지리적 표시 상품으로 등록하면 농산물 판매가 유리해지고, 상품과 연계된 제품 및 관광 상품 개발을 확대할 수 있다. 또한 상품에 대한 신뢰도가 높아지면서 지역에 대한 긍정적 이미지가 형성될 것이다.

18 (1) **답** (가) 태양광, (나) 풍력, (다) 수력
(2) **모범 답안** (가) 태양광 발전소는 일조량이 풍부한 지역, (나) 풍력 발전소는 바람이 많이 부는 지역, (다) 수력 발전소는 유량이 풍부하고 큰 낙차를 얻을 수 있는 지역에 주로 입지한다.
만점 포인트 풍부한 일조량, 바람, 유량, 큰 낙차

구분	채점 기준
상	태양광, 풍력, 수력 발전소의 입지 조건을 모두 바르게 서술한 경우
중	태양광, 풍력, 수력 발전소의 입지 조건 중 두 가지만 바르게 서술한 경우
하	태양광, 풍력, 수력 발전소의 입지 조건 중 한 가지만 바르게 서술한 경우

19 **모범 답안** 근교 농업 지역인 (가)에 비해 원교 농업 지역인 (나)는 도시와의 거리가 멀어 전업농가의 비중이 높고, 넓은 논을 경작하는 경우가 많으므로 농가당 경지 면적이 넓다. 또한 (나)는 (가)보다 시설 재배 면적 비중이 낮고 지가가 저렴하므로 토지 이용의 집약도가 낮다.

만점 포인트 높은 전업농가 비중, 넓은 농가당 경지 면적, 낮은 토지 이용 집약도

구분	채점 기준
상	근교 농업 지역과 비교한 원교 농업 지역의 상대적인 특징을 제시된 조건 세 가지를 모두 포함하여 서술한 경우
중	근교 농업 지역과 비교한 원교 농업 지역의 상대적인 특징을 제시된 조건 중 두 가지만 포함하여 서술한 경우
하	근교 농업 지역과 비교한 원교 농업 지역의 상대적인 특징을 제시된 조건 중 한 가지만 포함하여 서술한 경우

내신 1등급 95쪽

01 ②   **02** ①   **03** ③   **04** ④

01 A는 석회석, B는 텅스텐, C는 철광석, D는 고령토이다. ⓒ 상동 등에 분포하는 텅스텐(B)은 특수강 및 합금용 원료로 이용된다. 과거 값싼 중국산의 수입으로 폐광되었으나, 최근 경제성 상승으로 재생산이 추진되고 있다. ② 경남의 하동, 산청 등에 분포하는 고령토(D)는 도자기 및 종이, 화장품 등의 원료로 이용된다.

02 (가)는 석탄, (나)는 천연가스, (다)는 수력이다. 석탄은 대부분 강원도, 천연가스는 울산에서 생산되고 있으며, 수력은 비교적 전국적으로 고르게 생산되고 있다. 국내 에너지 소비에서 차지하는 비중은 석탄>천연가스>수력 순이고, 사용 시 오염 물질의 배출량은 석탄>천연가스>수력 순이다. 따라서 그림에서 (가) 석탄은 A, (나) 천연가스는 E, (다) 수력은 I에 해당한다.

03 (가)는 (나)보다 농가당 경지 규모가 크고, 식량 작물 재배 비중이 높다. 일반적으로 대도시에서 먼 지역은 대도시에서 가까운 지역에 비해 농가당 경지 규모가 크고 식량 작물 재배 비중이 높다. 따라서 (가)는 원교 농업 지역, (나)는 근교 농업 지역이다. 근교 농업 지역은 원교 농업 지역에 비해 논 면적 비율이 낮고, 농외 소득 비율과 시설 재배 면적 비율이 높다.

04 평야가 발달한 전북, 전남, 충남 등에서 재배 비중이 높은 (가)는 쌀이다. 주로 남부 지방에서만 재배가 이루어지는 (나)는 맥류이고, 경북과 제주 등에서 재배 비중이 높은 (다)는 과수이다. 쌀은 자급률이 80%를 넘기 때문에 맥류보다 자급률이 높다.

왜 틀렸을까? 선택지 뜯어 보기
① (가)는 전국에서 수도권의 재배 면적이 가장 넓다.
➡ 수도권은 쌀의 재배 면적이 가장 넓지 않다.
② (나)는 재배 면적이 증가하는 추세이다.
➡ 노동력 부족, 값싼 외국 농산물의 수입 등으로 맥류의 재배 면적은 감소하는 추세이다.
③ (다)는 주로 논의 그루갈이 작물로 재배된다.
➡ (다)는 과수로 논의 그루갈이 작물은 맥류이다.
⑤ (다)는 (가)보다 재배 면적이 넓다.
➡ 주요 작물 중에서 쌀의 재배 면적이 가장 넓다.

03 공업의 발달과 지역 변화

01 우리나라의 1960년대는 섬유, 의복, 신발 등의 노동 집약적 경공업, 1970년대~1980년대는 제철, 석유 화학, 조선, 자동차 등의 자본 집약적 중화학 공업, 1990년대 이후에는 기술·지식 집약적인 첨단 산업이 급성장하였다. 중화학 공업은 원료를 대부분 수입하기 때문에 적환지 지향의 입지 특성이 나타나며, 첨단 산업은 전문 인력을 확보하기 쉬운 수도권을 비롯한 대도시 지역을 중심으로 입지한다. ㄹ. 1960년대 발달한 섬유, 의류 등의 노동 집약적 경공업은 1990년대 이후 발달한 반도체, 컴퓨터, 신소재, 생명 공학 등 첨단 산업에 비해 제품의 부가 가치가 낮다.

02 우리나라 업종별 공업 구조는 노동 집약적 경공업 중심에서 자본 집약적 중화학 공업, 기술·지식 집약적 첨단 산업 중심으로 고부가 가치 공업의 비중이 증가하면서 공업 구조가 고도화되었다. 노동 집약적인 섬유 공업의 종사자 비중은 감소하였고, 중화학 공업인 기계·조립 금속 공업의 종사자 비중은 증가하였다. ⑤ 최근에는 3차 산업의 비중이 증가하면서 탈공업화가 나타나고 있어, 1990년대 이후 공업 종사자 수는 감소하고 있다.

03 우리나라는 1960년대에는 식품, 섬유와 같은 노동 집약적 경공업이 발달하였고, 1970년대~1980년대에는 기계, 금속·석유 화학과 같은 자본 집약적 중화학 공업이 발달하였다. 1990년대 이후에는 첨단 산업이 발달하여 우리나라의 공업 구조가 노동 집약적 경공업에서 자본 및 기술 집약적 공업으로 전환되는 공업 구조의 고도화가 나타났다.

04 공업의 입지는 공장이 이윤을 극대화할 수 있는 특정 장소에 자리를 잡는데, 최소 비용 또는 최대 이윤 지점에 입지하게 된다. 공업의 입지 유형에는 원료 지향형, 시장 지향형, 적환지 지향형, 노동 지향형, 집적 지향형, 입지 자유형이 있다. ㉠ 제품의 운반 과정에서 파손되기 쉬운 공업은 시장 지향형 공업에 해당한다.

05 지도는 1차 금속 공업의 지역별 종사자 비율과 생산량을 나타낸 것이다. 1차 금속 공업은 무게나 부피가 큰 원료를 해외에서 수입하고 제품의 일부를 수출하는 적환지 지향형 공업으로, 항만 발달에 유리한 포항, 광양, 당진 등에 입지한다. 우리나라의 경우 1970년대~1980년대에 정부 주도로 추진된 중화학 공업 육성 정책에 따라 남동 임해 지역을 중심으로 해당 공업이 성장하였다.

왜 틀렸을까?   선택지 뜯어 보기

ㄴ. **소비자와의 잦은 접촉이 필요하다.**
➡ 인쇄 공업 등의 시장 지향형 공업에 대한 설명이다.

ㄷ. **총 생산비에서 노동비가 차지하는 비중이 높다.**
➡ 섬유, 전자 조립 등의 노동 지향형 공업에 대한 설명이다.

06 (가)는 대구, 경북, 경기 등지에서 종사자 비율이 높은 섬유 공업에 해당한다. (나)는 울산, 경기 화성, 광명, 광주 등지에서 종사자 비율이 높은 자동차 공업에 해당한다.

자료 심층 분석   주요 공업의 입지

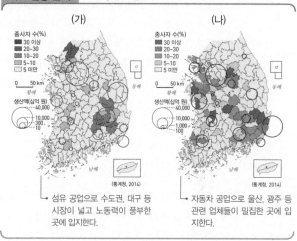

└ 섬유 공업으로 수도권, 대구 등 시장이 넓고 노동력이 풍부한 곳에 입지한다.

└ 자동차 공업으로 울산, 광주 등 관련 업체들이 밀집한 곳에 입지한다.

07 (가)는 시장 지향형 공업, (나)는 원료 지향형 공업이다. 제조 과정에서 제품이 쉽게 부패하거나 무게나 부피가 증가하는 공업, 소비자와의 잦은 접촉이 필요한 공업은 시장에 입지하며, 음료 및 가구 공업, 인쇄·출판업 등이 대표적이다. 반면, 제조 과정에서 원료가 쉽게 상하거나 무게나 부피가 감소하는 공업은 원료 산지에 입지하며, 시멘트, 통조림, 농수산물 가공 공업 등이 대표적이다.

08 A는 수도권 공업 지역, B는 태백산 공업 지역, C는 충청 공업 지역, D는 영남 내륙 공업 지역, E는 호남 공업 지역이다. ①은 태백산 공업 지역, ②는 호남 공업 지역, ③은 남동 임해 공업 지역, ⑤는 충청 공업 지역에 대한 설명이다.

만점 노트   우리나라의 주요 공업 지역

수도권 공업 지역	• 우리나라 최대의 공업 지역 • 집적 불이익 발생 → 공업 분산 정책 실시
태백산 공업 지역	• 풍부한 지하자원을 바탕으로 원료 지향형 공업 발달 • 교통 불편, 소비 시장과 먼 거리 → 낮은 공업 비중
충청 공업 지역	• 수도권과 인접, 교통 편리 → 수도권의 공장 이전 • 중화학 공업(해안 지역), 첨단 산업(내륙 지역) 발달
호남 공업 지역	대중국 교역 증가, 서해안 개발 및 국토 균형 발전 → 제2의 임해 공업 지역으로 성장 가능
영남 내륙 공업 지역	• 풍부한 노동력, 편리한 교통 → 경공업 발달 • 최근 업종 첨단화 도모
남동 임해 공업 지역	• 우리나라 최대의 중화학 공업 지역 • 항만을 중심으로 적환지 지향 공업 발달

09 (가) 태백산 공업 지역은 풍부한 지하자원을 바탕으로 시멘트 등 원료 지향형 공업이 발달하였으나, 교통이 불편하고 소비 시장과 거리가 멀어 타 지역에 비해 공업의 집적도가 낮은 편이다. (나) 영남 내륙 공업 지역은 과거 풍부한 노동력과 육상 교통을 바탕으로 노동 집약적 경공업이 발달하였으나, 해당 산업의 경쟁력이 약화되면서 경제가 침체되었다. 이를 극복하기 위해 최근 산업 클러스터를 통한 첨단화를 추진하고 있다.

10 공업 구조의 고도화, 국가 산업 단지 조성 및 지역 균형 개발 사업 등의 정부 정책, 소비 시장, 교통, 노동력, 자본 등 생산 요소의 중요성 변화로 공업의 입지가 변화하고 있다. 최근 교통의 발달 및 사회 기반 시설의 확충으로 운송비의 중요도가 낮아져 입지의 공간 제약이 약화되었고, 기업 조직이 성장하면서 경영·관리 기능, 연구·개발 기능, 생산 기능의 공간적 입지가 분리되는 공간적 분업 현상이 나타나게 되었다. 또한 정부의 성장 거점 개발 정책으로 수도권과 남동 임해 지역에 지나치게 많은 인구와 산업이 집중되면서 지가 상승, 용수 부족, 교통 혼잡, 환경 오염 등의 집적 불이익이 발생하고 있다. 이에 대한 대책으로 주변 지역으로 공업을 분산시키는 정책을 추진하고 있다.

11 기업 성장에 따른 공업 입지의 변화를 나타낸 자료이다. 교통·통신의 발달로 운송비가 공업 입지에 미치는 영향이 감소하여 공업의 입지 가능 지역이 확대되고 있다. 최근 값싼 노동력을 필요로 하는 공장이 해외로 이전하는 경우가 이에 해당한다.

12 (1) 답 공업의 지역적 편재
(2) 모범 답안 수도권과 영남권의 공업 집중도가 높은 것은 정부 주도의 수출 지향 정책으로 성장 잠재력이 큰 두 지역에 산업 시설이 집중되었기 때문이다. 이를 해결하기 위해서는 공업 분산 정책을 실시해야 한다.
만점 포인트 성장 잠재력, 산업 시설 집중, 공업 분산 정책

구분	채점 기준
상	공업의 지역적 편재가 나타난 원인과 해결 방안을 모두 바르게 서술한 경우
하	공업의 지역적 편재가 나타난 원인과 해결 방안 중 한 가지만 바르게 서술한 경우

13 모범 답안 당진시는 제철소 입지에 따라 일자리가 늘어나 청년 인구가 증가하고, 연구소와 편의 시설 등이 들어서면서 지역 경제가 활성화되었을 것이다. 그러나 한편에서는 대기 오염 증가, 지가 상승 등의 문제가 발생했을 것이다.
만점 포인트 일자리 창출, 인구 증가, 지역 경제 활성화, 환경 오염, 지가 상승 등

구분	채점 기준
상	공업 발달에 따른 당진시의 변화 모습을 긍정적·부정적 측면에서 모두 바르게 서술한 경우
하	공업 발달에 따른 당진시의 변화 모습을 긍정적·부정적 측면 중 한 가지에 대해서만 서술한 경우

01 ④	02 ⑤	03 ③	04 ②

01 우리나라의 공업이 본격적으로 발달하기 시작한 것은 1960년대에 경제 개발 5개년 계획이 추진되면서부터인데, 우리나라 공업 구조의 변화에는 정부 정책이 중요한 역할을 하였다. 자동차, 조선 등의 공업은 생산 과정에서 전후방 연계가 중요한 계열화된 조립 공업으로 관련 산업의 집적이 중요하다.

> **왜 틀렸을까?** 선택지 뜯어 보기
>
> ① ㉠ – 낙후된 지역에 우선적으로 투자하는 균형 개발 정책으로 공업 지역이 형성되었다.
> ➡ 균형 개발 정책은 1990년대부터 시행되었다.
> ② ㉡ – 초기에 대규모 설비 시설에 대한 투자 비용이 드는 장치 산업이다.
> ➡ 초기에 대규모 설비 시설에 대한 투자 비용이 드는 장치 산업은 중화학 공업에 해당한다.
> ③ ㉢ – 원료의 수입과 제품의 수출에 유리한 충청 공업 지역에서 주로 성장하였다.
> ➡ 자동차, 조선 공업은 원료의 수입과 제품의 수출에 유리한 남동 임해 공업 지역에서 주로 성장하였다.
> ⑤ ㉤ – 생산비 중 운송비의 비중이 ㉣보다 높다.
> ➡ 부가 가치가 높은 첨단 산업은 생산비 중 운송비의 비중이 낮다.

02 (가)는 항만 발달에 유리한 경북, 경남, 충청 등지에서 종사자 수 비중 및 생산액이 높으므로 1차 금속 공업, (나)는 시장이 넓고 노동력이 풍부한 수도권, 대구 등지에서 종사자 수 비중 및 생산액이 높으므로 섬유 공업이다. 1차 금속 공업은 섬유 공업에 비해 우리나라의 공업화를 선도한 시기가 늦고, 최종 제품의 평균 무게가 무겁고 부피가 크며, 노동 집약도가 낮다.

03 교통이 편리하고 인근 수도권 공업 지역에서 분산된 공업이 입지하는 (가)는 충청 공업 지역(C), 우리나라 최대의 종합 공업 지역인 (나)는 수도권 공업 지역(A)이다. 지도의 A는 수도권 공업 지역, B는 태백산 공업 지역, C는 충청 공업 지역, D는 영남 내륙 공업 지역, E는 호남 공업 지역이다.

04 자료는 구로 공업 단지의 변화에 대한 내용이다. 과거 노동 집약적 경공업을 중심으로 발전했던 구로 공업 단지는 1980년대 후반에 국내 임금 및 지가 상승 등으로 인해 산업 구조가 변화하였고, 2000년대 중반 이후부터 정보 통신 등 지식 기반 산업이 집적된 서울 디지털 산업 단지로 탈바꿈하였다. 서울 디지털 산업 단지의 정보 통신 산업 및 벤처 기업들은 비교적 입지가 자유롭지만, 지리적으로 가까이 입지하여 여러 가지 집적 이익을 얻을 수 있다.

> **왜 틀렸을까?** 선택지 뜯어 보기
>
> ㄴ. ㉡에는 '지역 내 인구가 증가하고 관련 산업이 집적하였다.'가 들어갈 수 있다.
> ➡ 고용 기회 감소에 따른 실업률 증가로 인구 유출, 경제 침체, 지역 쇠퇴 등이 들어갈 수 있다.
> ㄹ. 노동 집약적 경공업의 비중이 높아지고 있다.
> ➡ 노동 집약적 경공업의 비중은 감소하고, 지식 기반 산업의 비중이 증가하고 있다.

개념 암기	103쪽

1 (1) 최소 요구치 (2) 전자 상거래 (3) 생산자 서비스업 (4) 생활권
2 (1) X (2) ○ (3) X **3** 탈공업화 **4** (1) ㄱ (2) ㄴ (3) ㄹ (4) ㄷ

내신 기출	104~106쪽

01 ② 02 (가) 최소 요구치, (나) 재화의 도달 범위 03 ④ 04 ③
05 ③ 06 ④ 07 ① 08 ⑤ 09 ④ 10 ② 11 ⑤
12 해설 참조 13 해설 참조

01 (가) 최소 요구치는 인구 밀도가 높은 지역일수록 범위가 좁아지고, (나) 재화의 도달 범위는 교통이 발달할수록 넓어진다. 소비자가 상점으로부터 멀어질수록 물건 구입 시 드는 비용이 증가하기 때문에 수요는 감소하게 된다. 따라서 중심지가 성립되기 위해서는 재화의 도달 범위가 최소 요구치보다 크거나 같아야 한다.

02 (가)는 중심지가 유지·존속되기 위한 최소한의 수요인 최소 요구치, (나)는 중심지로부터 재화와 용역이 제공될 수 있는 공간의 최대 범위인 재화의 도달 범위이다.

03 과거에는 최소 요구치를 확보하기 위해 상인들이 주기적으로 이동하면서 정기 시장이 형성되었다. 그러나 점차 인구 증가, 소득 수준의 향상, 교통의 발달로 최소 요구치의 범위가 줄어들고 재화의 도달 범위가 넓어지면서 상설 시장이 증가하였다. ㄷ. 인구의 고령화는 상설 시장 수가 증가하는 것과는 관련이 없다.

04 (가)는 대형 마트, (나)는 편의점, (다)는 무점포 상점이다. 대형 마트는 매출액이 가장 높은 편이며, 생활용품을 저렴한 가격에 대량 판매하고, 넓은 매장과 주차장 확보를 위해 도시 외곽 지역에 입지한다. 매출액이 크게 상승한 편의점은 매장 관리 및 운영이 편리하다. 정보 통신망의 발달과 함께 성장한 무점포 상점은 상거래의 시공간 제약이 적고, 매출액이 대형 마트와 유사하게 높다.

05 그래프에서 우리나라의 산업별 종사자 수 변화를 보면 1970년대에는 농·임·어업(1차 산업)>사회 간접 자본 및 서비스업(3차 산업)>광공업(2차 산업) 순으로 높은 반면, 2000년대 이후 사회 간접 자본 및 서비스업>광공업>농·임·어업 순으로 높은 선진국형 산업 구조가 나타난다. 특히 1990년 이후 광공업 종사자 수 비중이 감소하는 탈공업화 현상이 두드러진다.

> **왜 틀렸을까?** **선택지 뜯어 보기**
> ① 제조업의 공간적 분업이 감소한다.
> ➡ 산업 구조가 고도화되면서 제조업의 공간적 분업이 증가하게 된다.
> ② 경제 활동의 공간적 제약이 커진다.
> ➡ 산업 구조의 고도화 및 교통·통신의 발달로 경제 활동의 공간적 제약이 작아진다.
> ④ 토지가 가장 중요한 생산 요소이다.
> ➡ 탈공업화 사회에서는 지식과 정보가 주요 생산 요소이다.
> ⑤ 농·임·어업의 고용 비중이 증가한다.
> ➡ 산업 구조의 고도화로 농·임·어업의 고용 비중이 감소한다.

06 (가)는 소비자 서비스업으로 인구 분포와 밀접하게 관련되어 있어 생산자 서비스업에 비해 분포가 고른 편이고, 도·소매업, 음식·숙박업, 관광업 등이 대표적이다. (나)는 생산자 서비스업으로 기업이 밀집되어 있는 도심과 부도심에서 밀집도가 높고, 광고업, 회계업, 금융·보험업, 부동산업 등이 대표적이다. ㄴ. 소비자 서비스업은 생산자 서비스업에 비해 업체 수와 종사자 수가 많지만, 업체당 종사자 수는 적다. 반면, 생산자 서비스업은 업체 수는 적지만 규모가 커 업체당 종사자 수가 많다.

> **자료 심층 분석** **서비스업의 분포**
>
>
> (가) 소비자 서비스업은 인구 분포에 따라 분산 입지한다.
>
> (나) 생산자 서비스업은 기업과의 접근성이 우수하고 정보 획득에 유리한 대도시의 도심 및 부도심에 집중 입지한다.

07 (가)는 음식업, 숙박업 등 노동 집약적인 성격이 강한 소비자 서비스업이고, (나)는 금융업, 보험업 등 지식 집약적인 성격이 강한 생산자 서비스업이다. 소비자 서비스업은 소비자의 이동 거리를 최소화하고 업체 간 일정 거리를 유지하기 위해 분산하여 입지하는 경향이 있지만, 생산자 서비스업은 기업 본사가 집중된 대도시를 중심으로 집중적으로 분포한다.

08 서비스 산업이 고도화됨에 따라 보건 및 사회 복지, 과학 및 기술 서비스업과 같이 부가 가치가 높은 지식 기반 서비스에 대한 수요가 크게 증가하였다.

09 운송비 구조에서 (가)는 주행 비용, (나)는 기종점 비용으로, 주행 비용과 기종점 비용을 합한 것이 총 운송비이다. 주행 비용은 주행 거리에 따라 증가하는 비용으로 도로가 주행 비용 증가율이 가장 높고 그 다음으로 철도, 해운 순이다. 기종점 비용은 주행 거리와 관계없이 드는 일정한 비용으로 하역비, 보험료, 창고비 등으로 구성된다. 기종점 비용은 항공이 가장 높고, 그 다음으로 해운, 철도, 도로 순이다.

10 이용자의 측면에서 접근성이 가장 우수한 A는 도로, 이용자의 측면에서 정시성과 신속성이 가장 우수하며 에너지 소비, 대량 수송, 안전성 측면에서도 가장 우수한 B는 철도, 신속성이 가장 우수한 C는 항공, 이용자 측면에서는 상대적으로 불리하지만 사회·경제적 측면에서 대량 수송이 가장 우수한 D는 해운이다. 도로는 현재 우리나라에서 여객 수송 비중이 가장 높으며, 장거리 여객 수송과 고부가 가치 화물 수송에 유리한 교통수단은 항공이다. ㄴ. 기종점 비용은 철도가 항공보다 작다. ㄹ. 단거리 수송에는 해운보다 도로가 유리하다.

교통수단별 특징

도로	• 기동성, 문전 연결성 우수, 지형적 제약이 작음. • 단거리 수송에 유리
철도	• 안전성, 정시성 우수, 지형 조건의 제약이 큼. • 중거리 수송에 유리
해운	• 기상 조건의 제약이 큼, 속도가 느림, 장거리로 갈수록 주행 비용이 저렴함. • 대량 화물의 장거리 수송에 유리
항공	• 신속성 우수, 기상 조건의 제약이 큼. • 장거리 여객 수송과 고부가 가치 화물 수송에 유리

11 최근 초고속 정보 통신망과 무선 인터넷 기술이 발달하면서 대량의 정보를 빠르게 주고받는 최첨단 통신 체계가 구축되고 있다. 이로 인해 일상생활에서 시공간의 제약이 감소하면서 지역 간 교류는 더욱 활발해졌다. 또한 정보 통신 기술의 발달로 시공간을 초월한 정보 공유와 의사소통이 가능하기 때문에 더 이상 시간과 장소에 구애받지 않고 언제 어디서나 다양한 정보 통신 서비스를 이용할 수 있는 유비쿼터스 시대가 도래하고 있다. 이를 통해 더욱 편리하고 효율적인 생활이 가능해질 것이다. 갑. 상거래의 시공간적 제약은 점차 감소한다. 을. 정보 통신을 이용하여 온라인에서도 상품을 판매할 수 있어 공간 범위는 확대된다.

12 (1) **답** A - 대형 마트, B - 편의점, C - 무점포 상점
(2) **모범 답안** 대형 마트는 생활용품을 저렴한 가격으로 대량 판매하며, 넓은 매장과 주차장 확보를 위해 도시 외곽 지역에 주로 입지한다. 편의점은 24시간 개장하며 매장 관리 및 운영이 편리하고, 무점포 상점은 시공간적 제약이 적어 입지가 자유롭다.
만점 포인트 대량 판매, 도시 외곽, 24시간 운영, 자유로운 입지

구분	채점 기준
상	대형 마트, 편의점, 무점포 상점의 특징을 모두 바르게 서술한 경우
중	대형 마트, 편의점, 무점포 상점 중 두 가지만 특징을 바르게 서술한 경우
하	대형 마트, 편의점, 무점포 상점 중 한 가지만 특징을 바르게 서술한 경우

13 (1) **답** A - 철도, B - 도로
(2) **모범 답안** 철도는 정시성과 안전성이 우수하지만 지형적 제약이 큰 편이며, 중거리 수송에 유리하다. 도로는 기동성과 문전 연결성이 우수하고 지형 조건의 제약이 작으며, 단거리 수송에 유리하다.
만점 포인트 높은 정시성·안전성, 큰 지형적 제약, 중거리, 높은 기동성·문전 연결성, 작은 지형적 제약, 단거리

구분	채점 기준
상	철도와 도로 교통의 특징을 두 가지씩 모두 바르게 서술한 경우
중	철도와 도로 교통의 특징을 한 가지씩만 바르게 서술한 경우
하	철도와 도로 교통의 특징 중 한 가지에 대해서만 서술한 경우

01 ④ **02** ③ **03** ① **04** ②

01 인구 밀도가 증가하면 상점의 최소 요구치의 범위가 좁아지고, 교통이 발달하면 재화의 도달 범위가 넓어진다. 제시된 글에서 상점 주변에 대단위 아파트가 들어서면서 인구 밀도가 증가하면 최소 요구치의 범위가 축소되고, 교통 발달로 재화의 도달 범위가 확대된다.

02 지도에 나타난 소매 업태의 분포에서 상점의 분포 개수가 적은 (가)는 고차 상점인 백화점, 상점의 분포 개수가 많은 (나)는 저차 상점인 편의점이다. 고차 상점은 저차 상점에 비해 재화의 도달 범위가 넓고, 소비자의 이용 빈도는 낮으며, 업체당 평균 매출액이 많다.

03 그래프에서 (가)는 사업체 수, 종사자 수가 가장 적으나 매출액은 상대적으로 많은 편인 백화점, (나)는 사업체 수 대비 종사자 수가 가장 적은 편의점, (다)는 최근 매출액이 크게 증가한 무점포 상점이다. 백화점은 편의점보다 재화의 도달 범위가 넓어 사업체 간 평균 거리가 멀다.

선택지 뜯어 보기

② (가)는 (다)보다 입지 제약이 적다.
➡ 무점포 상점은 백화점에 비해 시공간 제약이 적어 입지가 자유롭다.
③ (나)는 (가)보다 고가 제품의 판매 비중이 높다.
➡ 편의점보다 백화점이 고가 제품의 판매 비중이 높다.
④ (다)는 (가)보다 소비자와의 대면 접촉 빈도가 높다.
➡ 무점포 상점은 소비자와의 대면 접촉 빈도가 백화점보다 낮다.
⑤ 재화의 도달 범위는 (나)>(가)>(다) 순으로 넓다.
➡ 재화의 도달 범위는 (다)>(가)>(나) 순으로 넓다.

04 여객과 화물의 비중이 가장 높은 (가)는 도로, 여객의 비중이 0인 (나)는 해운이며, (다)는 철도이다. 기상 상황에 따라 운행의 제약이 큰 교통수단은 해운이며, 문전 연결성과 기동성이 좋은 교통수단은 도로, 지형 제약은 크지만 안전성과 정시성이 장점인 교통수단은 철도이다.

01 ③ **02** ④ **03** ② **04** ④ **05** ② **06** ③ **07** ③ **08** ④
09 ② **10** ⑤ **11** ① **12** ② **13** ③ **14** ④ **15** ② **16** ④

01 제주권에서 발전 설비 용량 비중이 높은 A는 석유, 수도권에서 발전 설비 용량 비중이 높은 B는 천연가스, 충청권에서 발전 설비 용량 비중이 높은 C는 석탄이다. 석탄은 석유보다 국내 생산량이 많다. 우리나라의 경우 석유 생산량이 거의 없어 대부분을 수입하고 있다.

02 (가)는 충남, (나)는 전남, (다)는 경기, (라)는 경남이다. A는 석탄, B는 석유, C는 천연가스, D는 원자력이다. ② 수송용 연료 및 화학 공업 원료로 이용되는 것은 석유이다. ③ 고생대 평안계 지층에 매장되어 있는 것은 석탄이다. ⑤ 우리나라 1차 에너지 소비 구조에서 차지하는 비중은 B>A>C>D 순으로 높다.

02-1 모의고사 기출 틀린 선지 더 찾기   답 ②, ⑤
② B는 우리나라에 매장되어 있으나 경제성이 낮아 대부분을 수입하고 있다. ➡ A
⑤ A보다 D를 이용한 발전량 비중이 높다. ➡ 낮다.

03 (가)는 태양광, (나)는 조력, (다)는 풍력 발전이다. A는 전남, 전북, 경북 등 일사량이 풍부한 곳의 발전량 비중이 높은 것으로 보아 태양광 발전이다. B는 바람이 강한 강원의 산지, 제주의 해안 등이 유리한 것으로 보아 풍력 발전이다. C는 조차가 큰 서해안(시화호)이 유리한 조력 발전이다.

만점 노트   신·재생 에너지의 분포

태양광	일조량이 풍부한 지역 예 신안, 진도 등
풍력	바람이 많이 부는 해안이나 산지 지역 예 제주도, 대관령
해양 에너지	• 조력: 조석 간만의 차가 큰 만입부 예 시화호 • 조류: 바닷물의 흐름이 빠른 해협이나 좁은 수로 예 울돌목 • 파력: 파도가 센 곳 예 제주도

04 (가)는 최근 생산량이 크게 증가한 태양광, (다)는 생산량 비율이 감소한 수력, (라)는 상용화된 시기가 가장 늦은 조력, (나)는 풍력이다. A는 호남권에서 생산량 비율이 높으므로 태양광, B는 강원권과 제주권에서 생산량 비율이 높으므로 풍력, D는 수도권에서 100% 생산되고 있으므로 조력, C는 수력이다. ④ 2017년 전국 생산량은 태양광>수력>풍력>조력 순으로 많다.

05 (가)는 수도권과 대도시, 제주도의 비율이 상대적으로 높기 때문에 겸업농가 비율이다. 경기는 대도시인 서울과 인천을 포함하고 있고, 제주는 관광 산업이 발달했기 때문에 겸업농가 비율이 높다. (나)는 충남, 전북 등 평야가 넓게 발달한 서해안 지역을 중심으로 비율이 높기 때문에 벼 재배 면적 비율이다. (다)는 강원, 충북, 제주 등의 비율이 높기 때문에 밭 면적 비율이다.

06 (가)는 채소, (나)는 쌀, (다)는 과수, A는 경북, B는 제주이다. 채소는 밭, 쌀은 논에서 주로 재배된다.

왜 틀렸을까?   선택지 뜯어 보기
① (나)는 최근 1인당 소비량이 증가하는 추세이다.
➡ 식생활 변화에 따라 1인당 쌀 소비량은 감소하고 있다.
② (다)의 재배 면적은 호남 지방이 영남 지방보다 넓다.
➡ 과수 재배 면적은 연 강수량이 적어 일사량이 풍부한 경북 등 영남 지방이 호남 지방보다 높다.
④ A는 B보다 겸업농가 비중이 높다.
➡ 제주는 관광 산업이 발달했기 때문에 경북보다 겸업농가 비율이 높다.
⑤ B는 A보다 농가 수가 많다.
➡ 제주는 경북보다 농가 수가 적다.

07 (가)는 전남, (나)는 경기, (다)는 경남, (라)는 강원이다. 경남은 김해평야를 중심으로 화훼 작물 등을 비닐하우스를 이용하여 대규모로 재배하고 있기 때문에 강원보다 시설 재배 면적이 넓다. 강원은 산지가 차지하는 비율이 높기 때문에 평야가 넓게 분포하고 있는 전남보다 경지 면적 중 밭 비율이 높다. ㄱ. 농가당 경지 면적은 전남이 경기보다 넓다. ㄹ. (가)~(라) 중 농가 수는 전남이 가장 많다.

07-1 모의고사 기출 틀린 선지 더 찾기   답 ①
① (가)는 (나)보다 겸업농가 수가 많다. ➡ 적다.

08 농업의 문제점 중 복잡한 유통 구조에 대한 대책으로는 농산물 유통 구조 정비, 전자 상거래를 통한 직거래 확대 등이 적절하다.

09 (가) 공업은 석유 화학 공업이다. 석유 화학 공업은 정유 공업과 연계되어 있어 같은 지역에 입지하는 것이 유리하다. 석유 화학 공업은 울산, 여수, 서산에 대규모 장치와 설비를 구축하고 있다.

왜 틀렸을까?   선택지 뜯어 보기
① 대표적인 원료 지향형 공업이다.
➡ 대표적인 원료 지향형 공업은 시멘트 공업이다.
③ 제품의 부가 가치가 큰 공업으로 입지가 자유롭다.
➡ 부가 가치가 큰 제품을 생산하는 첨단 산업은 대체로 입지가 자유롭다.
④ 전체 생산비 중 노동비의 비중이 큰 노동 집약적 공업이다.
➡ 대표적인 노동 집약적 공업은 섬유 공업이다.
⑤ 소비자와의 잦은 접촉을 필요로 하는 시장 지향형 공업이다.
➡ 소비자와의 잦은 접촉을 필요로 하는 시장 지향형 공업은 패션 의류, 인쇄 공업 등이다.

10 A는 전자 부품·컴퓨터·영상·음향 및 통신 장비, B는 화학 물질 및 화학 제품(의약품 제외), C는 1차 금속 제조업이다. 1차 금속 제조업의 최종 제품은 자동차 공업의 주요 재료로 이용된다. 대규모 장치 산업인 화학 물질 및 화학 제품(의약품 제외) 제조업은 전자 부품·컴퓨터·영상·음향 및 통신 장비 제조업보다 사업체당 종사자 수가 적다.

11 (가)는 자동차 및 트레일러 제조업, (나)는 섬유(의복 제외) 제조업, (다)는 1차 금속 제조업이다. 섬유 제조업은 저임금의 풍부한 노동력이 주된 입지 요인이다. 1차 금속 제조업의 최종 생산품은 자동차 및 트레일러 제조업의 주요 원료로 이용된다.

12 (가)는 섬유(의복 제외), (나)는 자동차 및 트레일러, (다)는 전자 부품·컴퓨터·영상·음향 및 통신 장비 제조업이다. ④ (나)는 (다)보다 최종 제품의 무게가 무겁고 부피가 크다. ⑤ 종사자당 출하액은 (다)가 가장 많다.

13 (가)는 대형 마트, (나)는 편의점이다. 대형 마트는 편의점에 비해 최소 요구치는 크며, 상점 간 평균 거리는 멀고, 소비자의 평균 이용 빈도는 낮다.

만점 노트 | 대형 마트와 편의점 비교

항목	대형 마트	편의점
최소 요구치	큼.	작음.
재화의 도달 범위	넓음.	좁음.
상점 수	적음.	많음.
상점 간의 거리	멂.	가까움.
취급 상품의 종류	많음.	적음.
상점당 매출액	많음.	적음.
소비자의 이용 빈도	낮음.	높음.

14 제시된 그래프의 (가)는 인천, (나)는 경기, (다)는 서울이고, A는 편의점, B는 경영 컨설팅업에 해당한다. 편의점은 개인 소비자가 이용하는 소비자 서비스업, 경영 컨설팅업은 기업의 생산 활동을 지원하는 생산자 서비스업에 속한다. 경영 컨설팅업은 편의점보다 수도권의 사업체 수 집중도가 높다.

15 제시된 표의 (가)는 항공, (나)는 해운, (다)는 철도(지하철 포함), (라)는 도로 교통이다. ① 문전 연결성과 이동성이 우수한 교통수단은 도로 교통이다. ③ 주행 비용 증가율은 도로>철도>해운 교통 순으로 높다. ④ 대량 화물의 장거리 수송에 유리한 것은 해운 교통이다. ⑤ 지형적 제약이 크고 정시성이 우수한 것은 철도 교통이다.

15-1 모의고사 기출 틀린 선지 더 찾기 답 ②
② (나)는 지형 조건의 제약이 많다.
➡ 해운은 기상 조건의 제약이 많은 편이다.

16 (가)는 해운, (나)는 도로, (다)는 철도이다. 단거리 수송에 유리한 도로는 국내외 여객과 화물 수송에서 가장 큰 비중을 차지한다. 장거리 대량 수송에 유리한 해운은 국제 화물 수송의 비중이 가장 높다. 도로(A)는 기종점 비용이 저렴하지만 주행 비용이 철도(B)와 해운(C)보다 비싸다. 해운은 기종점 비용이 비싸지만 주행 비용이 저렴하다.

자료 심층 분석 | 교통수단별 운송비 구조

- 도로로 기종점 비용이 가장 낮고, 단위 거리당 주행 비용 증가율은 높다. A
- 철도로 기종점 비용과 단위 거리당 주행 비용 증가율이 도로와 해운의 중간이다. B
- 해운으로 기종점 비용이 높고, 단위 거리당 주행 비용 증가율은 낮다. C

(세로축: 총운송비, 가로축: 거리, 주행 비용, 기종점 비용)

VI. 인구 변화와 다문화 공간

01 인구 분포와 인구 구조의 변화 ~

02 인구 문제와 공간 변화

개념 암기 | 113쪽

1 (1) ○ (2) X (3) X (4) ○ **2** (1) 이촌 향도 (2) 출산 붐
(3) 여초, 남초 (4) 초고령화 **3** 교외화 **4** (1) ㄷ, ㄹ (2) ㄱ, ㄴ

내신 기출 | 114~116쪽

01 ⑤ **02** ③ **03** ③ **04** ② **05** ③ **06** 출산 붐 **07** ⑤
08 ④ **09** ③ **10** ⑤ **11** 저출산 **12** 해설 참조
13 해설 참조 **14** 해설 참조

01 ⑤ 교외화 현상이 나타나 대도시 주변의 위성 도시도 인구 밀도가 높은 편이다.

02 우리나라에서는 대도시의 인구가 주변 지역으로 이동하는 교외화 현상이 활발히 나타나고 있으며, 충청 지방은 수도권으로의 접근성 향상으로 전입 인구가 많다.

03 (가)는 1980년대, (나)는 2000년대의 인구 이동이다. 2000년대는 교외화 현상이 활발하게 나타나 서울특별시와 경기도 간의 인구 이동이 많았다.

왜 틀렸을까? | 선택지 뜯어 보기
① (가) 시기에는 서울의 인구가 감소하였다. ➡ 증가
② (나) 시기의 인구 이동은 산업화의 영향이 크게 반영되었다. ➡ (가)
④ (가) 시기보다 (나) 시기에 인구 이동이 활발하였다.
⑤ (가) 시기에는 교외화 현상, (나) 시기에는 이촌 향도 현상이 나타났다.

04 (가)는 초기 팽창기, (나)는 저위 정체기이다. 초기 팽창기보다 저위 정체기는 유소년층 인구 비율이 낮고 노년층 인구 비율이 높기 때문에 중위 연령 및 노령화 지수가 높다.

만점 노트 | 인구 성장 모형

구분	유형	변화 요인	특징
1단계	다산 다사	낮은 인구 부양력	• 고위 정체기 • 높은 유아 사망률로 짧은 평균 수명
2단계	다산 감사	• 인구 부양력 증대 • 의학 발달	• 초기 팽창기 • 사망률 감소로 인한 인구 증가
3단계	감산 소사	• 여성의 지위 향상 • 가족계획(산아 제한)	• 후기 팽창기 • 출생률 감소로 인구 증가 둔화
4단계	소산 소사	• 자녀에 대한 가치관 변화 • 여성의 사회 진출	• 저위 정체기 • 낮은 출생률로 인한 인구의 고령화

05 제시된 그래프의 (가)는 출산 붐 현상으로 출산율이 높아진 시기이고, (나)는 6·25 전쟁으로 사망률이 높아진 시기이다.

06 (가) 시기에 우리나라는 6·25 전쟁이 끝난 후 사회·경제적으로 안정을 찾아가던 때로, 출산율이 급격히 증가하는 출산 붐 현상이 나타났다.

07 ⑤ 1960년대 이후 1980년때까지는 정부 주도로 인구 억제 정책을 추진하여 출생률이 지속적으로 낮아지게 되었으며, 자연 증가율도 계속 낮아지게 되었다.

08 (가)는 우리나라 1960년대의 피라미드형 인구 구조, (나)는 2015년의 종형 인구 구조이다.

자료 심층 분석 우리나라의 인구 피라미드 변화

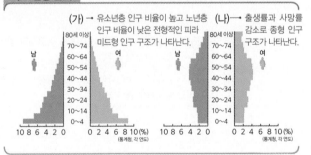

(가) → 유소년층 인구 비율이 높고 노년층 인구 비율이 낮은 전형적인 피라미드형 인구 구조가 나타난다.

(나) → 출생률과 사망률 감소로 종형 인구 구조가 나타난다.

09 우리나라는 다른 국가들에 비해 65세 이상 인구 비율의 상승 속도가 매우 빠르다. 이는 노년층 인구의 증가와 함께 저출산 현상으로 인해 유소년층 인구가 감소하여 노년층 인구 비율이 상대적으로 빠르게 높아졌기 때문이다.

10 저출산 현상으로 유소년층 구성비가 낮아지면 단기적으로 볼 때는 유소년 인구 부양비는 감소하지만, 장기적으로는 생산과 소비 인구의 감소를 가져오고 사회적 부양 부담의 증가를 초래하여 국가의 복지 수준도 하락하게 된다.

11 자녀에 대한 가치관이 변하고, 여성의 사회적 진출이 활발해지면서 합계 출산율이 빠르게 감소하고 있다. 이러한 저출산에 대비하기 위해서는 육아 및 교육비 부담 감소, 다자녀 가구 우선 정책, 직장 내 보육 시설 설치 등의 대책이 필요하다.

12 **모범 답안** 먼저 연령별 변화를 보면 유소년층 인구 비율은 지속적으로 감소하고, 노년층 인구 비율은 지속적으로 증가하며, 청장년층 인구 비율은 증가하다가 감소한다. 다음으로 시기별 변화를 보면 1960년에는 피라미드형, 2015년에는 종형, 2050년에는 역피라미드형으로 변화하고 있다.

만점 포인트 유소년층 인구 비율 감소, 노년층 인구 비율 증가, 청장년층 인구 비율 증가 후 감소, 피라미드형, 종형, 역피라미드형

구분	채점 기준
상	인구 피라미드의 변화를 연령별, 시기별로 모두 바르게 서술한 경우
하	인구 피라미드의 변화를 연령별, 시기별 중 한 가지에 대해서만 바르게 서술한 경우

13 (1) **답** (가) 유소년 부양비, (나) 노년 부양비

(2) **모범 답안** 총인구 부양비는 1960년대 이후 계속 감소하다가 2020년경부터 다시 증가할 것으로 예상된다.

만점 포인트 1960년대 이후 감소, 2020년경 증가

구분	채점 기준
상	총인구 부양비의 변화를 바르게 서술한 경우
하	총인구 부양비의 변화를 미흡하게 서술한 경우

14 (1) **답** A - 유소년층, B - 청장년층, C - 노년층

(2) **모범 답안** 그래프와 같이 저출산·고령화 현상이 지속될 경우 노동력 부족, 국가 경쟁력 약화, 노년 부양비 증가 등의 문제가 발생한다. 따라서 이러한 문제를 완화하기 위해 양육비 지원 등의 출산 장려 정책 및 직업 재교육 등의 노인 복지 정책을 시행해야 한다.

만점 포인트 노동력 부족, 국가 경쟁력 약화, 노년 부양비 증가, 출산 장려 정책, 노인 복지 정책

구분	채점 기준
상	저출산·고령화 현상이 지속될 때 나타날 수 있는 문제점과 대책을 두 가지씩 바르게 서술한 경우
중	저출산·고령화 현상이 지속될 때 나타날 수 있는 문제점과 대책을 한 가지씩만 서술한 경우
하	저출산·고령화 현상이 지속될 때 나타날 수 있는 문제점과 대책 중 한 가지만 서술한 경우

내신 1등급 117쪽

01 ①   **02** ③   **03** ⑤   **04** ②

01 수도권을 중심으로 산업화가 활발하게 이루어지면서 우리나라의 인구 중심점은 북서쪽으로 이동하였다.

02 (가)는 1960년, (나)는 2015년의 인구 피라미드이다. 1960년에 비해 2015년에는 유소년층의 인구 비중이 감소하는 반면 노년층의 인구 비중이 증가한다. 따라서 유소년 부양비는 감소하고 노년 부양비는 증가하게 된다. 1960년에서 2015년 인구 부양비는 C 화살표를 따라 변화하게 된다.

03 지도에 표시된 A는 전북 무주, B는 경남 거제이다. 촌락인 무주는 청장년층의 유출로 인해 상대적으로 중위 연령이 높으며, 노령화 지수와 노년 부양비가 높다. 반면 조선 공업이 발달한 거제는 청장년층의 유입이 많아 상대적으로 합계 출산율, 유소년 부양비가 높다.

04 (가)는 충남 아산시, (나)는 경북 의성군의 인구 피라미드이다. 아산시는 공업이 발달하여 청장년층 인구가 유입된 지역으로, 인구 변화에 사회적 요인의 영향을 더 많이 받았다.

> **왜 틀렸을까?** 선택지 뜯어 보기
>
> ① (가) 지역은 1970년보다 2015년의 유소년층 인구 비중이 높다.
> ➡ 아산시는 공업이 발달하여 청장년층이 유입되는 지역으로, 1970년보다 2015년의 유소년층 인구 비중이 낮아졌다.
> ③ (나) 지역은 2·3차 산업 종사자 수 비중이 높다.
> ➡ 촌락인 의성군은 1차 산업 종사자 수 비중이 높다.
> ④ (가) 지역은 (나) 지역보다 2015년 총부양비가 높다.
> ➡ 청장년층이 유입되는 아산시보다 유출되는 의성군의 총부양비가 더 높다. 청장년층 인구 비중이 높을수록 총부양비는 낮다.
> ⑤ (가)와 (나) 지역 모두 2015년에 노년층에서 남초 현상이 나타난다.
> ➡ 아산시와 의성군 모두 2015년에 노년층에서 여초 현상이 나타난다.

03 외국인 이주와 다문화 공간

> **개념 암기** 119쪽
>
> **1** (1) ○ (2) X (3) X **2** (1) 수도권 (2) 성비 불균형 (3) 다문화 가정
> (4) 다문화주의 **3** (1) 중국인 (2) 촌락, 도시 (3) 융화 (4) 국가적
> **4** ㄱ, ㄴ, ㄹ

> **내신 기출** 119~120쪽
>
> **01** ② **02** ⑤ **03** ② **04** 중국 **05** ① **06** ④
> **07** 해설 참조

01 교통·통신의 발달로 오늘날 세계화가 빠르게 진행되면서 다국적 기업이 활발하게 진출하고, 노동 시장이 개방됨에 따라 국내에 체류하는 외국인 근로자 및 결혼 이민자 등이 그래프에서 볼 수 있듯이 증가하고 있다.

02 국내 체류 외국인의 유형별 인구수는 외국인 근로자 > 결혼 이민자 > 유학생 순으로 많다. 따라서 (가)는 외국인 근로자, (나)는 결혼 이민자, (다)는 유학생이다.

03 그래프에 표시된 (가)는 외국인 근로자, (나)는 결혼 이민자, (다)는 유학생이다. 국내 체류 중인 외국인 근로자들은 일자리와 교육 기회가 많은 수도권, 공업이 발달한 충청 및 영남 지방 등 주로 도시 지역에 거주한다.

04 외국인 근로자, 결혼 이민자, 유학생을 포함한 국내 체류 외국인의 절반가량은 중국인이며, 다음으로 베트남인, 미국인 순으로 비중이 높다.

05 최근 세계화와 개방화의 영향으로 외국인 근로자의 국내 정착과 국제결혼이 늘어나면서 다문화 가정과 그 자녀의 수가 빠르게 증가하고 있다. 이로 인해 학교에서는 매년 다문화 가정의 학생 수가 증가하고 있으며, 다문화 가정의 높은 출산율로 인구의 고령화 현상이 완화되고 있다.

> **왜 틀렸을까?** 선택지 뜯어 보기
>
> ㄷ. 외국인과 내국인 간의 일자리 경쟁이 완화되었다. ➡ 심화
> ㄹ. 다문화 가정의 높은 출산율로 총인구의 감소 시기가 빨라졌다.
> ➡ 늦춰졌다.

06 출산 휴가 및 육아 휴직 제도 개선은 우리나라의 저출산 문제에 대한 대책에 해당한다.

07 (1) **모범 답안** 외국인 인구가 많은 10개 지역은 모두 수도권에 위치해 있으며, 주로 제조업이 발달한 공업 지역으로 일자리가 풍부하다.

만점 포인트 수도권, 공업 지역, 풍부한 일자리

구분	채점 기준
상	외국인 인구 상위 10개 지역의 공통점을 바르게 서술한 경우
하	외국인 인구 상위 10개 지역의 공통점을 미흡하게 서술한 경우

(2) **모범 답안** 국내에 체류하는 외국인 근로자들은 제조업 및 단순 서비스업의 인력난 완화에 도움을 주어 우리나라 경제 성장에 기여할 수 있고, 다양한 문화적 자산을 공유하며 초국가적 네트워크를 형성함으로써 새로운 성장 동력을 제공할 수 있다.

만점 포인트 인력난 완화, 문화적 자산 공유, 성장 동력 제공

구분	채점 기준
상	외국인 근로자의 유입이 우리나라에 미치는 긍정적인 영향을 두 가지 모두 바르게 서술한 경우
하	외국인 근로자의 유입이 우리나라에 미치는 긍정적인 영향을 한 가지만 바르게 서술한 경우

> **내신 1등급** 121쪽
>
> **01** ① **02** ④ **03** ② **04** ④

01 (가)는 외국인 근로자 비중, (나)는 결혼 이민자 비중이다. 국내 체류 중인 외국인 근로자는 중국을 비롯한 동남아시아, 남부 아시아 출신이 많다.

> **왜 틀렸을까?** 선택지 뜯어 보기
>
> ② (가)는 남성보다 여성의 비중이 높다.
> ③ (나)는 개발 도상국에 비해 선진국 출신이 많다.
> ④ (나)는 1990년대 이후 현재까지 급속히 증가하는 추세이다.
> ➡ 최근 다소 감소
> ⑤ (나)는 (가)보다 총 국내 체류 외국인에서 차지하는 비중이 높다.

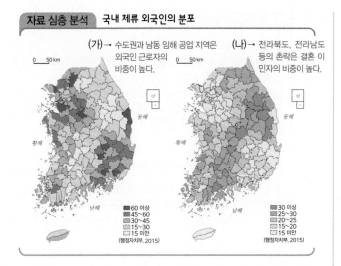

(가) → 수도권과 남동 임해 공업 지역은 외국인 근로자의 비중이 높다.

(나) → 전라북도, 전라남도 등의 촌락은 결혼 이민자의 비중이 높다.

■ 60 이상
■ 45~60
■ 30~45
□ 15~30
□ 15 미만
(행정자치부, 2015)

■ 30 이상
■ 25~30
■ 20~25
□ 15~20
□ 15 미만
(행정자치부, 2015)

02 외국인 근로자의 유입이 우리나라의 인력난 완화에 기여하고 있으나, 이들은 주로 저임금의 생산직 및 단순 서비스업에 종사한다.

03 제시된 그래프의 (가)는 한국 남성+외국 여성, (나)는 한국 여성+외국 남성의 국제결혼 건수이다. 결혼 이민자 중 여성은 아시아 출신이 많은 편이며, 2000년대 중반 이후 국제결혼은 다소 감소하는 추세이다.

04 20~59세 중 (가)는 여성보다 남성 외국인 수가 많고, (나)는 남성보다 여성 외국인 수가 많다. 또한 (가)는 (나)보다 전체 외국인 수가 월등히 많다. (가)는 제조업이 발달한 안산시로 구례군보다 외국인 인구의 성비가 높으며, (나)는 촌락인 구례군으로 안산시보다 결혼 이민자 비율이 높다.

단원 마무리   122~125쪽

01 ⑤   **02** ⑤   **03** ③   **04** ⑤   **05** ①   **06** ④   **07** ②   **08** ②
09 ④   **10** ③   **11** ②   **12** ⑤   **13** ④   **14** ③   **15** ③   **16** ⑤

01 영남 지방에 해당하는 경북, 경남, 부산, 대구, 울산 모두 현 거주지 출생 인구가 유입 인구보다 많다.

02 그래프에서 인구의 순이동이 양(+)의 값인 경우는 전입자 수가 전출자 수보다 많은 경우이다. (나)와 (다) 지역 모두 전입이 전출보다 많아 인구의 순이동이 양(+)의 값이다. 또한 (다)는 자연적으로 1.6% 증가, 사회적으로 8.6% 증가하여 인구가 증가하였고, (라)는 자연적으로 1.7% 증가, 사회적으로 −3.9% 감소하여 인구가 감소하였다.

03 C 인구의 자연적 증가는 각각 2천 명이 되지 않는 반면 사회적 증가는 1만 명 이상이다. 따라서 C는 인구의 사회적 증가가 자연적 증가보다 크다. D와 E는 사회적 증감의 경우 모두 약 7천 명 정도 감소하였다. 그러나 자연적 증감의 경우 E는 +값 즉 자연적으로 인구가 증가한 반면, D는 −값을 갖고 있으므로 자연적으로도 감소하였다. 그러므로 D는 E보다 인구가 더 많이 감소한 것이다.

04 (가)는 세 시기 모두 전입 초과 현상을 보이는 경기이다. (나)는 1990년대 이후 거주지의 교외화로 인해 전출 초과 현상을 보이는 서울이다. (다)는 세 시기 모두 전출 초과 현상을 보일 뿐만 아니라, 청장년층 인구 유출에 따른 고령화 현상으로 인해 2005년 이후 사망률이 출생률보다 높은 전남이다.

05 단위 면적에 분포하는 인구는 '인구 밀도'이고, 성별, 연령별 인구 구조를 나타낸 그래프는 '인구 피라미드'이다. 주어진 글자 카드에서 두 용어를 빼면 '성비'가 남는다. 성비는 여성 100명에 대한 남성의 수를 의미한다.

만점 노트   인구 관련 용어

성비	여성 100명당 남성 인구수
기대 수명	출생자가 출생 직후부터 생존할 것으로 기대되는 평균 생존 연수
인구 성장률	두 연도 간의 인구 변화를 기준 연도의 인구로 나눈 백분율
합계 출산율	여성 한 명이 가임 기간 동안 낳는 평균 자녀의 수
인구 부양비	• 총인구 부양비 = 유소년 부양비 + 노년 부양비 • 유소년 부양비 = (유소년층 인구 ÷ 청장년층 인구) × 100 • 노년 부양비 = (노년층 인구 ÷ 청장년층 인구) × 100
노령화 지수	(노년층 인구 ÷ 유소년층 인구) × 100

06 (가)는 서울, (나)는 전북 임실로, 각각 도시와 촌락의 인구 구조를 보여 주는 지역이다. 청장년층은 15~64세의 인구로 1980년과 2010년 모두 (가)가 (나)보다 비율이 높다.

07 A는 B에 비해 유소년층 인구 비중이 높으며 노년층 인구 비중이 낮으므로 도시 지역이다. B는 A에 비해 유소년층 인구 비중이 낮고 노년층 인구 비중이 높으므로 촌락 지역이다. (가)에 들어갈 지표는 촌락 지역에서 높게 나타나는 총부양비와 노령화 지수이다. (나)에 들어갈 지표는 도시 지역에서 높게 나타나는 청장년층 인구 비중과 유소년 부양비이다.

08 A는 강원도, B는 충청남도, C는 전라남도이다. 인구 밀도는 B>C>A 순이고, 중위 연령은 C>A>B 순이며, 청장년층 인구 비중은 A>B>C 순이다. 따라서 (가)는 A, (나)는 C, (다)는 B이다.

09 ㄴ. 청장년층 인구 비중이 높을수록 총부양비는 낮아진다. 1980년에 비해 2010년에 15~64세의 청장년층 인구 비중은 62.2%에서 72.8%로 높아졌으므로 총부양비는 낮아졌다. ㄹ. 노년 부양비는 (노년층 인구 ÷ 청장년층 인구) × 100으로 계산한다. 2000년에서 2050년 사이에 청장년층 인구 비중은 71.7%에서 52.7%로 감소한다. 그리고 노년층 인구 비중은 7.2%에서 37.4%로 5배 이상 증가한다. 2000년에서 2050년 사이에 청장년층 인구 비중은 감소하는 반면 노년층 인구 비중은 5배 이상 증가하므로 2000년에 비해 2050년에 노년 부양비가 5배 이상이 될 것이다.

> **왜 틀렸을까?** | 선택지 뜯어 보기
> ㄱ. 2010년에는 노령화 지수가 100 이상이다.
> ➡ 노령화 지수는 (노년층 인구 ÷ 유소년층 인구) × 100으로 계산한다. 2010년 유소년층 인구 비중은 16.1%, 노년층 인구 비중은 11.1%이다. 2010년에 유소년층 인구 비중보다 노년층 인구 비중이 낮으므로 노령화 지수는 100 이하이다.
> ㄷ. 1990년에 비해 2030년의 중위 연령이 더 낮을 것이다.
> ➡ 1990년에 비해 2030년에 유소년층 인구 비중과 청장년층 인구 비중은 감소한 반면 노년층 인구 비중은 증가하게 된다. 중위 연령은 청장년층 인구 비중이 적고 노년층 인구 비중이 많을수록 높아진다. 따라서 1990년에 비해 2030년의 중위 연령이 더 높을 것이다.

> **09-1** 모의고사 기출 **틀린 선지 더 찾기**   답 ①, ③
> ① 2000년에 우리나라는 고령 사회였다. ➡ 고령화
> ③ 우리나라는 종형에서 피라미드형 인구 구조로 변화하고 있다.

10 C와 ㉠은 청장년층의 인구 비중이 낮고 노년층의 인구 비중이 높은 순수 농어촌 지역에 해당하는 면이다. A와 ㉢은 청장년층의 인구 비중이 높고 노년층의 인구 비중이 낮은 도시 지역에 해당하는 동이다. B와 ㉡은 읍이다. 노령화 지수는 유소년층 인구에 대한 노년층 인구의 비율인데, 유소년 부양비에 대한 노년 부양비의 비율로 계산해도 동일하다. ㉠의 노령화 지수가 200 이상인 것으로 보아 노년 부양비가 유소년 부양비의 2배 이상임을 알 수 있다.

> **왜 틀렸을까?** | 선택지 뜯어 보기
> ① 도시화 과정에서 C는 인구 유입이 활발하였다. ➡ 유출
> ② 우리나라 총인구에서 차지하는 비중은 B가 A보다 높다. ➡ 낮다.
> ④ ㉠은 ㉢보다 3차 산업 종사자 비중이 높다. ➡ 1차
> ⑤ B와 ㉡은 읍·면·동 중에서 동에 해당한다. ➡ 읍

11 그래프에 표시된 (가)는 노년 부양비가 가장 높으므로 촌락 지역이 많은 호남권이다. (라)는 총부양비(유소년 부양비 + 노년 부양비)가 가장 낮고 인구 이동 규모가 가장 크므로, 도시 지역이 많아 청장년층 인구 비중이 가장 높고 다른 권역과의 상호 작용이 활발한 수도권이다. (다)는 세 권역으로부터 인구 순유입이 나타나므로 충청권, (나)는 영남권이다. 수도권은 영남권보다 총부양비가 낮으므로 청장년층 인구 비중이 높다. 청장년층 인구 비중은 총부양비에 반비례한다.

> **왜 틀렸을까?** | 선택지 뜯어 보기
> ① 충청권은 호남권보다 노령화 지수가 높다. ➡ 낮다.
> ③ 영남권에서 호남권으로의 유출 인구는 충청권에서 영남권으로의 유출 인구보다 많다. ➡ 적다.
> ④ (나)는 (라)보다 총인구가 많다. ➡ 적다.
> ⑤ (가), (다)는 모두 수도권으로부터의 유입 인구보다 수도권으로의 유출 인구가 많다. ➡ (가)는

> **11-1** 모의고사 기출 **틀린 선지 더 찾기**   답 ③, ④
> ③ 수도권은 노년층 인구 비중보다 유소년층 인구 비중이 낮다. ➡ 높다.
> ④ 충청권은 나머지 세 권역으로 인구의 순유출이 나타난다.
> ➡ 호남권, 영남권, 수도권으로부터 인구의 순유입이 나타난다.

12 2050년 한국의 유소년 부양비는 (8.9 ÷ 52.9) × 100, 세계 평균의 유소년 부양비는 (19.6 ÷ 64.2) × 100이다. 따라서 한국의 유소년 부양비는 세계 평균보다 낮아질 것이다.

13 우리나라는 출생률이 감소하면서 유소년층 비중이 감소하고, 의학의 발달로 노년층의 비중은 증가하는 저출산·고령화 현상이 나타나고 있다. 출산 장려금 지급, 양육비 지원 확대, 육아 휴직 제도 개선, 직장 내 보육 시설 확대 등은 저출산에 대한 대책이 될 수 있으며, 노인 일자리 창출, 노인 복지 시설 확충, 실버산업 육성 등은 고령화에 대한 대책이 될 수 있다. ④ 정년 단축을 통해 청년층의 취업 기회를 확대하는 것은 청년 실업 문제를 해결하기 위한 방안이지만, 고령화에 대한 대책과는 관계없다.

> **13-1** 모의고사 기출 **틀린 선지 더 찾기**   답 ③
> ③ 산아 제한 정책을 시행하여 청장년층의 부양 부담을 줄인다.
> ➡ 출산 장려 정책을 통해 미래 세대의 청장년층 인구 비중을 높이는 것이 저출산·고령화 현상에 대한 대책이 될 수 있다.

14 충남은 경남보다 전체 외국인 근로자 수가 적을 뿐만 아니라 남성의 구성비도 낮아 남성 외국인 근로자 수가 적다. 항구 도시인 부산, 인천, 울산의 외국인 근로자 수는 내륙의 대구, 광주, 대전보다 많다.

15 국제결혼율은 농어촌 지역에서 높게 나타난다. 농어촌 지역은 청장년층의 유출이 활발하며 특히 결혼 적령기의 여성의 유출로 남성의 성비가 높다. 이로 인해 우리나라 농어촌 지역의 남성과 주로 개발 도상국 출신의 외국인 여성이 결혼하는 국제결혼이 증가하였다.

16 제시된 그래프에서 2009년~2012년 촌락에 유입된 외국인 아내는 베트남 출신이 중국 출신보다 많다. 2012년 우리나라 남성과 외국인 여성의 결혼 건수는 약 2만 건인데, 외국인 아내의 촌락 유입 건수는 6천 건 미만이다. 이를 통해 2012년 우리나라 남성과 결혼한 외국인 여성은 촌락보다 도시에 더 많이 거주함을 알 수 있다.

Ⅶ. 우리나라의 지역 이해

01 지역의 의미와 지역 구분 ~

02 북한 지역의 특성과 통일 국토

01 교통·통신의 발달로 주변 지역과의 교류가 활발해지면서 지역성이 변화되거나 약해진다.

02 동질 지역의 경계 부근에서 점이 지대가 나타나지만 행정 구역은 명확하게 선으로 구분되어 있다.

만점 노트 지역의 구분

동질 지역	특정한 지리적 현상이 동일하게 분포하는 공간적 범위 ⑩ 종교 지역, 농업 지역, 문화 지역 등
기능 지역	하나의 중심지와 그 중심 기능이 영향을 미치는 공간적 범위 ⑩ 통근권, 통학권, 상권 등
점이 지대	서로 인접한 두 지역의 특성이 함께 섞여 나타나는 지역, 지역 간의 경계에 나타남.

03 (가)는 토지 이용을 기준으로 지역을 구분하였으므로 동질 지역, (나)는 통근·통학권을 나타냈으므로 기능 지역에 해당한다. 기능 지역은 중심지가 보유하는 기능의 정도에 따라 그 범위가 달라진다.

왜 틀렸을까? 선택지 뜯어 보기

① (가)와 지역 구분이 유사한 것은 도시권, 상권 등이 있다. ➡ (나)
② (나)의 구분에는 지역 간 상호 작용보다 지역 내 동질성이 크게 작용하였다. ➡ (가)
④ (가), (나) 모두 지역의 범위는 변하지 않는다. ➡ 변한다
⑤ (가)는 (나)보다 교통 발달의 영향을 크게 받는다. ➡ (나)는 (가)보다

04 ㄷ. 호남 지방과 호서 지방은 금강을 기준으로 구분된다. ㄹ. 영남 지방은 조령(문경 새재)의 남쪽에 위치한 곳이라는 데서 유래되었다.

05 두만강을 제외한 대하천은 대부분 황해로 흐르며, 황해로 흐르는 하천은 동해로 흐르는 하천보다 유로가 길고 경사가 완만하다.

06 북한 지역은 연교차가 크고 겨울이 긴 대륙성 기후가 나타난다.

07 A는 중강진, B는 청진, C는 평양, D는 원산이다. (가)는 여름철뿐만 아니라 겨울철에도 비교적 강수량이 많고 겨울철이 온화한 편이므로 원산이다. (나)는 기온의 연교차가 크고 연 강수량이 적은 평양이다.

자료 심층 분석 북한 여러 지역의 기후

중강진
- 고위도, 내륙에 위치
- 우리나라에서 최한월 평균 기온이 가장 낮고, 연교차가 가장 큼.

청진
- 소우지
- 평양(C)보다 최한월 평균 기온이 높음.

평양
- 소우지
- 청진(B)보다 저위도에 있지만, 黃海 청진은 동안에 위치한 반면 평양은 내륙에 위치해 평양이 청진보다 최한월 평균 기온이 낮음.

원산
- 동해 — 다우지
- 상대적으로 저위도에 있고 동안에 위치해 A~D 중 최한월 평균 기온이 가장 높음.

- 연평균 기온: 원산(D)>청진(B)>평양(C)>중강진(A)
- 연 강수량: 원산(D)>평양(C)>중강진(A)>청진(B)

08 (가)는 화력, (나)는 수력 발전이다. (가)는 석탄이 많이 분포하는 평남 지향사에 위치해 있고, (나)는 두만강과 압록강 수계에 주로 분포해 있다. 화력 발전은 수력 발전보다 발전 과정에서 대기 오염 물질의 배출량이 많고, 수력 발전은 화력 발전보다 발전소 입지 선정에 있어 자연 조건의 영향을 크게 받는다.

왜 틀렸을까? 선택지 뜯어 보기

① (가)는 수력, (나)는 화력 발전에 해당한다.
② (가)는 주로 석유를 이용해 발전한다. ➡ 석탄
③ 남한의 경우 (나)의 발전량 비중이 가장 높다. ➡ (가)
④ (가)는 (나)보다 대기 오염 물질의 배출량이 적다. ➡ 많다.

09 북한의 주요 교통망은 서부 평야 지역과 동부 해안 지역을 따라 발달하였다. 특히 북한은 철도 중심의 교통 체계로, 여객 수송의 60%, 화물 수송의 약 90%를 철도가 담당한다. 도로와 해운은 철도 수송 연계를 위한 보조적 역할을 한다. ③ 북한은 지형적 특성으로 인해 서부 지역과 동부 지역을 연결하는 교통로 발달이 미약하다.

10 A는 나진, B는 백두산, C는 신의주, D는 원산, E는 개성이다. 나진(A)은 북한 최초의 개방 지역인 나선 경제특구로 지정된 지역이며, 원산(D)은 함흥, 청진과 함께 일제 강점기에 공업 도시로 성장하였다. 백두산(B)은 대표적인 화산 지형으로, 전체적으로 순상 화산체이며 정상 일부는 종상 화산체이다. 신의주(C)는 특별 행정구로 지정되었고, 경의선 철도의 종착지이다. 용암의 열하 분출로 형성된 지형은 개마고원이다. 개성(E)은 남북 경제 협력을 위한 공단이 운영되었던 곳으로, 조차를 극복하기 위한 서해 갑문이 설치된 곳은 남포이다.

11 제시된 A는 나선 경제특구, B는 신의주 특별 행정구, C는 개성 공업 지구, D는 금강산 관광 지구이다. 갑의 발표 내용은 신의주 특별 행정구, 을의 발표 내용은 나선 경제특구와 관련된 것이다.

만점 노트 북한의 개방 지역

나선 경제특구	· 중국, 러시아와 인접한 북한 최초의 개방 지역 · 외국 자본 투자가 부진
신의주 특별 행정구	· 중국 홍콩처럼 외자 유치 및 교역 확대를 유도 · 중국과의 마찰로 사업 중단
금강산 관광 지구	· 관광객 유치 목적으로 조성 · 2008년 이후 중단 상태
개성 공업 지구	· 남한의 자본과 기술 + 북한의 노동력 → 남북 교류 증대에 큰 역할 · 2016년 이후 정치적 마찰로 중단 상태

12 통일이 되어 끊어졌던 육상 교통로가 회복되면 우리나라의 물류 비용이 감소할 뿐만 아니라 주변국과의 교류도 더욱 활발해져 동북아시아 지역의 성장 구심점이 될 수 있다. ㉠은 원산으로, 북한 지역의 대표적인 다우지이다. ㄹ은 금강산 관광 지구에 대한 설명이다.

13 (1) **답** (가) 동질 지역, (나) 기능 지역

(2) **모범 답안** (가)는 특정한 지리적 현상이 동일하게 분포하는 공간 범위인 동질 지역으로, 기후 지역, 문화 지역 등이 대표적인 사례이다. (나)는 하나의 중심지와 그 중심 기능이 영향을 미치는 공간 범위인 기능 지역으로, 상권, 통근권, 통학권이 대표적인 사례이다.

만점 포인트 동질 지역, 기후 지역, 문화 지역, 기능 지역, 상권, 통근권, 통학권

구분	채점 기준
상	(가), (나) 지역 구분 유형의 특징을 쓰고, 각각의 사례를 두 가지 모두 바르게 서술한 경우
중	(가), (나) 지역 구분 유형의 사례만 각각 두 가지 서술한 경우
하	(가), (나) 지역 구분 유형의 특징만 서술한 경우

14 (1) **답** 최한월 평균 기온이 가장 낮은 곳 – A(중강진), 연 강수량이 가장 많은 곳 – D(원산)

(2) **모범 답안** E는 개성 공업 지구로, 남한의 자본 및 기술과 북한의 노동력을 결합한 공업 지구이다. 또한 남한의 수도권, 서해안과 인접하다는 지리적 이점이 있다.

만점 포인트 개성 공업 지구, 자본, 기술, 노동력, 수도권, 서해안

구분	채점 기준
상	E의 명칭을 쓰고, E의 특징을 모두 바르게 서술한 경우
중	E의 특징만 서술한 경우
하	E의 명칭만 쓴 경우

내신 1등급   133쪽

01 ②   02 ②   03 ④   04 ③, ⑤

01 (가)는 관북 지방(함경남·북도), (나)는 영남 지방(경상남·북도)에 대한 설명이다. 지도의 A는 관북, B는 경기, C는 호서, D는 영남 지방이다.

02 지도의 A는 중강진, B는 청진, C는 청천강 중·상류에 위치한 희천, D는 대동강 하류에 위치한 남포, E는 원산이다. (가)는 최한월 평균 기온이 가장 낮고 기온의 연교차가 크므로 고위도 내륙에 위치한 중강진(A)이고, (나)는 연 강수량이 가장 적고 연교차가 가장 작으므로 한류에 의한 소우지인 청진(B)이다. (라)는 연 강수량이 가장 많은데, 중강진 다음으로 최한월 평균 기온이 낮고 연교차가 크므로 내륙에 있는 희천이다. 특히 (라)는 연 강수량이 매우 많은데, 희천이 위치한 청천강 중·상류는 남서 기류가 낭림산맥에 부딪히는 북부 지방의 대표적인 다우지이다. 따라서 남은 (다)는 원산보다 소우지인 남포이다.

03 지도에 표시된 (가)는 화력 발전, (나)는 수력 발전에 해당한다. 북한은 발전 설비 용량과 발전량 모두 '수력>화력' 순이다. 그래프에 표시된 북한의 1차 에너지 소비 구조 비중은 '석탄>수력>석유' 순이다. 따라서 A는 석탄, B는 수력, C는 석유에 각각 해당한다.

왜 틀렸을까? 선택지 뜯어 보기

ㄱ. (가)는 ~~B~~를 연료로 한다. ➡ A

ㄷ. 남한에서는 ~~A가 C~~보다 해외 의존도가 높다. ➡ C가 A보다

04 ③ 1980년 이후 산업 구조는 1차 산업 비중이 증가하고 2차 산업 비중이 감소하는 산업 구조의 역행이 나타났다. ⑤ 2010년에는 이전보다 남북 교역의 반출액과 반입액 격차가 적다.

03 수도권과 강원 지방

개념 암기   135쪽

1 (1) 수도권 (2) 탈공업화 (3) 집적 불이익 (4) 과밀 부담금 제도
2 (1) 서울 (2) 경기·인천, 서울   3 (1) ㉡, ㉢ (2) ㉠, ㉣
4 (1) ○ (2) ○ (3) X

내신 기출   136~138쪽

01 ⑤ 02 ③ 03 ① 04 ④ 05 ③ 06 ④ 07 ③
08 A-ㄱ, B-ㄴ 09 ② 10 ⑤ 11 ⑤ 12 해설 참조
13 해설 참조

01 제시된 그래프에서 수도권의 제조업 종사자 비중은 약 45%, 서비스업 종사자 비중은 약 53%이다. 따라서 수도권의 서비스업 종사자 집중도가 제조업 종사자 집중도보다 크다.

인구 집중	우리나라 전체 면적의 약 12%에 불과하지만, 전체 인구는 절반 정도를 차지함.
기능 집중	• 중앙 정부 기관, 대기업 본사, 언론사, 금융 기관 본점, 각종 문화 시설 집중 • 서비스업, 제조업의 집중으로 국내 총생산(GDP)의 절반 정도를 차지함.
교통망 집중	교통망이 서울 등 수도권을 중심으로 연결되어 있음.

02 수도권의 인구 비중은 지속적으로 커지고 있다. 서울은 1990년 이후 인구가 정체되어 있지만, 경기도가 수도권의 인구 증가를 주도하고 있다. 한편 수도권은 면적 대비 인구가 많아 인구 밀도가 높다. 수도권의 대학교 집중도는 34%, 미술관 집중도는 43%로, 수도권의 미술관 집중도가 더 높다.

03 수도권은 2차 산업 비중이 감소하는 탈공업화가 진행되었다. 3차 산업 비중이 가장 큰 B가 서울이고, 상대적으로 2차 산업 비중이 큰 A가 경기다. 인천은 서울(B)보다 2차 산업 종사자 비중이 2배 이상 높다.

병. A는 2차 산업 비중이 B보다 크므로 ~~서울이야.~~ ➡ 경기
정. B는 ~~1차 산업 비중이 가장 작으므로 경기야.~~
➡ 3차 산업 비중이 가장 크므로 서울이야.

04 (가)는 서울특별시, (나)는 인천광역시, (다)는 경기도이다. 서울은 제조업보다 서비스업의 종사자 수가 많고 비중도 큰 반면, 경기는 서비스업보다 제조업의 종사자 수가 많고 비중도 크다.

05 (가)는 제조업체 수가 감소하였으므로 서울, (나)는 서울의 제조업체가 이전하여 제조업체 수가 증가한 경기, (다)는 인천이다. 상대적으로 넓은 부지가 필요한 지식 기반 제조업은 경기에 분포하고, 고급 인력과 최신 정보 확보 및 관련 업체와의 협력을 필요로 하는 지식 기반 서비스업은 주로 서울에 분포한다. 서울은 직접 불이익으로 인한 탈공업화 현상이 나타나 제조업 사업체 수가 감소하였다.

ㄱ. ~~(가)~~에서는 상대적으로 넓은 부지를 구하기 쉬워 주로 지식 기반 제조업이 분포한다. ➡ (나)
ㄹ. ~~(나), (다)~~에서 탈공업화 현상이 나타나고 있다. ➡ (가)

06 수도권 정비 계획은 서울 의존적 공간 구조를 개조하기 위해 서울 주변에 복수의 중심 도시들을 육성하는 것이다. 이는 서울 중심의 단핵 구조를 다핵 구조로 바꾸는 계획에 해당한다.

07 (가)는 영서 지방, (나)는 영동 지방이다. 여름철 남풍 계열의 기류가 태백산맥과 만나 영서 지방에 지형성 강수를 내리며, 영서 지방과 영동 지방의 경계가 되는 태백산맥의 영향으로 두 지역 간에는 자연환경과 인문 환경의 차이가 나타난다.

ㄱ. (가) 지방은 (나) 지방보다 경기 지방과의 교류가 ~~적은~~ 편이다. ➡ 많은
ㄹ. ~~(가)~~ 지방은 수산물을 이용한 음식이, ~~(나)~~ 지방은 감자, 메밀 등을 이용한 음식이 주로 발달한다. ➡ (나), (가)

08 A는 홍천, B는 강릉이다. 내륙에 위치한 홍천은 해안에 위치한 강릉보다 기온의 연교차가 크며, 여름철 강수 집중률이 높다. 한편 강릉은 겨울철 북동 기류의 유입으로 폭설이 내려 겨울 강수량이 많은 편이다.

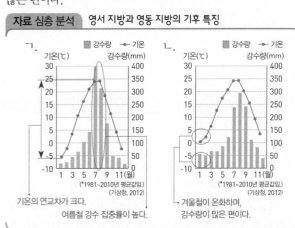

09 (가)는 영서 지방, (나)는 영동 지방이다. 영서 지방은 영동 지방에 비해 하천의 경사가 완만하고, 기온의 연교차가 크며, 고랭지 배추 생산량이 많다.

10 석탄 산업 합리화 정책과 에너지 소비 구조의 변화로 태백시의 많은 광산이 폐광되었다. 이에 따라 광업 중심의 산업 구조가 관광 관련 산업 등 3차 산업 중심으로 바뀌었으며, 태백시도 관광 산업을 활성화하기 위해 많은 노력을 기울이고 있다.

11 (가)는 2018 동계 올림픽이 열린 평창, (나)는 폐광된 광산을 이용한 석탄 박물관이 있는 태백, (다)는 축산물 지리적 표시제 1호인 '횡성 한우'로 유명한 횡성의 홍보 문구이다. A는 화천, B는 양양, C는 횡성, D는 평창, E는 태백이다.

12 (1) **답** (가) 서울, (나) 인천, (다) 경기도
(2) **모범 답안** 지식 기반 제조업은 상대적으로 넓은 부지를 필요로 하기 때문에 (다) 경기도에 분포하며, 지식 기반 서비스업은 고급 기술 인력 확보, 최신 정보 수집, 관련 업체와의 협력 등을 필요로 하기 때문에 (가) 서울에 집중적으로 분포한다.
만점 포인트 넓은 부지, 경기도, 고급 기술 인력, 최신 정보 수집, 관련 업체와의 협력, 서울

구분	채점 기준
상	(가) 지역에 지식 기반 서비스업이, (다) 지역에 지식 기반 제조업이 주로 분포하는 이유를 바르게 서술한 경우
중	(가) 지역에 지식 기반 서비스업이 주로 분포하는 이유와 (다) 지역에 지식 기반 제조업이 주로 분포하는 이유 중 한 가지만 서술한 경우
하	(가), (다) 지역에 주로 분포하는 산업만 구분하여 서술한 경우

13 (1) **답** B

(2) **모범 답안** B 지역(강릉)은 태백산맥이 찬 북서 계절풍을 막아주고, 수심이 깊은 동해의 영향으로 A 지역(홍천)에 비해 겨울 평균 기온이 높다.

만점 포인트 태백산맥, 북서 계절풍, 동해, 수심

구분	채점 기준
상	B 지역이 A 지역보다 겨울 평균 기온이 높은 이유를 두 가지 모두 바르게 서술한 경우
하	B 지역이 A 지역보다 겨울 평균 기온이 높은 이유를 한 가지만 서술한 경우

내신 1등급 139쪽

01 ⑤   **02** ⑤   **03** ②   **04** ③

---

01 제시된 그래프에 표시된 (가)는 1인당 지역 내 총생산이 가장 많고, 3차 산업 부가 가치 비중이 가장 크므로 서울이고, (나)는 2차 산업 부가 가치 비중이 가장 높으므로 경기, (다)는 인천에 해당한다. 세 지역 중에서 A와 B 간 전입·전출 인구가 많으며, B는 A에서 전입해 오는 인구보다 A로 전출하는 인구가 많으므로 B는 서울이고 A는 경기이다. 서울, 경기보다 전입·전출 인구수가 적은 C는 인천이다.

왜 틀렸을까? 선택지 뜯어 보기

① (가)는 (나)로 전출하는 인구보다 (나)에서 전입해 오는 인구가 더 많다.
② (다)의 교외화 현상으로 (나)로 인구가 유출되고 있다. ➡ (가)
③ (다)는 A와 같은 지역이다. ➡ C
④ A는 수도권 내에서 1인당 지역 내 총생산이 가장 많다. ➡ B

02 제3차 수도권 정비 계획에서는 그림에서 볼 수 있듯이 서울 중심의 도시 구조를 다핵 연계형 공간 구조로 전환하고 인천과 경기 지역에 10개 내외의 자립적 도시권을 형성하여 수도권의 균형 발전을 추구한다.

03 여름철에는 남풍 계열의 기류가 유입되어 영서 지방에 지형성 강수가 내린다.

04 A는 철원, B는 춘천, C는 양양, D는 평창, E는 원주이다. 철원(A)은 유동성이 큰 현무암질 용암의 열하 분출에 의해 형성된 용암 대지가 분포하며, 용암 대지를 지나는 협곡인 한탄강은 래프팅 장소로 유명하다. 춘천(B)은 강원도의 도청 소재지로, 수도권과 전철로 연결되어 있다. 또한 소양강과 북한강이 만나는 지점으로, 침식 분지가 발달되어 있다. 평창(D)은 2018년 동계 올림픽이 개최된 곳으로, 고위 평탄면에서 목축업과 고랭지 농업이 이루어진다. 원주(E)는 강원도에서 인구가 가장 많으며, 첨단 의료 기기 제조업이 발달해 있다. ③ 국토 정중앙 배꼽마을을 촬영할 수 있는 곳은 강원도 양구이다.

---

04 충청 지방과 호남 지방 ~ **05** 영남 지방과 제주도

개념 암기 141쪽

1 (1) X (2) ○ (3) X **2** (1) ㄷ (2) ㄱ (3) ㄴ **3** (1) 1차 산업
(2) 대불 (3) 남동 임해 **4** (1) ㉡ (2) ㉠ (3) ㉢ **5** (1) 화산, 해양성
(2) 용천대

내신 기출 142~146쪽

01 ①   **02** ③   **03** ①   **04** ②   **05** ①   **06** ④   **07** ④   **08** ⑤
09 ④   **10** ①   **11** ①   **12** ⑤   **13** ②   **14** ③   **15** ②   **16** ⑤
17 용천대   **18** ④   **19** ③   **20** 해설 참조   **21** 해설 참조

01 수도권의 집적 불이익과 수도권 공장 총량제의 시행 때문에 수도권의 공업 기능이 충청권으로 이전되고 있다. ㄷ, ㄹ. 수도권이 충청 지방보다 대소비 시장과 가깝고 고급 기술 인력이 풍부하다.

02 세 지역 중 대전은 사회 간접 자본 및 서비스업의 비중이 가장 크다. 충청남도는 최근 수도권으로부터 공업 이전이 활발하여 광업·제조업 비중 증가율이 높다. ③ 2014년 기준 대전과 충청북도는 2004년보다 사회 간접 자본 및 서비스업의 생산액은 증가하였지만, 충청남도는 사회 간접 자본 및 서비스업의 생산액 비중이 감소하였다.

03 수도권과 지리적으로 인접한 충청 지방의 서북부 지역은 수도권의 공업 기능이 이전해 오면서 남부 지역, 호남권 인접 지역보다 제조업이 더 발달하였다.

왜 틀렸을까? 선택지 뜯어 보기

ㄷ. 서해안 지역에는 첨단 산업, 내륙 지역에는 중화학 공업이 발달하였다.
ㄹ. 당진의 경우 지나가는 고속 국도의 수가 대전보다 많아서 특히 제조업이 발달하였다.
➡ 당진을 지나가는 고속 국도의 수는 대전보다 적다.

04 (가)는 아산, (나)는 충주, (다)는 진천·음성, (라)는 대전에 대한 설명이다. 진천·음성은 혁신 도시, 충주는 기업 도시이다. 천안과 아산 등은 수도권 전철의 연장 개통으로 수도권으로의 통근·통학 인구가 증가하였으며, 대전은 고속 국도 및 고속 철도가 지나가는 육상 교통의 요지이다. 지도의 A는 아산, B는 진천·음성, C는 충주, D는 대전이다.

만점 노트 충청 지방의 도시 성장

세종특별 자치시	수도권에 집중된 중앙 행정 기능 분담과 국토 균형 발전을 위해 출범
내포 신도시	충남 홍성군과 예산군 일대, 충청남도 도청·도의회 등 충청남도의 지방 행정 기능 이전
기업 도시	충주(지식 기반형 산업), 태안(관광 레저형 산업)
혁신 도시	진천·음성(정부 기관 이전, 산·학·연·관의 협력)

05 지도에 표시된 A는 내포 신도시, B는 세종특별자치시, C는 청주, D는 보은에 해당한다. 내포 신도시와 세종특별시는 행정 기능의 이전과 관련있다는 공통점이 있다. 지식 기반형 산업이 성장하는 기업 도시는 충주이고, 대규모 석유 화학 단지가 있어 제조업 출하액이 많은 곳은 대표적으로 서산을 들 수 있다.

06 호남 지방은 평야와 리아스 해안이 발달해 있어 벼농사나 양식업에 유리하며, 제시된 그래프에서 볼 수 있듯이 전국 평균과 비교하였을 때 1차 산업의 생산액 비중이 전국 평균보다 3배 가까이 크다. ④ 1990년 대비 2014년의 생산액 비중 증가율이 가장 높은 것은 2차 산업이다.

07 지도에 표시된 A는 군산, B는 김제, C는 광주, D는 보성에 해당한다. 군산(A)은 금강 하구에 위치하며, 새만금 간척지가 조성되어 있고 뜬다리 부두 시설이 있다. 김제(B)는 한반도의 곡창인 호남평야의 한복판에 위치했으며, 간척으로 농경지를 만들어 벼농사가 활발하다. 광주(C)는 1990년대 이후 친환경 녹색 산업의 일환으로 광 산업을 집중 육성하고 있다. ㄹ은 영광에 대한 설명이다. 보성은 지리적 표시제 1호인 '보성 녹차'로 유명하다.

08 (가)는 광양, (나)는 여수이다. 광양은 제철 공업이 발달하여 1차 금속, 여수는 석유 화학 공업이 발달하여 화학 물질 및 화학 제품 출하액의 비중이 크게 나타난다.

자료 심층 분석 호남 지방 주요 도시의 제조업 업종별 출하액 비중

ㄱ.
출하액 31.1조 원 (42.7%)
7.9 / 8.8 / 9.1 / 31.5
➡ 자동차 및 트레일러, 전기 전자의 비중이 높으므로 광주이다.

ㄴ.
출하액 16.7조 원 (35.8%)
16.0 / 12.0 / 12.0 / 24.2
➡ 자동차 및 트레일러, 1차 금속의 비중이 높으므로 군산이다.

ㄷ.
출하액 78.1조 원 (50.4%)
49.6
➡ 화학 물질 및 화학 제품(의약품 제외)의 비중이 가장 높으므로 여수이다.

ㄹ.
출하액 19.9조 원 (90.6%)
9.4
➡ 1차 금속의 비중이 가장 높으므로 광양이다.

■ 자동차 및 트레일러 ■ 1차 금속 ■ 식료품, 음료 ■ 화학 물질 및 화학 제품(의약품 제외)
■ 전기 전자 ■ 비금속 ■ 금속 기계 ■ 기타
(*사업체 수 2개 이하 산업은 기타로 분류함.)
(통계청, 2014)

09 (가)는 남원, (나)는 전주에 대한 내용이다. 지도의 A는 김제, B는 전주, C는 남원, D는 보성이다. 김제(A)는 간척지에서 벼농사가 발달하여 해마다 지평선 축제가 열리며, 보성(D)은 '보성 녹차'를 이용해 보성 다향 축제가 열린다.

10 A는 무주, B는 부안, C는 광주, D는 영암, E는 광양이다. 무주는 진안고원에 위치하여 여름철 서늘한 기후를 이용한 고랭지 농업이 이루어진다.

11 지도에 표시된 (가)는 호남 지방, (나)는 영남 지방이다. 호남 지방은 호남평야(김제·만경평야)와 나주평야 등 넓은 평야가 발달되어 있어 영남 지방에 비해 상대적으로 논 면적 비율이 높고, 영남 지방은 산지 비율이 높아 밭농사 비율이 높게 나타난다. 영남 지방은 우리나라 최대의 중화학 공업 지역인 남동 임해 공업 지역이 자리 잡고 있어 호남 지방에 비해 제조업 출하액이 많다. 호남 지방의 해안은 큰 조차, 리아스 해안, 다도해 등의 특징으로 어업이 발달한 반면, 영남 지방의 해안은 조차가 작고 수심이 깊어 물자 수송을 위한 대형 선박의 입·출항이 편리하여 대규모 항만이 발달해 있다. 따라서 호남 지방은 영남 지방보다 어업 가구 수가 많다.

12 제시된 그래프에서 영남 지방은 우리나라에서 공업 출하액이 가장 많으며, 수도권보다 사업체 수 비중은 작지만 출하액 비중은 크다. 따라서 영남권이 수도권보다 사업체당 출하액이 많다. ⑤ 생산자 서비스업은 인구와 각종 기능이 모여 있는 수도권에 더 집중되어 있다.

13 지도의 A는 구미, B는 포항, C는 울산, D는 창원, E는 부산이다. 포항(B)은 1970년대에 정부 주도의 중화학 공업 육성으로 제철소가 입지하면서 빠르게 성장하였다. ② 세계 문화유산으로 등재된 전통 마을(하회 마을)이 있고, 국제 탈춤 페스티벌이 열리는 곳은 안동이다.

14 (가)는 울산, (나)는 포항, (다)는 거제이다. A는 포항, B는 울산, C는 거제이다.

15 지도에 표시된 (가)는 영남 내륙 공업 지역, (나)는 남동 임해 공업 지역이다. 우리나라에서 조선 공업 생산액이 가장 많은 거제는 남동 임해 공업 지역에 포함되어 있으며, 영남 내륙 지역은 중화학 공업이 발달한 남동 임해 공업 지역보다 철광석과 원유 소비량이 적다.

만점 노트 영남 지방의 공업 지역

구분	영남 내륙 공업 지역		남동 임해 공업 지역			
대표 도시	대구	구미	울산	포항	창원	거제
주요 산업	섬유	전자	자동차, 석유 화학	제철	기계	조선
발달 배경	풍부한 노동력, 편리한 육상 교통		해안을 끼고 있어 원료의 수입과 제품의 수출에 유리			

16 용암동굴은 용암류 안쪽과 표면의 냉각 속도 차이에 의해 형성되었다.

17 제주도는 절리가 발달한 현무암의 영향으로 빗물이 지하로 스며들어 지표수가 부족하고, 지하수는 해안 지역에서 솟아나 용천하기 때문에 전통 취락은 용천대가 분포하는 해안 지역에 발달한다.

18 제주도는 인구가 적고 운송비에서 경쟁력이 떨어지기 때문에 다른 지역에 비해 2차 산업의 비중이 매우 작다. ㄹ. 제주도는 가공 무역이 발달하지 않았다.

19 제주도를 찾는 관광객은 꾸준히 증가하고 있으며, 마이스 산업 등 고부가 가치를 창출할 수 있는 관광 산업의 다변화가 나타나고 있다. ③ 내국인 관광객과 마찬가지로 최근 지속적으로 외국인 관광객이 증가하고 있다.

20 (1) **답** 내포 신도시

(2) **모범 답안** 세종특별자치시는 국토의 균형 발전을 위해 수도권의 행정 기능이 이전되었고, 내포 신도시는 충청남도의 균형 발전을 위해 상대적으로 낙후된 서북부 내륙 지역에 조성되어 충청남도의 행정 기능이 이전되었다.

만점 포인트 균형 발전, 행정 기능 이전

구분	채점 기준
상	'균형 발전'이라는 용어를 사용하여 궁극적인 목적을 서술한 경우
하	'균형 발전'이라는 용어는 사용하지 않고 행정 기능이 이전된 배경을 서술한 경우

21 (1) **답** (가) 영남 내륙 공업 지역, (나) 남동 임해 공업 지역

(2) **모범 답안** (가) 영남 내륙 공업 지역은 풍부한 노동력과 편리한 육상 교통을 바탕으로 공업이 입지하고 있다. (나) 남동 임해 공업 지역은 조차가 작고 수심이 깊어 원료의 수입과 제품 수출을 위한 항만 건설에 유리하기 때문에 다양한 공업이 입지하고 있다.

만점 포인트 노동력, 육상 교통, 조차, 수심, 항만

구분	채점 기준
상	(가), (나) 공업 지역의 입지 요인을 모두 바르게 서술한 경우
하	(가), (나) 공업 지역 중 한 지역의 입지 요인만 서술한 경우

내신 1등급   147쪽

01 ②	02 ⑤	03 ②	04 ①

01 A는 내포 신도시, B는 세종특별자치시, C는 진천·음성 혁신 도시, D는 충주 기업 도시이다. 내포 신도시로 이전되는 충청남도 도청은 충청남도의 지역 내 불균형을 해소하기 위함이며, 세종특별자치시는 행정 중심 복합 도시로 국토의 균형 발전을 목적으로 출범하였다.

ㄴ. A는 민간 주도로 조성되었으며, D는 기업 도시로 개발되고 있다.
　➡ 정부
ㄹ. C는 수도권 규제 완화 정책의 일환으로 조성되었다. ➡ 집중 억제

02 여수의 제조업 비중에서 절반을 차지하는 A는 석유 화학 공업(화학 물질 및 화학 제품)이고, 광양의 제조업 비중 대부분을 차지하는 B는 제철 공업(1차 금속)이다. 광주의 제조업 비중에서 가장 큰 비중을 차지하는 C는 자동차 공업(자동차 및 트레일러)이다. ⑤ 광양과 같은 우리나라 제철소에서 생산된 철강 제품은 조선 및 자동차 공업(C)의 원자재로 사용된다.

① A는 많은 부품을 필요로 하는 산업이다. ➡ C
② A의 원자재는 대부분 국내에서 생산된다. ➡ 수입
③ B의 출하액은 광주가 광양보다 많다. ➡ 적다.
④ C는 1960년대 수출 주력 산업이었다. ➡ 섬유 및 의류

03 A는 충남 태안, B는 충북 충주, C는 경북 문경, D는 경북 안동, E는 경북 경주이다. 태안에는 대규모의 화력 발전소가 있으며, 경북 문경은 폐광된 시설을 활용한 석탄 박물관이 있다. 충북 충주에는 충주댐, 경북 안동에는 안동댐이 있어 수력 발전이 이루어진다. 안동에는 하회 마을, 경주에는 양동 마을이 있어 세계 문화유산으로 지정되었다. ② 충청권에서 혁신 도시로 지정된 곳은 충북 진천·음성이다. 충주는 기업 도시이다.

04 한라산의 백록담은 화산이 폭발할 때 마그마가 분출구 가장자리에 높게 쌓여 굳게 되고, 그 화구에 물이 고여 형성된 화구호이다. 화구가 함몰된 곳에 물이 고여 형성된 칼데라호에는 백두산의 천지가 있다.

단원 마무리   148~152쪽

01 ④	02 ③	03 ①	04 ④	05 ③	06 ①	07 ③	08 ④
09 ④	10 ②	11 ①	12 ②	13 ⑤	14 ③	15 ⑤	16 ①
17 ④	18 ②	19 ③	20 ①	21 ②			

01 동질 지역은 특정한 지리적 현상이 동일하게 분포하는 공간적 범위를 말하며, 기능 지역은 중심지와 주변 지역이라는 기능적 결합을 통해 연결된 공간적 범위이다. 동질 지역보다 기능 지역이 계층 간의 구조를 설명하는 데 적합하며, 동질 지역과 기능 지역에서 모두 점이 지대가 나타날 수 있다.

02 지도의 지역 구분 유형은 동일한 방언을 사용하는 지역을 나타낸 것이므로 동질 지역에 해당한다.

03 (가)는 1월 평균 기온이 가장 낮으므로 중강진(A)이다. 중강진은 고위도의 내륙에 있어 최한월 평균 기온이 가장 낮고 연교차가 가장 크다. (다)는 세 지역 중 1월 평균 기온이 가장 높으며 겨울 강수량이 많으므로 원산(C)이다. 원산은 평양(B)과 위도는 비슷하지만 동해안에 위치해 최한월 평균 기온이 더 높다. 또한 원산은 북부 지방 최다우지로 북동 기류에 의해 겨울 강수량이 많다.

04 북한은 남한보다 도로 교통의 발달이 부진하여 철도에 대한 의존율이 높으며, 산업 구조가 낙후되어 있어 무역 상대국이 중국 등에 치우쳐 있다. 또한 북한은 농업 기술 수준이 낮고 기반 시설이 부족하여 농업 생산성이 낮다. ㄷ. 북한은 폐쇄 경제로 인해 에너지 자원을 수입하는 양이 적다. 대신 국내 매장량이 많은 무연탄과 수력에 대한 의존도가 높다.

05 1990년, 2010년 모두 3차 산업 생산액 비중이 큰 A가 남한, 3차 산업 비중이 작은 B가 북한이다. 남·북한 모두 2·3차 산업 생산액 비중을 합한 값이 커졌으므로 나머지 부분을 차지하는 1차 산업 생산액 비중은 감소하였다. 청장년층 비중이 낮을수록 총부양비는 높아지므로, 2010년 총부양비는 북한이 남한보다 높다.

06 (가)는 나선 경제특구, (나)는 금강산 관광 지구, (다)는 개성 공업 지구에 대한 설명이다. 따라서 남은 개방 지역은 신의주 특별 행정구(A)이다. 신의주와 인접한 황금평은 중국과의 공동 개발이 논의되었으나 추진되지 않고 있다.

07 북한은 도로 교통의 수송 기능이 미미하며, 철도 교통이 여객 수송의 60%, 화물 수송의 90%를 담당한다.

08 서울은 1990년대 이후 교외화 현상으로 전입보다 전출 인구가 많으므로, 지역 간 인구 순 이동에서 ㄱ, ㄷ으로 인구가 유출되는 ㄴ이 서울이다. 경기는 서울뿐만 아니라 수도권 이외 지역에서도 인구가 유입되고 있으므로 ㄷ이 경기, ㄱ이 인천이다. 수도권의 부문별 IT 사업체 수에서 IT 관련 제조업체 수가 많은 B가 경기, IT 관련 서비스업체 수가 많은 A가 서울, C는 중화학 공업 발달로 IT 산업이 크게 발달하지 않은 인천이다.

09 2·3차 산업 종사자 비율 및 총 종사자 수에서 총 종사자 수가 가장 적은 (나)는 인구 규모가 작은 인천이다. 3차 산업 종사자 비율이 가장 높은 (다)는 서울, (가)는 경기이다. A~C 업종별 사업체 수 비교에서 A는 서울에서 사업체 수가 가장 많으므로 전문 서비스업이다. B, C 중 서울에서 사업체 수 비중이 상대적으로 높은 C는 전자 관련 제조업이고, B는 자동차 및 트레일러 제조업이다. ④ 자동차 및 트레일러 제조업의 종사자 수는 영남권이 수도권보다 많다.

자료 심층 분석 　수도권의 지역별 산업

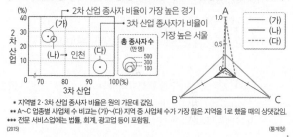

〈2·3차 산업 종사자 비율 및 총 종사자 수〉〈A~C 업종별 사업체 수 비교〉

* 지역별 2·3차 산업 종사자 비율은 원의 가운데 값임.
** A~C 업종별 사업체 수 비교는 (가)~(다) 지역 중 사업체 수가 가장 많은 지역을 1로 했을 때의 상댓값임.
*** 전문 서비스업에는 법률, 회계, 광고업 등이 포함됨.　　(통계청)
(2015)

10 지도에 표시된 A는 파주, B는 과천, C는 안산, D는 평택, E는 여주이다. 과천(B)은 정부 종합 청사가 위치한 행정 기능을 담당하는 위성 도시이다.

11 지도에 표시된 A는 파주, B는 철원, C는 화천, D는 인제, E는 고성이다. (가)는 판문점이 있는 경기도 파주, (나)는 한탄강 주변에 용암 대지가 넓게 있는 강원도 철원, (다)는 고산 습지와 감입 곡류 하천이 있는 강원도 인제이다. 강원도 화천은 추운 겨울과 얼음을 이용한 산천어 축제가 유명하며, 강원도 고성은 석호인 송지호와 각종 해수욕장으로 알려져 있다.

12 원주는 강원도에서 가장 공업이 발달한 지역이므로 (가)는 제조업이다. 춘천은 강원도의 도청 소재지라 공공 행정 종사자 비율이 높게 나타나므로 (나)는 공공 및 기타 행정이다. 원주, 춘천, 강릉은 강원도 내에서 인구가 가장 많은 도시들로, 소비자 서비스업은 인구 규모에 비례하여 분포하므로 (다)는 숙박 및 음식점업이다.

13 A는 춘천, B는 인제, C는 강릉, D는 태백, E는 원주이다. 원주는 강원도의 기업 도시이자 혁신 도시이며 의료 산업 클러스터를 통해 첨단 의료 기기 산업 도시로 도약하기 위해 노력하고 있다. ①은 강원도 남부(영월, 삼척), ②는 태백(D), ③은 경기도 안산, ④는 강원도 양구에 대한 탐구 주제로 적절하다.

14 (가)는 우리나라 시·도 중 유소년층 비중이 가장 크고, 청장년층의 인구 유입이 가장 활발한 세종, (나)는 촌락 지역이 많아 노년층 비중이 큰 충북·충남이다. 산업별 종사자 비중에서 (다)는 생산자 서비스업 종사자 비중이 높으므로 대덕 연구 단지가 있는 대전이다. 충북·충남은 대전, 세종보다 제조업 종사자 비중이 크다.
ㄴ. 대전의 유소년 부양비는 14.6/74.6×100, 세종의 유소년 부양비는 19.8/69.7×100이므로, 대전이 세종보다 유소년 부양비가 낮다. ㄷ. 세종의 노령화 지수는 10.5/19.8×100, 충북·충남의 노령화 지수는 15.6/14.3×100으로, 세종이 충북·충남보다 노령화 지수가 낮다.

14-1 모의고사 기출 틀린 선지 더 찾기   답 ①, ③
① (가)는 군 지역을 포함하여 노년층 비중이 크다. ➡ (나)
③ 대전은 세종보다 제조업 종사자 비중이 크다. ➡ 작다.

15 A는 당진, B는 보령, C는 세종, D는 충주, E는 단양이다. 단양(E)은 카르스트 지형이 발달하였다. 수도권과 전철로 연결되어 있는 지역은 천안과 아산이다.

16 (가)는 간척지로 넓은 농경지를 확보한 김제, (나)는 춘향전의 배경인 남원, (다)는 녹차로 유명한 보성이다. 지도의 A는 김제, B는 남원, C는 보성이다.

17 A는 보성, B는 광양, C는 사천, D는 고성, E는 김해이다. 고성(D)은 경상 누층군이 분포해 있어 공룡 발자국 화석이 많으며, 이를 활용해 공룡 엑스포 축제가 열린다. ①은 광양(B), ②는 순천, 보성, ③은 금강, 영산강, 낙동강 하구, ⑤는 울산, 부산, 진주, 광주·나주 등의 지역에 대한 탐구 학습 주제이다.

18 A는 경북 안동, B는 경북 김천, C는 전북 전주, D는 전남 함평, E는 전남 보성이다. ② 경북 김천에는 유네스코가 지정한 세계 유산이 없다. A~E 중에서 안동(A)의 하회 마을이 세계 문화유산에 등재되어 있다.

19 A는 안동, B는 구미, C는 창녕, D는 울산, E는 사천이다. 창녕(C) 우포늪은 국내 최대의 내륙 습지로 람사르 협약에 등록되어 있다.

20 (가)는 경기도, (나)는 전라북도, (다)는 제주도이다. A는 세 지역 중 경기도가 가장 높고 전북이 가장 낮은 지표로 '인구 밀도'가 적절하다. 경기도는 우리나라에서 인구가 가장 많고 인구 밀도도 가장 높은 도이다. B는 세 지역 중 전북이 가장 높고 제주도가 가장 낮은 지표이므로 '논 면적 비율'이 적절하다. 제주도는 기반암인 현무암의 영향으로 지표수가 부족해 총 경지 면적 중 대부분이 밭으로 이용된다.

20-1 모의고사 기출 틀린 선지 더 찾기   답 ①, ②
① (가)~(다) 중 전업 농가 비율은 (가)가 가장 높다. ➡ (나)
② (가)~(다) 중 제조업 종사자 비율은 (나)가 가장 낮다. ➡ (다)

21 취업자 수는 대체로 인구수에 비례한다. (가)는 1차 산업 취업자 수 비율이 가장 높으므로 촌락의 특성이 뚜렷한 경북이다. (나)는 취업자 수가 가장 적으므로 인구가 가장 적은 제주이다. 제주는 공업 발달이 미약하여 2차 산업 취업자 수 비율이 가장 낮다. (다)는 2차 산업 취업자 수 비율이 가장 높으므로 울산, (라)는 3차 산업 취업자 수 비율이 가장 높으므로 대전이다. ② 제주는 지표수 부족으로 수력 발전이 거의 이루어지지 않으며 원자력 발전도 이루어지지 않아, 화력 발전 비율이 높다. 경북은 울진, 경주에서 원자력 발전이 이루어지고, 낙동강 수계에서 수력 발전도 많이 이루어지는 편이다.

자료 심층 분석 대전, 경상북도, 울산, 제주의 산업 구조와 취업자 수

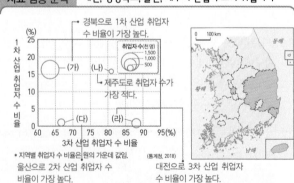

* 지역별 취업자 수 비율은 원의 가운데 값임. (통계청, 2018)

울산으로 2차 산업 취업자 수 비율이 가장 높다.

대전으로 3차 산업 취업자 수 비율이 가장 높다.

꼼꼼한 핵심 정리 기본서 셀파

고득점의 길로 안내하는
자기 주도 학습 파트너

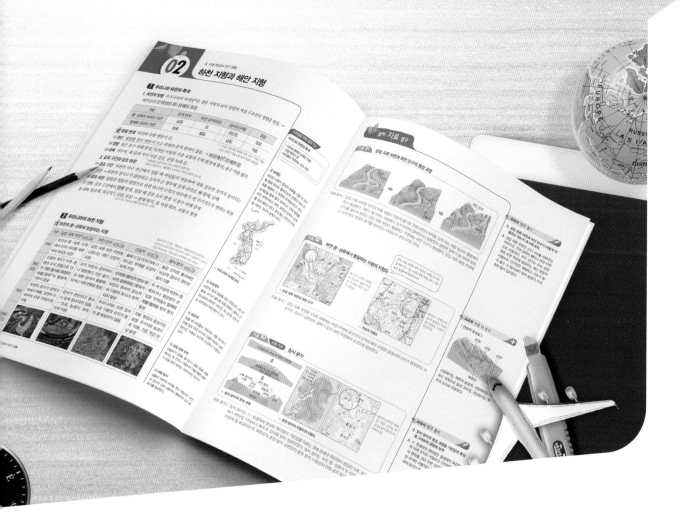

고등 **셀파**

친절한 개념 안내서, 든든한 시험 대비서
고등 셀파 사회탐구 시리즈

통합사회, 한국사, 생활과 윤리, 사회·문화, 한국지리, 동아시아사

■ 교과서를 완벽 분석해 물샐틈없이 개념 정리

■ 개념에서 문제 적응 훈련으로 이어지는 단계별 구성

■ 단원별 예상 문제로 시험 완벽 대비

정답과 해설

고등 한국지리

뻐근한 손목은 안녕~
손목 스트레칭

열심히 필기하다 보면 손목이 아플 때가 있어요.
처음에는 잠시 아프다 나아지지만
통증이 심해지면 손가락도 움직일 수 없을 정도라고 해요.
고생하는 손목을 스트레칭으로 충분히 풀어 주세요.

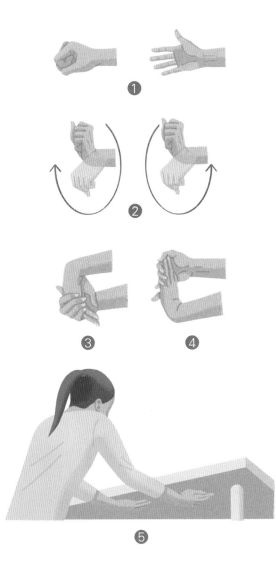

① 엄지손가락이 바깥으로 나오게 주먹을 쥔 다음 주먹을
　펼다 쥐기를 5~10회 반복해 주세요.

② 손목을 시계 방향, 시계 반대 방향으로 천천히 돌려 주세요.
　양손 각각 10회씩 반복합니다.

③ 팔을 쭉 뻗어 손바닥을 몸쪽으로 쭉 꺾어 줘요.
　한 번에 10초씩 유지해 주시고, 5번 반복해 주세요.

④ 이번엔 반대로 손등을 몸쪽으로 당겨 줍니다.
　10초간 유지해 주시고 5번 반복해 주세요.

⑤ 앉은 자세에서 손바닥과 손목으로 책상을 들어 올리듯
　힘을 주어 5초간 유지해 주세요!